KB104557

카차토를 쫓아서

GOING AFTER CACCIATO

카차토를 쫓아서
Going After Cacciato

장편소설

팀 오브라이언

이승학 옮김

섬과 달

카차토를 쫓아서

1판 1쇄 발행 2020년 11월 30일

지은이　　　팀 오브라이언
옮긴이　　　이승학
펴낸이　　　이승학
펴낸 곳　　　섬과 달

출판 등록　　2019년 6월 5일 제2019-000057호
주소　　　　(03360) 서울특별시 은평구 불광로 170, 101-1503
전화　　　　070-7333-7212
팩스　　　　02-6305-7212
전자우편　　isleandmoonpublisher@gmail.com
인스타그램　@isleandmoon

기획·편집　　이승학
디자인　　　이정하
제작　　　　영신사

ISBN　　　　979-11-968376-2-4 03840

상상할 수 있는 건 전부 진짜야.

차례

하나.   카차토를 쫓아서   17

둘.   관측소   55

셋.   파리로 가는 길   60

넷.   그들은 어떻게 조직되었나   69

다섯.   관측소   82

여섯.   파리로 가는 에움길   87

일곱.   파리로 가는 수렛길   96

여덟.   관측소   104

아홉.   프렌치 터커에 이어 버니 린은 어떻게 죽었나   107

열.   파리로 가는 길의 구멍   115

열하나.   불구멍   123

열둘.   관측소   127

열셋.   파리로 가는 길에 구멍에 빠져   130

열넷.   은성 무공훈장을 받을 뻔했던 일에 관하여   138

열다섯.   파리로 가는 땅굴   142

열여섯.   즉석 시합   155

열일곱.   파리로 가는 땅굴 끝의 빛   170

열여덟.   파리로 가는 길의 염불   178

열아홉.   관측소   188

스물.   브라보 착륙지대   191

스물하나.   파리로 가는 철도   201

스물둘.   그들은 누구였나 혹은 누구라고 주장되었나   212

스물셋.   파리로 가는 길의 도피   221

스물넷.   집으로 건 전화   231

스물다섯.   일상적인 방식   240

스물여섯.   파리로 가는 길의 휴양   252

스물일곱.   상상의 나래   262

스물여덟.   관측소   268

스물아홉.　파리로 가는 길의 참상　　　　　　270

서른.　　　관측소　　　　　　　　　　　　303

서른하나.　야간 행군　　　　　　　　　　　306

서른둘.　　관측소　　　　　　　　　　　　321

서른셋.　　파리로 가는 길에 법을 어기어　　323

서른넷.　　레이크 컨트리　　　　　　　　　338

서른다섯.　세계 제일의 레이크 컨트리　　　344

서른여섯.　상상의 나래　　　　　　　　　　350

서른일곱.　땅은 어떠했나　　　　　　　　　362

서른여덟.　파리로 줄행랑　　　　　　　　　368

서른아홉.　그들이 몰랐던 것　　　　　　　374

마흔.　　　상상의 연장　　　　　　　　　　390

마흔하나.　피격　　　　　　　　　　　　　400

마흔둘.　　관측소　　　　　　　　　　　　410

마흔셋.　파리의 평화　413

마흔넷.　파리로 가는 길의 끝　441

마흔다섯.　관측소　461

마흔여섯.　카차토를 쫓아서　463

후기　483

작가와의 대화　485

옮긴이의 말　490

이 책에 쏟아진 찬사　494

에릭 핸슨에게

군인들은 몽상가다.

-시그프리드 서순*

---

*   Siegfried Sassoon, 1886-1967. 제1차 세계대전 때 서부전선에 참전했던 유대
계 영국 시인. 부상의 경험 등을 바탕으로 전쟁의 참상을 사실적이고 박력 있
는 서정시로 읊은 반전 시인.

일러두기

1. 이 책은 팀 오브라이언의 『Going After Cacciato』(Delacorte Press, 1978)를 우리 말로 옮긴 것으로 Broadway Books의 판본(1999)을 번역 대본으로 삼았다. 「후기」 「작가와의 대화」 등 부록은 2014년 이후 출간된 판본에서 가져왔다.
2. 국립국어원의 어문규범을 따르되 용례가 없는 경우 관용적 표기를 따랐다.
3. 책·장편은 『 』로, 단편은 「 」로, 영화·음악·매체 등은 〈 〉로 묶었다.
4. 주석은 모두 옮긴이의 것으로 간단한 것은 본문에 소괄호로 달았고 긴 것은 각주로 내렸다.
5. 원서에서 이탤릭체로 강조한 부분은 굵은 고딕 글자로 바꿨다.

하나.
카차토를 쫓아서

　때가 좋지 않았다. 빌리 보이 왓킨스는 죽었고 프렌치 터커도 마찬가지였다. 겁에 질린 빌리 보이는 전장에서 죽도록 무서워하다 죽었고 프렌치 터커는 코를 관통당했다. 버니 린과 시드니 마틴 중위는 땅굴에서 죽었다. 피더슨도 죽었고 루디 채슬러도 죽었다. 버프도 죽었다. 레디 믹스도 죽었다. 그들은 모두 사망자에 속했다. 비는 대원들의 군화와 양말 속에서 자랄 곰팡이를 배양했고, 그들의 양말은 썩었고, 그들의 발은 하얗게 짓물러 손톱으로 살갗을 저밀 수 있었고, 스팅크 해리스는 어느 밤 혀에 거머리가 붙어 비명을 지르며 잠에서 깨어났다. 비가 내리지 않으면 낮은 안개가 논을 서성거리며 원소들을 회색의 단일한 원소로 뒤섞어버렸고, 그렇게 전쟁은 춥고 창백하고 부패했다. 시드니 마틴 중위를 대신하러 온 코슨 중위는 설사병에 걸렸다. 조명지뢰는 무용지물이었다. 탄약은 부식하고 참호는 밤중에 진흙과 물이 차올랐으며 아침이면 언제나 다음 마을이 기다리고 있었고 전쟁은 늘 한결같았다. 우기는 전쟁의 일부였다.

9월 초 보트는 전염병이 옮았다. 그는 오스카 존슨에게 총검의 예리한 날을 보여주고는 제 팔뚝을 삭 그어 물러진 살갗을 벗겨냈다. "질레트 블루 블레이드 같지," 보트는 의기양양하게 말했다. 피는 흐르지 않았지만 이틀 못 가 세균 침투로 팔뚝이 누레지는 바람에 그들은 그를 따뜻하게 싸매어 후송 헬기를 불러야 했고, 그렇게 보트는 전쟁을 떴다. 그는 결코 돌아오지 않았다. 나중에 그들은 일본을 연기 자욱하고 비탈뿐인 곳으로 묘사한 그의 편지를 받았지만, 거기 동봉된 스냅사진에서 보트는 두 허벅지 사이에 와인병을 세우고 잘 빠진 간호사 둘과 포즈를 잡은 모습이 충분히 행복해 보였다. 그가 팔을 잃었다는 건 충격이었다. 그 뒤 얼마 지나지 않아 벤 나이스트롬이 제 발에 총알을 관통시켰지만 죽지는 않았고 편지를 쓰지도 않았다. 이런 것들이 전부 농담거리였다. 비도 마찬가지였다. 추위도 마찬가지였다. 오스카 존슨은 날씨가 5월의 디트로이트를 생각나게 한다고 말했다. "절도할 날씨야," 그는 즐겨 말했다. "어둡고 음침하잖아, 강간하고 절도하는 데 딱이지." 그러면 누군가 오스카는 깜둥이치고 상상력이 풍부하다고 말했다.

그게 농담들 가운데 하나였다. 오스카에 관한 농담은 한 개였다. 빌리 보이 왓킨스, 녀석이 전장에서 겁에 질려 무너진 일에 관한 농담은 여러 개였다. 어떤 농담은 중위의 설사병에 관한 것이었고 어떤 농담은 폴 벌린의 보라색 쓸개즙에 관한 것이었다. 어떤 농담은 짐 피더슨이 가지고 다니던 엽서 속 예수 그림, 스팅크의 버짐, 사후 세계로 가득한 버프의 철모에 관한 것이었다. 농담들 가운데 몇은 카차토*에 관한 것이었다. 총알처럼 멍청해, 스팅크는 말했다. 한 달짜리 굴이 뀐 방귀**처럼 멍청하지, 해럴드 머피는 말했다.

10월 말이 가까울 무렵 카차토는 전쟁을 떴다.

"녀석이 사라졌어요," 닥 페럿이 말했다. "떨어져 나갔어요, 떠났습니다."

코슨 중위는 듣지 않는 것 같았다. 그는 중위로 있기에는 나이가 너무 많았다. 코와 양쪽 볼의 정맥이 헐었다. 허리도 부실했다. 그는 한때 소령 진급을 앞둔 대위였지만 한국과 베트남에서 보낸 지루한 14년과 위스키가 모든 걸 끝장냈고 이제는 그저 설사병에 시달리는 늙은 중위에 지나지 않았다.

그는 녹색 양말과 녹색 팬티 외에는 헐벗은 채 사원에 누워 있었다.

"카차토요," 닥이 반복했다. "그 아이가 우릴 떠났어요. 미지의 세계로 떨어져 나갔습니다."

중위는 일어앉지 않았다. 그는 한 손으로 배를 틀어쥐고 다른 손으로 붉은 담뱃불을 둘러막았다. 그의 두 눈 표면은 촉촉했다.

"파리로 떠났습니다," 닥이 말했다.

중위는 담뱃불을 입술에 가져다 댔다. 숨을 빤 그의 가슴은 움직임이 없었다. 손목에도 불룩한 배에도 생명의 징후가 없었다.

"파리로요," 닥 페럿이 반복했다. "녀석이 폴 벌린에게 그렇게 말했고 벌린이 제게 그렇게 말했고 저는 그대로 말씀드리는 거예요. 지휘 계통이라, 참 요긴한 수단이네요. 하여간 녀석은 틀림없이 떠

---

*   이탈리아어로 '쫓기다' '포획당하다' 등의 뜻.

**   굴은 방귀를 뀌듯이 정자를 배출한다. '굴 방귀'는 항문 성교에서 정액과 윤활유와 기체 등이 뒤섞여 분출되는 소리를 가리키는 속어이기도 하다.

났습니다. 짐을 싸서 제대한 거예요."

중위는 숨을 내뿜었다.

푸르스름한 화약 연기가 어둠 속에서 음악적인 한숨들을 자아내
며 불상의 진흙 발 밑 대좌를 한차례 휘돌았다. "아주 멋진데," 목소
리 하나가 말했다. 다른 누구는 한숨을 쉬었다. 중위가 눈을 껌뻑거
리다 콜록콜록하고 다 피운 꽁초를 오스카 존슨에게 건네자 그는 발
톱으로 꽁초를 비벼 껐다.

"빠아리?" 중위는 부드럽게 말했다. "즐거운 그 빠아리?"

닥이 고개를 끄덕였다. "녀석이 폴 벌린에게 그렇게 말했고 저는
그대로 말씀드리는 거예요. 은폐하셔야 합니다."

코슨 중위는 한숨을 내쉬고 격하게 숨을 들이켜더니 몸을 일으켜
스터노* 깡통 앞에 꼿꼿이 앉았다. 그는 스터노에 불을 붙여 불꽃을
두 손으로 감싸고는 몸을 수그려 열을 빨아들였다. 바깥은 꾸준하게
비가 내렸다. "자," 늙은이가 말했다. "이 문제를 해결해보자고." 그
는 불꽃을 뚫어지게 쳐다보았다. "요령은 일을 명확하게 따져보는
거야. 하나씩 하나씩. 빠아리라고 했지?"

"그렇습니다. 녀석이 폴 벌린에게 그렇게 말했고 저는 ──"

"벌린?"

"여기에 와 있습니다. 이 친구예요."

중위는 올려다보았다. 그의 눈은 밝은 파란색에다 촉촉했다.

폴 벌린은 웃는 시늉을 했다.

"이크."

"왜 그러십니까?"

"이런이런," 늙은이는 고개를 가로저으며 말했다. "난 네가 보트

인 줄 알았어."

"아닙니다."

"그 녀석이 너인 줄 알았고. 이거…… 괜찮나? 뒤죽박죽이 됐군그래. 괜찮아?"

"괜찮습니다."

중위는 안타까운 듯 고개를 가로저었다. 그는 타오르는 스터노* 위로 군화를 들고 말렸다. 그의 뒤쪽 그늘에서는 가부좌를 튼 부처가 돌로 된 높은 단상에서 미소를 짓고 있었다. 사원은 싸늘했다. 그곳은 한 달간 내린 비로 눅눅했고 진흙과 규산염과 마리화나와 오래된 향의 냄새가 났다. 그곳은 한 칸짜리 네모난 공간으로서 돌벽에다가 낮은 천장을 얹어 몸을 구부정하게 수그리거나 무릎을 꿇고 있어야 하는 사격진지** 같았다. 한때 그곳은 깔끔하게 타일을 붙이고 페인트를 칠한, 예불을 올리기에 훌륭한 건물이었으나 이제는 쓰레기였다. 창문은 모래주머니로 막혔다. 이 나간 받침대에는 깨진 도자기 조각이 널브러져 있었다. 부처는 오른팔이 실종됐지만 미소는 본래대로였다. 고개를 꼿꼿이 세운 불상은 중위의 긴 한숨에 흥미가 있어 보였다. "그래. 카차토 그 녀석이 사라졌군. 그렇다는 거지?"

"그겁니다," 닥이 말했다. "맞습니다."

폴 벌린은 고개를 끄덕였다.

"즐거운 빠아리에 간다. 내 말 맞아? 카차토가 프랑스 빠아리에 가겠다고 우리를 떠났다 이거잖아." 중위는 이 일을 심사숙고하는

---

*   Sterno. 깡통에 든 고체 연료와 간이 화로 상표로 보급품이다.
**   pillbox. '약통' '상자 모양의 마차'라는 뜻도 있다.

듯했다. 그러더니 그는 낄낄거렸다. "비는 아직이지?"

"지긋지긋합니다."

"이런 비는 본 적이 없어. 넌 있어? 그러니까 **이전에?**"

"처음입니다," 폴 벌린이 말했다. "어제 이후로는요."

"아무튼 내 생각엔 네가 카차토의 친구로군. 얘기가 그렇게 되지?"

"아닙니다," 폴 벌린이 말했다. "가끔씩 그가 붙어 다녔어요. 친구라니요."

"녀석의 친구는 누구지?"

"아무도 없어요. 어쩌면 보트일 거예요. 보트랑 친구처럼 지낸 것 같습니다, 가끔요."

"음," 중위는 웅얼거렸다. 그는 말을 끊더니 군화 한 짝에 코를 처박고 땀 흘리는 가죽을 킁킁거렸다. "음, 보트 씨를 여기 데려다 놓는 게 낫겠군. 그러면 이 난리를 바로잡아줄지 모르잖아."

"보트는 갔습니다. 녀석이 그 ――"

"자비로운 어머니시여."

닥은 코슨 중위의 어깨에 판초를 덮어주었다. 비는 천둥 없이 꾸준하게, 극적이지 않게 내렸다. 아침나절이었지만 영원한 어스름에 갇힌 기분이었다.

중위는 다른 짝 군화를 집어 들고 말리기 시작했다. 그는 한동안 말이 없었다. 그러다 불꽃 속에서 뭔가 재미있는 것을 본 듯 다시 낄낄거리며 눈을 껌뻑였다. "빠아리," 그는 말했다. "그러니까 카차토가 즐거운 **빠아리**로 떴다는 거구먼 ―― 헐벗은 놈들이랑 개구리들*이 깔린 데로, 브래지어만 걸치고 나와서 시사 풍자 하는 데." 그는 닥 페럿을 슬쩍 올려다보았다. "그 녀석은 뭐가 문제래?"

"그냥 멍청이예요. 녀석은 그냥 끔찍하게 멍청한 겁니다, 그게 다예요."

"더군다나 걸어서 가다니. 녀석이 즐거운 빠아리까지 걸어서 간다 이거지?"

"녀석의 주장이 그렇기는 한데요, 소대장님, 별로 믿을 만한 얘기는——"

"빠아리라니! 맙소사, 거기가 얼마나 먼지는 안대? 그러니까 그 녀석이 **알긴 알아?**"

폴 벌린은 웃음을 참느라 애썼다. "8600법정마일(약 1만 3840킬로미터)입니다. 저한테 그렇게 말했어요—— 정확히 8600마일이라고요. 꽤 잘 숙지하고 있던데요. 전투식량, 식수, 나침반, 지도 같은 거요."

"지도라," 중위가 말했다. "지도, 지리, 지랄." 그는 콜록거리다 침을 뱉고 씩 웃었다. "그래서 내 생각엔 녀석이 지도상에서 바다나 헤맬 것 같은데, 안 그래? 내 말 틀려?"

"어, 꼭 그렇지는 않아요," 폴 벌린이 말했다. 그가 처다보자 닥 페럿은 어깨를 으쓱했다. "그렇지 않습니다. 그가 알려준 방법이……보세요, 그가 말하길 라오스를 쭉 타고 올라가 버마에 들어서고, 그런 다음 이름을 까먹었는데 다른 몇 나라를 지나고, 그런 다음 인도와 이란과 터키를 지나고, 그런 다음 그리스를 지나면 나머지는 쉽다고 하던걸요. 계획을 전부 세워뒀더라고요."

---

*　　프랑스인을 가리키는 멸칭으로 개구리 먹는 관습을 비하하는 데서 온 말.

"다시 말해서," 중위가 입을 떼고는 머뭇거렸다. "다시 말해서 좆 같은 무단이탈*이라는 거네."

"그겁니다," 닥 페럿이 말했다. "바로 그거예요."

중위는 두 눈을 비볐다. 그의 얼굴은 땀이 흐르고 있었고 면도가 필요했다. 그는 얼마간 꼼짝 않고 누워서 배 위에 두 손을 올린 채 빗소리에 귀를 기울였고, 그러다 고개를 흔들며 웃음을 터뜨렸다. "이유가 뭐야? 얼른 말해봐. 빌어먹을 이유가 뭐냐니까?"

"진정하세요," 닥이 말했다. "진짜로 은폐하고 계셔야 돼요, 제가 말씀드린 대로요."

"이유가 뭐냐니까? 그거만 대답해봐. 이유가 뭐야?"

"쉬. 녀석은 멍청해요, 그게 답니다."

중위의 얼굴은 누렜다. 그는 몸을 모로 돌려 군화를 떨어뜨렸다. "그러니까 왜냐고? 이게 무슨 바보 같은 지랄이야 — 즐거운 빠아리 에 걸어서 가? 도대체 무슨 일이야? 얼른 말해봐, 너희 놈들한테 무 슨 문제 있어? 너희 전부 뭐가 문제야?"

"진정하세요."

"말해봐."

"침착해지셔야 돼요," 닥이 말했다. 그는 떨어진 판초를 주워서 털고 늙은이의 어깨에 둘러주었다.

"대답해봐. 이유가 뭐야? 너희 자식들은 뭐가 문제야? 즐거운 빠 아리에 걸어서 가다니, 뭐가 **문제**인데?"

"아무 문제도 없습니다. 우리야 모두 훌륭하죠. 우리 훌륭하지 않 아?"

어둠 속에서 건성으로 박수가 흘러나왔다.

"저거 보이시죠? 우린 모두 훌륭해요. 다 그 멍청이 카차토 때문이죠. 그게 전부예요."

중위는 웃었다. 그는 일어서지 않은 채 바지와 군화와 셔츠를 걸치고는 파란 스터노 불꽃 앞에서 오들오들 비참하게 몸을 떨었다. 사원에서 땅 냄새가 났다. 비는 끝이 없었다. "제기랄," 중위는 한숨을 쉬었다. 그는 지긋지긋하다는 듯 씩 웃으며 자꾸 고개를 가로저었고, 그러다 마침내 폴 벌린을 올려다보았다. "너 몇 분대지?"

"3분대입니다."

"카차토네 분대?"

"그렇습니다."

"또 누가 있더라?"

"저랑 닥이랑 에디 라추티랑 스팅크랑 오스카랑 해럴드 머피요. 네, 카차토 빼고요."

"피더슨은 어쩌고?"

"피더슨은 이제 우리 곁에 없습니다."

중위는 계속해서 몸을 오들오들 떨었다. 안색이 좋아 보이지 않았다. 불꽃이 사그라지자 그는 발께로 몸을 수그려 콜록거리다 침을 뱉고 발가락을 만졌다. "좋아," 그는 숨을 토했다. "3분대가 카차토를 쫓는다."

• • •

---

*   원문으로 무단이탈은 AWOL(absent without leave), 탈영은 desertion으로 전자는 한시적인 이탈, 후자는 영구한 도주를 뜻한다. 대략 한 달을 기준으로 이 둘을 구분한다.

산까지는 4킬로미터의 평평한 논이 이어졌다. 산들은 벼 위로 느닷없이 우뚝 솟았다. 저 산과 또 다른 산들을 넘어야 파리가 있었다. 봉우리들은 안개와 구름 때문에 보이지 않았다. 전쟁은 어디서든 습했다.

그들은 산기슭의 야영지에서 첫 밤, 길고 끔찍한 밤을 보내고 나서 이튿날 동틀 무렵 산을 타기 시작했다.

정오에 폴 벌린이 카차토를 발견했다. 그는 반 마일 앞에서 몸을 푹 수그린 채 가파른 비탈을 끈기 있게 오르고 있었다. 외롭고 지저분해 보이는 모습이었다. 의심할 여지 없이 카차토였다. 넓은 등짝에 대비되는 너무 짧은 다리, 분홍색으로 빛나는 정수리. 그를 발견한 건 폴 벌린이지만 말을 꺼낸 건 스팅크 해리스였다.

코슨 중위는 쌍안경을 꺼냈다.

"녀석입니까?"

중위는 카차토가 구름을 향해 오르는 모습을 지켜보았다.

"그 녀석입니까?"

"어, 맞아. 그래."

스팅크가 웃었다. "멍청이예요. 그렇지 않습니까? 딩크*처럼 멍청해요."

중위는 어깨를 으쓱했다. 그는 카차토가 더 높은 구름 속으로 사라질 때까지 지켜본 다음 뭔가 중얼거리더니 쌍안경을 치우고 그들에게 이동하라는 몸짓을 했다.

"바보짓이야," 오스카가 말했다. "영락없는 바보짓. 어리석은 바보짓."

그들은 오랜 관습을 유지하며 천천히 산을 올랐다. 스팅크가 선두, 그다음은 중위, 그다음은 에디와 오스카, 그다음은 해럴드 머피, 그다음은 닥 페럿. 대열의 꼬리에서는 상병(Spec-4)인 폴 벌린이 고개를 숙이고 걸었다. 그는 카차토에게 아무런 악감정이 없었다. 이 모든 게 미숙하고 멍청한, 어리석은 짓임은 당연했지만 그래도 그는 그 아이에게 반감이 없었다. 그냥 너무나 안쓰러웠다. 무한히 광범한 폐기물 가운데 끼어 있는 한 조각 쓰레기 같았다.

산을 오르면서 그는 카차토의 얼굴을 떠올리려고 애썼다. 아주 애를 썼지만 어렴풋한 모습만 떠올랐다. "몽골계야," 닥 페럿이 언젠가 말한 적 있었다. "그러니까, 자, 녀석의 얼굴을 가만히 뜯어봐. 눈꼬리가 올라갔지? 안짱다리에 머리는 벗어졌잖아? 유전성 탈모의 범위로 보건대 녀석이 몽고증**에서 떨어져 나왔다는 게 내 이론이야. 맞든 틀리든 반반이지만."

어쩌면 닥이 옳을지도 몰랐다. 카차토에게는 이상하게도 뭔가 미완성된 면이 있었다. 꾸밈없고 순진하고 포동포동한 얼굴, 카차토에게는 정교한 세부 사항들, 즉 열일곱 살 소년이 되면 흔적이 남게 마련인 여러 다듬어진 면과 마무리 손길이 결여돼 있었다. 그 결과물은 모호하고 무색에다 개성 없는 얼굴이었다. 그를 쳐다보았다 눈길을 돌리면 무엇을 봤는지 기억할 수 없었다. 결국에는 이것들이 전부 징글징글한 멍청함의 증거라고 스팅크는 말했다. 휘파람 불면서 경계 서기, 구강 세정제를 아끼겠다고 도로 병에다 뱉는 우습고 유치한 장난, 레이크 컨트리*** 상류에서 강꼬치고기 낚기. 이 모든 게

---

*   dink. 미군 은어로 베트남 사람을 뜻하는 멸칭.
**   Mongolian idiocy. 다운증후군.

대원들이 하룻강아지를 오냐오냐하듯 참아주는, 낯설고 소년 같은 천진난만함의 일부였다.

파리까지 짐을 짊어지는 것, 그것도 카차토가 감수해야 할 정신 나간 짓의 하나였다. 폴 벌린은 그 아이가 낡은 세계지도책을 몇 시간이나 들척이며 지도를 꼼꼼히 살피고 이상한 질문을 한 기억이 났다. 이 산은 얼마나 가파르고 이 강은 얼마나 넓고 이 정글은 얼마나 울창할까? 그냥 너무나 안쓰러웠다. 정말로 불쌍했다. 딩크의 앞니를 깨뜨려 청동 성장*을 받는 일처럼 불쌍했다. 어둠 속에서 휘파람 불기, 시도 때도 없이 휘파람 불기, 블랙 잭 껌 씹기, 시도 때도 없이 껌 씹고 휘파람 불고 하얗게 겁먹은 웃음 짓기. 어처구니없는 모습이었다. 심지어 상황이 좋을 때에도 맨 어처구니없는 모습이었는데 이제는 그 모습이 슬프기까지 했다. 저 일은 해낼 수 없는 일이었다. 그냥 가능하지 않은 일, 어처구니없고 슬픈 일.

비 때문에 산을 오르기가 힘들었다. 그들은 오후 늦게야 첫 산 정상에 닿았다.

적소에서 무전으로 좌표를 알린 뒤 그들은 정상을 따라 꽝웅아이 평원을 내려다보는 화강암 바위 무더기까지 이동했다. 아래로는 구름이 논과 전쟁을 숨기고 있었다. 위로는 더 많은 구름 속에 더 많은 산이 서 있었다.

카차토가 간밤을 보낸 장소, 즉 점판암이 지붕처럼 비죽 튀어나오

*** 호수로 유명한 캐나다 브리티시컬럼비아주의 동명의 지역을 가리키는 것은 아니다. 이에 얽힌 이야기는 뒤에 나온다.

고 바닥이 완만하게 꺼진 암반층을 발견한 건 에디 라추티였다. 안에는 돗자리처럼 한데 엉킨 풀 더미, 다 타버린 스터노 깡통 하나, 초콜릿 포장지 둘, 일부 불에 탄 지도가 있었다. 폴 벌린은 카차토의 지도책에서 본 지도임을 알아보았다.

"아늑하네," 스팅크가 말했다. "우리 비둘기가 묵기 딱 좋은 둥지네."

중위는 몸을 숙이고 지도를 살펴보았다. 늙은이가 집어 들자 바스러질 만큼 지도는 대부분 불에 탔지만 그래도 일부는 아직 알아볼 수 있었다. 논 지대를 가로질러 위쪽 안남산맥** 초입의 작은 산 몇 개를 통과하는 붉은 점선 하나가 왼쪽 구석에 그려져 있었다. 거기서 끝난 점선은 두 번째 지도에서 이어질 게 뻔했다.

코슨 중위는 지도가 찢어질까 봐 겁나는지 조심스럽게 잡았다. "불가능해," 그가 조용히 말했다.

"그러게요."

"절대적으로 불가능해."

그들은 카차토의 바위 동굴에서 휴식을 취했다. 각자 처박힌 대원들은 서쪽으로 이어진, 축축하게 마음을 적시는 산들을 말없이 내다보았다. 에디와 해럴드 머피는 전투식량을 따서 손가락으로 느릿느릿 집어 먹었다. 닥 페럿은 잠든 듯했다. 폴 벌린은 혼자서 솔리테어***를 한판 벌였다. 그들은 누구 하나 말없이 한참을 쉬었고, 그러

---

*   Bronze Star. 무공훈장.
**   Annamese Cordillera. 베트남과 라오스 국경을 따라 남북으로 뻗은 산맥.
***   혼자서 하는 카드놀이.

다 마침내 오스카 존슨이 재료가 든 쌈지를 꺼내 마리화나를 한 대 말아 빨더니 다른 사람들에게 넘겼다. 만물이 평화로웠다. 그들은 마리화나를 피우며 비와 구름과 야생을 내다보았다. 카차토의 굴은 아늑하고 건조했다.

의식이 끝나기 전까지 누구도 말이 없었다.

그 뒤 닥이 매우 조용하게 말했다. "어쩌면 우리 모두 그냥 돌아가야 되겠어. 중단 선언 하고."

"알았다, 오버," 머피가 말했다. 그는 빗속을 가만히 바라다보았다. "홀딱 젖고 추워지면 얼마나 어이없는 짓인지 그 녀석도 알게 되겠지. 돌아올 거야."

"당연하지."

"자, 어쩌세요?" 닥이 중위 쪽으로 몸을 돌렸다. "이만 짐을 싸는 게 어떻습니까? 돌아가서 실망스럽게 됐다고 보고하죠."

스팅크 해리스가 가볍게 킥킥거리는, 조롱이라고 할 수 없는 소리를 냈다.

"진지하게 드리는 말씀인데요," 닥이 말을 이었다. "그 녀석 내버려두죠…… 전투 중 실종, 어디로 샜다고 하고요. 조만간 녀석이 깨어나면 있잖습니까, 이게 얼마나 덜떨어진 일인지 알게 될 거고 게다가 ──"

중위는 빗속을 뚫어지게 쳐다보았다. 얼기설기한 파괴된 정맥들만 아니면 그는 누런 얼굴이었다.

"자, 어떡하시겠습니까? 녀석을 내버려둘까요?"

"돌만도 못한 멍청이," 스팅크가 낄낄거렸다. "프라이어 턱*만도 못한 멍청이."

"그래도 스팅크 해리스보다는 똑똑하지."

"그거 알아, 머피?"

"짜져 있어."

"하! 누가 할 소린데?"

"식초에 푹 짜져 있으라고," 해럴드 머피가 말했다. "그래야 한다는 건 알아."

스팅크는 또 한 번 낄낄거렸지만 입은 다물었다. 머피는 거구였다.

"이제 결정하셨습니까? 방향 돌릴까요?"

중위는 조용했다. 그는 마침내 몸을 떨더니 휴지 한 뭉치를 들고 빗속으로 슬금슬금 나갔다. 폴 벌린은 홀로 앉아 라스베이거스 방식으로 솔리테어를 했다. 딴 돈을 흥청망청 날리는 공상을 하면서였다. 여행, 호화로운 호텔, 여기저기 뿌려대는 팁. 하얀 테라스에 와인과 음악이 있고 분수가 색색의 물을 흩날리는. 공상은 그가 전쟁을 잊는 최고의 요령이었다.

중위가 돌아와 그들에게 짐을 챙기라고 말했다.

"돌아가나요?" 머피가 말했다.

중위는 고개를 가로저었다. 그는 아파 보였다.

"이럴 줄 알았지," 스팅크가 의기양양하게 말했다. "전쟁에서 어기적어기적 달아날 순 없어요, 안 그렇습니까? 집에 쉽게 돌아갈 수 없단 걸 그 바보한테 가르쳐줘야죠." 스팅크가 해럴드 머피를 보며 씩 웃고 눈썹을 튕겼다. "빌어먹을 전진, 그럼 그렇지."

---

* 가공의 인물. 로빈후드의 동료로 호방하고 싸움 좋아하는 성격의 수도사.

．．．

카차토는 두 번째 산 정상에 다다라 있었다. 벗어진 머리, 옆구리에 느슨하게 올린 두 손, 그는 안개와 가랑비가 뒤섞인 사이로 그들을 내려다보았다. 코슨 중위의 쌍안경이 그를 향했다.

"우리가 안 보이나 본데요," 오스카가 말했다. "길을 잃었는지도 몰라요."

늙은이는 아니라는 모호한 몸짓을 했다. "녀석은 우리가 보여. 아주 잘 보여."

"연막탄 터뜨립니까?"

"물어볼 거 있어? 당연하잖아, 얼른 고운 연기 좀 피워보지?" 오스카가 연막탄을 꺼내 안전핀을 뽑고 산길의 판판한 바윗덩어리 위에다 살짝 던지는 동안 중위는 쌍안경을 들여다보았다. 연막탄은 잠시쉭 하는 소리를 내다가 연보랏빛의 짙은 구름으로 부풀어 올랐다. "오, 그래, 녀석이 우리를 보는군. 잘 보고 있어."

"저 자식이 **팔을 흔드네요.**"

"그래? 그래, 나도 보여, 고마워."

"이제 어쩌실지 — ?"

"자비로운 어머니시여."

산 높은 곳에서 가랑비에 부분부분 가려진 모습으로 카차토가 그들을 향해 두 팔을 흔들고 있었다. 꼭 흔든다고 할 순 없었다. 두 팔은 퍼덕거리고 있었다.

"아프군," 중위는 중얼거렸다. 그는 앉아서 폴 벌린에게 쌍안경을 건넨 뒤 몸을 오들오들 떨기 시작했고, 그러는 사이 보라색 연기는 산비탈을 올랐다. "정말인데 나 아파, 아픈 사람이야."

"녀석한테 소리를 질러볼까요?"

"아프다니까," 중위는 앓는 소리를 냈다. 그는 몸을 계속 떨었다.

오스카는 손을 동그랗게 모아 외쳤고 폴 벌린은 쌍안경으로 주시했다. 카차토는 흔들던 팔을 멈췄다. 쌍안경을 통해 보는 그의 머리는 커다랬다. 그는 웃고 있었다. 카차토는 아무것도 가지고 있지 않다는 듯 매우 느리게, 신중하게 두 팔을 벌리면서 손바닥을 아래로 향하더니 팔을 날개처럼 활짝 열어젖혔다. 그 아이의 얼굴은 안개에 가렸다 나타났다 부예 보이기는 했지만 행복한 표정이었다. 그러다 그의 입이 벌어졌는데 그 순간 산에서 천둥이 쳤다.

"녀석이 뭐래?" 중위는 엉덩이를 붙이고 앉아 몸을 떨었다. 그는 덜덜 떨면서 제 몸에 팔을 두르고 있었다. "말해봐, 녀석이 뭐래?"

"알아들을 수가 없습니다. 오스카 ─?"

그러자 더 많은 천둥, 한참을 질질 끄는 천둥이 계속해서 들이닥쳤다.

"녀석이 뭐래?"

"소대장님, 저도 잘 ─"

"얼른 말해봐."

폴 벌린은 카차토의 입이 열렸다 닫혔다 열렸다 하는 모습을 주시했지만 천둥만 더욱 울려댔다. 두 팔은 이제 활짝 날갯짓하듯 더 빠르고 덜 신중하게 자꾸자꾸 퍼덕거렸다 ─ 날고 있어, 폴 벌린은 문득 깨달았다. 서툴고 미숙하지만 그래도 날고 있어.

"닭*이다!" 스팅크가 빽 소리를 질렀다. 그는 산 위쪽을 가리켰다.

---

*   '신참' '겁쟁이'라는 뜻도 있다.

"저거 봐! 녀석 보여?"

"자녀들의 어머니시여."

"저거 봐!"

"꼬꼬닭이야, 저거 보여? 닭이다!"

또 한 번 천둥이 쳤고 코슨 중위는 제 몸에 팔을 두른 채 오들오들 떨었다.

"얼른 말해봐," 그는 앓는 소리를 냈다. "얼른 말해봐, 녀석이 뭐래?"

폴 벌린은 알아들을 수 없었다. 하지만 넓은 날개와 함박웃음과 저 아이의 입술이 움직이는 모습은 보였다.

"말해보라니까."

그래서 카차토가 나는 모습을 지켜보던 폴 벌린은 그 말을 따라 했다. "잘 있어."

밤이 되자 비는 안개가 되었다. 그들은 두 번째 산 정상 부근에서 야영을 했고 안개와 천둥은 밤새 지속되었다. 중위는 토악질을 했다. 그러고 나서 자기가 적을 쫓고 있다고 나중에 무전으로 답신했다.

아득한 무전기 음성이 무장 헬기가 필요한지 물었다.

"무장 헬기 거부," 늙은 중위는 말했다.

"거부?" 무전기 음성이 실망한 소리를 냈다. "그렇다면 나름 괜찮은 대포가 있는데 그건 어떤가? 우리한테 ——"

"거부," 중위가 말했다. "대포 거부."

"이번 주에는 대포를 대폭 할인 중이다 —— 하나 값에 둘, 아무 조건 안 달고 품질보증까지. 최상품이고 아주 멋들어진 대포다. 자, 우리한테 끝내주는 155밀리 포탄이 한 보따리 아주 넘치게 있고, 그래서 얼른 다 써야 한다. 값을 낮추겠다."

"거부."

"흠, 이런." 무전기 음성이 멈칫했다. "알았다, 파파 둘-아홉*. 그렇다면 말인데, 그쪽 목소리가 마음에 든다. 조명탄을 열두 발 주겠다, 그건 어떤가? 놀라 자빠졌나? 안 자빠졌으면 열두 발 더 주겠다, 비용은 없다. 진짜 불꽃을 갈아 넣은 실제 포탄이다. 마감 할인 중, 이번 딱 한 번."

"거부라고. 거부, 거부, 거부."

"괜찮은 제품을 놓치는 거다, 둘-아홉."

"거부라고, 이 괴물아."

"나쁜 뜻은 없다 ——"

"거부라니까."

"그럼 뜻대로 하라." 무전기 음성이 끽끽거렸다. "즐거운 사냥을 빈다."

"고마워 죽겠군," 중위가 지글거리는 잡음에다가 말했다.

밤안개는 더 춥고 구슬퍼 비보다 끔찍했다. 그들은 그물처럼 안개를 붙들어 맨 듯한 축 처진 천막에 누웠다. 오스카와 해럴드 머피와 스팅크와 에디 라추티는 연인처럼 서로 뒤엉켜 어찌어찌 잠을 잤

다. 그들은 자도 자도 부족했다.

"녀석이 계속 나아갔으면 좋겠어," 폴 벌린이 닥 페럿에게 속삭였다. "내 바람은 그것뿐이야, 그냥 녀석이 나아갔으면 좋겠어. 녀석이 계속하기만 하면 우리가 못 잡을 텐데."

"물론이지."

"내 바람은 그것뿐이야."

"그러면 저들이 헬기로 쫓을걸. 비행기라든가."

"녀석이 길을 잃지 않으면 말이지," 폴 벌린이 말했다. 그의 눈은 감겨 있었다. "녀석이 숨지 않으면."

"맞아." 긴 침묵이 이어졌다. "지금 몇 시지?"

"2시 같은데?"

"몇 십니까, 소대장님?"

"아주 더럽게 늦은 시각," 중위가 덤불 속에서 말했다.

"그러지 말고 말씀을 ──"

"4시 정각. 공-사-공공. 이를테면 오전."

"감사합니다."

"별말씀을." 늙은이가 쭈그려 앉은 곳에서 은은하고 따뜻한 불빛이 빛났다. 잠시 후 그는 끙 하고 일어나 바지 단추를 채우고 천막으로 슬금슬금 기어들었다. 그는 담배에 불을 붙이고 한숨을 내뱉었다.

"좀 괜찮으십니까?"

"팔팔해. 날아갈 것처럼 안 보여?"

"난 그냥 카차토가 계속 나아갔으면 좋겠어," 폴 벌린은 속삭였다. "그게 전부야. 녀석이 머리를 굴려서 계속 나아갔으면 하는 거."

"그래봐야 아무 데도 못 가."

"어쩌면 파리에 갈지 모르잖아."

"어쩌면이라," 닥이 한숨을 내쉬며 옆으로 누웠다. "그래서 그 녀석이 지금 어딜 간다고?"

"파리."

"아니. 나도 모험깨나 좋아하는데, 여기선 파리에 갈 수 없어. 그냥 못 가."

"못 간다고?"

"절대로. 파리로 가는 길이 하나도 없거든."

중위는 담배를 다 피우고 반듯이 누웠다. 공기가 너무 무겁거나 걸쭉해 숨쉬기가 힘든지 그는 한참을 이쪽저쪽으로 쉬지 않고 뒤척였다.

"스터노 지펴야겠는데," 닥이 슬그머니 말했다. "나도 꽤 으슬으슬하네."

"안 돼."

"몇 분 정도는 괜찮잖아요."

"안 돼," 중위가 말했다. "아직 전쟁 중이야, 안 그래?"

"그렇죠."

"바로 그거야. 아직 소란스럽게 전쟁 중이라고."

천둥이 울렸다. 그러더니 저 밑 깊숙한 골짜기에 번개가 내렸고, 그러더니 더 많은 천둥, 그러더니 다시 비가 시작되었다.

그들은 말없이 누워 귀를 기울였다.

어디로 가는 걸까, 어디서 끝이 날까? 폴 벌린은 두 눈 사이로 문득 살인의 환영이 떠올랐다. 도살이나 다름없는 광경. 카차토의 오른쪽 관자놀이 침투, 정적, 무지막지 터져나가는 뇌. 이 생각에 그는 무서워졌다. 그는 일어앉아 담배를 찾았다. 그는 그 영상이 어쩌다 떠올랐는지 궁금했다. 헬륨 봉투처럼 폭발하는 카차토의 두개골. 탕. 논리회로 차단, 매우 간단한 일. 징글징글한 멍청함에 대한 책임을 모면할 수 있는 사람은 영원히 없다. 전쟁에서는. 탕, 끝은 늘 그거였다.

네가 뭘 어쩌겠어? 슬픈 일이었다. 슬픈 일이었고 아직도 전쟁 중이었다. 늙은이가 옳았다.

폴 벌린은 꼭두새벽의 물러진 마음으로 카차토에게 동정심을 느끼며, 저 자신을 동정하며 기적을 바라지 않을 수 없었다. 전부 정신 나간 생각인 건 당연하지만 그렇다고 불가능한 일은 아니었다. 수많은 정신 나간 일이 가능했다. 예를 들어 빌리 보이. 겁에 질려 죽은. 빌리와 시드니 마틴과 버프와 피더슨. 폴 벌린은 진절머리가 났다. 무서운 게 아니라——적어도 그 순간에는——두려움에 사로잡히거나 압도당하거나 짓밟히거나 무너진 게 아니라 그냥 진절머리가 났다. 그는 카차토가 하던 몇몇 얼빠진 짓을 떠올리며 웃음을 지었다. 멍청한 짓. 하지만 한편으론 용감한 짓.

"맞아, 그 녀석 그랬지," 그는 소곤거렸다. 정말이야. 맞아…….
그러다 그는 닥이 듣고 있음을 알아차렸다. "그러게. 그 녀석 아주 용감한 짓들을 좀 했어. 참호에서 여자 딩크 끌어내던 거 기억나?"

"그럼."

"그리고 그 꼬마 녀석 쏘던 거. 이가 다 덜덜 떨리던걸."

"기억나."

"녀석을 겁쟁이라 부르기는 뭐하지. 녀석이 무서워서 달아났다고

하긴 뭐해."

"그렇긴 해도 엉뚱한 짓도 많이 했잖아."

"맞아. 그래도 녀석이 용감하지 않다고 할 수는 없지. 그럴 수는."

닥은 쩍 하품을 했다. 그는 일어앉아 끈을 풀고 군화를 벗어 던지더니 배를 대고 다시 엎드렸다. 그의 옆에는 중위가 깊이 잠들어 있었다.

폴 벌린은 저도 모르게 씩 웃고 있음을 깨달았다. "궁금한 게 있는데…… 녀석이 프랑스어를 할 줄 알까? 그러니까 언어 말이야. 녀석이 프랑스어를 알까?"

"설마."

"그래. 그래도 생각해보면, 크, 그럴싸한 일이야, 안 그래? 파리에 입성하는 우리의 카차토. 그럴싸한 일이야."

"잠이나 자둬," 닥이 말했다. "잊지 마, 카우보이, 네가 생각할 건 네 건강이야. 너도 아주 멀쩡한 사람은 아니니까."

그들은 고지대에 있었다.

깨끗하고 높고 오염되지 않은 지대였다. 고요한 지대. 언덕이 자라 산이 되는, 골짜기가 산에서 뚝 떨어져 더 높은 산으로 우뚝 솟아오르는 복잡한 지대. 나무와 무성한 풀로 풍요로움과 평화로움이 감돌고 사람도 마을도 저지대의 고생도 없는, 전쟁에서 멀리 떨어진 지대. 덥수룩이 우거진 지대. 거대한 야자나무와 바나나무, 들꽃, 허리까지 자란 풀, 덩굴식물과 촉촉한 잡목과 맑은 공기가 있는 지대. 에디 라추티는 그곳을 타잔 지대라고 불렀다. 씩 하는 웃음과 함께 맨살의 가슴을 두드리며 에디는 요들을 하듯 울부짖었다.

그들은 고개를 숙이고 산을 탔다.

이틀, 사흘, 그렇게 그들은 하나밖에 없는 진흙 길을 따라 오르막을 탔다. 비는 대개 멎어 있었다. 습도 때문에 나뭇가지가 축 늘어진, 푹푹 찌고 우중충한 날들이었지만 가끔은 구름이 서쪽에서 전에 없던 광휘를 보여주곤 했다. 그래서 그들은 늙은이에게 휴식이 필요할 땐 멈추고 가장 후텁지근한 낮 시간엔 기세가 꺾이기를 기다리며 부단히 산을 탔다. 이따금 산길은 좁아들다가 잡초나 바위와 엉키며 끝나는 듯했는데, 그러면 그들은 부득이 넓게 오를 이루어 산길이 다시 나타날 때까지 조심조심 앞을 더듬었다.

대열의 끝에서 행군하던 폴 벌린에게 그것은 힘들긴 해도 싫은 일은 아니었다. 그는 고요가 좋았다. 그는 한 발 또 그다음 발 움직이는 느낌이 좋았다. 덤불 속에서 나는 잡음, 매복의 공포가 없었다. 하늘은 텅 비어 있었다. 그는 그것이 좋았다. 떠나기, 생각만 해도 아주 그럴싸한 일이었다. 언젠가 끝나야 할 일이기는 해도 어쩌면 영원히 계속될지 모른다는 공상의 즐거움이 있었다. 한 발 한 발, 1마일, 10마일, 200마일, 8000마일. 그게 정말로 그렇게 불가능한 일일까? 아니, 어쩌면 100만분의 1이라도 정말로 해낼 가능성은 있잖아? 그는 걷는 내내 이 생각에 매달려 승산을 따졌고, 카차토가 가파른 지대를 지나 더 깊숙한 산맥 너머로 저희를 이끄는 모습을, 그래서 마침내 모두가 파리에 다다르는 모습을 짐작해보았다. 그는 웃음을 지었다. 생각만 해도 그럴싸한 일이었다.

그들은 산길 옆 도랑에서 나흘째 밤을 보내고 이튿날 아침 서쪽으로 걸음을 계속했다. 카차토의 흔적은 없었다.

숨어 있는 작은 시내가 거의 그날 내내 산길과 나란히 흘렀다. 그들은 물소리를 듣고 물 냄새를 맡을 수는 있었지만 그것을 결코 보지는 못했다. 그래도 산을 오르면서 물이 빠르게 달리는 소리를 듣는 건, 냇물이 바위를 만나 부서지고 굽이치고 평탄한 데서 속력을 늦추고 깊은 못에 고꾸라지는 모습을 소리의 변화로 상상하는 건 마음을 달래주는 일이었다. 지금은 야생이었다. 다듬어지지 않은, 아름다운, 오래도록 지속될 지대. 만물은 초지일관 제멋대로 자랐고 언제나 다음 산이 기다리고 있었다.

낮에 두 번 짧고 격렬한 소나기가 내렸지만 이후 하늘이 걷혀 밝아지는 듯했고, 그래서 그들은 중단 없이 행군을 계속했다. 스팅크 해리스가 선두, 그다음이 중위, 그다음이 오스카, 그다음이 해럴드 머피와 에디, 그다음이 닥, 그다음이 꼬리를 맡은 폴 벌린. 에디는 행군하면서 가끔씩 노래를 불렀다. 듣기 좋은 풍성한 음색에 언제나 낯익은 노래였고 닥과 해럴드 머피는 종종 끼어들어 코러스를 거들었다. 폴 벌린은 묵묵히 산을 탔다. 해부학 강의 시간이었다. 꾸준히 작동하는 그의 다리, 발목과 엉덩이, 화창한 날씨 속에서 일하는 기분. 좋은 기분. 심장과 폐, 튼튼한 척추로 고지대 높이높이.

"어쩌면," 그는 소곤거렸다. "어쩌면 또 모를 일이야."

어스름이 내리기 한 시간 전, 오르막길은 왜소한 소나무 임지를 구불구불 통과하다 평탄해지더니 널따란 빈터로 나왔다. 오스카 존슨이 두 번째 지도를 발견했다.

붉은 점선은 라오스로 가는 국경선을 넘고 있었다.

그들은 전방 멀리서 카차토의 방탄조끼와 총검을, 그다음엔 탄낭을, 그다음엔 야전삽과 신분증을 발견했다.

"이유가 뭐지?" 중위가 중얼거렸다.

"네?"

"이유가 뭘까? 말해봐." 늙은이는 작은 소나무에 대고 말하고 있었다. "이 단서들은 뭐야? 녀석은 왜 그냥 뜨지 않았지? 우리를 따돌려야 할 거 아냐? 말해봐."

"돌대가리잖아요," 스팅크 해리스가 말했다. "그게 이유예요."

비와 진흙이 범벅된 물컹거리고 반짝반짝하는 혼합물, 산길은 그들을 더 높이 데려갔다. 주파수대역 이탈, 포탄 사정거리 초과.

카차토는 그들에게서 벗어났지만 행군의 부산물을 남겼다. 비어 있는 전투식량 깡통, 빵 조각, 황금색 탄피를 입은 총알이 매달린, 관목에 걸린 탄띠 하나, 물이 새는 수통, 사탕 포장지, 해진 밧줄. 그들더러 계속 나아가라는 암시였다. 산골짜기를 터덜터덜 헤매라고 그들을 자꾸 꼬드기는 암시. 그들은 한때 먼 언덕에서 카차토가 지핀 불을 보았다. 곧장 나아가면 국경이었다.

"멀리도 갔네," 엿새째 아침, 앞에 늘어선 다음번 산들을 가리키며 닥이 말했다. "저러고 사라졌으니 따라잡긴 글렀군. 국경에 닿으면 카차토는 안녕이지."

"거리가 얼만데?"

닥은 어깨를 으쓱했다. "6킬로미터, 8킬로미터. 멀진 않아."

"그럼 녀석이 해낸 거네," 폴 벌린이 말했다.

"어쩌면 그럴 거야."

"맙소사, 녀석이 해내다니!"

"어쩌면 말이야."

"맙소사! 막심*에서 점심 먹겠네!"

"그게 뭔데?"

"호화 식당. 우리 아버지도 거기서 한 번 드셨어…… 송로버섯을 수북하게 올린 저민 소고기에 토스트."

"어쩌면이라니까."

산길은 좁아지다 오르막이 되었고 반 시간 뒤에는 스팅크 해리스가 그를 발견했다.

그는 200미터 전방, 풀 덮인 아담한 언덕 꼭대기에 서 있었다. 카차토는 헐렁하게 풀어져서 웃음을 짓는 것이 벌써 민간인 티가 났다. 주머니에 넣은 두 손, 참을성 있고 조용하되 전혀 두려움 없는 모습. 그는 버스를 기다리는지도 몰랐다.

스팅크가 악을 쓰자 중위는 쌍안경을 들고 서둘러 앞을 보았다.

"잡았다!"

"저거저거 ─"

"잡았어!" 스팅크가 환호성을 지르며 껑충껑충 뛰었다. "그럼 그렇지, 저 바보가 안 멈추면 어쩔 건데. 이럴 줄 알았다니까!"

중위는 유리를 통해 빤히 바라보았다.

"한 발 당깁니까?" 스팅크는 소총을 들더니 중위의 말이 떨어지기도 전에 재빨리 두 발을 격발했고 그중 한 발인 예광탄이 코르크 따개처럼 회전하며 아침 안개를 갈랐다. 카차토는 팔을 흔들었다.

"어쭈, 이거 봐라 ─"

"개자식."

---

*   Maxim's. 1893년 처음 생긴, 아르누보 양식의 인테리어로 유명한 파리의 레스토랑. 20세기 중반에는 세계에서 가장 유명한 레스토랑으로 불렸다.

"정말 골칫거리네," 오스카 존슨이 말했다. "제가 확신하건대, 배심원석의 신사숙녀 여러분, 우리는 궁지에 몰렸습니다. 부디 헤아리시어 —"

"이동하자."

"진짜 궁지에 몰렸군."

스팅크 해리스가 선두에서 주절대며 걸음을 재촉하자 카차토는 팔을 흔들다 말고 느슨하게 팔짱을 끼더니 무언가에 귀를 기울이듯 커다란 머리를 옆으로 젖히고 그의 접근을 지켜보았다.

피하려는 기미는 없었다.

스팅크는 다리에 선이 걸려 비틀거리다 그것을 내려다보았다.

두 종류의 소리가 났다. 하나는 지퍼가 쫙 당겨지는 소리. 다음은 폭발음으로 스푼*이 떨어져 나가고 뇌관이 터지는 소리.

정적이 돌았다. 그러다 뭔가 떨어지는 소리가 났다. 그러고 쉭 소리가 났다.

일이 발생하는 순간 스팅크는 그게 뭔지 바로 알아차렸다. 그는 어기적거리는 하나의 동작으로 몸을 땅바닥 멀리 내던져 머리통을 감싸고 입을 벌리고 작고 시시한 악을 쓰며 굴렀다.

그들 모두 그게 뭔지 알아차렸다.

에디와 오스카와 닥 페럿은 납작 엎드렸다. 해럴드 머피는 덩치답지 않게 기이할 만큼 우아한 모습으로 몸을 접었다. 중위는 폭삭 무너졌다. 그리고 폴 벌린은 몸을 말고 쓰러져 두 무릎을 배에 갖다 붙이고 눈과 주먹과 입을 닫았다.

쉭 소리가 그의 머릿속에 들어왔다. 숫자 세, 그는 생각했다. 하지만 숫자들은 순서 없이 뒤엉켜서 왔다.

그는 배가 울렁거렸다. 시작은 배였다. 처음은 배, 창자 속 액체들의 방출, 엿 같은 기분, 온갖 진심 없는 말들과 저 자신을 위한 사소하고 부질없는 소망들의 배출. 공기에 흐름이 없었다. 그의 이는 고통스러웠다. 숫자 세, 그는 생각했다. 하지만 그의 이는 아팠고 숫자들은 마구잡이라 무의미했다.

처음은 배, 창자, 그다음은 폐. 그는 마음을 단단히 먹고 준비했다. 폭발은 없었다. 숫자 세, 그는 생각했다. 하지만 숫자들을 파악할 수 없었다. 머릿속은 온통 이빨 생각에다 폐가 아팠지만 폭발은 없었다. 연기, 그는 생각도 하기 전에 생각이 들었다. 연기.

그는 연기가 느껴지고 냄새가 풍겨도 숫자는 세지 못했다.

연기, 그는 말했다. "연기." 그러자 중위도 말했다. "연기로군." 중위는 툴툴거리고 있었다. "염병할 연막탄."

폴 벌린은 그 냄새를 맡았다. 그는 허벅지 사이에서 따뜻하고 축축한 게 느껴졌다. 그의 눈은 감겨 있었다. 연기. 그는 색깔들과 질감을 떠올렸다. 그는 눈을 뜨지 못했다. 애를 쓰는데도 그러지 못했다. 그는 주먹을 펴지도 다리를 풀지도 누수를 막지도 못했다. 그는 꼼짝하지도 달아나지도 못했다.

폭발은 없었다.

"연기야," 닥이 조용히 말했다. "꼴통 부비트랩이군."

빨간 연기였다. 메시지는 분명했다. 그들을 뒤덮은, 시큼한 맛이 나는 눈부신 빨강. 그는 이제야 다가오기 시작한 숫자들을 하나하나 셌다. 쉬운 일이었다. 빨간 연기는 페인트처럼 땅 위에 퍼졌고, 그러

---

*   수류탄의 레버를 뜻하는 미군 은어.

다 빨갛고 게으른 소용돌이가 되어 중력을 거슬러 올랐다.

그의 눈은 뜨여 있었다.

스팅크 해리스는 울부짖고 있었다. 그는 두 손과 두 무릎으로 땅을 짚고 턱을 목까지 끌어당긴 모습이었다. 오스카와 에디는 고대로 있던 참이었다.

"우리가 당했군," 중위는 저 혼자 창을 하고 있었다. 노망난 소리처럼 들렸다. "우릴 전부 잡을 수도 있었어, 그 녀석이."

"연기잖아요."

"우릴 전부 말이야. 그 멍청이가 ──"

"그냥 연기예요."

하지만 폴 벌린은 아직도 꼼짝하지 못했다. 그는 여러 목소리가 들렸다. 그는 스팅크가 산길에서 두 손과 두 무릎으로 땅을 짚고 우는 소리가 들렸고, 그가 보였고, 사방을 덮은 빨간 연기가 보였다. 그는 끊임없이 머릿속을 뛰어다니는 숫자들을 세면서도 몸은 꼼짝하지 못했다. 멍청이, 그는 숫자를 세면서 생각했다. 말문도 막히고 꼼짝도 못 하는 형편없는 얼간이.

우스꽝스럽게 식겁 놀라기나 하고. 바보 같아. 이건 고작 시작에 불과한 엄청난 바보.

그는 어디선가 누가 지켜보고 있음을 어렴풋이 알아차렸다. 그러다 날카롭게 알아차렸다. 그는 제 시력과 무관하게 왼쪽 어깨 너머로 시선이 느껴졌다. 진실의 순간 안쓰럽게 굳어버린 이 말문 막힌 바보를 보고 낄낄대는 백발의 어느 심술쟁이 영감. 그는 이가 아팠고 폐가 욱신거렸다. 그는 누가 지켜보든 간에 변명을 하고 싶었지만 폐가 쑤셨고 입이 떨어지지 않았다. 그는 숨을 쉬고 있지 않았다.

들숨? 날숨? 그는 궤도를 이탈한 상태였다.

이 등신, 그는 생각했다. 이 웃기고 자빠진 형편없는 얼간이.

"그 녀석 안 올 거야," 오스카 존슨이 백기를 들고 돌아오며 말했다. "정말이야, 내가 할 만큼 해봤는데 그 자식 도무지 냉정해지질 못해."

황혼 녘이었다. 일곱 명의 군인은 동그랗게 모여 앉았다.

오스카는 선글라스 뒤에서 말했다. "철저하게 냉정하질 못해. 뭐가 옳은 일인지 내가 다 말해줬는데도 그 자식은 그냥 포기하려 들질 않아. 그러질 않는다고. 내가 뭐라고 했느냐면…… 녀석한테 성가신 일이라고 했어. 너 보나 마나, 내가 말했어, 파멸로 향할 거다. 수리가 불가능할 정도로 박살이 날 거다. 결국에는 떡하니 군법회의에 회부될 거고 네 아버지가 사정을 들으면 변비에 걸릴 거다, 내가 분명히 얘기했다고. 전부 다. 내가 녀석한테 얘기했어, 이렇게, 네가 지금 당장 배를 포기하면 아주 가라앉을 일은 아마 없을 거다. **지금**, 내가 말했지. 그랬더니 어쨌는지 알아? 녀석이 웃음을 지어. 이렇게…… 그 인간이 웃더라니까. 영 냉정하질 못하더라고."

중위는 닥의 체온계를 입에 물고 엎드려 있었다. 이것은 그의 전쟁이 아니었다. 그의 팔뚝 살과 목살은 퇴화하는 근육을 감싸고 축 늘어져 있었다.

"내가 좋은 말은 다 늘어놨다니까. 있는 말 없는 말 전부, 하나부터 열까지."

"우리 식량이 바닥난 것도 얘기했어?"

"제길, 그럼, 그것도 얘기했지. 거기다 네가 계속하면 굶주려서 불쌍한 꼴이 될 거다 얘기했는데, 그랬더니 어쨌게 ── ?"

"세상의 빛이시여."

"맞아요, 바로 그거예요. 세상의 빛처럼 기쁜 얼굴."

"파리까지 걸어서 갈 수 없다고 말했어?"

오스카는 씩 웃었다. 그는 땅거미 속에서 식별이 안 될 만큼 피부
가 검었다. "음, 그 얘기는 깜빡한 것 같네. 상처에 소금을 뿌릴 순
없으니까."

"그 얘길 했어야지."

"그 녀석 그 정도로 멍청이는 아니야."

"그 얘길 했어야 돼."

"멍청하긴 해도 그 정도 멍청이는 아니라고."

코슨 중위는 손을 목 뒤로 슬며시 가져가더니 뻐근한지 목덜미를
주물렀다. "그 밖에는?" 그가 물었다. "그 밖에는 뭐래?"

"별말 없었습니다. 자기는 잘 지내고 있다던데요. 연막탄은 미안
하게 됐다고요."

"망할 새끼."

"진짜로 좆나게 미안하대요."

스팅크가 격하게 웃으면서 두 손으로 소총의 검정 개머리판을 자
꾸 문질렀다.

"그 밖에는?"

"아무 말도요," 오스카가 말했다. "녀석이 어떤지 아시잖아요. 맨
웃기만 하고 아주 상냥하죠. 녀석이 다들 어떻게 지내는지 묻길래
제가 우리는 연기 때문에 무서웠던 것 빼곤 잘 지낸다 그랬더니 녀
석이 그 일은 정말 미안하게 됐다고 해서 제가 괜찮다, 뭘 그러느냐

얘기했죠. 제 말씀은, 그런 놈하고 뭘 어쩌겠어요?"

중위는 여전히 목덜미를 주무르며 고개를 끄덕거렸다. 그는 잠시 말이 없었다. 그는 결심을 하는 듯했다. "좋아," 그는 마침내 한숨을 지으며 말했다. "녀석이 뭘 가지고 있었지?"

"네?"

"머스킷* 말이야," 중위가 말했다. "화력. 보급품."

오스카는 잠시 생각했다. "자기 소총이요. 그게 전부인 것 같습니다. 소총이랑 탄약 몇 발이요. 실은 별로 눈여겨보지 않았어요."

"클레이모어는?"

오스카는 고개를 가로저었다.

"수류탄은?"

"모르겠습니다. 아마 두어 개 있을 거예요."

"정찰 한번 끝내주게 하고 왔군, 오스카. 아주 장해."

"죄송합니다. 그 녀석이 바짝 경계하는 바람에요."

"나 아픈 사람이야."

"알겠습니다."

"커피처럼 속을 뒤집는군. 뭔 말인지 알아? 딱 커피 같다고. 뭐 처방 내릴 거 없어, 닥?"

닥 페럿이 고개를 가로저었다. "없습니다. 쉬세요."

"말 잘했군. 나한테 필요한 게 그야말로 휴식이지."

"녀석을 내버려두는 게 어떻습니까?"

"나 아주 아픈 사람이라고."

---

*   musketry. 조총, 화승총 등으로 이를테면 철 지난 구식 소총.

"그냥 가게 놔두죠."

"휴식," 중위는 말했다. "나한테는 그게 필요해."

폴 벌린은 잠들지 않았다. 그러는 대신 그는 어둠 속에서 비죽 솟은 카차토의 아담한 언덕을 바라보았다. 그는 적절한 결말을 떠올리느라 애썼다.

가능성들은 마감 떨이 중이었고, 따라서 그가 애를 써도 행복한 끝은 보기 어려웠다.

물론 불가능하지는 않았다. 아직도 해낼 가능성은 있었다. 여전히 카차토는 기량과 담력과 운의 도움으로 빠져나가 변경의 산맥 너머로 사라질지 몰랐다. 그는 그 모습을 그려보았다. 여러 새로운 장소. 밤중에 개들이 짖어대는 마을들, 느린 진화와 서구로의 역진화 속에서 눈과 피부가 변천하는 주민들, 꽃처럼 마음을 연 온갖 대륙, 파리로 이어지는 새로운 언어와 새로운 시절과 새로운 길. 그렇다, 그것은 가능한 일이었다.

그는 그 상상을 했다. 행군 중 닥칠 수많은 위험을 상상했다. 항시 도사리는 배반과 기만, 질병, 갈증, 웅크려 매복한 정글의 야수. 하지만, 그렇다, 그는 또한 앞으로 있을 좋은 시절을, 즉 짜릿한 고립을, 전에 없던 엄청난 고요를, 전에 없던 수척함과 지식과 지혜를 상상했다. 비는 멎을 것이다. 산길은 마를 것이고, 햇빛은 드러날 것이고, 그렇다, 변해가는 나뭇잎과 계절 그리고 침묵의 확장이 있을 것이고, 노래가, 짚을 인 오두막에서 잠든 귀여운 여자아이가 있을 것이고, 그러다 길이 끝나는 곳에 파리가 있을 것이다.

독극물 같은 승산이지만 해낼 수 있는 일이었다.

어쩌면 나도 시도했을까. 어쩌면 나도 용기를 내서 가담했을지 몰라, 그는 생각했지만 그게 바로 안타까운 점, 슬픈 점이었다. 어쩌면이라는 점.

그러고 어두워지자 비가 내렸다.

"무단이탈 가방이라니," 오스카가 제 판초 밑에서 속삭였다.

"그게 묘하다니까. 도대체 그 녀석 무단이탈 가방을 어디서 났을까?"

"네 상상이겠지," 다른 사람들보다 그윽한 에디의 목소리였다.

"아이, 아니야, 내가 봤어."

"봤다는 건 네 얘기지."

"내가 봤어. 검정 비닐에 하얀 바늘땀. 난 진실을 말해, 내가 봤어."

조용히 두드리는 비. 밤중에 자세를 바꾸는 소리, 뒤척이는 남자들.

그러다 의심을 하는 에디의 목소리. "아무도 안 그래. C조차도. 무단이탈할 때 누가 그런 가방을 써. 말도 안 되지."

"카차토한테 가서 따져."

"말도 **안 된다니까.**"

그러고 나서 마치 가면을 벗은 것처럼 비가 그치며 하늘이 개었고 폴 벌린은 별을 보며 잠을 깼다.

별들은 익숙한 곳에 있었다. 날은 그렇게 춥지 않았다. 그는 누운 채로 별을 세며 자기가 아는 것들의 이름, 즉 별자리 이름과 달의 골짜기 이름을 댔다. 아버지한테서 배운 이름들이었다. 길잡이야, 언젠가 아버지가 디모인강에서, 아니 어쩌면 위스콘신에서 말해준 적 있었다. 어디든 간에 ── 길잡이야, 네가 세상 어디에 있든, 어디서든, 저 위치만 알면 별을 더듬어볼 수 있고 위도와 경도로 바꾸어 생각할 수 있어, 아버지는 말했다. 그저 너무나 안쓰러운 일이었다. 멍청하고 정신 나가고 이제는 매우 슬프기까지 한 일. 그는 계속 나아갔어야 했다. 산길을 이탈하고, 철벅철벅 냇물을 건너 흔적을 씻어내고, 배설물을 묻고, 이 나뭇가지 저 나뭇가지 옮겨 다녔어야 했다. 낮에는 내리 잠자고 밤에는 내리 달렸어야 했다. 어쩌면 해냈을지 모를 일이니까.

동틀 무렵 그의 눈에 카차토가 지핀 아침밥 모닥불이 보였다. 그것은 풀 덮인 언덕에 마음 뒤숭숭해지는 특성을 부여했고, 그래서 슬픔도 지속되는 듯했다.

다른 사람들은 떼로 기상했다. 그들은 차가운 전투식량을 먹고, 짐을 챙기고, 하늘이 여기저기서 스스로 밝아지는 모습을 지켜보았다. 스팅크가 소총 안전장치를 만지작거리며 아침 귀뚜라미 같은 딸깍딸깍 소리를 냈다.

"시작하지," 중위가 말했다.

그러자 에디와 오스카와 해럴드 머피가 남쪽으로 살금살금 접근했다. 닥과 중위는 5분간 기다렸다가 퇴로를 막고자 서쪽을 에워싸기 시작했다. 스팅크 해리스와 폴 벌린은 제자리를 지켰다.

기다리는 동안 법에 어긋나지 않되 행복한 결말을 상상하던 폴 벌린은 자기가, 이를테면 소원을 빌듯이, 머잖아 전쟁이 지지부진한 상태를 뛰어넘어 절정에 다다를 거라고 공상하고 있음을 깨달았다. 그가 두려워하지 않아도 되는 지점. 모든 안 좋은 것, 고통스럽고 기괴하고 추한 것이 그보다 나은 것에 자리를 내주는 지점. 그는 자기가 그 임계점을 넘는 공상을 했다.

그는 꿈을 꾸거나 말도 안 되는 상상을 하는 게 아니었다. 그저 공상에 젖어 있었다. 그렇게 되면 어떨지 헤아려보고 있었다.

하늘이 반쯤 밝았을 때 닥과 중위가 쏘아 올린 붉은 조명탄이 카차토의 풀 덮인 언덕 위로 줄무늬를 그리며 높이 치올라 거기 매달렸다가 기념행사의 시작을 알리는 별 모양의 축포처럼 터졌다. 카차토의 날, 1968년 10월 모일, 돼지해*.

언덕 남쪽 비탈의 나무들 속에서 오스카와 에디와 해럴드 머피가 자신의 도착을 알리는 붉은 조명탄을 각각 쏘아 올렸다.

스팅크는 서둘러 잡풀에 들어갔다가 바지 단추를 채우며 돌아왔다. 그는 매우 행복하게 들떠 있었다. 그는 능숙하게 소총 노리쇠를 잡아당겼다가 제자리로 착 돌려놓았다.

"쏴," 그가 말했다. "그러고 이동하자."

폴 벌린은 가방을 한참 만에 열었다.

하지만 그는 결국 조명탄을 꺼내 덮개를 돌려 열고 공이를 금속 받침에 댄 다음 세게 내리쳐야 했다.

조명탄은 그에게서 멀리 뛰어올랐다. 그것은 높고 빠르게 급상승해 산길의 경로를 따라 긴 호를 그리며 뒤쪽에 하얗고 지저분한 항

---

*　당시 우리나라는 원숭이띠. 십이지에 포함되는 동물과 그 순서는 나라마다 다르다.

적을 달고 누그러졌다.

정점에 도달한 조명탄은 카차토의 언덕 위에서 거의 소리 없이 터져 초록으로 환하게 빛났다. 우아하고 찬란한 빛깔의 초록이었다.

"가," 폴 벌린은 속삭였다. 충분한 듯하지 않았다. "가," 그는 말했고, 그러다 소리를 질렀다. "어서 가!"

둘.
관측소

카차토의 둥근 얼굴은 달이 되었다. 골짜기와 능선과 빠르게 흘러가는 평지는 소멸하고 이제 달은 그냥 달이었다.

폴 벌린은 일어앉았다. 괜찮은 생각이야. 그는 기지개를 켜고 모래주머니 담장에 기대어 소총을 만지다가 활처럼 굽은 바탕안반도*를 휘감은 좁고 긴 해안을 가만히 바라다보았다. 주변이 캄캄했다. 그의 뒤에서 남중국해가 감시탑의 굵은 지주에 부딪쳐 흐느끼는 소리를 냈다. 그의 앞쪽 내륙에는 꽝응아이가 정면으로 자리하고 있었다.

그래, 괜찮은 생각이야, 그는 생각했다. 평화로운 마을, 라일락 향기와 삼 태우는 냄새가 풍기는 숲속 깊은 마을을 거쳐 서쪽으로 그들을 이끄는 카차토, 풍요롭고 비옥한 마을을 지나 파리로 한 발 한

---

* 정확히는 바랑안반도라고 부른다. 바랑안반도는 꽝응아이성에 있으며 쭈라이 남쪽 32킬로미터쯤에 위치.

발 그들을 꼬드기는 소년.

멋진 생각이었다.

더 오래 살 가치가 있는 목표를 세우기에 충분할 만큼 오래 사는 것이 유일한 목표인 폴 벌린은 바닷가의 감시탑에 우뚝 서서, 제 주변을 온통 부드러운 밤으로 감싼 채, 처음도 아니면서 제 헤아릴 수 없는 상상력에 감탄했다. 정말 대단한 생각이었다. 꿈이 아니라 생각. 발전시켜야 할 생각, 보강하고 짓고 지속해야 할 생각, 예술가가 자신만의 시야를 끌어내듯 끌어내야 할 생각.

그것은 꿈이 아니었다. 불가사의할 것도 없고 정신 나가지도 않은 그냥 생각이었다. 그저 가능성이었다. 돌처럼 무거운 발길을 힘겹게 뒤로 돌려 다리가 뻣뻣하게 굳어가면서 6000마일, 7000마일, 8000마일 펼쳐지는 마을들을 지나 파리로. 정말 멋진 생각이었다.

그는 시계를 들여다보았다. 자정도 되기 전이었다.

그는 감시탑 북쪽 담장에 얼마간 조용히 서서, 톱니 같은 해안을 바다로 뾰족하게 내뻗어 폭풍 때 자연제방 역할을 하는 곳을 살폈다. 밤은 고요했다. 저 아래 모래사장에서는 친친 감긴 철조망이, 이쪽을 전쟁의 나머지 쪽과 가르는 방어선 안에 자리한 감시탑을 에워싸고 있었다. 조명지뢰는 바닥났다. 사물들은 제자리에 있었다. 그의 곁에는 해럴드 머피의 가득 장전된 기관총이 대기 중이었고 담장 위에는 열두 개의 신호탄이 죽 늘어서 있었고 무전기는 작동했고 해변에는 지뢰가 매설돼 있었고 감시탑은 그 자체로 높고 튼튼한 요새였다. 바다는 그의 뒤를 지켜주었다. 달은 빛을 비춰주었다. 괜찮을 거야, 그는 제게 말했다. 그는 안전했다.

그는 담배에 불을 붙이고 서쪽 담장으로 이동했다.

닥과 에디와 오스카와 그 밖의 사람들이 평화롭게 잠들어 있었다. 밤은 평화로웠다. 여러 가능성을 헤아려볼 시간이었다.

조명탄이 아침 하늘을 채색한 카차토의 풀 덮인 언덕에서 그 일이 끝났다면 어땠을까? 비극으로 끝났다면? 퍅, 바들바들 — 소음과 혼란으로 끝났다면? 혹은 산길을 따라 서쪽으로 더 멀리 가서 끝났다면? 어쨌든 끝이 났다면? 카차토는 사실상 어떻게 되었을까? 좀 더 엄밀히 말해 — 닥 페럿이 고집하던 표현이었다 — 좀 더 엄밀히 말해 어디까지가 사실이고 어디까지가 사실의 확장일까? 그리고 사실과 가능성은 어떻게 구분될까? 무엇이 진짜 벌어진 일이고 무엇이 그저 벌어졌을지 모를 일일까? 그 일이 어떻게 끝났더라?

요령은 두말할 것 없이 주의 깊게 찬찬히 생각해보는 것이었다. 그것은 닥의 조언이었다 — 동기를 찾아라, 사실이 물러나고 상상이 들어앉는 곳을 살펴라. 중요한 질문을 던져라. 카차토는 왜 전쟁을 떴을까? 그것은 용기일까 무지일까 아니면 둘 다일까? 용기와 무지를 겸비하는 게 과연 가능할까? 벌어진 일 혹은 벌어졌을지 모를 일로 카차토가 치를 대가는 얼마고 또 쓸개즙을 배출한 대가는 얼마일까?

그것은 닥의 이론이었다.

"너는 두려움의 쓸개즙이 넘쳐," 어느 날 오후 감시탑 아래서 닥이 말한 적 있었다. "우리 모두 이런 쓸개즙이 있긴 해 — 스팅크, 오스카, 전부 말이야 — 하지만 너는 그게 배에 한가득이란 말이지. 과잉생산이라고. 그래서 내 이론은 이래. 아무래도 이 쓸개즙이 네 현실감을 왜곡하고 있다. 이해돼? 아무래도 그게 네 근본적인 관점을 뒤죽박죽으로 만들고 그 결과 네가 가끔씩 혼란을 겪는다는 거야.

그게 다야."

쓸개즙이란 감정적으로 스트레스를 받을 때 나오는 일종의 샘 분비물이라고 닥은 설명을 이었다. 지극히 정상적인 거야. 아드레날린처럼 말이야, 닥은 말했다. 다만 쓸개즙은 순간적으로 에너지를 생산하는 게 아니라 달래는 역할을 하고, 뇌를 진정시키고, 몸을 무더지게 만들고, 두려움을 중화하지. 닥은 신체적인 증상을 열거했다. 극단적인 순간에 극단적인 무감각. 몽롱한 시야. 진짜 벌어진 일을 어쩌면 벌어졌을지 모를 일과 구별하는 정신 작용의 마비. 붕 뜬 느낌. 배출. 배 속의 해방감. 표류하는 느낌. 가벼운 머리.

"보통은," 닥은 말했다. "건강하다는 증거야. 하지만 네 경우에는 이 쓸개즙이…… 음, 과다해. 그게 새서 뇌를 감염시킨다고. 카차토일은 말이야 — 쓸개즙의 작용이야. 그게 네 온 조직에 흘러넘쳐서 머리로 들어가 현실을 개판으로 만들고 온갖 얼빠진 별별 것들이랑 같이 지지고 볶는다는 거지."

그래서 닥의 조언은 집중을 하라는 것이었다. 증상을 느낄 때 해결책은 집중이었다. 집중해, 닥은 말했다. 주변을 흐리멍덩하게 만드는 건 그냥 쓸개즙이고 분비샘의 속임수에 지나지 않는단 걸 네가 알아차릴 때까지.

바닷가의 감시탑에 높이 올라 밤을 마주하는 지금 폴 벌린은 집중했다.

밤은 움직임이 없었다. 저 아래 해변에서는 철조망이 달빛에 반짝거렸고 바다는 그의 뒤에서 온화한 소리를 냈다. 사내들은 열심히 밀도 높은 잠을 잤다. 가끔씩 누구 하나가 어둠 속에서 몸을 뒤척이긴 했지만 다들 깨지 않고 잤다. 오스카는 그물로 된 자기 해먹에서 잤다. 에디와 닥과 해럴드 머피는 감시탑 바닥에서 잤다. 스팅크 해리스와 중위는 등을 맞대고 나란히 잤다. 그들은 자도 자도 부족했다.

폴 벌린은 계속 경계를 섰다. 그는 오랫동안 멍하니 밤을, 내륙을 들여다보면서 물질적인 것들에 열심히 집중했다.

사실이었다, 그는 겁이 났다. 닥이 옳았다. 고요하고 움직임 없는 지금 이 밤에도 두려움은 이를테면 귀담아들으면 들리는 배경음처럼 거기 있었다. 사실이었다. 하지만 그렇다 한들 그걸 꿈꾸는 거라고 말하는 순간 닥은 이미 틀렸다. 쓸개즙이든 뭐든 그건 꿈을 꾸는 게 아니었다 ── 엄밀한 의미로는 공상도 아니었다. 그건 생각이었다. 가능성을 가지고 하는 작업이었다. 그건 꿈꾸는 것도 공상도 아니었다. 정신이 나간 것도 아니었다. 그들의 발에 잡히는 물집, 걸어서 건너야 할 냇물과 에워가야 할 늪, 서쪽 가는 길로 통하는 막다른 길. 그렇다, 그건 꿈을 꾸는 게 아니었다. 그건 질문을 던지는 방식이었다. 카차토는 어떻게 되었을까? 그는 어디로 갔고 왜 갔을까? 그의 동기는 무엇일까, 아니 그에게 동기가 있었을까, 그리고 동기가 중요했을까? 그는 어떤 요령으로 계속 나아갔을까? 그는 어떻게 그들에게서 달아났을까? 그는 어떻게 깊숙한 정글로 사라졌고 또 그들은 어떻게 정글을 가로질러 추적을 계속했을까? 무엇이 벌어진 일일까, 그리고 무엇이 벌어졌을지 모를 일일까?

셋.
파리로 가는 길

그렇다, 그들은 이제 정글에 있었다. 울창하고 물이 뚝뚝 떨어지는 정글. 감숭감숭한 가지를 늘어뜨린 석송, 녹색의 무성한 지붕을 드리운 나무들에 매달린 진녹색 바나나, 아치 모양의 숲에 스며드는 황록색과 청록색과 올리브 녹색과 은녹색의 빛. 정글이었다. 성장과 부패와 엽록소 냄새와 정글의 소리와 정글의 심연이 있는 정글. 콧노래 나오는 다정한 정글. 사방 천지에 신록 깊이 신록을 감춘 정글. 가려운 정글, 헤매는 정글. 식물학자들 정신병원이네, 닥은 말했다.

그들은 겹겹이 늘어선 양치식물과 관목과 덩굴을 헤치고 일렬종대로 좁은 길을 따라갔다. 공기가 무게를 띠었다. 여러 냄새가 한꺼번에 풍기되 끝 냄새는 썩은 내였다. 그들은 느릿느릿 나아갔다. 견디기 힘들 만큼 고된 행군이었다. 스팅크가 여전히 선두, 그다음은 에디, 그다음은 오스카와 중위, 그다음은 커다란 총을 안은 해럴드 머피, 그다음은 닥, 그다음은 꼬리에서 매 걸음 상상을 펼치는 폴 벌린 상병.

그들은 이틀간 나긋나긋한 정글을 통과한 참이었다. 카차토는 달아난 상태였다──풀 덮인 아담한 언덕에서 튀어 오른 올가미, 새벽 하늘의 조명탄, 하지만 올가미는 비어 있었다. 다 먹은 전투식량 깡통 몇 개, 허시 초콜릿 바 포장지 몇 개, 카차토의 인식표. 그게 전부였다. 그래서 그들은 다시 대열을 정비해 걸음을 서둘렀다. 그들은 마지막 산들을 넘었다. 그들은 완만하게 내리막을 이루고 좁아지다 서쪽의 정글로 구불구불 이어지는 하나뿐인 진흙 길을 나아갔다.

걸음은 지금도 한창이었다. 그들은 물을 마시거나 덩굴을 자르거나 중위에게 쉴 시간을 주느라 멈출 때 말고는 부단히 행군했다.

이른 오후, 감당할 수 없을 만큼 열기가 달아오르면 그들은 산길과 나란한 얕은 냇가에서 걸음을 멈추었다. 그들은 물을 마시고 수통을 채운 다음 군화를 벗고 냇물에 발을 담근 채 누웠다. 아무도 말이 없었다. 폴 벌린은 눈을 감고 시원한 콜라나 하나 있으면 좋겠다고 생각했다. 아니면 냉동고에서 꺼낸 얼음 한 통, 아니면 오렌지 한 개, 아니면…… 그는 관두자고 혼잣말을 했다. 그는 일어앉아 발의 물집을 살핀 다음 양말을 헹궜다.

"가시죠," 닥이 말했다. 그는 부드러운 말투로 중위에게 지도를 보여주었다. "이 고각선(高角線)들이 어디로 떨어지느냐면…… 여기 이 짧은 선들 보이세요? 저게 라오스예요. 1킬로미터 남았습니다."

중위는 고개를 끄덕였다. 그는 등을 붙이고 누워 나무 사이로 드러난 하늘 조각을 바라다보았다. 그는 멍한 듯했다.

"그런 다음 어쩌실 겁니까? 국경선에서요?"

늙은이는 한숨을 쉬며 눈을 감았다. 그는 한참을 가만히 누워 있었다.

"나도 몰라," 그는 느리게 말했다. "모르겠어. 우리가 하나 있던 다리를 이미 건넜는지도 모르지."

"돌아가요," 해럴드 머피가 말했다. 그는 제 기관총에 기대어 왼손으로 총열을 무심코 두드리고 있었다. 거구치고 그의 목소리는 꽤 높았다. "국경선이요, 우리가 발길을 돌릴 곳은 거기예요. 안 그렇습니까?"

코슨 중위는 대답하지 않았다. 그의 얼굴은 홍조를 띠었다. 광대뼈는 혹처럼 우뚝 솟아 마치 골절 뒤 적절한 치료를 받지 못한 것 같았다.

"안 그렇습니까?" 머피가 말했다. "그러니까 —— 아시겠지만 —— 국경선을 넘을 순 없잖아요, 안 그래요? 그게 ——" 그는 말끝을 흐지부지 내버려두었다.

"탈영이야," 중위가 말했다. "딱 그거잖아. 그건 탈영이야."

"한마디 하자면요," 해럴드 머피가 말했다. "저는 내키지가 않아요. 당장 엉덩이 돌려서 돌아갔으면 좋겠다고요. 녀석이 가든 말든 내버려두고요."

스팅크가 웃음을 터뜨렸다.

"그냥 내키지가 않아요."

그들은 10분을 더 쉬었다. 그리고 나서 중위는 말없이 일어나 군낭과 철모를 걸치더니 그들더러 앞장서라는 몸짓을 했다.

정글은 갈수록 울창해졌다. 분대는 오후 내내 바니안나무와 멀구슬나무, 여러 이름 모를 나무, 덩굴과 깊숙한 덤불, 푹신푹신한 지대를 헤치며 걸었다. 그들은 터벅터벅 느리고 고통스럽게 걸었고 가끔씩 스팅크나 에디가 정글도로 길을 트는 동안 행군을 멈추었다. 그들은 난도질을 했고 이따금은 기었다. 한 차례, 오후 늦게 길이 완전히 동나버렸다. 아주 끝나 있었다. 그들은 매몰찬 정글을 한 시간 가까이 교대로 마구 팼다. 힘들고 난감한 작업이었다. 정글도 손잡이가 반들반들해졌다. 뒤엉킨 덤불은 지렛대원리를 이용하거나 팔을 번쩍 휘두를 공간을 내주지 않았고 공기는 폴 벌린이 미처 몰랐던 어떤 더위로 무거웠다. 그는 숨을 다스렸다. 들이쉬기, 둘 셀 동안 참기, 정글도를 휘두름과 동시에 내쉬기, 휴식, 들이쉬기, 참기, 휘두르기. 20회 만에 그는 녹초가 되었다.

오스카 옆에 털썩 주저앉자 그는 수도꼭지를 튼 것처럼 땀이 몸에서 줄줄 새는 느낌이 들었다.

"가진 거 있음 피워," 오스카가 부드럽게 말했다. "뺄었어?"

폴 벌린은 고개를 끄덕였다. 그는 웃음을 지어 견딜 만하단 걸 보여주고 싶었다. 그는 에디가 정글도를 넘겨받아 정글을 난도질하는 모습을 지켜보았다.

"한마디만 할게," 오스카가 중얼거렸다. "카차토는 이 길로 안 갔을걸. 이 엿 같은 길로는."

"우리가 녀석을 놓친 거 같아?"

오스카는 어깨를 으쓱했다. "나는 본 것만 알고, 나한테 보이는 건 녀석이 여기 없었다는 거야. 그게 전부야." 그는 중위를 힐끗 쳐다보았다. "그리고 이것도 알지. 저 늙은이, 나가떨어지기 직전이야. 건강 상태가 안 좋아."

해럴드 머피가 신랄하게 야유하는 소리를 냈다. "그럼 돌아가야지," 그가 말했다. "당장, 돌아갈 수 있을 때."

오스카는 선글라스를 눈 쪽으로 바짝 밀었다. "우리는 할 일을 하는 거야," 그가 말했다. "생각은 필요 없어, 그냥 해."

그는 일어나 에디를 작업에서 해방시켜주러 건너갔다.

제대로 된 산길까지 길을 트는 데에는 반 시간도 더 걸렸다. 그들은 잠시 쉬면서 피로에 집중했고 그 뒤 다시 이동을 시작했다. 작살 난 양치식물과 버섯으로 통통 튀는 땅은 이제 축축하게 젖어 태고의 냄새를 풍겼고 주변은 여름 폭풍이 닥치기 전의 눅눅한 정적이 감돌았다. 더위가 겹겹이 닥쳤다. 젖을 빨듯이 생물한테서 수분을 뽑아내는 더위였고, 그들은 의무라서 움직이는 사람의 무겁고 마지못한 걸음으로 그 더위를 일렬종대로 뚫고 나아갔다.

어스름이 가까울 무렵 산길은 넓어지기 시작했다. 나무들은 듬성 듬성해졌고 산길은 빗골짜기로 빠지더니 얼마 지나지 않아 그들을 넓고 어두운 강에 데려다놓았다.

그들은 거기서 멈추었다.

"라오스다," 닥이 말했다. 그는 짐을 추키고 강 맞은편을 가리켰다. "저 너머요, 라오스예요."

그들은 그곳을 가만히 건너다보았다. 다를 것 없는 순 정글이었다. 나무들은 강 언저리까지 자랐는데 뿌리가 강기슭 아래 유속이 느린 강물까지 뱀처럼 뻗어 있었다. 매우 고요했다. 강은 흐름이 없어 연못 같았다. 어스름이 강물에 어둑한 갈색을 입혔다.

"다리가 없군," 마침내 중위가 말했다. 그는 다른 사람들과 조금 떨어져 서서는 무슨 결정을 내리려는 듯 눈을 껌뻑거렸다. 그러고 나서 그는 한숨을 쉬었다. "내 생각엔 그게 딱 하나 잘된 일 같은데. 건너고 나서 태워먹을 다리가 없잖아."

그들은 강을 건넜다.

중위가 먼저 건넜다. 그는 느린 강물에 발을 내딛고 잠깐 멈칫했다가 첨벙첨벙 나아가기 시작했다. 다른 이들도 뒤를 따랐다. 쉬운 일이었다. 그들은 무기를 높이 쳐들고 일렬종대로 첨벙첨벙 건넜다. 따뜻한 느낌의 통행로였다. 그들은 건너편에서 다시 대열을 정비했다.

"난 내키지 않는다니까," 해럴드 머피가 속삭였지만 이미 지난 일이었다.

그들은 엿새 동안 정글 속을 행군했다. 그들은 한 차례 버려진 마을을 빙 둘러 갔다. 그들은 한 차례 가느다랗고 해진 밧줄 다리를 건넜다. 그들은 한 차례 이른 오후 더위 속에서 고대 부족의 묘지를 가로질렀다. 하지만 끊임없이 나오는 열대우림에서는 중단이 없었다. 그리고 카차토의 흔적도 없었다.

그것은 일과였다. 그들은 동틀 때 기상해 용광로를 가동하는 듯한 무더운 오후 중반까지 행군을 했다. 그러고 나서 그들은 사소한 대화나 잠으로 무더운 시간을 흘려보내고 쉬었다. 나중에 그늘이 지기 시작하면 그들은 어스름이 내릴 때까지 행군을 재개했다. 피로가 그들 모두를 가혹하게 착취했다. 그래도 그런 기색을 드러내는 건 주로 중위뿐이었다. 일부는 나이, 일부는 설사병 탓이었다. 하지만 그 밖에 다른 이유도 있었다.

얕은 시내를 건너던 어느 오후 늙은이는 균형을 잃고 비틀거리다 뒤로 자빠졌다. 그는 거기 앉아서 차가운 물이 빠르게 돌진하는 모습을 지켜보았다. 그는 꼼짝하지 않았다. 그의 두 팔은 느리게, 한 쌍의 통나무처럼 냇물을 위아래로 까닥거렸다. 그는 그 팔들을 가만히 보았다. 그러고 나서 짐은 내려지고 소총은 가라앉고 그는 냇물을 부유했다.

닥과 에디가 그를 물에서 끄집어냈다.

그들은 그를 기슭에 기대어 앉힌 뒤 몸을 말리고 M-16과 군낭을 되찾아 왔다. 눈은 뜨여 있고 입술은 움직였지만 중위는 말이 없었다.

"병이야," 닥은 속삭였다. "늙은이가 병에 걸렸어."

그들은 거기서 밤을 보냈다. 중위가 잠들자 오스카가 모닥불 주위로 회의를 소집했다.

"민주주의 시간이야," 오스카가 느리게 말했다. 그는 선글라스를 벗어 동료들을 하나하나 살펴보고는 다시 걸쳤다. "결정의 시간. 우리 이 짓 계속할까 아니면 그만두기로 할까? 그게 안건이야."

스팅크가 눈썹을 튕기며 씩 웃었다. "발언하세요!"

"발언은 개나 줘. 우린 투표할 거야, 허튼소리 관두자고." 오스카의 얼굴은 단호했다. 그의 선글라스에서 모닥불이 빛났다. "닥이 말하길 소대장이 아마 일사병일 거래…… 아무튼 심각한 건 아니야. 열도 없고 설사병도 낫고 있어. 하지만 아직 완전히 쌩쌩한 상태는 아니야. 그러니까 그걸 고려해서 ——"

"돌아가야지," 해럴드 머피가 말했다. "나는 거기에 한 표. 내 말은, 지금 돌아가자고."

"오늘 밤?" 에디가 말했다.

"지금."

오스카는 그 말을 무시했다. 그는 한 손을 들어 정숙을 요구했다. "한편으로," 그가 느리게 말했다. "우리는 고려해야 할 어떤 책임이 있어. 카차토 잡는 거…… 그걸 고려해야 돼. 임무는 ── "

해럴드 머피가 새된 소리로 비웃었다.

"발언할래, 머피?"

"발언은 무슨. 임무는 집어치워, 그게 내 의견이야. 난 우리가 임무를 가방에 처박아둬야 한다는 데 한 표. 얼빠진 짓이잖아. 그 멍청한 굼벵이를 쫓다니 완전 정신 나간 짓이야. 여기에 어울리는 말이 있지."

"뭔데?"

"탈영," 머피가 말했다. "딱 그거야. 이렇게 샛길로 빠지는 거, 이거 명백한 탈영이야. 악화되기 전에 엉덩이 돌려서 전쟁터로 돌아가야 돼."

스팅크 해리스가 환호했다. "이게 머피지! 머피를 선출하라, 하느님께 맹세코 기쁨의 날들이 다시 오리니. 어서 ── "

"그만해."

"아일랜드인에게 투표하라. 백악관에 교황을 앉히라."

"작작 하라고," 오스카가 말했다. "헛소리 따위는 됐어."

해럴드 머피는 제 손을 자세히 들여다보았다. "봐," 그가 폴 벌린을 힐끗 올려다보며 말했다. "내 말은 다만 그게 얼마나 비정상이냐 이거야. 도망이야, 결국 도망이 될 거라고. 임무고 자시고 간에. 안 돼…… 이건 **못 할** 짓이야. 내 말 알아들어? 이러면 안 된다고."

다른 사람들은 조용했다.

"그냥 이러면 안 돼. 옳지 않아." 머피는 어깨를 으쓱했다. "고로 나는 거기에 한 표."

"또 발언할 사람?"

아무도 꿈쩍하지 않았다.

"좋아, 그럼," 오스카가 말했다. "투표지 던질 시간이네."

일은 순식간에 진행되었다. 해럴드 머피와 에디는 돌아가는 데 표를 던졌다. 오스카와 스팅크와 닥은 계속하는 데 표를 던졌다.

"벌린은?"

"좋아."

"좋다니 뭐가?"

폴 벌린은 머피를 쳐다보다가 모닥불로 눈을 돌렸다. 가능성은 무한했다.

"계속하는 거," 그가 말했다. "무슨 일이 벌어지나 보자고."

"거기에 한 표라는 거지?"

"그래," 폴 벌린이 말했다. "계속 가보는 데 한 표."

아침이 되자 해럴드 머피와 그의 커다란 총은 사라지고 없었다. 그들은 머피 없이 서쪽으로 걸음을 계속했다.

넷.
그들은 어떻게 조직되었나

    1968년 6월 3일 쭈라이 전투본부에 도착하기도 전에 폴 벌린 일병은 깜라인만(灣)에 있는 MACV* 전산국에 의해 베트남에서 단일 부대로는 가장 큰 아메리칼사단**에 배치받았는데 그 작전지역인 제1사단***은 교전구역 중에서 가장 넓고 다채로운 지구로 이루어져 있었다. 그는 어리둥절했다. 그는 제1사단이라든가 아메리칼이라든가 쭈라이는 들어본 적도 없었다. 그는 전투본부가 뭔지도 몰랐다.

    그곳은 거기 바닷가에 있었다.

    집결지, 그는 판단했다. 익숙해지는 장소. 금속 재질의 보도로 이어져 있고 삼면이 철조망으로 둘러싸였으며 바다가 후방을 지켜주는, 모래사장 안에 여러 줄로 단정하게 늘어선 양철 막사.

---

*   Military Assistance Command, Vietnam. 베트남 군사원조 미군 사령부.
**   Americal Division. 제23보병사단의 별칭.
***   I Corps. 남베트남군 사단의 하나.

베트남 사람인 이발사가 그의 머리를 깎아주었다.

따분함에 젖은 어느 상사가 재입대 연설을 했다.

어느 하사가 그를 식당으로 쓰이는 거대한 야전 텐트로 데려갔고 그 뒤 다른 하사가 그를 여든 개의 침상과 여든 개의 사물함이 있는 막사로 데려갔다. 침상과 사물함에는 번호가 매겨져 있었다.

"여기서 뜨지 마," 그 하사는 말했다. "오줌관 쏠 때 말고는."

폴 벌린은 오줌관이 뭔지 물어볼 엄두가 나지 않아 고개만 끄떡거렸다.

아침이 되자 쉰 명의 새로운 대원은 바다를 바라보는, 나무로 된 옥외 스탠드 쪽으로 오열을 맞추어 인도되었다. 검은 교관용 철모를 쓴, 작은 몸집에 슬픈 표정의 상병(corporal)이 다들 자리를 잡을 때까지 기다리면서 마치 잃어버린 친구를 군중 속에서 찾듯 신병들을 쳐다보았다. 그러고 나서 상병은 모래에 털썩 앉았다. 그는 신병들을 외면한 채 바다를 가만히 바라다보았다. 그는 말이 없었다. 10분, 20분, 시간이 천천히 흐르는데도 슬픈 표정의 상병은 고개를 돌리지도 끄덕이지도, 말을 하지도 않았다. 그는 단지 파란 바다를 바라다보았다. 모든 게 맑았다. 바다도 맑았고 모래와 바람도.

그들은 옥외 스탠드에 한 시간 내내 앉아 있었다.

그러다 마침내 상병은 한숨을 쉬고 일어섰다. 그는 손목시계를 들여다보았다. 그는 오열을 맞춘 새 얼굴들을 다시 한 번 살폈다.

"좋아," 그는 부드럽게 말했다. "이 난장판에서 살아남는 법 제1강은 저걸로 끝이다. 너희가 집중했기를 바란다."

• • •

그날 내내 그들은 전투본부 바로 외곽에 있는 작고 친근한 마을에서 수색 섬멸 모의 훈련을 했다. 마을 사람들이 가담했다. 늘 웃고 늘 관대한 그 마을 사람들은 저희가 포획당하고 수색당하고 추궁당하도록 잠자코 있었다.

살고 싶었던 폴 벌린 일병은 그 훈련에 진지하게 임했다.

"너 베트콩이지?" 그는 머리를 땋은 어린 여자아이에게 대답을 요구했다. "너 개 같은 베트콩이지?"

여자아이는 웃음을 지었다. "제길, 이봐요," 그 아이는 살갑게 말했다. "나랑 장난해요?"

그들은 녹색 유리섬유로 만들어진 훈련용 수류탄을 힘껏 던졌다. 그들은 나침반 읽는 법, 생존법, 운용 규정, 표준 무기 조작법과 관리법을 교육받았다. 그들은 바닷가의 옥외 스탠드에 앉아 지금껏 알려진 적들의 다양한 지뢰와 부비트랩에 관한 수업을 들었다. 그런 다음 그들은 한 사람씩 교대로 가상 지뢰밭을 건넜다.

"꽝이요!" 부사관은 발을 조금만 헛디뎌도 소리를 질렀다.

특이한 훈련이었다. 피할 물체가, 장애물 코스에 장애물이 없었고 찾아서 모면해야 할 철조망이나 뾰족한 침이나 숨겨진 구덩이도 없었다. 매일 아침 훈련용 물자를 바삐 조달하기엔 너무 게을렀던 감독 부사관은 그저 내킬 때마다 **꽝이요**를 외쳤다.

죽었다는 말을 듣고 감정이 상한 폴 벌린은 이건 부당하다고 항의했다.

"꽝이요," 부사관은 반복해서 말했다.

하지만 폴 벌린은 완강히 맞섰다. "보십시오," 그는 말했다. "아무것도 없잖습니까. 그냥 모래잖아요. 저기엔 아무것도 없어요."

거대한 흑인이었던 부사관은 바다를 뚫어지게 째려보았다. 그러더니 그는 폴 벌린을 쳐다보았다. 그는 웃음을 지었다. "안 그래, 이 멍청한 바보 새끼야. 너는 그냥 지뢰를 좆나게 **터뜨린** 거야."

폴 벌린은 바보 새끼가 아니었다. 그래서 그런 터무니없는 소릴 들을 때면 번번이 식겁했고 모욕당한 기분이었다 —— 바보 새끼, 별종, 골 빈 놈. 옳지 않았다. 그는 솔직하고 정직한 데다 일종의 품위가 있는 남자였다. 그는 멍청이가 아니었다. 그는 작지도 허약하지도 못생기지도 않았다. 전쟁이 그에게 터무니없을 만큼 겁을 준 건 사실이지만 그건 그가 스스로 통제하고 싶은 무엇이었다.

셋째 날 밤늦게 그는 아버지에게 쭈라이라고 불리는 커다란 기지에 잘 도착했다, 전투본부라고 불리는 곳에서 다시없을 훈련을 받고 있다 설명하는 편지를 적었다. 시간이 되면 국내 전선이 어떻게 돌아가는지 편지로 뭐든 알려주면 좋겠다고 그는 적었다 —— 두려움 없이 잘 쓴 표현이라고 그는 생각했다. 그는 아버지에게 세계지도에서 쭈라이를 찾아보라고도 당부했다. "지금," 그는 적었다. "저는 좀 헤매고 있어요."

해가 지면 휴대용 달력에다 하루를 지우는 일은 엿새 동안 지속되었다. 줄어들지가 않네, 그는 생각했지만 나날이 줄어들고는 있었다.*

그는 또다시 이발을 했다. 그는 코카콜라를 마셨고 남중국해를 바라보았고 밤에는 영화를 보았고 냄새를 익혔다. 모래에서 시큼한 우유 냄새가 났다. 바닷가의 무척 맑은 공기에서는 흰곰팡이 냄새가 났다. 그는 무서웠고, 그렇다, 혼란스럽고 헤맸으며 남들이 자기에게 무엇을 기대하는지 혹은 자기가 스스로에게 무엇을 기대하는지 아무런 감이 없었다. 그는 제 몸뚱이를 의식했다. 그는 전쟁에 관해 교관들이 하는 말을 귀담아듣다가 때로 자기가 제 손목이나 다리를 빤히 쳐다보고 있음을 문득 알아차렸다. 그는 생각에 빠지지 않으려고 애썼다. 그는 새로 온 다른 사람들과 거리를 두고 지냈다. 그는 그들의 농담과 잡담을 외면했다. 그는 친구를 만들지 않았고 아무 이름도 외우지 않았다. 다들 곤히 잠든 커다란 막사, 그는 밤이면 눈을 감고 전쟁을 공상해보았다. 마약에 취한 느낌이었다. 그는 모래를 터덜터덜 걸으며 부사관들이 작전지역에 관해 하는 말을 귀담아들었다. "아주 안 좋은 아수라장이지," 부사관 중 가장 어린 사람, 혈색이 안 좋고 눈에 생기가 없는 아이가 말했다. "아주 거친 아수라장, 아주 안 좋아. 울랜더라는 놈 생각나네. 그렇게 형편없는 놈은 아니었는데 상황이 아주 안 좋진 않을 거라고 그놈이 오판을 한 거야. 안 좋았지. 안 좋다는 게 뭔지 알아? 안 좋다는 건 사악하다는 거야. 울랜더한테 생긴 일이 안 좋은 거지. 너희를 놀라 자빠지게 겁주려는 건 아니지만 — 내가 바라는 건 그게 아니야 — 빌어먹을, 너희는 **죽을 거다**."

---

*   여기서 줄어든다는 말의 원문은 short로 베트남전쟁 때의 미군 은어. 당시 보병들은 베트남 파병 기간을 대개 1년으로 잡았는데 대략 9개월이 지나면, 즉 남은 파병 기간이 두 자릿수인 99일에 접어들면 그때부터 키가 줄어든다고 보고 남은 일수를 키로 삼았다. 그렇게 점점 키가 줄다가 0에 이르면, 즉 파병이 끝나는 날이 되면 깨어난다(wake-up)고 말했다.

• • •

이레째인 6월 9일, 신병들은 자대 배치를 받았다.

폴 벌린은 처음 알게 된 것인데, 아메리칼사단은 세 개의 여단, 즉 제11여단, 제196여단, 제198여단으로 조직되었다. 각 여단은 보병 대대들로, 대대는 중대들로, 중대는 소대들로, 소대는 분대들로 쪼개졌다.

세 여단을 지원하고자 사단급의 어마어마한 복합체가 쭈라이의 모래사장에 펼쳐졌다. 단일 명령하에 움직이는 세 개의 포반(砲班), 두 개의 병원, 여섯 개의 항공대, 군수와 수송과 통신 대대, 법률 상담소, 매점, 영창, 미국위문협회, 미니 골프장, 훈련된 구조원을 갖춘 해수욕장, 부관참모 휘하의 행정국, 열두 명의 적십자 도넛 아가씨*, 중앙 우편물 취급소, 미 해군 공병대(Seabees), 네 개의 헌병대, 공보실, 컴퓨터 전문가, 대민 관계 전문가, 심리전 전문가, 영현 등록소**, 군견 팀, 민간 건설 관리 도급업자, 〈스타스 앤드 스트라이프스〉 지부***, 정보 전술 기획단, 예배당과 종군목사와 부종군목사, 요리사와 사무원과 통역병과 정찰병과 잡역병, 감찰감실, 상훈(賞勳) 전문가, 치과의, 지도 제작자, 통계분석가, 해양학자, 보호관찰관, 사진가와 문지기와 인구통계학자.

지원단과 전투 인력의 비율은 12 대 1이었다.

폴 벌린은 제198보병여단 제46보병연대 제5대대에 배속되는 건 통계적으로 나올 수 없는 결과라고, 불행이라고 여겼다.

장소에 대한 그의 감각은 예리한 적이 없었다. 그는 아버지와 인디언 길잡이****에 참여해 야영을 하고 영원한 우정을 쌓으러 위스콘신에 간 적이 있었다. 큰 곰과 작은 곰. 그는 그 일을 기억했다. 노란색과 초록색의 머리띠, 오렌지색 깃털. 모닥불 집회.『길잡이의 이야기책』에서 이야기를 골라 들려주는 큰 여우. 일리노이주 오시보(Oshebo)에서 온 백발의 아버지, 제지 공장 소유주인 큰 여우. 그는 그 일을 전부 기억했다. 둘째 날의 카누 시합, 열심히 노 젓는 큰 곰과 애를 먹는 작은 곰. 불쌍하디불쌍한 작은 곰. 그보다는 운이 따랐던 마대 경주, 웅장한 위스콘신 하늘 아래서 함께 폴짝거리는 큰 곰과 작은 곰, 하지만 발을 헛디디는 불쌍한 작은 곰. 그래도 친구였다. 아무런 틀어짐도 없었다. 길잡이만의 은밀한 방식으로 악수를 나누었다. 영원한 친구였다. 그러고 셋째 날, 아버지가 먼저, 아들이 뒤따라 숲에 들어갔고, 작은 곰은 큰 곰이 남긴 발바닥과 자취를 더듬었다. 그렇다, 그는 그 일을 기억했다 —— 길을 잃은 작은 곰. 큰 곰의 발자국을 따라 굽이치는 개울로 내려가 거길 건너고『길잡이의 생존 지침』에 따라 건너편 기슭을 살펴도 나오는 건 아무것도 없었다. 그래서 숲속으로 더 깊이 —— 큰 곰아! —— 더 깊이 들어갔다가 개울로 돌아오려 했지만 이제는 개울도 없었다.『길잡이의 생존 지침』에는 공황에 관해 아무런 언급이 없었다. 커다란 위스콘신 숲에서 길을 잃고 소리 지르기. 그는 그 일을 또렷이 기억했다. 그를 발견한 작은 말코손바닥사슴, 모여든 여러 손전등, 거대한 가문비나무

---

*   Donut Dolly. 군인들의 사기 진작을 위해 파견된 자원봉사대. 대학을 졸업한 미혼 여성이 주를 이루었으며 커피와 도넛 등 간단한 음식을 제공했다.

**   Graves Registration. 사상자의 식별과 후송과 매장, 유품 처리 등을 맡는 곳.

***   Stars and Stripes. 미군이 발행하는 일간신문.

****   Indian Guides. YMCA의 청소년 야외 프로그램.

아래에서 소리를 지르고 있는 작은 곰. 그래서 넷째 날 병이 난 작은 곰과 큰 곰은 야영을 일찍 파했다. 둘은 집으로 오랫동안 차를 타고 가면서 햄버거와 루트비어를 먹고 야구 얘기, 훌륭한 사람 얘기를 했는데, 그러는 사이 병이 씻은 듯 사라졌던 일을 그는 기억했다. 영원한 친구였다.

트럭 한 대가 1번 국도에서 그를 싣고 내륙을 달려 게이터 착륙지대에 도착했고 거기서 그는 제198보병여단 제46보병연대 제5대대에 합류했다. 그곳, 철조망과 참호들로 둘러싸인 하얀 막사 안에서 어느 대위가 그의 이름과 군번을 가죽 장정의 일지에 간략히 적었다. 어느 상사가 그를 한쪽으로 데려갔다.

"복장은 엄수한 것 같군," 상사가 속삭였다. "후방 작업은 어떤가? 내가 빼내줄 수 있는데…… 울타리 페인트칠 같은 걸로 말이야. 괜찮겠나?"

폴 벌린은 웃음을 지었다.

"그러기로 할까? 페인트칠 쉽고 편하잖아? 고생스럽게 논 건널 일도 없고 딩크도 없고?"

폴 벌린은 웃음을 지었다. 상사도 웃음으로 화답했다.

"괜찮겠나, 신병? 그 소리 듣고 좋아라 하는 것 같은데?"

폴 벌린은 웃음을 지었다. 그는 이 남자가 원하는 게 뭔지 알았다. 그래서 티도 안 나게 고개를 끄덕였다.

"아, 그런데 말이야," 상사가 속삭였다. "안타깝게도…… 네가 번지수를…… 좆나게 잘못 찾았어."

• • •

알파중대 쪽으로 언덕길을 내려가는 길에 그는 땅에 묻은 두 개의 통에 판때기를 얹어 만든 간이 변소를 거쳤다. 전쟁에서는 처음 겪는 실로 친숙한 냄새였다. 그는 멈추어 더플백을 내려놓고 들어가 문을 닫고 바지 단추를 끄른 다음 쪼그려 앉았다.

그는 거기서 한참을 앉아 있었다. 집처럼 편안하다 못해 평화로웠다. 가려진 창문에 파리들이 달려들었다. 바깥에는 언덕 저 위쪽으로 높다란 감시탑이 서 있었고 그 뒤로는 모래주머니로 막은 전술 작전의 중추가 있었다. 언덕 아래로는 제멋대로 흩어진 총 여섯 개 중대 구역을 따라 자갈길이 깔려 있었다 —— 본부중대, 알파중대, 브라보중대, 찰리중대, 델타중대 그리고 에코중대. 제46보병연대 제5대대였다. 언덕 아래로 더 내려가면 철조망으로 된 방어선, 참호, '전문가들'이라고 손으로 인쇄한 표지판이 걸린, 철망으로 된 정문이 있었다. 정문 너머는 평평한 논이었다. 논 너머는 산이었다.

그렇다, 따뜻하고 눅눅한 변소 안의 평화 속에서 그는 파리와 맑은 하늘과 갈퀴질로 쓰레기를 모으는 흑인 사내와 길을 느릿느릿 올라가는 두 장교를 지켜보았다.

평화 속, 그는 변소 벽에 적힌 것들을 읽었다. **키가 너무 줄어서, 거기에 적혀 있었다, 방금 빌어먹을 똥구덩이에 빠졌어.** 그 아래, **거기 있는 게 나을걸.** 그는 다른 문장도 읽었다 —— **게이터에서는 바람도 안 분다, 구리다,** 그리고 다른 글씨, **프론 일병도 마려울 땐 그렇더라.** 또 다른 글씨, **나는 어디인가?** 그리고 그 아래, **모르겠으면 엉덩이 잡고 끌어내기 전에 기어 나와.** 이름들, 날짜들, 다녀간 흔적들. **햅스틴은 동성애자다** (…) **그게 아니고 햅스틴은 그냥 재미를 보는 거야** (…) **나 엄청 줄었어, 난 간다** —— **이건 내 자동 응답임** (…) **카차토** (…) **그 녀석 대단해, 안 그래?**

폴 벌린은 연필을 꺼냈다.

그는 매우 공을 들여 적었다. **나도 엄청 줄었어, 나무에 가려서 숲이 보이지 않아.**

1968년 6월 11일 알파중대 제1소대에 합류한 폴 벌린 일병은 세 개 분대가 각각 열두 명, 열 명, 여덟 명의 군인으로 이루어졌음을 알게 되었다.

두 명의 일병과 말단 부사관 오스카 존슨이 분대를 각각 이끌고 있었다.

화력조도 없었고 전술작전이나 엄호사격에 관한 운용 규정도 없었다. 야전 명령(field order)도 없었다. 중사가 없었다. 유일한 위생병은 닥 페럿이었는데 그가 받은 훈련은 좋게 봐줘도 상식 밖의 것이었다.

소대장 시드니 마틴 중위는 폴 벌린 못지않은 신참이었다. 그의 지력과 훈련 수준은 분명 평균 이상이었지만 그의 현명함은 처음부터 의심스러웠다. 그는 레이크 컨트리에서 죽었고 ── 세계 제일의 레이크 컨트리, 닥 페럿은 번번이 그렇게 불렀다 ── 그가 죽은 뒤에는 지력도 훈련 수준도 현명함도 겨우 평균에 머물지만 마침내 대원들이 사랑할 수 있는, 훨씬 나이가 많은 코슨 중위가 소대장으로 임관했다. 그는 모험을 하지도 목숨을 낭비하지도 않았다. 나이가 너무 많았으므로 전쟁은 그에게 두려웠다.

그들은 개성, 지식의 전문성, 관례를 토대로 조직되었다. 또 미신을 토대로 조직되었다.

예를 들어 오스카 존슨을 제3분대장으로 만든 건 계급이라기보다 미신이었다. 그가 병장이었던 건 사실이다.* 하지만 그가 그 계급을 얻은 건 9개월 가까이 숲에서 살아남았기 때문이었다. 9는 행운의 숫자였다. 오스카 존슨이 생존에 관해 쥐뿔도 모른다는 기이한 사실이 거기에 부합함을 폴 벌린은 알게 되었다. 그들은 운을 토대로 조직되었다.

스팅크 해리스는 제 정찰 능력에 자부심을 가져 선두에서 걸었다. 에디 라추티는 제 목소리에 자부심을 가져 무전기를 짊어지고 다녔다. 그들은 자부심을 토대로 조직되었다.

또 그들은 믿음의 원칙을 토대로 조직되었다. 나중에 전쟁에서 벗어난 뒤 편지 한 통 쓰지 않은 벤 나이스트롬은 무전기 탓에 믿음을 저버리기 전까지 그걸 짊어지고 다녔는데 에디가 믿음을 산 건 그 시점이었다. 여러모로 누구보다 믿음직했던 짐 피더슨은 매복을 책임지고 지휘했고, 따라서 매복 대형은 언제나 짐 피더슨을 중심으로 조직되었다.

가끔씩 불복종이 조직되기도 하고 조직되지 않기도 했다.

시드니 마틴 중위가 그들더러 땅굴을 날려버리기 전에 수색부터 하라고 고집을 부렸을 때, 그러고 나서 프렌치 터커와 버니 린이 그 안에서 죽었을 때 불복종은 비로소 완전히 조직되었다.

그들은 종종 운용 규정을 토대로 조직되었다. 운용 규정은 공식적인 것과 비공식적인 것의 두 가지가 있었다.

---

* 미군은 병장부터 부사관에 속한다.

공식적으로 땅굴은 날려버리기 전에 수색을 하는 게 운용 규정이었다. 비공식적으로는 수색 없이, 목숨 거는 일 없이 날려버리고 이동하는 게 운용 규정이었다. 웨스트포인트 사관학교에서 훈련을 받은 시드니 마틴 중위는 비공식 운용 규정을 어겼고, 그래서 대원들은 그를 싫어했다.

전쟁의 관례화는 전쟁을 견딜 만하게 만들었는데 거기에는 심지어 사소한 것들도 포함되었다 —— 언제 무슨 이야기를 할지, 휴식할 때와 행군할 때와 경계를 설 때는 언제인지, 언제 농담을 하고 언제 하지 않을지, 행군 순서는 어떻게 되는지, 매복을 언제 내보내고 언제 내보낸 척할지. 이 사안들은 논의의 여지가 없었다. 그것들은 비공식 운용 규정에 따라 결정되었고 이 규정은 군의 행동 강령보다 중요했다.

"자네 전쟁에 온 지 얼마나 됐지?" 알파중대 우편 사무원이 묻자 폴 벌린은 이제 일주일 되었다고 말했다.

사무원은 웃음을 터뜨렸다. "틀렸어," 그는 말했다. "내일이야, 이 친구야, 내일이 전쟁 첫날이야."

그러고 다음 날 아침 폴 벌린 일병은 새카만 곰보 자국같이 파이고 훼손된 지역, 녹색 하늘과 속도감과 혼란스러운 풀밭과 논과 그가 죽을지 모르는 장소가 있는, 백만 가지 가능성이 도사리는 그 절망적인 지역 위로 자기를 신속히 데려갈 재보급 헬기에 올랐다. 그는 밖을 내다보지 못했다. 그는 제 손을 쳐다보았다. 그는 두 주먹을 말고 쥐었다 폈다 했다. 내 손이지만 별로 믿음이 안 간다고 그는 생각했다. 내 손.

헬리콥터는 매우 신속한 동작으로 비스듬히 날다 방향을 돌려 내려앉았다.

"전쟁에 온 지 얼마나 됐어?" 그가 맞닥뜨린 첫 번째 사람, 머리에 버짐이 핀 강단 있는 군인이 물었다.

폴 벌린 일병은 웃음을 지었다. "이제 시작이야," 그는 말했다. "오늘이 첫날."

다섯.
관측소

폴 벌린 상병은 손목시계를 기울여 달빛을 붙들었다. 이제 12시 20분이었다 ── 말도 안 되게 느린 속도로 흐르는 시간. 그의 두려움이 시간을 가지고 벌이는 짓 또한 말도 안 됐다.

그는 시계를 최대한도로 조였다. 그는 동쪽 멀리 바다를 향한 채 매 숫자 숨을 쉬어가며 매우 천천히 60을 셌고, 숫자 세기가 끝나면 다시 시계를 들여다보았다. 아직도 12시 20분. 그는 시계를 귀에 갖다 댔다. 똑딱똑딱 크고 불안정한 소리가 났다. 초침이 무한의 바퀴를 돌았다.

어쩌면 밤 시간이 왜곡을 일으키는지도 몰랐다. 중번 경계 근무, 안 좋은 시간이었다. 초번 근무가 더 나았다. 가장 안전한 시간, 가장 믿을 수 있는 시간이고 근무가 끝나면 잠을 내리 잘 수 있었다. 아니면 말번 근무. 바다 위로 동이 틀 거라는 기대가 드는 데다 수평선에 페인트를 부은 듯 바닷물에 색이 배는 모습을 지켜볼 수 있고 또 예쁜 색깔들이 예쁜 생각들을 지속하는 데 도움이 되므로 말번 근무도 괜찮았다.

확실히 그 시간이었다. 바다 그리고 감시탑 아래 둘둘 말린 철조
망, 바닷가를 따라 굽은 모래사장, 주변이 달빛을 받아 은색의 미광
을 발했다. 이제 밤이 움직이고 있었다. 그는 쳐다보지 않으려고 했
으나 그것은 사실이었다 ― 밤은 파도를 타고 흔들흔들 움직였다.
내륙의 풀들이 움직였고 저 멀리 나무들이 움직였다. 중번 경계 근
무, 진득이 감시하기에는 안 좋은 시간이었다.

그는 무릎을 꿇고서 손으로 불을 둘러막아 담배에 불을 붙였고,
그런 다음 일어나 모래주머니 담장에 기대어 바다를 내려다보았다.
바다가 도와주었다. 바다는 등 뒤를 지켜주었고 전쟁과의 거리감을,
즉 따뜻한 물로 씻은 기분이며 저 멀리 떨어진 뭍과 연결된 기분을
주었다. 그의 정신은 그런 식으로 작동했다. 감시탑 밑에서 뜨거운
오후를 보낼 때 가끔씩 그는 멀리 바다를 내다보며 그것을 탈출구로
삼았다 ― 오스카의 뗏목에 전투식량과 악천후 장비와 식수를 가득
싣고, 그런 다음 묵직하게 밀려드는 첫 번째 파도를 열어젖히고, 그
런 다음 돛 대신 판초를 높이 치켜올리고, 그런 다음 벌러덩 누워 바
람과 해류가 데려가는 곳으로 자신을 놓아두기 ― 어쩌면 사모아
로, 혹은 남태평양의 어느 숨겨진 섬으로, 혹은 하와이로, 아니 어쩌
면 곧장 집으로. 공상이었다. 꿈을 꾸는 게, 정신이 나간 게 아니었
다. 전혀 흐르지 않는 듯한 시간을 흘려보내는 방식일 뿐이었다.

그는 달빛 속에 정박해 까닥거리는 오스카 뗏목의 희미한 윤곽을
알아볼 수 있었다. 그들은 주로 수영할 때 그걸 사용했다. 가끔가다
지루함을 못 이길 때면 그들은 뗏목을 더 먼 바다까지 끌고 가 거기
서 뛰어내려 낚시질을 하고 그곳에서 온종일을 보내며 저희 자신을

매일의 과업과 떨어뜨려놓았다.

그는 바다와 까닥거리는 뗏목을 한참 바라보았다. 그러고 나서 다시 시간을 확인했다. 12시 22분.

그는 시간이 흐르게 할 요령을 기억해내려고 애썼다.

숫자 세기, 그게 한 가지 요령이었다. 남은 날짜 세기. 하루를 시간으로 쪼개어 시간을 세고, 그런 다음 시간을 분으로 쪼개어 분마다 세고, 그런 다음 분을 초로 쪼개고.

그는 계산하기 시작했다. 6월 3일 도착. 그러고 지금이…… 며칠이더라? 11월 20일 아니면 25일. 대략 그 사이. 며칠인지 정확히 못 박기 어려웠다. 하지만 11월, 그건 확실했다. 11월 하순. 디모인강에서 보낸 오래전의 11월과는 다른, 단풍이 없는 11월. 변화나 과도기의 느낌이 없었다. 여기엔 가을이 없었다. 계절도, 계절의 변화와 함께 달라지는 나뭇잎도, 공기 중의 바스락거림도, 추수감사절과 미식축구도 없었고 시간의 흐름을 가늠할 만한 것도 전혀 없었다. 해변 너머 어둠 속 내륙에 땅딸막한 나무가 몇 그루 있지만 이들은 주로 소나무였고 소나무는 계절을 타지 않았다.

11월 며칠?

오스카의 생일은 7월이었다. 8월에는 빌리 보이 왓킨스가 겁에 질려 죽었다——아니, 6월. 그건 6월이었다. 6월, 전쟁 첫날. 그러고 7월에 그들은 총과 조명탄을 잔뜩 쏘아 날려 오스카의 생일을 축하한 다음 사방 천지가 끔찍할 정도로 고요한 뜨라봉강 변의 음침한 마을들을 가로질렀고, 그러고 8월에 루디 채슬러가 마침내 고요를 깼다. 그게 8월이었다. 그러고——그다음은 9월. 흐름을 쫓기가 쉽지 않았다. 일들의 순서——연대기——그게 어려운 부분이었다. 길게 늘어지는 고요, 지루함, 행군 중의 긴긴 밤들과 끝나지 않을 듯하던 낮들, 때로는 정말로 안 좋았던 순간들. 피더슨, 버프, 프렌치 터커, 버니 린. 그런데 순서가 어떻게 되더라? 어떡해야, 어느 달에 끼워 넣어야 조각이 맞지? 지금은 또 언제람 ── 11월 며칠?

그는 엄지손톱에 담뱃불을 비벼 끄고 저 아래 해변으로 꽁초를 튕겼다.

그는 잠든 사내들을 넘어 감시탑 서쪽 담장으로 가 내륙을 마주했다.

그는 앞날에 집중하려고 애썼다. 전쟁이 끝나면 뭘 할까. 그게 유일하게 행복한 생각이었다. 그렇다 ── 전쟁이 끝나면 그는…… 그는 고향인 포트다지에 돌아갈 것이다. 꼭 그럴 것이다. 기차를 타고 느릿느릿, 창밖을 스치는 시골을 내다보며, 주변을 알아보며, 그 지역이 얼마나 평평하고 또 곡식은 어떻게 열리는지 눈에 담으며, 하얗게 페인트칠한 곡물 창고를 눈에 담으며 그는 고향에 갈 것이고 세부적인 것들에 주의를 기울일 것이다. 기차가 멈춘 역에서 그는 정복을 솔질하고 모든 훈장이 제자리에 있는지 확인할 것이고, 과감하게, 늠름하게 걸음을 뗄 것이고, 아버지와 눈을 똑바로 마주하고 악수를 나눌 것이다. "저 잘 지냈어요," 그는 말할 것이다. "훈장도 몇 개 받았어요." 그러면 그의 아버지는 고개를 끄덕일 것이다. 그 뒤, 아마 다음 날 그들은 아버지가 마을 서쪽 개발지에 짓고 있는 집들을 보러 나가 미완공된 방들을 함께 돌아다닐 것이고, 아버지는 어디가 어디인지, 배선은 어떻게 정리할지, 하도급자들이며 배관공들과 어려운 점은 무엇인지, 어쨌거나 집들은 튼튼해서 오래갈 텐데 튼튼해서 오래갈 집들을 짓느라 얼마나 좋은 자재와 얼마나 좋은 기술과 얼마만큼의 신경을 쏟았는지 설명할 것이다.

밤이 움직이고 있었다. 그는 눈을 가늘게 뜨고 눈꺼풀의 씰룩임을 멈추려고 애쓰며 열심히 집중했다……

그는 유럽에 갈 것이다. 그게 그가 할 일이었다. 포트다지에서 얼마간 지내다가 유럽으로 여행을 뜨는 것. 그는 프랑스어를 배울 것이다. 프랑스어를 배운 다음 파리로 뜨고, 거기 도착하면 카차토에게 경의를 표하며 붉은 포도주를 마실 것이다. 온갖 미술관과 기념비를 방문할 것이고 역사를 익힐 것이고 강변의 카페에 앉아 예쁜 여자아이들에게 웃음을 보낼 것이다. 몽마르트르에 작은 방을 구할 것이다. 일찍 일어나 시장에 걸어가서 아침을 먹을 것이다. 그는 다리를 꼬고 어쩌면 신문을 읽으면서, 주변이 어떻게 흘러가든 아랑곳하지 않은 채 매우 천천히 식사할 것이고, 그런 다음 어쩌면 관광객이 아니라 배우고 이해하러 온 사람으로서 도시를 이곳저곳 걸어 다니고 지명들을 익힐 것이다. 그는 세부적인 것들을 공부할 것이다. 그는 카차토가 찾아다녔을 것들을 찾아다닐 것이다. 해낼 수 있는 일이었다. 그게 바로 말도 안 되는 점이었다 —— 모든 어려움에도 불구하고, 온갖 고난과 아둔함과 실수에도 불구하고, 그 모든 것에도 불구하고 진짜로 해낼 수 있는 일이라는 것.

여섯.
파리로 가는 에움길

그리하여 그들은 해럴드 머피와 그의 커다란 총 없이 산길을 따라 서쪽으로 걸음을 계속했고 카차토의 아침밥 모닥불이 남긴 재를 두 차례, 차곡차곡 쌓여 있는 버려진 탄약을 한 차례 발견했다. 그들은 부러진 주머니칼과 조명지뢰와 수류탄도 발견했지만 카차토는 보이지 않았다.

"전쟁은 끝이요," 닥 페럿은 창을 하는 버릇이 들었다. "자국의 안정과 평화라, 마르실리우스*의 소박한 구절이지. 번역하면 이래. 너희 동네로 돌아가라."

정글은 끝났다.

내리막이던 땅은 점점 평평해지면서 드문드문 하늘을 터주었다. 열대우림은 듬성듬성해졌다. 영양과 사슴이 보였다. 나무들은 성기

---

*   Marsilius. 14세기에 활동한 학자. 교황 통치 기구 타파와 교회의 국가 종속을 주장했다.

어지다 초원을 이루었고 초원은 갈수록 넓고 풍성해졌으며 그러다 얼마 못 가 평원이 활짝 열렸다. 그들은 작은 언덕 꼭대기에서 걸음을 멈추고 지평선까지 뻗은 대초원을 내려다보았다. 그들은 말이 없었다. 그들은 중위의 쌍안경을 교대로 사용했다.

"평화가," 닥이 중얼거렸다. "세상 끝까지, 아멘."

우아한, 호화로운 지역이었다. 북쪽으로는 야전 쌍안경으로 겨우 보일 듯 말 듯한, 언덕들을 타고 내려와 실타래처럼 풀리는 강줄기가 야생화 가득한 초원 쪽으로 흘러들고 있었다. 초원에는 가젤들이 노닐었다. 하늘은 새들로 발 디딜 곳이 없었다.

그들은 이제 수월하게 나아갔다. 강이 흐르는 북쪽으로 꺾인 오솔길은 차츰 넓어지다 이내 한길이 되었다. 정오에 오스카가 내용물이 빈 블랙 잭 껌 봉지를 발견했다. 10분 뒤에는 에디가 다음 언덕들의 능선 바로 너머에서 연기가 피어오름을 알아차렸다.

"녀석이다," 스팅크가 말했다. 그는 이를 딱딱 맞부딪치고 있다.

스팅크는 메고 있던 소총을 풀어 탄창이 잘 장착됐는지 탁탁 두드려 확인했다. 그는 다른 사람들더러 따르라고 조급하게 팔을 흔들었다.

길은 계속 넓어졌다. 길은 얼마간 강과 나란히 달리다 서쪽으로 급격히 방향을 틀더니 몸을 수그린 바니안나무 숲을 비집고 들어갔다. 이제 연기 냄새가 짙었다. 위쪽으로 전진하니 들어본 적 없는 낯선 소리, 뭔가 억눌린 듯한 낮은 신음 소리가 났다. 스팅크는 짐을 내려놓더니 소총을 부드럽게 안고 어색한 종종걸음을 걸었다.

길은 나무들 사이를 최종적으로 사납게 구불거리다 볕이 쨍한 빈터로 나왔다.

순식간에 벌어진 일이었다.

짧고 높은 비명 소리, 그리고 외치는 소리가 들렸다. 스팅크는 총을 쏘았다. 그는 한쪽 무릎을 딱 꿇고 끝없이 사격했다. 폴 벌린은 휘청거리다 몸을 앞으로 날려 굴렀다. 제정신이 아니야, 그는 생각했다. 늙은 물소 한 쌍이 널따란 나무판자 수레와 연결된 멍에를 메고 빈터 한가운데 서 있었다.

스팅크는 조준 않고 쏘았다. 자동이었다. 퀵 킬*. 직격탄, 재빠른 소총 놀림. 먼저 쏜 총알들이 가까운 짐승의 배에 맞았다. 잠시 중단이 있었다. 그다음 총알이 물소의 머리에 맞았고, 그러자 녀석은 고꾸라졌다.

총알처럼 빠른 동작이었다. 백이면 백 총알 같았다.

누군가 사격 중지를 외쳤지만 스팅크는 완전 자동이었다. 그는 웃고 있었다. 살점들이 짐승의 양 옆구리에서 튀어 올랐다.

폴 벌린은 길 한복판에 대자로 엎드린 이제야 겨우 힐끗거릴 엄두가 났다.

미쳤어, 그는 계속해서 생각했다. 작살을 냈네. 이유도 없고 경고도 없이. 그는 누군가 울부짖는 소리가 들렸다 — 여자 소리였다. 빈터는 부옇게 소용돌이치는 흰 연기 속에서 난리였다. 총 맞아 죽은 물소에게서 자꾸 후드득 떨어져 나가는 가죽과 커다란 고깃덩이.

---

* Quick Kill. 근거리에서 목숨을 위협받는 백병전 등에서 쓰이는 사격 기술. 시각이 아니라 반사적인 직감에 의존해 표적을 똑바로 겨냥하고 쏘는 것. 마구잡이가 아니라 훈련으로 익히는 전문 기술.

끝날 기미가 없었다. 그의 뒤 잡초 속에서는 벌러덩 누운 중위가 하늘을 마구 긁으며 사격 중지를 외쳤다.

격발이 끝났다. 정적이 흘렀고, 그러다 스팅크가 두 번째 탄창을 밀어 넣자 철컥 소리가 났다.

격렬한 울부짖음은 쭉 이어졌다. 닥과 에디는 몸을 일으키고 있었다. 오스카는 온데간데없었다.

한쪽 무릎을 꿇은 스팅크 해리스는 활짝 웃으며 의기양양해했다.

"래시 라뤼란 말이지," 스팅크는 자꾸 종알거렸다. "래시 L. 라뤼*."

울부짖는 게 누군지는 몰라도 아직 울부짖는 중이었다. 아기의 울부짖음처럼 고음에다 화난 소리였다.

"래시 L. 라뤼 말이야. 아까 그 반응 봤어? **봤어?**"

빈터가 환하게 반짝였다. 죽은 물소는 피를 흘리고 있었다. 산 물소는 달아나려고 자꾸 안간힘을 냈다. 녀석은 발을 딛고 일어나 잠시 비틀비틀 버둥거리다 이내 넘어졌다.

"봐, 번개같이! 탕, 꽈당!"

여자의 울부짖음이었다. 수레 근처 어디서 흘러나오는 소리였다. 수레에는 피가 튀어 있었다.

스팅크는 입술을 핥더니 씩 웃었다.

"바보 같긴," 닥이 말했다. 그는 고개를 절레절레하고 있었다. "이 거 바보네, 바보."

수레에는 등잔과 깔개와 가구가 수북이 쌓여 있었다. 세 여자가 거기 앉아 있었다. 나이 든 두 여자는 울부짖는 중이었다. 다른 한 사람은 여자아이였다. 여인이 아니라 여자아이. 어쩌면 열두 살, 어쩌면 스물한 살. 그녀의 머리카락과 눈동자는 까맸다. 그녀는 아오자이와 샌들을 걸치고 양쪽 귀에 금테를 달고 있었다. 그녀의 목에 늘어진 목걸이에는 크롬 십자가가 달려 있었다.

"전광석화," 스팅크가 말했다. "채찍 같은 손."

"바보라니까."

"옳지, 좋았어, 탕."

"바보 천치라고."

이제 세 여자 모두 울부짖고 있었다. 정신병원 소리 같았다. 울부짖음은 아주 고음으로 치솟았다 떨리는 소리로 사그라졌다 하며 오락가락했다. 죽은 물소는 계속 피를 흘렸다.

"서부 최고의 **빠른 손**," 스팅크는 킥킥거렸다. 그는 폴 벌린을 쳐다보며 눈썹을 튕겼다. "탕, 후드득, 박살!"

그들은 빈터에서 밤을 보냈다.

에디와 닥은 전술 조끼를 벗고 죽은 물소를 길 밖으로 끌어내 나뭇가지로 덮어주었다. 오스카는 다른 짐승을 가까스로 조용히 시켰다. 그는 코를 쓰다듬고 혀 차는 소리를 내면서 녀석을 어느 나무로 몰아 거기 묶고 물을 가져다주었다. 스팅크는 모닥불을 지폈다. 나중에 어둠이 내리자 중위는 신문을 시작했다.

"피난민이에요," 젊은 여자, 여자아이가 말했다. 그녀는 초조한

---

*   Lash L. LaRue. 1940년대와 1950년대에 활동한 서부영화 스타. 채찍 기술로 유명하다.

기색으로 스팅크 해리스를 힐끗거렸다. "피난민 아세요? 제 고모들이요, 고모들이 저를 빼내줬어요. 하지만 전쟁이 저희를 쫓아오고 있어요."

나이 든 두 여자는 신호를 받았다는 듯이 달에다 코를 쳐들고 긴 소리로 흐느끼기 시작했다. 중위는 기다렸다. 그는 눈을 비볐다.

"자," 그가 부드럽게 말했다. "이 일은 미안하다. 전쟁은 원체 끔찍한 거야."

"이젠 응우옌도 불쌍하게 됐어요."

"누구?"

여자아이는 슬퍼서 고갯짓만으로 죽은 물소 쪽을 가리켰다. "고모들이 쟤를 갓난아기였을 때부터 길렀어요. 고모들 젖을 먹이면서요. 그랬는데 이젠 응우옌도 불쌍하게──"

"바보 같긴," 닥 페럿이 말했다.

스팅크가 올려다보았다. 그는 어깨를 으쓱하더니 총기를 집어 손질하기 시작했다.

그들은 말이 없었다. 중위는 군낭에 등을 기대고 한동안 모닥불을 가만히 바라다보았다. 그러더니 그는 눈을 껌뻑껌뻑하고 여자아이를 쳐다보았다.

"다시 한 번 내가 미안하다. 내가. 이런 일──뭔지 알지──이런 일이 벌어져서. 하지만 당장은 사실을 토로하는 게 어떨까? 너는 누구야? 어디서 왔어?"

"위로금 주실 거예요?" 여자아이가 말했다. "응우옌 말이에요, 배상금 주실 거예요?"

"어쩌면. 시원하게 사실을 말해봐."

그녀는 한숨을 지었다. 그녀의 이름은 사르낀 아웅 완이었다. 일부 중국계, 일부 미상. 지금껏 여러 달 동안 그녀는 피난민으로서 두 고모와 함께 사이공부터 서쪽으로 여행을 계속했다. 고향은 쩔런이었다. 쩔런에는 중국인도 많고 훌륭한 식당도 많다고 그녀는 말했다. 그녀의 아버지도 한때 식당이 있었지만 이제는 삼촌 소유였다. 그녀의 아버지는 출산 때 죽었다. 매우 슬픈 일이었다. 그녀의 어머니가 쌍둥이를 낳는 동안 그녀의 아버지는 대기실에서 끌려 나가 복도를 이동한 다음 총살당했다. 베트콩은 최악이에요, 그녀는 말했다. 지긋지긋한 베트콩. 헌신적이고 정직한 요식업자였던 그녀의 아버지는 간부회에 귀속된 쩔런 도살장에서 닭을 빼돌린 죄로 병원 담장에 기대어 처형당했다. 부당하게도 그가 급료와 세금을 꼬박꼬박 지불한 탓이었다. 2년 뒤 그녀의 어머니는 슬픔에 잠겨 죽었다. 가족은 뿔뿔이 흩어져 남자 동기들은 먼 친척네로 살러 갔고, 여자 동기들은 삼촌과 고모 들에게로 퍼졌고, 전쟁은 계속되었고, 쩔런은 전쟁터가 되었고, 마침내 떠나는 것 말고는 선택의 여지가 없었다. 그래서 물소 한 쌍이 멍에를 메고 마구를 달았고, 여자아이와 두 고모는 소중한 재산 몇 개만 챙겨 어느 이른 아침 서쪽으로 여정을 시작했다.

"다 사실이에요," 그녀는 말했다. "지금은 고모들이 저를 피난시키려고 데려가는 거고요."

폴 벌린은 지켜보았다. 부드러운 살, 기품, 수줍으면서 대담한 눈, 굵은 흑발. 그렇지만 그녀는 어렸다. 너무 어렸다. 그녀에게서 비누 냄새와 향냄새가 났다. 금테 귀고리가 반짝거렸다.

"그래," 중위는 마침내 말했다. "슬픈 얘기다. 동정심이 생기는구

나. 하지만 보자…… 너희는 정확히 어디로 가던 길이지? **네년들*** 목적지가 어디야? 너희가 가려는 장소가 있을 거 아냐?"

여자아이는 어깨를 으쓱했다. "집에 가는 거예요."

"너희가 피난민인 줄 알았는데. 아니야——?"

"우린 집으로 가는 피난민이에요," 그녀는 처음으로 웃으며 말했다. "피난민이 되려니 길이 머네요."

중위는 코를 긁었다. "그래, 좋아. 하지만 내가 묻는 건 이거야. 너랑 네 고모들이 어디로 가는 중이냐는 거. 목적지가 어디지?"

"서쪽이요," 그녀가 말했다.

"그래, 하지만 **어디**?"

그녀는 웃음을 지었다. "극서 지방이요."

늙은이는 이 말에 고개를 끄덕이면서 잠시 말을 끊고 입술을 핥았다. "알았다. 하지만——" 그는 자꾸 코를 긁었다. "하지만 **얼마나** 멀리? 그걸 묻는 거야. 극서 지방으로 얼마나 멀리 가는데?"

"아," 여자아이가 말했다. "피난민이 갈 수 있는 만큼요."

"아."

"그 이상 가는 건 어리석은 일 같아요."

"그렇겠지."

그녀는 다시 웃음을 지었다. "그럼 이제 아저씨가 우릴 인솔해주시겠네요, 그렇죠? 아저씨네가 응우옌을 쐈으니까 이제 우릴 극서 지방까지 인솔해주시는 거죠?"

중위는 질린 내색을 하며 등을 기댔다. 그는 고개를 가로저으며 무슨 말을 중얼거리고 일어나 모닥불 너머 잡초 속으로 들어갔다.

나중에 그들은 말린 생선과 쌀밥을 먹었다. 따뜻하고 감미로운 밤이었다. 귀뚜라미, 잔바람, 부드러운 하늘. 응우옌을 잃은 두 고모는 한동안 엉덩이를 붙이고 앉아 훌쩍훌쩍 들썩거리면서 비참하게 곡을 했다. 그러고 나서 두 사람은 잠이 들었다. 환한 반달이 평원에 떠올랐다.

폴 벌린은 모닥불로 갔다. 땔나무를 더 넣어 불을 지핀 그는 여자아이를 지켜보지 않는 척했다. 그녀는 어렸다. 나이를 가늠하기 어려웠다 ─ 어쩌면 열다섯 살. 아니, 열둘 혹은 스물. 그녀의 두 눈은 날개처럼 치켜 올라갔다. 그는 그녀가 담요를 펼치고 샌들을 벗고 머리를 빗고 기지개를 켜고 하품을 하고 눕는 내내 주의 깊게 살폈다. 그는 이것이 좋았다. 그녀가 자기를 보고 웃으면서 고개를 까딱하고 다리께의 옷매무새를 가다듬는 것이 좋았다.

한 가지 가능성. 파리로 가는 길에 벌어졌을지 모를 한 가지 일. 그는 모닥불을 한참 들여다보았다.

이튿날 아침 죽은 물소를 묻고 나이 든 두 여자가 헌화하길 기다린 다음 그들은 이동할 준비를 했다. 에디와 스팅크는 수레에 올라가 군낭과 침낭을 고정했다. 오스카는 살아남은 짐승에게 멍에를 메웠다. 중위는 지도를 꼼꼼히 살폈다. 다들 준비가 되자 폴 벌린은 수레에 올라 예쁜 여자아이 옆에 자리를 잡았다. 그는 활짝 웃었다. 오스카가 고삐를 흔들며 이랴 하고 외친 뒤 얼마 지나지 않아 그들은 파리로 가는 완만히 비탈진 평원을 따라 서쪽으로 달리고 있었다.

---

*   원문은 bic으로 bitch의 변형. 현지인들, 특히 중국과 베트남 사람들이 -tch 발음에 서툰 데서 유래.

일곱.
파리로 가는 수렛길

그러고 수레와 수렛길과 풀 덮인 들판뿐인, 수레를 타는 게 전부인 길고 눈부신 때가 이어졌다. 낮은 몇 날 며칠 화창했다. 밤은 그윽했다. 그들은 늙은 물소에게 물을 먹일 때 말고는 하루에 열 시간씩 수레를 탔다. 마을은 보이지 않았다. 땅의 흐름에 맞춰 굽이진 길은 딱딱하고 먼지 날리고 인적이 없었다. 나무는 헐벗은 채였다. 그곳은 비가 아직 북쪽까지 오지 않은 탓에 시들어버린 지역이었고 시냇물도 거의 말라 있었다. 저녁에는 이따금 선선한 바람이 산에서 불어왔다. 그럴 때면 그들은 쉬면서 어둠이 내리길 기다렸고 수 마일을 여행하는 동안 한 번도 다리를 쓰지 않았다는 즐거움을 누렸다. 잠도 쉽게 들었다. 폴 벌린은 낮 동안 말없이 수레에 얹혀 갔다. 수레는 잔잔한 흔들림으로 그를 사르긴 아웅 완이라는 이름의 예쁜 여자아이 쪽으로 밀었다. 그는 둘의 몸이 닿을 때가 좋았다. 우연히 닿을 때도 있었지만 꼭 우연이 아닐 때도 있었다. 그는 그녀의 향기, 그녀의 웃음, 비밀을 간직한 듯한 그녀의 태도가 좋았다. 그녀는 예

뺐다. 부분적으론 그것도 좋은 이유였다. 가난이 미모를 욕보이는 꽝응아이에서 여자들은 개처럼 나이를 먹었다. 그래서, 그렇다, 이 여자아이를 지켜보면서 그런 일이 있었을지 모른다고 상상하니 호기심이 들었다.

"그런데 당신들," 둘째 날이 끝날 무렵 사르낀 아웅 완이 말했다. "당신들 군인이죠, 맞죠?"

"맞아," 그가 말했다.

여자아이는 눈살을 찌푸리며 멀리 떨어진 파란 언덕들 너머를 바라다보았다. "딱해요," 그녀가 말했다. "아직도 싸움이 번지고 있다고 하니까 슬퍼요."

그는 그녀를 안 보는 척하며 어깨를 으쓱했다.

"그런가요?"

"뭐가?"

"전쟁이요. 전쟁이 아직도 우릴 따라오고 있어요?"

폴 벌린은 자기도 확신할 수 없다고 솔직하게 대답했다. 의견이 분분했다. 바보와는 전혀 거리가 먼 닥 페럿에 따르면 전쟁은 끝났다. 중위의 얘길 들어보면 전쟁은 아직 한창이었다. 확신하기 어려웠다.

"흠," 여자아이는 한숨을 쉬었다. "그럼 우리 계속 가야겠네요. 당신이 확신할 수 있을 때까지 멈추지 말고요."

밤에 모닥불이 사그라지면 여자아이의 두 고모는 잃어버린 응우엔을 두고 구슬프게 울었다. 그들은 몸을 들썩이면서, 가죽처럼 낡은 얼굴로 하늘을 가리키면서 짐승의 숨처럼 낮은 소리로 곡을 하기 시작했다. 곡은 점점 고조되었다. 한 시간, 아마 두 시간, 그렇게 곡은 흐느낌이 되었고 흐느낌은 애절하게 높아지다 가장 깊은 밤중에 이르면 통곡으로 바뀌었다. 그들은 위로받을 수 없었다. 엉덩이를 대고 앉아 들썩들썩, 짙은 피부에 왜소하고 주름진 나이 든 여자들은 밤이 새도록 악을 썼다. 그러고 아침이 되면 그들은 아무 말 없이 과적된 소달구지에 올라 뒤쪽에 자리를 잡고 후방을 바라보면서, 동쪽에서 한시도 눈을 떼지 않은 채 말없이 앉아만 있었다.

"파리요?" 사르킨 아웅 완이 말했다. "파리로 가는군요!"

하나의 가능성일 뿐이라고 그는 말했다. 무수한 가능성 중 겨우 하나야, 그저 생각에 지나지 않아. 결과는 모를 일이지만.

"그래도 파리잖아요!"

여자아이의 눈은 초롱초롱했다. 그녀는 모포 더미에 앉아 아주 작은 솔로 발톱을 칠하고 있었다.

"파리! 성당과 미술관! 노트르담! 아, 저도 파리의 피난민이 몹시 되고 싶어요."

그녀는 광택제병에 솔을 담갔다가 왼쪽 발톱을 칠하기 시작했다. 햇빛에 물감이 반짝거렸다.

"저희 데려가줄 거죠, 그렇죠? 피난민으로서? 파리요! 아, 파리는 사랑스러울 거예요 — 퐁 뇌프 다리와 센강, 예쁜 게 잔뜩 놓인 수많은 진열창. 우리가 같이 보게 되겠네요!"

폴 벌린은 신중하게 말을 골라가며 그게 생각 같지 않을 거라고 설명하느라 애썼다. 그는 카차토, 지도와 단것과 무단이탈 가방을 든 그 멍청한 애송이가 빗속에서 어떻게 도망쳤는지 들려주었다. 자

기들이 그를 어떻게 쫓기 시작했는지. 얼마나 위험하고 또 호락호락
하지 않은 임무인지. 자기들이 어떻게 수색대원 한 사람을, 즉 해럴
드 머피를 벌써 잃었으며 정글과 비를 뚫고 수 주일을 행군하는 건
또 어땠는지. 무수한 고난이 놓여 있었다.

"그래도 파리잖아요!"

"하나의 가능성일 뿐이야."

그녀는 그를 쳐다보면서 솔을 코에 가져가 쿵쿵거렸다. 빨간 얼
룩이 그녀의 볼에서 환하게 반짝였다. "저는 확신이 들어요," 그녀는
말했다. "우리는 같이 파리를 보게 될 거예요. 정원들을 거닐고 온갖
유명한 기념비에 들를 거예요. 어쩌면 우리가 거기서 사랑에 빠질지
도 모르죠. 가능한 일일까요?"

흔들리는 소달구지가 두 사람을 바싹 붙였다.

"파리라니," 그녀는 속삭였다. 그녀의 눈길이 지평선으로 옮아갔
다. "그래요, 저는 파리가 못 견디게 보고 싶어요."

중위는 고개를 가로흔들었다.

"안 돼," 그가 말했다.

"하지만 소대장님, 그녀는 프랑스어를 합니다. 완전 프랑스 사람
이에요."

"그래서?"

"그래서, 음, 그녀가 조금은 도움이 될 거예요. 길 안내도 하고 사
정도 알려주고요."

늙은이는 또 한 번 고개를 흔들었다. 그는 수레 맨 앞 부근에 놓
인 깔개에 앉아 기지개를 쭉 켰다. 그의 코는 각질이 일어나 있었다.

"절대 안 돼. 다시 말하지. 우린 아직 군인이고 여긴 아직 전쟁 중이
야."

"하지만 영리한 아이예요. 정말이에요. 도움이 될지도 —"

"거부." 중위는 눈길을 거두었다. "다시 말하는데 이건 염병할 파
티가 아니야. 파티도 안 되고 민간인도 안 돼. 다음 마을에서 우리는
저들을 떨굴 거고 그걸로 끝이야."

"그냥 버리시게요?"

"전쟁이 원래 좀 얄궂지."

"일말의 여지도 — ?"

"안 돼." 늙은이는 한숨을 토했다. "안 된다고."

사실 여자를 위한 장소가 아니었다. 사실 안 좋은 순간과 안 좋은
장소로 가득한 위험한 여정이 될 거였고, 사실 그들은 허약함이나
나약함을 부담할 수 없었다. 모두 사실이었다. 하지만 폴 벌린은 그
생각을 부풀리고 놀길 멈추지 못했다. 한데 뒤섞인 새로운 가능성
들. 완전히 새로운 폭의 선택지들. 그는 사르낀 아웅 완이 원정에 합
류하길 원했다. 그는 몹시 원했는데, 그녀가 자정에 모닥불 빛으로
제 강인함을 보여줄 때면 더더욱 그랬다. "그거 알아요?" 그녀는 속
삭였다. "제가 강한 사람인 거?" 실제로 그랬다. 그녀는 새처럼 부서
질 듯 여리면서도 강인했다. 그녀는 의복을 걷어 올렸다. 그녀의 다
리는 갈색에다 부드럽고 근육질이었다. 살이 선도 주름도 없이 탄탄
했다.

"거기 만져보세요," 다른 사람들이 잠들었을 때 그녀는 속삭였다.
"느껴져요? 제 지구력 남자 못지않아요. 남자 못지않게 걸을 수 있

고 불평도 안 해요."

그는 그녀의 팔뚝과 어깨도 만져보았다.

"제 몫은 할걸요. 보조를 맞출 수 있을 거예요. 용기랑 체력을 보여줄 수 있을 거예요."

그는 엄청나게 강인한 그녀의 다리를 한 번 더 만져본 다음 두 손을 오그려 꼭 쥐었다. 모닥불이 그녀의 눈동자를 은색으로 만들었다.

"당신이 중위님을 설득할 수 있을 거예요," 그녀는 속삭였다. "그분한테 제 강인함을 말해주세요, 제가 파리에 같이 갈 수 있게요."

"보기보다 위험한 일이야," 그가 말했다. "호락호락하지 않아."

"저 용감해요."

"사막에다 산에다 늪에다."

여자아이는 손사래를 치며 일축했다. "위험을 알아야 피난민이죠. 저는 당신들을 안내할 수 있어요. 맞다…… 제가 안내하면 되겠네요! 길잡이로서 제가 필요할 거예요."

"카차토가 있잖아. 그가 우리 길잡이야."

"카차토요?"

"응, 그가 ── 말하자면 ── 그가 저 멀리 앞서 있지. 정찰병처럼."

"상관없는데요," 사르킨 아웅 완은 투덜거렸다. 그녀는 다리께의 옷매무새를 가다듬었다. "상관없어요, 상병님, 당신에겐 제가 필요할 거예요. 저는 강하고요, 그리고 당신은 얼마 못 가서 제가 아주아주 필요해질 거예요. 게다가 저는 파리가 못 견디게 보고 싶어요."

화려한 땅이었다. 산호의 분홍색에 철질의 붉은색, 웅장한 미답

101

의 야생, 그들은 그 속을 물소의 보폭으로 열이틀 지나갔다. 마을도 없었고 사람도 없었다. 오로지 길뿐이었다. 여자아이의 나이 든 두 고모는 애통함 속에서 허우적댔다. 두 사람은 수레 뒤쪽에 자리를 잡고 말없이 후방을 바라볼 뿐 이 여정 혹은 들르는 고장에 아무런 관심도 없었다. 밤이면 두 사람은 통곡을 했다. 코요테 같아, 에디는 웃음을 터뜨렸다. 스팅크 해리스는 웃지 않았다. 딩크들이란, 그는 구시렁거렸다. 딩크스빌에서 온 딩크들이야, 국타운*에서 끌려온 처녀들. 화창한 낮에는 내내 말이 없던 나이 든 여자들은 밤이 되면 날이 새도록 끝을 모르고 울어졌었다.

그래도 그 땅은 풍요로웠고 날씨는 온화했으며 기우뚱한 나무판자 수레는 서쪽으로 점차 넓어지는 수렛길을 전속력으로 달렸다.

한때 그들은 어느 부족의 버려진 성지에서 밤을 보냈다. 한때 그들은 먼 언덕에서 연기가 피어오름을 알아차렸다. 한때 그들은 갈림길에 흩뿌려진 M&M 초콜릿을 발견했는데 M&M은 북서쪽 갈림길을 골랐고 그들은 M&M을 따라갔다. 그들은 사나운 열대성 폭우 속에서 잠을 잤다. 그들은 강의 급한 물살 때문에 물소와 이별할 뻔했다. 그들은 일요일 만찬을 위해 총으로 메추라기를 쏘아 잡았다. 많은 한때가 있었지만 그들이 한 일은 주로 서쪽으로 가는 수렛길을 달리는 거였다.

그러다 그들은 카차토를 잡았다.

밤중, 어둠 속에서 5번 경계 근무 중 벌어진 일이었다. 수풀 속에서 바스락거리는 소리가 났다. 부드럽고 익숙한 휘파람 소리가 들렸다.

스팅크 해리스가 고양이처럼 살금살금 모닥불에서 기어가 그림

자 속에 머물다 침입자 뒤로 습격할 태세를 갖추었다. 그리고 홱 덮
쳤다. 그는 괴성을 지르며 카차토에게 달려들었다.

"잡았다!" 스팅크는 날카롭게 소리쳤다. 사실이었다, 그는 녀석을
잡았다.

---

*   Gooktown. 농담으로 만든 조어. 여기서 gook은 동남아시아 사람, 특히 베트
남 사람을 가리키는 멸칭.

여덟.
관측소

움직이는 모래와 바다 위 높은 곳에 또렷한 정신으로 붙박인 폴 벌린 상병은 한밤의 쌩웅아이를 마주했다. 거의 1시였다. 보통은 다음번 근무자를 깨울 시간이었다. 잠든 몸뚱이들을 비집어 닥의 어깨를 건드리고, 우애 어린 말을 속삭이고, 기다리고, 그러다 닥이 완전히 잠을 깨면 손목시계를 건네며 안녕을 빈 뒤 마침내 따뜻한 판초 안으로 몸을 말고 들어갈 시간. 근무 교대, 죽은 이들에게서 넘겨받은 규칙들.

보통 때였다.

그는 닥 페럿을 깨우지 않았다.

그러는 대신 그는 감시탑 서쪽 담장을 더듬거리며 사다리로 갔다. 그는 두 겹으로 쌓은 모래주머니를 맨발로 타고 넘어 발로 사다리를 찾아 밟아본 다음 빠르게 내려갔다.

그의 가장 용감한 순간이었다.

그는 침착하게, 겁 없이 뒤로 돌아 바다로 걸어갔다. 모래는 시원하게 젖은 느낌이었다. 산호초에 부서진 파도는 돗자리 펴듯 부드럽게 밀려들어, 하나의 파도가 이웃한 파도를 반반히 덮는 가운데 에너지를 주거니 받거니 하는 차분하고 반복적인 동작으로 스스로를 전개해 나갔다. 그는 오스카의 뗏목이 해안에서 50미터 떨어진 지점에 정박한 채 까닥거리는 모습을 어렴풋이 알아볼 수 있었다. 뗏목 너머는 공해(公海)였다.

그는 무릎 깊이까지 첨벙첨벙 들어가 발을 편안하게 쫙 펴고 긴장을 풀었다.

저 높은 곳에는 손전등 불빛 같은 별들, 여기가 어디고 언제인지 말해주는 별자리들이 있었다. 그는 용기가 나는 느낌이었다. 오늘 밤은 어떤 일도 가능했다.

속이 허해지자 그는 철조망이 바다에 잠겨 있는 지점까지 첨벙첨벙 걸어 내려갔다. 그는 거기 멈추어 얼굴과 두 손과 머리카락을 적시고 걸어 나왔다.

그는 달빛이 만들어낸 감시탑 모양의 그늘에 섰다. 그냥 서 있었다. 꼼짝 않고 두려움 없이. 변변찮은 탑이었다. 밑에서 공병의 눈으로 보면 허술하고 무너질 듯 위태로워 보이는, 30피트 높이의 지주로 떠받친 사각형의 단순한 모래주머니에 지나지 않았다. 꽝웅아이의 팅커 토이*. 그는 그게 누구의 발상인지 궁금해하며 웃음을 지었다. 관측할 게 없는 관측소. 마을도 없고 도로나 주요 다리도 없고 적도 없고 개나 고양이도 한 마리 없었다. 바닷가에 불안하게 서 있는 낡은 감시탑 하나.

---

*   Tinker Toy. 나무 막대와 나무 공 등을 조립해 세우는 어린이용 창의력 완구.

그는 둘레를 한 바퀴 걸으며 여러 각도에서 감시탑을 올려다본 다음 다시 물로 돌아갔다.

그렇다, 보통의 밤이 아니었다. 바닷가에 배치된 이날 밤 그는 씩씩했고 맨정신에다 머리 회전이 빨랐다. 그는 손가락이 들썩거렸다. 가능성들로 흥분이 되었지만 아직 통제는 되고 있었다. 중요한 점은 그거였다 —— 자기가 통제되고 있다는 점. 그는 침착했다. 명확한 사고가 도움이 되었다. 집중하기, 세부적인 것 헤아리기, 그것이 많은 도움이 되었다.

조금 뒤 그는 감시탑으로 돌아와 사다리를 올라 근무를 재개했다.

이제 1시 20분이었다.

조용히 담배를 피우면서 그는 디모인강에서의 마지막 밤에 아버지가 했던 말을 떠올렸다. "끔찍한 것도 보겠지, 아마도. 일은 그런 식으로 흐르거든. 하지만 좋은 걸 찾으려고 애쓰렴. 그것들은 네가 찾으면 거기에 있을 거야. 그러니까 그것들을 가만히 살펴봐."

그가 하는 일이 그거였다. 지금 이 순간에도 그것은, 즉 파리로 가는 길에 벌어졌을지 모를 일들을 헤아리는 것은 가능성 있는 모든 결과 가운데 최선의 결과를 구하는 방법이었다. 어쩌면 그들이 운과 용기와 참을성으로 길을 찾았을 거라는 결과.

1시 30분, 그는 무전기로 가서 상황 보고를 하고 닥 페럿의 담배를 또 한 대 꺼내 피웠다.

확실히 멋진 조언이었다. 좋은 것들을 생각하라, 파리에 눈을 고정하라.

아홉.
프렌치 터커에 이어 버니 린은 어떻게 죽었나

"M&M 좀 줘봐," 그 말에 스팅크가 건네자 닥은 초콜릿 두 알을 흔들어 꺼내더니 버니의 혀에 올리고는 삼키라고 말했다.

프렌치한테 땅굴에 들어가라고 명령한, 그러고 나서 버니 린한테 내려가서 프렌치를 끄집어내라고 명령한 시드니 마틴은 한쪽 무릎을 꿇고 앉아 버니의 상처를 넘어다보더니 벤 나이스트롬의 교신을 거들러 무전기로 갔다.

나이스트롬은 아직 울기 전이었다.

프렌치는 땅굴 입구에 노출된 채로 누워 있었다. 그는 죽었고 아무도 그를 쳐다보지 않았다. 그는 지저분했다. 그의 티셔츠는 겨드랑이까지 올라가 있었고 그것으로써 그들이 그를 끝내 어떻게 끄집어냈는지 알 수 있었다. 그의 배는 지방질에 하얬고 매력적이지 않았다. 군데군데 엉킨 검은 머리카락은 하얀 두피에 바싹 달라붙어 있었다. 그는 코를 관통당했다. 그의 얼굴은 그들이 놓아둔 그대로 옆으로 돌아가 있었다.

"삼켜," 닥이 말했다.

"나 그 소리 들었어," 버니 린이 말했다.

"오편 여섯-삼, 여기는 인디고 하나-아홉 —" 전쟁에 신참이었지만 중위의 음성은 갈라지지 않고 차분했다. "긴급 후송 헬기 요청, 반복한다, 긴급하다, 아군 전사자 한 명, 아군 긴급 부상자 한 명…… 좌표는…… 좌표는 대기하라."

"삼켜," 닥이 말했다. "아플 때 좋은 거야."

"다시 말하라, 하나-아홉."

"긴급하다," 중위는 긴급하지 않게 말했다. "반복한다, 좌표 대기하라 —" 그는 벤 나이스트롬에게 송수화기를 넘기고 암호첩을 꺼내 앉았다.

땅이 흔들리고 있었다.

"어이, 저기 봐," 닥이 어르는 소리로 소곤댔다. "헬기 내려온다. 저기. 벌써 기운 좀 나지, 어?"

"나 그 소리 들었어," 버니 린이 말했다.

"그래, 듣고말고. 저 소리 어때? 기운 나? 헬기 오고 있어, 그러니까…… 그러니까 지금은 잠자코 있어. 꾹 버티고 있으면 여기서 얼른 내보내줄게."

"쾅," 버니가 말했다. "쾅! 딱…… 딱 그 소리였어, **쾅!**"

"지금은 잠자코 있으라니까. 좋은 약이니까 약발 퍼질 때까지 기다려, 몇 초면 돼. 느껴지지? 느낌 오지?"

닥은 어르는 소리로 말하면서 압박붕대를 하나 더 뜯어 버니의 목구멍을 단단히 감고 손으로 눌렀다.

"쾅, 그런 소리였어. 깜깜한 게 꼭…… 그러다가, 이크, 나 정말로

들었다고…… 왜 그래? 나 뭐 잘못됐어? 정말이야, 나 그 소리 들었
어."

"그래, 알았어."

"내내 그러더라고. 맹세코."

그들 뒤에서 무전기가 잡음을 냈고, 그러다 목소리 하나가 좌표를
요구했다. "다시 말하라, 그쪽 좌표를 수신하기 전에는 후송 헬기를
보낼 수 없다. 좌표가 없으면 헬기는 없다. 알아들었나?"

"제기랄!" 오스카가 고함을 질렀다. 그는 두 손과 두 무릎으로 딛
고 있었다. 땅은 계속 흔들렸다.

중위는 암호화한 좌표를 산출하려고 지도와 나침반과 암호첩을
펼쳐가며 아직도 연필로 끄적거리는 중이었다. 그는 서두르는 기색
없이 차분하게 임했다.

그의 옆에는 프렌치의 철모와 군화와 양말이 네모반듯한 바위 위
에 단정하게 정돈돼 있었다. 프렌치는 늘 단정했다. 버니 린의 장비
는 그가 던져둔 자리에 고대로 쌓여 있었다.

"집에 가자," 닥이 말했다. "정말이야. 간호사랑 술이랑 좋은 건
다 있어. 봐, 집이라고. 이제 기운 좀 나지…… 누가 주스도 갖다 줄
거야…… 그럼 그렇지, 봐, 벌써 기운 날 줄 알았어." 닥은 압박붕대
를 벗기고 새것으로 갈았다. 상처가 축축했다. 목구멍 아래부터 가
슴까지 가파르게 파여 나가는 땅굴상, 대원이 땅굴에서 총에 맞으
면 늘 그 상처가 났는데, 버니 린이 말을 하고 있다는 건 믿기 어려
운 일이었지만 어쨌든 그는 말하고 있었다. "……엄청 시끄러워,
쾅……." 그는 콜록거리더니 고개를 흔들고 분명히 전했다. "딱 그
소리야, **쾅!**"

"얘 좀 붙들어봐," 닥이 말했다.

"이런, 난 싫어. 잘난 위생병은 너잖아."

"누가 좀 ——"

땅이 다시 흔들리고 있었다. 남쪽과 남서쪽과 서쪽에서 제1분대와 제2분대가 여전히 참호를 날리는 중이었다. 폭발 때문에 버니는 눈을 깜빡깜빡했다.

"난 싫어," 스팅크 해리스가 말했다. "저런 꼬락서니를 어떻게 붙들어."

"제발 누가 좀 붙들라니까."

"난 싫어."

무전기가 삑삑거렸다. "하나-아홉, 헬기를 원하면, 젠장, 좌표를 보내라. 안 보내면 ——"

"좌표 전달하세요," 오스카 존슨이 말했다. 그는 선글라스를 잃어 버린 참이었다. 그는 시드니 마틴을 노려보았다. "암호는 됐으니까 그냥 좌표 전달하세요."

"1분만."

"전달하라고요!"

중위는 제 암호첩 위로 몸을 수그렸다.

"인디고 하나-아홉, 여기는 오펀 여섯 ——"

"암혼지 지랄인지는 됐다니까요!" 오스카가 소리를 질렀다. "좌표 전달하세요. 그냥 **전달**해요!"

"1초면 돼."

"인디고 ——"

땅이 다시 흔들렸다. 저만치 떨어진 산울타리 위로 두 개의 새카만 구름이 피어올랐다.

"있잖아," 스팅크가 속삭였다. "난 안 해. 그걸로 끝, 난 그냥 안 할래."

"아이, 그러면——"

"난 안 해."

"누가 좀 붙들어봐," 닥이 말했다. "누구든 상관없으니까 당장 여기 좀 붙들어."

루디는 주삿바늘, 스팅크는 혈장과 고무관을 들기로 하고 루디가 버니의 팔에 주삿바늘을 찔렀다. 스팅크는 눈을 꼭 감고 있었다. 그는 피를 혐오했다. 닥은 버니의 목구멍에 댄 압박붕대를 누르고 있었다.

그들 뒤에서는 시드니 마틴 중위가 다시 무전기에 달라붙어 암호화한 좌표를 부르고 있었다. 그는 각 숫자를 정확하게, 하나하나 끊어가면서 매우 침착하게 전달했다.

주삿바늘이 빠졌다. 맑은 액체가 버니의 팔에 쏟아졌다. 땅굴 입구*에 질퍽거리는 웅덩이가 고였다. 닥은 얼른 자리를 바꿔 다시 주삿바늘을 꽂았다.

"반복한다," 시드니 마틴이 말했다. "전사자 한 명, 긴급 부상자 한 명, 둘 다 미군이다. 반복한다, 긴급하다. 좌표는——" 그리고 그는 다시 암호화한 좌표를 읽었다.

이제 벤 나이스트롬은 울고 있었다. 그는 중위의 발치에 쪼그려 앉아 두 손으로 무전기를 잡고 울고 있었다.

---

*　　바늘자리를 가리킨다.

땅이 다시 부르르 진동하자 스팅크가 든 병 안의 중액(重液)이 출렁거렸다. 남서쪽에서 또 다른 폭발이 메아리처럼 거의 즉각적으로 일어났다.

"착륙지대 안전 확보 바람…… 도착 예정 시간까지 기다려라. 대기."

두 번째 폭발로 들썩거리는 바람에 주삿바늘이 헐거워졌다. 버니는 일어앉았다.

"잘 붙잡아, 그래야——"

"맙소사! 이 녀석 좀 눕혀, 제발 좀 **그래줄래**? 그냥 눕히기가 그렇게 어려워?"

"아이, 바늘이 빠져서 그래." 스팅크가 눈을 뜨고 병을 찾았다. "계속 꿈틀거리는데 내가 어떻게 말려?"

"주삿바늘——"

"제발 좀. **붙들고 있어.**"

닥이 의료낭으로 달려가 테이프를 찾는 동안 루디는 주삿바늘을 들었다. 여전히 화창한 아침이었다. 속이 비치는 엷은 구름이 태양 밑을 내달리며 빈터에 그림자를 드리웠다. 버니는 햇볕에 누워 있었다. 눈이 뜨여 있었지만 그는 닥이 주삿바늘을 바로잡아 테이프로 팔에 고정해도 아무런 말을 않았다. 스팅크는 고개를 돌렸다.

"어이, 안녕하지," 버니가 말했다.

"너나 안녕해. 이제 좀 괜찮아?"

"아주 좋아…… 몇 시야? 난 모르겠네. 쾅, 그러더라고. 딱 그 소리였어, 쾅. 뭔가…… 왜 그래? 나 뭐 잘못됐어?"

"차분히 좀 있어. 그냥——"

"제기랄!"

"얘 좀 눕혀. 붙들고 있으라고."

루디가 버니의 어깨를 눌러 편안하게 눕혔다.

"고대로 있어."

"알았어."

"이 녀석 그대로 붙들어둬."

버니는 긴장을 풀었다. 그는 두 다리를 쭉 펴고 반듯하게 누워 있었다. 그의 머리가 좌우로 흔들렸다. 가느다란 팔에 그은 피부에 눈은 활짝 벌어진 중간 키, 갈색 머리의 아이. 그는 프렌치 터커를 쳐다보았지만 그를 보고 있는 것 같지는 않았다. 그는 자꾸 머리를 좌우로 흔들었다. "나 그 소리 들었어," 그가 말했다. "정말이야."

버니의 몸속으로 혈장이 싹 비워지자 닥은 신선한 병을 꺼내 뾰족한 걸로 구멍을 내고 고무관을 꽂았다.

"내가 들었어," 버니가 말했다. "거짓말 아니야."

"어이, 우리도 무슨 말인지 알았어. 이제 그만, 침착해."

버니는 웃음을 지었다.

"암호요," 오스카가 말했다. 그는 선글라스를 도로 찾은 참이었다. "남자는 **암호** 때문에 일을 망치죠…… 암호 때문에." 그는 시드니 마틴 중위를 쳐다보고 침을 뱉었다. "암호 때문에!"

버니 린의 입이 작게 동그라미를 지었다. 거품 하나가 부풀다 터졌다.

"약 더 줄까, 꼬마야?"

버니는 웃음을 지었다.

"좋아, 카우보이. 한 첩 더 줄 테니까 어떻게 되나 보자고. 도망가지 마."

닥은 새 M&M 봉지를 찾았다. 그는 약사처럼 아주 조심스럽게 녹색 초콜릿 세 알을 흔들어 꺼내고 버니 린에게 먹이기 시작했다. 대원들은 이게 무슨 뜻인지 알았다. 플라스틱 병을 들고 있는 루디와 계속해서 압박붕대를 갈아주는 닥을 빼고는 다들 자리를 피했다.

열.
파리로 가는 길의 구멍

"내가 잡았어," 스팅크는 끙끙대는 소리를 냈다. "맹세코, 그래, 내가 녀석을 콱 붙잡았어."

"물론 그랬겠지," 닥이 새 붕대를 뜯으며 말했다. "편히 힘 빼. 이거 살짝 아플 거야."

"정확히 불알을 잡았다니까, 그 작고 살찐 ──"

닥이 붕대를 벗기자 스팅크는 날카로운 비명을 질렀다. 이제 아침이었고 그들은 이동할 채비를 하고 있었다. 오스카와 코슨 중위는 물소를 멍에로 돌려보내 마구를 채웠고 에디는 군낭과 침낭을 수레에 매다느라 바빴다. 간밤은 길고 잠 못 이루는 밤이었다.

"그 자식 숨 냄새까지 느껴질 정도였다니까, 녀석을 그 정도로 잡았어. 양파 냄새! 딱 그 냄새였어 ── 양파, 퀴퀴하고 좆같은 양파. 내가 녀석을 **잡았다고.**"

"뻥치지 마," 오스카가 말했다. 그는 침을 뱉고 스팅크의 상처를 싸하게 노려보았다. "어이, 네가 녀석을 잡았었다고? 이빨로?"

"그게 아니라 —— "

오스카의 입술이 심술궂게 웃는 모양이 되었다. "나한테는 네가 영 못 잡은 걸로 보이는데. 네가 잡혔다면 모를까."

닥은 스팅크의 팔을 들고서 감염은 없는지 살폈다. 그는 어젯밤 임시변통으로 붕대를 묶어 지혈을 해둔 참이었다. 이젠 그리 심각해 보이지 않았다. 잇자국만 두 줄로 단정하게 나 있었다.

"망할, **캄캄했다니까**. 캄캄한데 뭘 기대해?"

"아무것도," 오스카가 말했다. "나는 너한테 아무 기대도 안 해. 녀석을 잡았어도 붙들고 있질 못했을걸. 그러니까 우린 덤불이나 밟으려고 아까운 밤을 홀딱 샌 거지. 난 너한테 아무 기대도 안 해."

"**내** 잘못 아니라니까. 도저히 앞이 —— "

스팅크는 꽥 비명을 지르며 닥이 솔질하는 요오드 용액에서 달아나려고 몸을 꼬았다. 그의 얼굴은 잿빛이었다. 그는 닥이 상처에 술폰아미드 가루를 뿌리고 붕대를 다시 감는 동안 고개를 돌리고 있었다.

"다음번엔," 그는 중얼거렸다. "다음번엔 그 좆만 한 찌질이가 값을 치르게 될 거야. 맹세할게."

"다 됐어."

닥은 붕대를 자르고 그가 수레에 오르도록 거들어주었다.

"저기, 닥," 에디가 불렀다. "저 자식한테 M&M 몇 알 먹이는 게 좋을 것 같은데. 너 M&M 몇 알 줄까, 스뗑꼬?"

"어이, 원숭이랑 떡이나 쳐."

에디는 웃음을 터뜨리고 군낭 매다는 일을 마무리했다. 그는 나이 든 두 여자가 수레에 타도록 거들고 전투식량 가방을 추스른 다음 오스카에게 팔을 흔들었다. 그러고 나서 그들은 다시 이동을 시작했다.

"다음번엔," 스팅크가 중얼거렸다. "다음번엔 튀김을 만들어버려야지."

에디가 웃음을 터뜨렸다. "다음은 없을걸요, 멋쟁이 아저씨?"

"바로 그거야," 스팅크가 말했다. "다음은 없어. 다음번엔 그 두꺼비가 좆같은 이빨을 털릴 테니까."

오후 중반에 그들은 카차토의 또 다른 지도를 찾았는데 이번 것은 길 복판에 가로놓인 통나무에 부착돼 있었다. 붉은 점선은 깊숙한 고무나무 지대 안으로 이어졌다. 닥은 지도의 기호 일람표에서 그것을 짚었다. "이 기호들 보이세요? 고무, 주석, 마그네슘이 풍부한 지역이에요. 이 기호들이 상징하는 게 그거예요."

중위가 지도를 건드렸다. "이건 뭐지?"

"어떤 거요?"

"여기 이거. 지도에 그려진 거. 이건 대체 뭐야?"

그것은 정밀하게 그려진 원이었다. 원 안에는 더 작은 붉은색 원이 두 개, 그 사이에 훨씬 작은 원이 한 개, 그리고 그것들 아래에 바나나처럼 휜 커다란 웃음 표시가 있었다. 행복해하는 둥근 얼굴. 그 아래에는 고딕체로 경고가 인쇄돼 있었다. **조심, 길에 구멍이 나 있음.**

간단히 저녁 식사를 때운 뒤 코슨 중위는 새 계획을 설명했다.

"이대로라면," 그가 말했다. "카차토는 만달레이*로 향할 것으로 보인다. 확신할 순 없지만 녀석이 지금처럼 북서쪽으로 나아가다가

서쪽으로 튼다면, 음, 녀석은 만달레이와 정면충돌하게 될 거야. 대충 내 짐작은 그래."

늙은이는 잠시 뜸을 들이며 카차토의 지도를 가만히 내려다보았다. 모닥불 때문에 그의 살이 환하게 홍조를 띠었다. 그의 두 눈은 충혈돼 있었다.

"대충——" 그는 말하려다가 콜록거리고는 입술 가장자리를 핥았다. "대충 계산해보니까 최선은 녀석을 차단하는 거야. 녀석을 앞질러서. 이해들 되지? 대각선처럼 긋는다고, 두 지점의 최단거리를 취하는 거야." 중위는 지도에서 울창한 정글을 뜻하는 녹색 지역을 엄지손가락으로 곧게 가로질렀다.

"도로에서 벗어나자고요?" 에디가 물었다. "또 짊어지고 걷게요?"

"그 길밖에 없어."

"그렇죠, 하지만…… 에구."

닥은 지도를 집어 들었다. "먹히겠는데," 그가 말했다. "기초적인 빗금 전략이잖아, 안 그래? 곧장 가로질러서 녀석을 길목에서 차단하는 거지. 먹히겠어."

"그래. 근데 **걸어서?**"

"먹힐 거라니까."

중위는 두 눈 사이의 **뼈**를 주물렀다. "젠장, 나도 그러기 싫어. 울창한 데를 통과해야 되잖아. 또 진짜 정글을. 주님도 아실걸, 내가 그걸 쥐뿔만큼도 안 좋아하는 걸."

"하지만 아직 전쟁 중이죠." 에디는 한숨을 지었다.

---

*   버마 이라와디강 서쪽 연안의 도시.

"바로 그거야. 아직 요란하게 전쟁 중이지."

폴 벌린이 손을 들었다. "그들은 어떡합니까?"

"누구?"

"나이 든 여자들이요. 그 여자아이랑."

"안됐지만," 코슨 중위는 말했다. "내가 전에도 말했듯이 이건 드라이브도 아니고 숙녀들을 위한 장소도 아니야." 그는 억지웃음을 지었다. "안됐지만 젊은이, 대답은 노야. 우린 그들을 두고 간다."

"여자아이도 안 되나요?"

"미안하게 됐군."

그들은 군낭을 보수하고 수통을 채우고 전투식량을 비축하는 등의 대비로 저녁을 보냈다. 나중에 모두 잠들자 폴 벌린은 사르킨 아웅 완과 조용히 앉았다. 할 말이 없었다. 그는 행복한 결말을 떠올릴 수 없었다. 그는 아이 손처럼 조그만 그녀의 손을 잡았고, 두 사람은 주먹처럼 단호한 모습으로 왕성해지는 모닥불을 함께 바라보았다.

나중에 그녀는 울음을 터뜨렸다. 그는 그녀의 머리카락에 코를 묻었다.

"뭐라도 해봐요," 그녀가 속삭였다. "어떻게 할 수 없어요?"

"애쓰고 있어."

"빌어봐요. 눈을 감고서 우리가 함께 파리를 보게 될 거라고 빌어봐요."

"그러고 있어," 그가 말했다.

"눈 감았어요?"

"감았어."

"보여요? 우리가 파리에 있는 거?"

그는 그 모습이 또렷하게 보였다.

"당신은 길을 찾을 거예요," 그녀는 뒤로 누우며 말했다. "저는 확신이 들어요. 당신은 찾을 거예요."

그러고 나서 그녀는 잠들었다. 그는 그녀를 지켜보았다 —— 맑고 어린 데다 속눈썹이 난초에 핀 꽃잎처럼 말려 있었다. 그녀는 연약했다. 건드리기만 해도 전부 망가질 것 같았다. 그는 그녀를 건드리지 않았다. 그는 밤새 뜬눈으로 누워 행복한 결말을 찾아보았다. 수수께끼야, 그는 끊임없이 생각했다.

새벽녘, 분홍색 태양이 그를 기습했다. 그는 눈을 껌뻑껌뻑하며 일어났다. 에디와 오스카는 벌써 불을 지피고 있었다.

작별의 분위기. 아침 식사를 마치고 그들은 나이 든 두 고모가 수레에 오르도록 거들었다. 오스카는 물소의 큰 코를 쓰다듬으며 부드러운 목소리로 뭔가 속삭였고 스팅크와 닥은 여자들의 소지품을 수레에 단단히 고정했다. 마치 일부러 그러는 것처럼 다들 온갖 사소한 데 주의를 기울이며 꾸물거렸다 —— 모닥불 끄기, 야영지 정리, 아무 흔적이 남지 않도록 확인 점검. 하지만 끝내 피할 수 없는 일이었다. 폴 벌린은 여자아이의 손을 잡고 수레로 이끌어 그녀가 운전석에 앉는 걸 도왔다.

사르낀 아웅 완은 웃음을 지었다. 그녀의 눈은 글썽거리는 눈물로 반들반들해졌다. 그녀는 아래로 팔을 뻗어 고삐를 잡았다.

그는 그녀의 손에, 그런 다음 그녀의 볼에 입을 맞추었다.

"당신은 길을 찾을 거예요," 그녀는 속삭였다. "난 알아요."

그는 말없이 고개를 끄덕였다. 그러고 고개를 돌렸다. 결코 야박

한 사람이 아니던 중위는 입술을 오므려 안타까움을 드러냈다. 늙은 이는 제 총기를 메고 느릿느릿 물소에게 다가가 그 짐승의 옆구리를 찰싹 쳤다.

폴 빌린은 두 눈이 저릿했다.

해결책은 없었다. 잘못된 상상, 그래서 그만 이런 일이 벌어지고 말았다.

처음에는 부르르하는 소리로 시작되었다. 그런 다음 천지가 요동치는 느낌이 들었다. 커다란 물소가 발을 구르기 시작했다. 코를 벌렁벌렁, 그 짐승은 무서워서 부들부들 떠는 듯이 보였다. 수렛길이 흔들렸다. 길 전체가 흔들렸다. 일순 땅이 꺼지는 거대한 느낌, 지진, 수렛길을 따라 꿀렁꿀렁하면서 찢고 가르고 하는 진동이 일었다.

"그래요," 여자아이는 말하고 있었다. "저는 당신이 길을 찾을 줄 알았어요. 그럼 파리에서 ── "

바닥이 쩍 하고 갈라졌다.

커다란 물소는 코를 식식거리고 눈알을 굴리면서 도망치려고 안간힘을 냈다. 녀석은 난폭하게 앞다리를 쳐들고 뒷걸음치다 휘청거리며 무릎으로 떨어졌다.

수렛길은 처음에는 좁게, 그러다 확 찢기어 길고 들쭉날쭉한 금이 벌어졌다.

"거룩하신 하느님," 에디가 속삭였다.

중위는 소리를 질렀다. 스팅크의 입은 열렸다 닫혔다 했는데 무슨 말을 했는지는 몰라도 또 한바탕 밀려오는 어마어마한 충격파의 연쇄에 묻혀버렸다. 순수한 암석도 쩍 하고 쪼개졌다. 땅바닥의 구멍들에서 뭉게뭉게 먼지가 피어오르는 듯했다.

그리고 나서 그들은 추락하고 있었다. 폴 벌린은 배 속으로 그것을 느꼈다. 굴러떨어지는 느낌이었다. 그는 사르낀 아옹 완의 손을 잡아챌 기회가 있어 콱 움켜쥐었고, 그리고 나서 함께 추락하고 있었다. 수렛길은 온데간데없이 사라졌고 그들, 즉 오스카와 에디와 닥, 늙은 중위, 물소와 수레와 나이 든 여자들, 온갖 것 모두가 하나도 빠짐없이 파리로 가는 길에 난 구멍 속을 뒹굴며 속절없이 추락하고 있었다.

열하나.
불구멍

피더슨은 만신창이였다. 그들은 그의 판초로 그를 말았다. 닥 페럿이 부러진 인식표를 찾아 피더슨의 입속에 밀어 넣고 테이프로 봉했다. 나중에 후송 헬기가 왔다. 그들은 피더슨을 실었다. 제 친구의 손목을 만지는 에디, 조종사에게 신호를 보내는 해럴드 머피, 헬리콥터는 피더슨을 데리고 떠났다.

그들은 첨벙거리며 논 밖으로 나왔다. 아무도 짐 피더슨 얘기를 하지 않았다. 중위는 한 사람 한 사람 대원들을 돌아다니며 분실물 목록을 작성하더니 그들을 반 킬로미터 떨어진 언덕으로 이끌었다. 꼭대기에서 그들은 짐을 다 벗어 던지고 느슨하게 방어선을 형성했다. 그날은 매우 더웠다. 논에 내려온 얼마 전만 해도 날씨가 쌀쌀, 아니 지독하게 추운 듯했는데 이제는 열기가 땅에서 피어오르는 게 눈에 띌 정도였다. 구름 한 점 없었다. 들판에 농부 한 사람 없었다. 저 아래 논 옆에 처박힌 곳은 호이안이라는 마을이었다.

대원들은 중위가 지도와 나침반을 갖고 계산을 하러 간 동안 대기했다.

그들은 수건을 번갈아 쓰며 논의 악취를 닦아냈다. 악취는 머리카락이며 코며 입에서 풍겼다. 총기들은 더러웠다. 폴 벌린은 혀로 이를 훑으면서 침을 모았는데 뱉고 보니 녹색이었다. 녹조 부스러기가 거품 속을 헤엄쳤다. 그의 손은 진흙이 덕지덕지했다. 그의 군화 속에서 물컹한 오물이 느껴졌다. 그는 그것이 윤활유처럼 여기저기 발라져 있는 게 보였다. 냄새는 진했다. 해럴드 머피는 바지를 벗어서 그걸로 커다란 총을 청소했다. 에디는 무전기를 닦아 중위가 쓸 수 있게 준비했고 오스카와 보트와 카차토는 각자의 총기를 분해하기 시작했다.

계산을 마친 중위는 무전기로 가 송신을 했다. 그는 활기차게 말했다. 그는 좌표를 판독하고 표시탄*을 한 발 요청했다.

그들은 기다렸다. 아래를 내려다보는 폴 벌린의 눈에 사방으로 펼쳐진 평평한 갈색 논이 들어왔다. 호이안 마을은 죽어 있었다. 새도 짐승도 없었다. 햇빛 때문에 논이 깨끗해 보였다. 높은 곳에서는 모든 것이 깨끗해 보였다. 그는 피더슨 생각을 하지 않으려고 애썼다. 추위, 밤마다 추위가 덮친 일이나 믿기지 않는 더위 생각도. 그는 상의에 손을 문지르고 입을 헹구고 그 생각에 빠지지 않으려고 애썼다.

무전기가 지지직거렸다. 한 차례 삑 소리가 났다. 표시탄은 호이안 남동쪽 모퉁이 높은 상공에서 터졌다.

중위는 무전으로 위치를 조정하고 백린탄을 요청했다.

그러자 다시 삑 소리가 났다. 백린탄이 마을을 불태웠다.

"죽여버려," 폴 벌린은 말했다.

중위는 마을이 불타는 걸 지켜보았다. 그러더니 무전기로 가서 윌리 피터**를 열두 발 더 주문한 다음 고폭탄도 열두 발 주문했다.

포탄은 30초 간격으로 마을을 때렸다. 마을은 하얘졌다. 산울타리들은 덜렁거렸다. 진공이 정적을 빨아들였고 한 차례 바람이 만들어졌다. 호이안은 이글거렸다. 나무들은 재가 되었다. 타닥타닥 부글부글 소리가 났다. 대원들은 군낭을 깔고 앉아 하얀 연기 속에서 검은 연기가 피어오르는 모습을 지켜보았다. 지푸라기 파편들이 보슬보슬 내렸고, 마을 안에서 플래시전구가 연달아 터지는 듯한 빛이 났고, 그러더니 녹아내렸고, 그러더니 열에 휩싸였다. 언덕 높이 있는데도 그들은 열이 느껴졌다. 액상의 무엇이 마을 중심을 가로지르는 듯했다. 그 유동체는 활활 타오르며 논으로 흘러들었다.

"죽여버려," 폴 벌린은 말했지만 악의는 없었다.

중위는 무전기로 돌아갔다.

이후 윌리 피터와 고폭탄이 처음에는 하얗게, 그다음에는 검게 교대로 날아들었다. 대원들은 환호도 없었고 감정도 드러내지 않았다. 그들은 마을이 연기로 변하는 모습을 지켜보았다. 포탄들이 두들겨 연기를 일으켰다. 나무도 오두막도 산울타리도 울타리도 사라지고 없었다. 하얀 재가 흩날리며 내려앉았다. 용광로 한가운데처럼 연기 속에서 무언가 번쩍번쩍했고 포탄들은 끊임없이 떨어졌다. 소리는 극히 작았다. 가볍게 둥둥거리는 진동이었다. 오스카 존슨은

---

*   marking round. 목표를 정확히 가늠할 목적으로 본사격 전에 쏘는 탄. 일종의 페인트탄.

**   Willie Peter. 백린탄을 뜻하는 미군 은어.

폭발할 때 매번 웃음을 지었지만 그 밖의 대원들은 멍한 듯했다. 그러다 그들은 사격을 개시했다. 그들은 가지런히 늘어서서 불타는 마을을 사격했다. 해럴드 머피는 기관총을 사용했다. 환한 붉은색 빛줄기를 단 예광탄들이 연기를 가르는 모습이 보였고, 윌리 피터와 고폭탄은 줄줄 쏟아졌고, 대원들은 녹초가 될 때까지 사격을 했다. 마을은 구멍이 되었다.

그들은 뜨라봉강에서 그날 밤을 보냈다. 그들은 강에서 목욕을 하고 천막을 친 뒤 저녁 식사를 때웠다. 밤이 내리자 그들은 짐 피더슨 얘기를 시작했다. 얘기를 하는 편이 어김없이 더 나았다.

열둘.
관측소

두말할 것 없이 문제는 용기였다. 어떻게 행동할 것인가. 달아날 것인가 싸울 것인가 타협할 것인가. 문제는 겁먹지 않는 게 아니었다. 겁이 나더라도 얼마나 지혜롭게 행동하느냐가 문제였다. 배 속 깊이 흐르는 쓸개즙 억누르기. 그것이 진짜 용기였다. 그는 이것을 믿었다. 그리고 명백히 도출되는 결론을 믿었다. 즉 겁이 엄청나면 잠재된 용기도 엄청나다는 것.

저 밑에는 감시탑의 그림자가 남쪽 멀리까지 뻗어 있었다.

이제 2시 15분이 다 되었지만 그는 피곤하지 않았다. 그는 몽롱한 머리로 내륙을 바라보며 귀를 기울였다. 그는 무슨 소리인지 조목조목 댈 수 있었다 — 바다에서 불어오는 싱숭생숭한 잔바람, 밀물, 무전기 잡음. 다른 사람들은 자고 있었다. 스팅크 해리스는 두들겨 맞은 권투 선수처럼 무릎을 끌어당기고 두 팔로 머리를 감싼 채 공격적으로 잤다. 오스카는 팔다리를 쭉 펴고 우아하게 잤고 에디 라추티는 뒤척뒤척 이따금 옹알거리며 변덕스럽게 잤다. 그들의 잠도

밤의 일부였다.

그는 몸을 수그리고 구령에 맞춰 PT 체조를 하면서 조용히 숫자를 세고, 팔과 목과 다리를 풀고, 그런 다음 감시탑의 좁은 기단을 두 바퀴 걸었다. 그는 피곤하지 않았고, 겁나지 않았고, 그리고 밤은 움직이지 않았다.

그는 모래주머니 담장에 기대어 닥의 담배를 한 대 더 피웠다. 전쟁이 끝나면 담배를 끊을 생각이었다. 금연, 어느 날 뚝.

그는 담배를 깊이 빤 다음 숨을 참고는 머릿속에서 시작되는 한바탕 전율을 즐겼다.

그렇다, 문제는 용기였다. 언제나 그랬다, 꼬마 시절조차. 주변 모두가 그에게 겁을 주었다. 도리가 없었다. 잡음이 그를 겁주고 어둠이 그를 겁주었다. 땅굴이 그를 겁주었다. 은성 무공훈장(Silver Star)을 받을 뻔했던 순간이었다. 하지만 진짜 문제는 용기였다. 은색의 별과는 관계없는…… 아, 수여받았다면 그도 사실 좋았겠지만 문제는 그게 아니었다. 아버지에게 묵직한 느낌의 훈장을 안겨줬더라면, 아버지의 눈을 똑바로 보고 자기가 용감했음을 보여줬더라면 그도 좋았겠지만 그렇더라도 진짜 문제는 그게 아니었다. 진짜 문제는 두려움을 이겨내려는 의지력이었다. 이겨낼 방법을 찾는 문제였다. 모든 가능성, 즉 사내라면 보였을 행동의 모든 경우의 수가 얼기설기 회로를 이루는 인간 마음의 밀실로 어떻게든 기를 쓰고 들어가는 것. 그는 닥 페럿이 믿는 것처럼 사내들은 저마다 내면 어디에 용기를 단련하는 생물학적 중추가 있다고, 즉 건드리면 섬광처럼 즉시 반응하도록 만들어진 하나의 조직, 어쩌면 화학물질이 있다고, 혹은 사격이 개시되면 쓸개줍도 발목 잡지 못할 만큼 폭발적인 용기를 생산하는 단일한 염색체가 있다고 믿었다. 일단 점화되면 그 힘이 얼마나 되든 전력을 발산할 한 가닥의 실, 한 가닥의 도화선. 그의 내면 어디선가 은색의 별이 반짝거리고 있었다.

열셋.
파리로 가는 길에 구멍에 빠져

그리하여 밑으로 밑으로, 자유형으로 핑글핑글 어둠 속을 허우적 댔다. 조심하라고 겨우 소리칠 틈, 소총과 사르낀 아웅 완의 손을 잡 아챌 틈이 있었고, 그러고 나서 그는 추락하고 있었다.

그는 저 아래 멀리 물소와 나무판자 수레, 아직도 뒤쪽에 자리를 잡고서 후방을 바라보는 나이 든 두 고모가 뒹구는 희미한 윤곽을 알아볼 수 있었다. 그는 그들의 곡소리가 들렸다. 그러다 그들은 사 라져버렸다. 그는 폐가 욱신거렸다. 정맥의 피는 멈추고 눈은 이글 거리고 머리는 배보다 먼저 곤두박질쳤다. 구멍은 계속해서 입을 벌 린 채였다. 불 밝힌 횃불들이 별똥별처럼 휙휙 스치는, 붉은 눈들이 수직의 암벽에서 반짝반짝하는, 밑으로 밑으로 좁고 깊게 뻗은 구 멍이었다. 그는 예쁜 여자아이의 손을 꽉 잡았다. 그녀는 웃고 있었 다. 기이한 광경이지만 그녀는 추락하면서 웃고 있었다.

그는 바보 같다고 생각했다. 그는 밤이 자신의 주위를 온통 어지 럽히는 감시탑으로 잠시 돌아가 있었는데, 그렇다, 거기서도 그는 추락하고 있었으니 눈은 겉으로 드러난 것만 건성으로 살폈고, 꾸벅거렸고, 제 몸을 꼬집었고, 하지만 여전히 잠으로 추락하고 있었다. 바보 같긴! 무언가 곤두박질치며 곁으로 다가왔는데 —— 살아 있는 이상한 물체, 남자였다 —— 그는 그것이 강하하는 모습을 보고 스카이다이버처럼 독수리 자세로 활짝 편 늙은 중위임을 알아차렸다. 이내 추락 중인 물체들이 우수수 들이닥쳤다. 총기와 탄약과 수통과 철모, 군낭과 수류탄, 모든 것이 추락했다. 스팅크 해리스가 휙 지나갔다. 그러고 나서 오스카와 에디와 닥이 지나갔다. 닥은 손을 흔들었다. 전속력으로 강하할 때조차 우아한 오스카는 스프링보드 다이버처럼 두 팔로 곱게 머리를 감싸고 추락했다. 에디는 추락하면서 요들을 했고 스팅크 해리스는 어린아이처럼 낄낄거렸다. 그 뒤를 구르던 폴 벌린은 그들이 구멍 깊숙한 곳으로 사라질 때까지 눈을 떼지 않았다.

깜빡깜빡하는 불빛 속을 추락 중인 그는 파리로 가는 자신의 완벽한 행군 중에 대체 무슨 일이 벌어진 건지 일순 의아한 기분이 들었다. 그러다 두려움이 찾아들었다. 바보 같아, 그는 생각했다.

그는 사르낀 아웅 완의 손을 꼭 쥐었다. 그녀는 웃고 있었다. "아주 멋져요," 그녀는 촉촉한 눈을 반쯤 감고 속삭였다.

귓가의 바람, 추락, 그는 두려움이 배에 들어차는 느낌이 났다. 오줌을 지릴 것 같았다. 그는 다리를 꼬고 눈을 감았지만 압력은 부풀었고, 그러다 축축한 게 새는 느낌이 났다. 그는 실없는 웃음을 터뜨리고 싶었다. "아주 멋져요," 그의 곁을 추락하는 여자아이가 웅얼거렸다. 그녀의 입술은 벌어져 있었다. 그녀는 윗니를 핥고 있었다. "아주 멋지지 않아요? 저는 당신이 길을 찾을 줄 알았어요! 저는 알왔다고요!"

그는 스스로를 가누지 못했다. 보기 좋게 분열한 정신, 흠뻑 젖은 몸, 끈에 묶인 꼭두각시처럼 휘적휘적하는 팔다리, 그는 밑으로 밑으로 날듯이 미끄러졌다.

그는 부드럽게 바닥에 내렸다.

다행히 귓속의 굉음은 멎은 상태였다. 정적이 뒤따랐다. 누군가의 웃음소리가 뒤따랐다. 으스스한 메아리였다. 그는 일어앉아 제 몸에 팔을 두르고 덜덜 떨면서 웃음의 근원지를 찾았다.

오스카 존슨이 성냥에 불을 붙였다.

그곳은 단단하고 붉은 돌이 벽체인 좁은 땅굴이었다. 실없는 웃음소리, 미치광이처럼 실실거리는 높은 소리가 벽에 튕겨 나왔다.

"괜찮아," 닥이 속삭였다. "이봐, 진정해. 다 끝났으니까."

하지만 폴 벌린은 실없이 웃지 않을 수 없었다. 빌리 보이가 겁에 질려 그랬던 것처럼. 그는 멈추지 못했다.

"긴장 풀어," 닥이 그에게 팔짱을 끼고 달래듯이 말했다. "이제 꽉 잡아. 위로 올라갈 거니까."

하지만 그는 멈추지 못했다.

"긴장 풀라니까," 닥이 말했다. "진정해. 길에 함정이 없을 거라고 말한 사람은 없잖아."

그곳은 50미터마다 횃불을 밝힌, 통로들이 연속해서 맞물린 땅굴망으로, 그들은 박쥐와 죽창과 부비트랩을 엄청나게 예의 경계하며 일렬로 나아갔다. 스팅크 해리스가 길을 이끌었다. 그다음은 늙은 중위였다. 그다음은 오스카와 에디와 닥 페럿. 꼬리를 맡은 폴 벌린은 여자아이의 손을 꼭 잡고 있었다. 물소와 나무판자 수레와 나이 든 두 고모는 사라지고 없었다.

땅굴은 굽이돌고 넓어지다 불이 밝혀진 넓은 방으로 흘러들었다.

저쪽 벽에서 녹색 군복에 샌들을 신고 머리에 피스 모자*를 쓴 왜소한 남자가 그들에게 등을 보이고 앉아 있었다. 그는 계량기와 문자판과 깜빡거리는 표시등을 갖춘 제어장치에 탑재된 크롬의 거대한 잠망경을 가만히 들여다보고 있었다. 그 남자는 그들을 알아차리지 못한 상태였다.

중위는 고요를 깨지 않는 몸놀림으로 천천히 방을 가로질러 소총을 들고 그 남자의 목에다 댔다.

"꼼짝하면," 중위가 으르렁거리며 말했다. "황천길이야."

하지만 그 남자는 꼼짝했다. 그는 의자에 앉아 빙글 돌더니 웃음을 짓고 오른손을 내밀었다.

"반갑습니다," 그가 말했다. "이렇게 들러주셔서 기쁘군요."

그는 자기가 베트콩 제48대대 소령 리 반 흐곡이라고 ── 그냥 반이라 불러달라고 ── 말했다. 그 남자는 일어서도 중위의 어깨에 닿을까 말까 했다. 그는 살갗이 누르스름했고 눈을 찡그리며 웃었다. 찡그릴 땐 눈가에 주름이 자글자글했다.

그 남자는 들린 총구에 아랑곳하지 않고 몸을 숙여 인사하더니 쌀밥에 고기에 생선에 신선한 과일 그릇들로 가득한 만찬 식탁이 촛불에 은은히 빛나는 인접한 방으로 그들을 안내했다.

"자," 리 반 흐곡이 웃음을 지었다. 그는 호박색의 디캔터에서 브

---

*   pith hat. 열대지방에서 햇빛을 가리려고 쓰는 단단한 사파리 모자.

랜디를 따랐다. "그럼 이제 전쟁 이야기를 할 차례군요, 그렇죠?"

또 한 번 추락하는 느낌과 함께 맥이 풀린 폴 벌린은 다시 바닷가의 감시탑 높이 올라 있는 듯한 불완전한 기분이 들었다. 의식이 들었다 났다 하는 불쾌한 기분이었다.

그는 살아 있는 적(敵)을 본 적이 한 번도 없었다. 카차토가 총살한 베트콩 소년을 본 적은 있었다. 폭격이 무슨 일을 저지를 수 있는지 본 적은 있었다. 사망자를 본 적은 있었다. 하지만 살아 있는 적을 본 적은 전혀 없었다. 땅굴을 본 적도 전혀 없었다. 한번은 그럴 뻔했다. 은성 무공훈장이 그의 몫이 될 뻔했지만 버니 린이 대신 들어갔고, 그렇게 버니 린이 은성 무공훈장을 받았다. 그는 적이나 땅굴을, 혹은 은성 무공훈장을 본 적은 결코 없었지만 그럴 뻔한 적은 있었다.

이제 꾸벅꾸벅 조는, 하지만 여전히 흥분을 감추지 못한 그는 자기가 추락하는 게 느껴졌다. 두려움은 사라지고 없었다.

그는 리 반 흐곡에게 물었다. 당신들은 어떻게 몸을 숨기는가? 어쩜 그렇게 조용할 수 있는가? 잠은 어디서 자며 어떻게 땅과 동화되는가? 당신들은 누구인가? 당신들의 동기는 무엇인가 — 이념인가 역사인가 전통인가 종교인가 정치인가 공포인가 규율인가? 꽝응아이의 비밀은 무엇인가? 땅은 왜 붉은빛인가? 밤이 움직이는 듯이 보이는 건 무슨 의미인가? 환영인가 진짜인가? 철조망을 어떻게 꼬물꼬물 통과하는가? 날 수 있는가, 유령처럼 바위를 지나다닐 수 있는가? 사람 목숨을 하찮게 여긴다는 게 사실인가? 당신네 여자들이 질

안에 면도칼을, 멍청한 미군에게 먹일 부비트랩을 가지고 다닌다는 데 정말인가? 죽은 사람은 어디에 묻는가? 전체 마을 중 베트콩 마을은 어디고 아닌 곳은 어디며 왜 모든 마을이 노파와 아이 들뿐인가? 사내들은 어디 있는가? 당신은 산속 싱인(Singh In)에서의 전투에 관한 내부 정보를 가지고 있는가? 당신은 거기 있었는가? 당신은 프렌치 터커한테 벌어진 일을 보았는가? 당신은 빌리 보이 왓킨스가 전장에서 무서워하다 세상을 하직했을 때 거기 있었는가? 당신은 뜨라봉강에 정적이 감도는 시간에 관해 뭐든 아는 게 있는가? 정말로 심리전인가? 산길 어디에 지뢰를 매설했고 어디가 안전한가? 어느 물에 독을 탔는가? 땅은 왜 그리 무서운가 ── 열십자를 이룬 논, 땅굴과 봉분, 촘촘한 산울타리와 가난과 공포는 다 무엇인가?

"땅 말이군요," 리 반 흐곡이 조용히 말했다.

그러더니 그 장교는 브랜디를 홀짝이며 웃음을 지었다.

"군인은 땅의 대리인일 뿐입니다. 당신들의 진짜 적은 땅이에요." 그는 뜸을 들였다. "고대 표의문자가 있습니다 ── **싸**(Xa)라는 단어죠. 무슨 뜻이냐면 ──" 그는 사르낀 아웅 완을 쳐다보며 도움을 청했다.

"공동체," 그녀가 말했다. "공동체, 토양, 고향이라는 뜻이에요."

"맞아요," 리 반 흐곡은 고개를 끄덕였다. "맞습니다만 다른 뜻도 있어요. 대지랑 하늘이랑 심지어 두려움이라는 뜻도요. **싸**, 많은 게 함축된 단어죠. 하지만 본래는 사람의 영혼이 조상이 안식하고 쌀이 자라는 땅에 속한다는 뜻입니다. 땅이 당신들의 적이에요."

스팅크 해리스는 코를 골고 있었다. 중위와 오스카와 에디와 닥 페럿은 죽 늘어선 간이침대로 진작부터 가서 군화를 신고 잠들어 있었다.

"그러면 지뢰는——"

"땅이 스스로를 지키는 겁니다."

"땅굴은."

"뻔하죠, 안 그렇습니까?"

"산울타리랑 논도 그렇겠군요."

"맞아요," 장교는 말했다. "땅 자체가 마련한 수렁입니다. 브랜디 더 하시렵니까?"

사르낀 아웅 완의 도움으로 그들은 이목구비가 성격을 말해주되 도무지 알 수 없는 성격인 꽝웅아이의 인상에 관해 몇 시간이나 의견을 나누었다. 땅 밑은 그야말로 땅과 거기 얽힌 수수께끼의 축소판이라고 그 웃음 띤 남자는 말했다. 이보다 더한 진실은 없을 진술이었다. 당(黨)을 가리키는 **싸호이**(Xa Hoi)는 **싸**, 즉 땅에 비전을 두고 있었다. 땅이 적이었다.

"표범이 숨습니까?" 리 반 흐곡이 물었다. "아니면 자연에 숨겨지는 겁니까? 숨나요, 숨겨지나요?"

그리고 나중에, 다른 사람들이 끝없이 잠을 자는 사이 리 반 흐곡은 폴 벌린에게 땅굴을 순회시켜주었다.

그들은 방과 방을 돌아다니며 전쟁의 땅 밑을 답사했다. 비둘기가 헛간 다락에 머물듯 박쥐들이 들보에 매달려 있었다. 벽에는 장식용 직물이며 타일과 돌로 만든 모자이크가 붙어 있었다. 군수품들이 뿌리와 덩이줄기에 휘감긴 채 놓여 있었다. 화약통과 돌돌 감긴 도화선과 나무 상자에 든 탄약.

방들은 서로 인접한 방끼리 좁은 통로로 이어져 있었는데 돌아다니다 보니 그들은 마침내 작전 본부로 되돌아왔다.

웃음을 띤 리 반 흐곡은 크롬 제어장치 쪽으로 그를 안내했다.

"잠시만," 그가 말했다.

작달막한 남자는 일련의 버튼을 눌렀다. 잠망경이 끽끽거리며 솟기 시작했다. 그것이 철컥하고 자리를 잡자 그는 폴 벌린에게 보라고 몸짓하고는 의자를 빼주었다.

"그게 뭐죠?"

"아," 리 반 흐곡이 말했다. "모르시는군요?"

더 잘 보려고 눈을 찡그려 접안렌즈를 가만히 들여다본 폴 벌린은 확신할 수 없었다. 여러 명의 사내가 땅굴 입구 주변에 무리를 지은 것처럼 보였다. 모습들이 흐릿했다. 그중 일부는 말을 나누고 있었고 나머지는 말이 없었다. 한 사내는 손과 무릎을 땅에 대고 구멍 안으로 몸을 일부 들이밀고 있었다.

"뭐죠?" 폴 벌린이 말했다. "제 눈에는 잘 ——"

"더 자세히 보십시오. 집중하세요."

열넷.
은성 무공훈장을 받을 뻔했던 일에 관하여

그들은 프렌치 터커가 총에 맞는 소리를 들었고 그 1분 뒤 버니린은 저 자신이 똑같이 총에 맞는 소리를 들었다.

"누가 내려가봐야겠어," 폴 벌린처럼 전쟁에 신참이던 시드니 마틴 중위는 말했다.

하지만 그것도 나중 일이었다. 처음에 그들은 기다렸다. 그들은 프렌치 터커가 나올지 모른다는 가능성에 기대를 걸었다. 스팅크와 오스카와 피더슨과 보트와 카차토는 땅굴 입구에 쪼그려 앉았다. 다른 사람들은 방어선을 형성하러 자리를 떴다.

"결국 이런 일이 벌어지잖아요," 오스카가 투덜거렸다. "저 좆같은 걸 그냥 날려버리는 대신 수색을 하면 그다음엔 끝내 이런 결과가 생겨요."

"전쟁이 그런 거잖아," 시드니 마틴이 말했다.

"정말이요?"

"정말. 닥치고 듣기나 해."

"전쟁이라니!" 오스카 존슨이 말했다. "우리가 전쟁 중이라고 말씀하시네. 너 그 말 믿어져?"

"나도 친구들한테 편지로 말한 게 그거야," 에디가 말했다. "전쟁 중이래!"

그들은 모두 총소리를 들은 참이었다. 그들은 다음 헬기로 후방에 가서 혈압을 재기로 되어 있던 털 많은 거구, 정치 얘기를 잘하던 거구, 엄청난 거구, 그래서 조금씩 조금씩 느릿느릿 억지로 몸을 쑤셔 넣어야 했던 프렌치 터커가 땅굴로 내려가는 모습을 지켜본 참이었다.

"나는 싫어요," 그는 말했었다. "나를 절대로 저기에 내려보내지 마세요. 프렌치 터커는 싫어요."

"너," 시드니 마틴은 말했다.

"말도 안 돼," 프렌치는 말했다. "난 저기 꽉 낀다니까요."

"돼지처럼 끼겠군," 스팅크가 말하자 몇몇 대원이 나무라듯 웅성거렸다.

오스카는 시드니 마틴을 쳐다보았다. "하고 싶으면," 그는 말했다. "직접 하시죠. 나중에 기분이 얼마나 좋으시겠어요. 자기 수양인지 뭔지도 되고. 아주 좆나게 멋진 기분일 거예요."

하지만 젊은 중위는 고개를 가로저었다. 그는 프렌치 터커를 가만히 쳐다보면서 내려가느냐 군법회의에 회부되느냐의 문제라고 말했다. 양자택일. 그래서 프렌치는 욕설과 함께 짐과 군화와 양말과 철모를 벗어 바위에 단정히 쌓아두고는 시간을 끌면서 악담을 퍼붓고 이 일로 제 혈압이 얼마나 엉망이 되겠느냐고 투덜거렸다.

그들은 그가 내려가는 모습을 지켜보았다. 그 거구는 꾸역꾸역 몸을 쑤셔 넣으면서도 악담을 퍼부었다. 그러고 나서 그들은 총소리를 들었다.

그들은 한참을 기다렸다. 시드니 마틴은 손전등을 찾아 구멍에 대고 들여다보았다.

그러고 그는 말했다. "누가 내려가봐야겠어."

대원들은 정렬했다. 땅굴 입구께 서 있던 버니 린은 옆을 보고 혼잣말을 우물거렸다.

"들어갈 사람," 신참 중위가 말했다. "어서."

스팅크 해리스는 어깨를 으쓱했다. "프렌치는 아마 괜찮을 거예요. 녀석한테 시간을 주죠, 확실한 거 아니잖아요."

피더슨과 보트가 동의했다. 희망의 기운이 번졌고 그들은 괜찮을 거라고, 프렌치는 알아서 몸조심할 놈이라고 서로들 이야기를 나누었다. 스팅크는 어쨌든 AK 소총 소리 같진 않다고 말했다. "갈라지는 소리가 아니잖아," 그는 말했다. "저건 AK 아니야."

"들어갈 사람," 중위가 말했다. "누군가는 들어가야 돼."

아무도 꼼짝하지 않았다.

"당장. 어서."

스팅크는 몸을 돌려 방어선 쪽으로 재빨리 걸어가더니 철모를 벗어 툭 떨어뜨리고 거기에 걸터앉았다. 그는 담뱃갑를 탁탁 두드렸다. 에디와 보트는 그에게 합류했다. 닥 페럿은 제 의료낭을 열더니 재고를 조사하듯 내용물을 살피기 시작했고 피더슨과 버프와 루디 채슬러는 산울타리 안으로 슬그머니 사라졌다.

"주목," 시드니 마틴이 말했다. 그는 장신이었다. 볼이 여드름 상처로 덮여 있었다. "이 유감스러운 사태는 내가 만든 게 아니다. 어쨌든 우리 중 누군가 내려가서 데려와야 한다. 당장."

스팅크가 콧방귀 뀌는 소리를 냈다. "그렘린을 내려보내죠."

"누구?"

"그렘린이요. 카차토를 내려보내요."

오스카가 카차토를 쳐다보니 그는 헤벌쭉 웃으면서 짐을 풀고 있었다.

"녀석은 안 돼," 오스카가 말했다.

"누구든 좋아. 결정을 해."

폴 벌린은 혼자 서 있었다. 그는 벽이 단단히 조여오는 느낌이었다. 그는 아무도 쳐다보지 않으려고 조심했다.

버니 린이 사납게 욕설을 내뱉었다. 그는 장비를 서 있던 자리에 팽개치듯 떨어뜨리더니 땅굴로 머리부터 들어갔다. "씨발," 그는 자꾸 말했다. "씨발." 버니는 언젠가 프렌치의 수통에 살충제를 부은 적이 있었다. "씨발," 그는 내려가면서 자꾸자꾸 말했다.

총에 맞았을 때 그의 발은 여전히 밖이었다. 그의 발은 수영하는 사람처럼 몸부림쳤다. 닥과 오스카가 그를 붙잡고 힘껏 잡아당겼다. 아직 깨끗한 발, 그만큼 금세 벌어진 일이었다. 그는 욕설을 내뱉고 머리부터 내려가다가 목구멍에서 반 인치 아래에 총알을 맞았다. 그들은 발을 잡고 그를 끄집어냈다. 땀도 안 밸 시간이 걸렸다. 그의 팔에 묻은 흙은 말라서 떨어졌다. 그의 눈은 뜨여 있었다. "아이고," 그는 말했다.

열다섯.
파리로 가는 땅굴

"이제 보이시나요?" 리 반 흐곡이 잠망경을 내리고 은색 열쇠로 잠그면서 말했다. "사물은 여러 각도에서 보이는 법이죠. 밑에서 보면, 혹은 안팎을 뒤집어서 보면 때로는 완전히 새로운 이해를 도모할 수 있습니다."

그 장교는 한 번 더 몸을 숙여 인사하더니 아침나절의 안뜰과 유사한 모습으로 만들어진 환히 불 켜진 방으로 폴 벌린을 안내했다. 새들이 지저귀고 나비들이 연철 탁자 위를 나풀거렸다. 다른 사람들은 거기서 아침 식사를 하고 있었다.

이후 리 반 흐곡은 중위를 자신의 깊숙한 요새로 방긋 웃으며 안내해 군사적인 문제에 답하고 직업상의 얘기를 나누고 자신의 크롬 제어장치에 있는 여러 문자판과 버튼과 깜빡거리는 표시등의 기능을 설명했다. 코슨은 깊은 인상을 받았다. 두 장교는 눈부시다 싶을 만큼 사이가 좋았다.

순회가 끝나자 그들은 거실에 있는 의자에 앉았다. 중위는 담배에 응했다.

"그러니까," 늙은이는 한숨을 쉬었다. 그는 그 단어가 늘어지게 내버려두었다. "그러니까 이것이 다른 반쪽의 삶이군요. 깨닫는 바가 매우 큽니다."

두 남자는 주로 군사적인 문제에 관해 한동안 이야기를 나누었는데, 그러다 중위는 시계를 힐끗하더니 조심스럽게 목을 가다듬었다.

대화가 잠시 멈추었다.

"네, 여기 당신이 계신 곳은 훌륭하군요," 코슨 중위가 말했다. "정말로 멋진 관사예요." 그는 다시 한 번 시계를 보았다. "한데 이런 말씀 드리기가 주저되지만 우리는 가야겠습니다. 갈 길도 멀고 해서."

"더 계실 순 없습니까?"

중위는 고개를 가로저었다. "유감스럽습니다. 솔직히 말해 저는 한 주쯤 머물면서 — 말하자면요 — 정보를 나누고 싶어요. 하지만 먼짓길을 달릴 시간이 됐군요."

"친절한 말씀이네요."

코슨은 고개를 끄덕였다. "그럼 나가는 문을 알려주시겠습니까? 알려만 주시면 우리가 알아서 가지요."

리 반 흐곡은 여전히 웃음을 띠고 있었지만 난처해 보였다. "어렵습니다," 그는 말했다. "쉬운 일이 아니라서요."

"안 된다는 말씀입니까?"

"안 될 것 같아요. 아시겠지만 문제가 좀 있습니다."

"어디 들어봅시다," 중위가 말했다.

리 반 흐곡은 피스 모자를 들어 두피를 잠시 문지르고 모자를 다시 머리에 얹었다.

"매우 까탈스러운 문제죠," 그는 어울리는 말을 찾느라 반복해서 말했다. 그는 눈앞에서 막 사라진 무엇을 찾듯 천장 선풍기를 가만히 올려다보았다. "아시겠지만…… 아시겠지만요, 원칙에 따르면 안타깝게도 여러분은 지금 제 포로입니다. 문제가 뭔지 아시겠죠? 전쟁 포로라는 말씀이에요."

방 안에 정적이 깔렸다. 소파 위로 암회색 다리를 접어 올린 사르낀 아웅 완은 손톱을 깎다 멈추었다. 스팅크 해리스는 의자에서 얼마쯤 일어났다가 다시 털썩 앉았다. 폴 벌린은 자기가 소총에 손을 뻗고 있음을 깨달았다.

"알겠습니다," 중위는 생각에 잠겨 말했다. "네, 알 것 같군요."

그는 집게손가락으로 이를 두드렸다. 정적이 돌아왔다. 리 반 흐곡은 숫기 없이 제 손만 이리저리 들여다보았다.

"네," 중위는 마침내 한숨을 쉬었다. "지금 제 눈에 훼방꾼이 보이기 시작하는군요. 그런 것 같은데요. 전쟁 포로라고 하셨습니까?"

리 반 흐곡은 몸을 숙여 인사했다.

"그것은…… 원칙은 왜곡될 수 없다는 거군요?"

"쉽지가 않죠."

"그러실 테죠."

왜소한 남자는 웃음을 지었다. "형편없는 사람이나 융통성을 찾으니까요."

폴 벌린은 숨이 폐 끄트머리까지 차오르는 이상한 느낌으로 짧은 숨을 간당간당하게 쉬느라 눈앞이 핑글핑글 돌았다. 파리로 가는 길에 맞은 행복한 한때, 그러더니 시작점으로 돌아와 전쟁 포로로 매장. 그는 시계가 똑딱거리고 있음을 알아차렸다. 짓눌리고 달아오르는 느낌이 들었다.

"전쟁 포로라니요? 원래 그런 겁니까? 우리가 전쟁 포로라고 말씀하시는 건가요?"

"그렇다고 봅니다."

중위는 묵주를 만지작거리듯 무심코 총기 안전장치를 손가락으로 튕겼다. 그는 똑딱거리는 시계에 리듬을 맞추어 안전장치를 젖혔다 당겼다 했다.

"그러실 테죠," 코슨이 점잖게 말했다. "우리가 당신네보다 쪽수가 많습니다만."

"물론입니다," 리 반 흐곡이 고개를 끄덕거렸다.

"쪽수가 많아요, 무기가 뛰어난 건 말할 것도 없고."

"다시 말씀드리지만 중위님, 그건 전체 퍼즐에서 훤히 드러난 조각입니다."

"쪽수도 많고 무기도 뛰어나고 게다가 기술도 더 혁신되었죠." 코슨 중위는 집게손가락으로 소총의 플라스틱 개머리판을 톡톡 두드렸다.

"잘 말씀하셨습니다," 적이 말했다. "쟁점을 깔끔하게 요약하셨어요. **아주** 잘 말씀하셨습니다."

중위는 억지웃음을 짓느라 갖은 애를 썼다. "요약이 아니죠," 그는 말했다. "있는 그대로를 말한 거지." 그는 일어나서 하품을 하고는 시가를 껐다. 그는 스팅크와 오스카더러 출발할 채비를 하라고 손짓했다.

"아! 그럼 해답을 찾으신 겁니까?" 리 반 흐곡이 방긋 웃었다. 그는 진심으로 다행이라 여기는 듯했다. "우리의 난제가 풀렸군요?"

"식은 죽 먹깁디다."

"놀랍습니다! 솔직한 말로 제가 얼마나 기쁜지 말도 못 하겠어요. 알려주세요, 우리 퍼즐의 해답이 뭡니까?"

"이겁니다," 중위는 부드럽게 말했다.

리 반 흐곡은 눈살을 찌푸렸다. "제게 착오가 있었던 게 틀림없군요. 그건 소총으로 보이는데요."

"설마?" 중위는 총구를 처든 총기를 내려다보았다. "이런, 당신 말이 **맞는군요**. 정확히 보이는 그대로예요." 그는 스팅크 해리스에게 팔을 저었다. "저 조그만 개자식 포박해."

"네?"

"묶으라고."

"뭐로요?"

"구두끈으로, 맙소사. 뭐든 알게 뭐야? 어서 묶어."

"저 사람 샌들 신었는데요. 어떻게 ──"

"묶으라니까!"

그래서 리 반 흐곡이 서글픈 웃음을 띠고 고개를 가로젓는 동안 스팅크는 가느다란 커튼 조각으로 왜소한 남자의 발과 손목과 팔을 묶었다.

그들은 재빠른 동작으로 지하의 방들로 흩어졌다. 습관처럼 몸에 익은 일이었다. 그들은 몇 팀으로 쪼개졌다. 에디와 오스카는 보급 창고를 책임졌다. 닥 페럿과 폴 벌린은 발전기와 전기 시스템을 파괴했다. 그리고 전에 없던 활력과 통솔력을 드러낸 중위는 혼자서 거대한 제어장치와 작전 본부 해체 작업을 맡았다. 제 의자에 묶인 리 반 흐곡은 야릇한 웃음을 띠고 구경했다. 그는 중위가 소중한 잠망경으로 가서 공을 들일 때에야 비로소 항의했다.

"부탁입니다," 그가 말했다. "장교 대 장교로서 당신에게 그만두 길 청합니다."

"닥치시지."

"폭력은 결코——" 남자는 중위가 접안렌즈에 총검을 찔러 넣자 움찔했다. 유리 파편이 바닥에 흩뿌려졌다. "부탁입니다! 퍼즐은 말 이죠, 이런 식으로는 해결되지 않아요."

중위는 그를 아랑곳하지 않았다. 그는 렌즈 부위의 나사를 풀더 니 매끈한 기계 안에 소총을 들이밀고 방아쇠를 여섯 차례 당겼다.

리 반 흐곡은 몸서리를 쳤다. "모르시겠습니까? 이러면 조각이 더 많아질 뿐입니다. 조각이 날수록 퍼즐은 어려워집니다. 중단하시길 촉구합니다."

"닥쳐."

"부탁이에요!"

"닥치라고 말했을 텐데." 중위는 의자를 끌어당겨 남자와 똑바로 눈을 맞추었다. "허튼소리는 그만하지. 내가 듣고 싶은 건 하나야. 딩크가 방향을 알려주는 소리. 자, 우리가 여기서 어떻게 나가지?"

"그건 안——"

"어떻게? 똑바로 말해."

리 반 흐곡은 묶인 몸을 버둥거리다 쿵 넘어졌다. 피스 모자가 그 의 머리 뒤쪽으로 시원스럽게 젖혀졌다.

그는 한숨을 지었다.

"내가 알았다면," 그는 지긋지긋한 듯이 말했다. "여기 있겠습니 까? 내가 미쳤게요?"

"알아듣게 말해."

왜소한 장교는 피스 모자가 제대로 돌아올 때까지 머리를 꿈지럭거린 다음 눈가를 찡그려 시야를 정리했다.

"퍼즐은," 그가 말했다. "당신만의 것이 아닙니다. 간단히 답하면 이래요. 나도 모른다."

"저 자식 죽이죠," 스팅크가 말했다.

"나도 **모른단** 말입니다."

"벌레들한테 먹이자고요. 중국 쿠키로 만들어버려요."

"나도 **몰라요**." 남자는 돌연 기운이 쭉 빠졌다. 웃음도 사라진 채였다. 그는 흐느끼고 있었다. 그의 피스 모자는 바닥에 떨어져 빙그르 굴렀다. 남자는 백발이었다.

"빅터 찰스," 스팅크가 경멸조로 말했다. "여기 있었군, 그 유명한 찰리*께서."

남자는 눈물을 흘렸다. 그는 묶인 몸을 버둥거리느라 몸을 부르르 떨었다. 울음은 절벽의 눈사태 같은 꺽꺽거림으로 발전했다.

"어디 보자," 스팅크가 말했다. "그 유명한 빅터 찰스로군."

중위는 브랜디를 따라 남자의 입술에 가져다 대며 다정하게 어깨를 토닥였다. 리 반 흐곡의 볼에서 침이 질질 흘렀다.

나중에 리 반 흐곡은 자초지종을 들려주었다.

그는 쉰 살로 보였지만 실은 스물여덟 살이었다. 하이퐁에서 태어나 하노이에서 자랐다. 정당 최고 자격을 갖춘 좋은 집안이었다. 그는 그중에서도 꼭대기에 오른 훌륭한 학생으로서 전자공학의 귀재였다. 그에게는 제약 없는 미래가 약속돼 있었다. 그러다 전쟁이 닥쳤다. 그는 징집되었다. 그렇게 벌어진 일이라고 그는 말했다 ──

우편 통보 하나로. 미친 듯이 전화를 돌리고 라오동 본부를 찾아가고 선생님들한테 편지를 받고 담당 사제와 가정의와 교장한테 추천장을 받았다. 그중 어느 하나도 효과가 없었다. 그는 입대해 훈련을 수료했고 일곱 달 뒤 남쪽을 전전하라는 명령을 받았다.

"미래가 전부 무너진 거죠," 리 반 흐곡은 촉촉한 눈으로 중위를 쳐다보면서 말했다. "전혀 관심 없고 **생각**조차 않던 전쟁 때문에 망가진 거예요. 망가졌어요."

남자는 숨을 깊이 들이쉬었다. 그는 눈을 깜빡거리면서 그들을 한 명 한 명 둘러보았다. 그의 눈은 마침내 폴 벌린에게 정착했다.

"그래서," 그는 느리게 말했다. "저는 저항하기로 결심했죠. 저는…… 음, 저는 달아났습니다. 상상해보세요! 혼란스럽고 화나고 좌절하고. 제가 그 감정을 어떻게 묘사하겠습니까? 하지만, 네, 저는 달아났어요. 한동안 저는 하노이 외곽의 작은 마을에서 친구들과 지냈습니다. 그러다 하염없이 시골을 배회하면서 거지처럼 살았죠. 살금살금 숨어가면서요. 당연지사 결국 잡혔습니다. 재판하는 데 8분 걸리더군요. 유죄였죠." 리 반 흐곡은 머리로 두루 아우르는 몸짓, 이를테면 빙 돌리는 동작을 했다. "제가 선고받은 게 이겁니다. 땅굴 금고형. 10년. 그래서 이러고 있는 거죠."

짧은 침묵이 돌았다. 남자의 눈은 떨구어졌다.

그때 스팅크 해리스가 씩 웃었다. "탈영병이네," 그는 말했다. "좆 같은 계집 놈!"

---

*   베트남 민족해방전선과 북베트남 군인을 구분 없이 일컫던 미군 은어 찰리 콩 (Charlie Cong)을 줄인 말.

중위는 손을 저어 조용히 시켰다.

"이봐," 그가 부드럽게 말했다. "거 감동적인 얘기군. 정말 슬퍼. 하지만 그 얘기가 여기서 우릴 빼내주진 않아. 그러니까 다시 한 번 묻겠다. 나가는 길이 어디지?"

작달막한 장교는 간신히 쓴웃음을 지었다.

"모르시겠습니까? **요점**을 전혀 못 알아들으신 거예요? 나가는 길은 없어요. 그게 퍼즐이죠. 우리는 포롭니다, 우리 전부가요. 전쟁 포로."

"찌르세요," 스팅크가 말했다. "저 끔찍한 꼬꼬마 새끼 베어버리세요."

하지만 리 반 흐곡은 인사불성인 듯했다. "10년입니다," 그는 말했다. "가혹한 10년이요." 남자의 입술이 바르르 떨렸다. "10년이나! 지렁이 신세로. 뱀이랑 구더기랑 박쥐, 쥐랑 두더지, 침실에는 도마뱀. 제가 뭐라 묘사하겠습니까? 섬뜩하다고? 제정신이 아니라고? 출구 없는 감옥이에요. 땅굴은 더 많은 땅굴로 이어지고, 통로는 통로로 흘러들고, 막다른 길에 샛길에 갈림길에 꼬부랑길에 꺾인 길 하며 사방에 어둠이 깔린 미로죠. 이 드넓고 악취 나는 데 묻혀서…… 제가 무슨 이야기를 합니까? 이 쓰레기통에서! 10년이나, 무엇 때문이죠? 왜죠?"

그는 다시 눈물을 흘리고 있었다. 남자가 마침내 자신을 가눌 수 있게 되자 중위는 신문을 재개했다. 그는 점잖았다. 그는 작달막한 남자의 팔을 토닥이면서 탈출할 방법을 불도록 설득했다. 하지만 리 반 흐곡은 고개를 가로저었다. 길은 없다고 그는 말했다. 그도 시도해본 터였다. 첫 한 해 동안 그가 한 일이 온통 그거였다 ── 땅굴 기기, 빛 쫓기, 승강구나 문이나 환기구 찾기. 절망적이었다. 끝없는 미로였다. 그는 이제 10년을 꼬박 기다리기로 체념한 상태였다.

"포기한 건가?" 코슨 중위가 말했다. "관둔 거야?"

리 반 흐곡은 어깨를 으쓱했다. "받아들였죠. 땅한테는 이길 수 없으니까요. 적어도 여기에는 사소하나마 편한 부분들이 좀 있습니다. 꽤 지낼 만한 방이 몇 개 되죠."

중위는 제 손을 이리저리 뜯어보았다. 손을 자꾸 뒤집어가며 처음에는 손바닥을, 그러다 손가락 마디를, 그러다 손톱을 관찰했다. 그의 입은 무언가에 당황한 것처럼 찌부러져 헐거운 모양이 되었다. 느리게 회전하는 천장 선풍기만이 소리를 냈다.

스팅크 해리스는 웃음이 멎은 상태였다. 그는 초조하게 서성거리며 머리에 핀 버짐을 긁기 시작했다. 에디와 닥과 오스카는 침묵을 지켰다. 느닷없는 참사를 당한 기분이었다. 참사라기보다는——절망. 사면초가인 기분. 이제 벽들은 더 바짝 다가와 있었다. 공기는 그곳에 없던 퀴퀴한 냄새를 풍겼다.

땅, 폴 벌린은 자꾸 생각했다. 땅에 붙들린 전쟁 포로.

모두 입을 다물고 있었다.

다른 방에서 또다시 똑딱거리는 시계 소리가 들렸다.

사르낀 아웅 완이 꼬았던 다리를 풀고 일어섰다.

"길이 하나 있어요," 그녀는 말했다.

중위는 계속해서 제 손을 뜯어보는 중이었다. 손가락이 후들거렸다.

"들어온 길이 나가는 길이에요."

리 반 흐곡이 웃음을 터뜨렸지만 여자아이는 아랑곳하지 않았다.

"들어온 길이," 그녀는 반복했다. "나가는 길이라고요. **싸**에서 나가려면 거길 들어가야 하죠. 고향에 돌아가려면 피난민이 되어야 한다고요."

"수수께끼인가!" 리 반 흐곡이 침을 뱉었다. "제정신이 아니군!"

사르낀 아웅 완은 폴 벌린의 손을 잡았다. "알겠죠?" 그녀가 말했다. "당신에겐 제가 정말 필요하다니까요."

작달막한 장교는 묶인 몸을 버둥거렸다. "저 계집애는 미쳤어요! 출구도 없고 빛도 없습니다." 그는 제 머리를 한쪽으로 퉁겼다. "저 바깥은…… 저 바깥은 구역질나는 지옥이에요. 당신들이 상상도 못할 쓰레기장! 당신들은 곧장 헤매게 될 겁니다. 영영 헤맬 거예요! 받아들이세요 —— 우리는 포룹니다, 우리 전부가요."

하지만 사르낀 아웅 완은 폴 벌린을 출입구로 이끌었다.

"들어온 길이 나가는 길이라니까요," 그녀는 말했다. "우리가 구멍 안으로 빠졌죠. 이제 구멍 밖으로 빠질 차례예요."

"밖으로 빠져?" 중위가 말했다.

"안으로 빠지는 것만큼 쉬워요."

중위는 여전히 제 손을 뜯어보다 잠시 멈칫했다. 그러더니 그는 어깨를 으쓱했다. 그는 제 몸을 일으키고 다른 사람들더러 준비하라는 동작을 했다.

"저 애가 미치광이처럼 지껄이는 겁니다!" 리 반 흐곡은 울음을 터뜨렸다. "터무니없는 신비주의자라고요! 내 다시 경고하는데, 저 바깥에서는 희망도 없이 죽어갈 겁니다. 영영 헤맬 거예요. 받아들이세요!"

하지만 중위는 그들에게 떠날 채비를 하라고 팔짓을 했고 그들은 느릿느릿 짐을 걸치고 총기를 집어 들고 철모를 고쳐 썼다. 더 이상 대화는 없었다. 에디와 오스카는 쌀자루와 말린 생선 자루와 초콜릿 자루를 챙겼다. 닥은 늙은이가 군낭을 메도록 거들었다. 그런 다음 모두 준비를 마치자 중위는 리 반 흐곡을 풀어주었다.

"우리한테 붙든 말든 자유야," 그는 말했다. "찌에우 호이?(전향하 겠나?)*"

남자의 얼굴에는 두려움이 잔뜩 서려 있었다. 그는 철 기둥을 꽉 붙들었다.

"절대로," 그는 속삭였다. "처형을 하든 쏴 죽이든 나는 저 야수 같은 지옥으로 한 발짝도 못 나가. **절대로**." 그의 목소리가 와들와들 떨렸다. "땅한테는 이길 수 없어. 받아들여."

중위는 망설였다. 그는 눈을 문지르더니 사르낀 아웅 완을 힐끗 쳐다보았다. 그녀는 웃음을 지었다. 그녀는 방을 가로지르더니 늙은 이의 손을 잡고 문 밖으로 이끌었다.

에디가 뒤를 따랐다. 그다음은 닥, 그다음은 오스카, 그다음은 스 틱크, 그다음은 폴 벌린.

"받아들이라고!" 한 사람의 목소리가 그들 뒤에서 울렸다. 하지만 그들은 이미 어마어마한 어둠 속을 헤매고 있었다. 밖으로 빠진 것 이었다.

밑으로 밑으로. 혹은 위로 위로인지 알 수 없었다. 사르낀 아웅

---

* 영어로 대략 Open Arms라는 의미로 미국의 지원을 받던 남베트남 정부가 맞은편인 베트콩과 그 지지자들의 변절을 독려하던 캠페인의 이름.

완은 암흑의 땅굴 속에서 그들을 일렬종대로 이끌었다. 박쥐들이 어둠 속을 파닥거렸다. 설치류, 뱀, 커튼처럼 늘어진 거미줄. 죽음의 악취. 발밑의 낯선 생물, 뜬금없이 튀어나오는 무덤. 그들은 손을 잡고 걸었다. 통로가 좁아들자 그들은 기었다. 공병(工兵)처럼, 폴 벌린은 생각했다 —— 손과 무릎으로 땅을 짚고, 배로 땅을 딛고. 이따금 견딜 수 없이 더웠다. 폐가 그을 정도로 녹아내리는, 쉭 하고 김이 나는 더위였다. 그러다 추위가 찾아들곤 했다. 그들은 서로를 안았고, 발을 동동 굴렀고, 등이 뻣뻣하게 굳었다. 그러다 더위가 다시 찾아왔다. 그러다 추위. 하지만 사르낀 아웅 완은 앞에서 오는 확신을 갖고 그들을 계속 이끌었다. 그녀는 날래게 움직였다. 다들 혼이 쏙 빠질 때면 그녀는 웃으면서 그들을 다그쳤다. 몇 시간? 며칠? 항상 누군가는 일어나 쥐를 쫓아야 했기 때문에 그들은 교대로 잠을 잤다. 미로, 폴 벌린은 끊임없이 생각했다. 길 잃음, 형벌. 그는 어디부터 잘못되었는지 궁금해했다.

열여섯.
즉석 시합

그들은 진창인 뜨라봉강 변의 마을들을 거쳤다. 그들은 마을을 차단한 채 마을 사람들을 수색했고 때로는 마을을 몽땅 불태웠다. 그들은 살아 있는 적을 본 적이 전혀 없었다. 홀숫날 낮이면 그들은 저격을 당했다. 짝숫날 밤이면 그들은 박격포 공격을 받았다. 거기엔 리듬이 있었다. 그들은 언제 경계해야 할지 알았다. 그들은 언제 안심하고 쉴 수 있는지, 언제 정찰을 보내고 안 보내야 할지 알았다. 전쟁에는 확실성과 규칙성이 있었고 이 점만이 유일하게 의지할 무엇이었다.

그러다 7월 첫째 주, 그것은 끝났다.

아무 일도 없었다. 홀숫날 낮들은 무덥고 쥐 죽은 듯했다. 짝숫날 밤들은 고요했다.

그들은 느슨해졌다. 프렌치 터커와 루디 채슬러는 행군 중에 끝없이 말놀이를 했고 오스카는 짬을 내 제 해먹을 수선했고 폴 벌린은 어머니와 아버지한테 보낼 편지를 작성했다. 그는 모든 게 좋다고, 사상자도 소음도 없는 조용하고 반가운 때를 보내는 중이며 다만 강에 잠자리와 거머리와 백만 가지 벌레만 넘쳐날 뿐이라고 적었다. 때는 좋은 때와 안 좋은 때가 있는데 이건 누가 봐도 좋은 때에 속한다고 그는 부모님한테 말했다. 그는 남몰래 적은 편지를 차곡차곡 쟁여두었고, 7월 여드렛날 재보급 헬기가 도착하자 재빨리 봉투에 주소를 적어 우현 사수에게 건넸다. 어린 사수는 그 답례로 스폴딩 웨어에버(Wear-Ever) 농구공을 휙 던지고 갔다.

그래서 한낮 가장 무더운 때, 그들은 탑로(Thap Ro)라는 작은 촌락에서 분대별로 팀을 짰다. 에디 라추티가 한 여자의 광주리에서 바닥을 뜯어내더니 나무를 타고 올라가 그걸 철사로 매달고 스르륵 내려왔다. 백보드가 없네, 그는 말했다. 알게 뭐야 ── 아직 전쟁 중인데, 안 그래?

주장인 에디 덕분에 제3분대는 손쉽게 이겼다. 그들은 루디네 팀을 52 대 30으로 꺾더니 지치지도 않고 제2분대를 60 대 12로 눌러버렸다.

그들은 땅거미가 질 때까지 놀았다. 나중에 탑로를 떠나 강을 내려다보는 모래언덕까지 행군해 올라갈 때 재대결과 복수의 얘기가 오갔다. 그들은 언덕 위에 흩어져 참호를 판 뒤 앉아서 밤을 기다렸다. 주변은 매우 고요했다. 서쪽의 산들은 이글이글 붉은빛을 뿜었다. 저 아래 강은 견고하리만치 꿈쩍없었다.

"진짜 요령은," 닥 페럿이 에디에게 살며시 말하고 있었다. "속임수를 쓰는 거야. 네가 아는 모든 스포츠가 그래 ── 이걸 내밀면서 저걸 생각하게 만들고, 저걸 기대하게 만들고, 그런 다음 펑, 이걸로 해치우는 거지. 기초 심리학이야."

에디는 고개를 끄덕였다. 그는 몸을 수그리고 제 참호 앞 흙더미에다 작전 판을 그리기 시작했다. 그가 다 그리자 닥은 그걸 한동안 꼼꼼히 검토하더니 눈살을 찌푸리고 엄지손가락으로 × 몇 개와 ○ 몇 개를 수정했다.

"저거, 무슨 뜻인지 알지?" 닥은 씩 웃었다. "상대편은 너나 내가 슛을 쏠 거라고 생각할 거야. 그렇게 **기대**를 할 거라고. 그럼 우리는 그 수를 쓰는 거지 ── 우리 쪽에다 힘을 쏙 빼게 만들고, 그런 다음 평, 우리 카차토한테 공을 얼른 넘기는 거야." 닥은 이 말을 하면서 낄낄거렸다. "무슨 뜻인지 알지? 누가 **카차토**를 예상이나 하겠어?"

밤은 천천히 흘렀다. 그들은 박격포 공격을 받지 않았다. 아침에 그들은 강을 따라 동쪽으로 행군을 이었다. 적의 낌새가 없는 뜨겁고 공허한 날이었다.

그날 오후 늦게 그들은 닥의 새 작전을 시험해보았다. 에디가 농구 코트 중앙에서 공을 낚아채더니 마치 곧장 점프 슛을 할 것처럼 왼쪽으로 멀리 공을 몰고 갔다. 루디네 팀이 미끼를 덥석 물었다. 그들은 카차토를 골대 아래 덩그러니 내버려두고 팀원 모두 왼쪽으로 멀리 쏠렸다. 에디는 멈춰서 한 차례 속이는 동작을 한 다음 몸을 틀어 공을 패스했다. 카차토가 어려움 없이 공을 받았다. 그는 웃음을 짓고 몸을 돌려 공을 던졌고, 그렇게 노골을 기록했다.

"어쨌거나," 닥은 나중에 말했다. "원칙은 완벽했어. 기본적인 이론은 씹어댈 게 없어."

그다음 주, 강 따라 동쪽으로 향하던 그들은 뜨라봉강에서 바다로 이어지는 열네 개의 마을을 지나는 내내 농구공을 가지고 다녔다. 마을들은 한결같았고 일과도 그랬다. 그들은 쌀 은닉처를 부수고 땅굴을 날려버린 다음 어둠이 내릴 때까지 농구를 했다. 할렘 글로브트로터스*, 에디는 계속해서 말했다. 그는 그것에 열광했다 —— 할렘 글로브트로터스가 빅낀미, 숙란, 미케 3, 핑크빌에 순회공연을 옵니다. 친선 대사들이 온 누리에, 에디는 말했다.

그러다 소강상태가 이어졌다.

뒤숭숭함을 처음 느낀 사람은 폴 벌린이었다. 그는 도무지 이유를 알 수 없었다. 무더운 대낮에 드리운 희부연 막. 밤에는 강물의 찰싹거림. 부자연스러움, 평화가 강요된 느낌.

그는 이해는 못 해도 그런 느낌을 받았다. 그는 그게 어떻게 끝날지 궁금했고 궁금함은 그를 초조하게 만들었다.

그래도 농구는 항상 열렸다. 이길 때도 있고 질 때도 있었지만 주로 이겼고, 그는 어느새 승리를 몹시 바라고 있었다. 그는 최종 점수를 읊는 게 좋았다. 50 대 46, 68 대 40. 한번은 미케 2지역에서 110 대 38로 압승을 거두었다. 그는 그 명쾌함이 좋았다. 그는 누가 몇 점 차이로 이기는지 아는 게 좋았고 승자가 되는 게 좋았다. 그래서 그는 에디와 닥과 오스카 존슨과 함께 전략을 짜느라, 약점을 진단하고 바로잡을 방법을 강구하느라 새로 작전 판을 그리면서 시간을 보냈다. 밤이면 그는 어느새 머릿속으로 경기 전부를 재생하고 있었다. 그는 속공하는 꿈을 꾸었다. 농구공은 에디의 광주리 바스켓 테두리를 밤새 한없이 돌았다. 막상막하의 경기. 꿈속에서 휙 하는 부드러운 소리와 함께 안을 파고드는 공, 점프 슛과 훅 슛과 덩크 슛. 그는 경기장 꿈과 숨죽인 관중 꿈을 꾸었다. 한번은 아버지가 거기 관중석에 나와 있는 꿈을 꾸었다. 집 짓는 일을 하는 늙은 사내가 격려하는 꿈, 응원받는 꿈. 그는 각이 안 나와 공이 난데없이 튕기는 꿈, 아슬아슬한 꿈, 승리와 패배의 꿈, 버저가 울릴 때 슛이 블로킹 당하는 꿈을 꾸었다.

제3분대는 연전연승이었다. 그들은 딴마우에서 루디네 팀을 56 대 16으로 눌렀다. 로손세이에서는 경기장 양측에서 여자 몇 명과 아이들 몇 명이 지켜보는 가운데 제2분대를 83 대 50으로 격파했다.

7월 12일까지 쭉 그랬다. 7월 13일, 누옥따라는 촌락에서 그들은 비 때문에 경기를 치르지 못했다.

"무슨 냄새가 나," 버프가 말했다. 얼굴에 땀이 맺힌 거구의 사내, 그는 멀찍이 강을 내다보았다. 강은 빗속에서 은빛을 띠었다. "뭔가 이상한 냄새야…… 안 좋아. 냄새나지?"

닥은 어깨를 으쓱했다. "이기고 지고 하는 게 경기야."

"냄새 안 나?"

그들은 마을 변두리에 있는 진흙 바른 조그만 초가집에서 옹기종기 지냈다. 버려진 장소였다. 사람도 닭도 개도 없었다. 휑하기는 했지만 사람이 살았던 적이 있는, 최근에야 조성된 휑함이었고 이 점 때문에 그들은 초조했다. 홀숫날이었다.

"저 좆같은 냄새," 버프가 조용히 말했다. "저 냄새 싫어."

"이기고 지고 하는 게 경기라니까."

"그렇겠지."

"그러다 어떤 때에는 비가 와서 중단도 되고."

---

*   Harlem Globetrotters. NBA의 묘기 농구단. 하지만 처음에는 총원 흑인으로 구성된 팀으로서 백인 선수 일색이던 농구계에 속도감 있는 경기력으로 큰 바람몰이를 했고 농구계의 인종차별을 누그리는 데 기여했다.

그들은 오후 내내 기다렸다. 오스카 존슨은 제 해먹을 부랴부랴 설치했다. 버니 린은 철모 안으로 카드를 날렸다. 보트와 해럴드 머피와 버프와 그 밖에 몇 사람은 푼돈을 걸고 포커를 하면서 규칙 때문에 티격태격했고 시드니 마틴은 혼자 지도를 들고 앉아 있었다. 초가집 한쪽 구석에서는 카차토가 드리블 연습을 했다.

"심리전이야," 닥 페럿이 중얼거렸다. 아무도 올려다보지 않았다. "딱 그거야, 베트콩 새끼들* 버전의 심리전. 눈 찢어진 놈들의 심리학."

"아무렴 어때," 오스카가 해먹에서 말했다. "오늘은 그딴 거 신경 꺼."

닥은 웃음을 지었다. "그냥 개념을 설명하는 거야. 기초 심리학 ─ 고요 말이야. 점점 초조하게 만들고, 그리고 나서 **탕**! 하지만 그 요령은 ─ "

"요령은," 오스카가 말했다. "닥치는 거지."

"심리학이라니까."

"뭐든 간에. 맙소사! 누가 카차토한테 저 좆같은 **공** 좀 그만 튕기라고 해."

확실한 어둠이 내리자 시드니 마틴은 그들을 내보내 초가집 주위에 방어선을 쳤다. 폴 벌린은 높다란 산울타리 줄기에서 새김 눈을 하나 발견했다. 그는 쪼그려 앉아 가시 범위를 확인한 다음 편안히 앉았다. 그는 벌써 춥다는 생각이 들었다. 세상에서 가장 더운 곳, 지옥 자체인데도 이런 추위가 있다는 게 얼마나 웃긴지. 웃겨…… 그는 소총을 바짝 안았다. 그는 될 대로 되라 정신을 놓았고 얼마 안 가 경기 전의 몸풀기를 하고 있었다. 픽 앤 롤**. 자연스러운 속임

수. 닥에게 공 쳐내기. 언더패스를 받아 두 손을 들고 페이드어웨이 숏. 하지만 그는 집중할 수 없었다. 무릎이 욱신욱신했다. 그는 뒤로 누웠다. 그는 좋은 때와 안 좋은 때의 차이에 관해 생각했는데, 그 차이가 무엇인지 말은 못 하고 그저 느낄 수만 있다는 게 얼마나 웃긴 일인지.

아침이 되자 하늘이 개었다. 비는 멎었고 정오에는 땅도 단단해졌다. 바짝 긴장한 대원들, 오후 시합은 바보 같은 실수가 연발되었다. 하지만 나중에는 손으로 때리는 일도 야유하는 일도 허세 떠는 일도 없었고, 그러자 시드니 마틴은 그들더러 즉시 짐을 꾸려 동쪽으로 행군할 채비를 하라고 일렀다.

소강상태가 이어졌다.

한결같은 날들이었다. 풀은 갈색으로 변했다. 비가 온 뒤에도 바싹 말라 있는 논들은 드넓고 판판한 모습으로 지평선까지 뻗어 있었고, 지평선에는 더 많은 판판함이 기다릴 거라는, 모든 게 한결같을 거라는 단 하나의 확실함이 기다리고 있었다. 대원들은 불평을 했다. 더위, 정적, 시드니 마틴. 한번은 마틴이 그들더러 소규모 참호 군집을 수색하라고 명령하자 스팅크 해리스와 보트가 처음엔 작게, 그러다 크게 돼지 소리를 내기 시작했고 다른 대원들이 거기에 가세했다. 정확히 말해 항명은 아니었지만, 완전히는 아니었지만 항명에 가까웠다. 대원들은 자리를 떴다. 얼마 뒤 중위는 어깨를 으쓱하고 짐을 내던지더니 직접 참호로 내려갔다. 그들은 말없이 기다렸다.

---

*   원문은 gook.

**   pick and roll. 골대 아래로 파고들어 패스를 받아 숏을 하는 것.

딱히 시드니 마틴을 신경 쓰는 사람은 아무도 없었다 —— 너무 까탈스럽고 너무 홀쭉하고 머리카락도 너무 금발에다 고왔다. 끊임없이 닦달하는 것이 그의 방식이었다. 임무를 섬기는 사람, 땅굴과 참호 수색을 섬기는 사람. 너무 규율 발랐다. 이런 형편없는 전쟁을 치르기에는 너무 머리가 좋았다.

그다음 일주일 내내 그들은 열두 개의 땅굴을 폭파했다. 그들은 물소를 죽였다. 그들은 초가집을 태우고 닭을 쏘고 논을 짓밟고 울타리를 찢어발기고 우물에 흙을 퍼붓고 광기를 끌어냈다. 하지만 그들은 적이 모습을 드러내도록 몰아붙이지는 못했고 그 고요 때문에 진이 빠졌다.

그들은 말다툼을 하고 몸싸움을 했다. 조심성은 수선스러움으로 바뀌었다. 다혈질은 노골적인 비열함으로, 나중에는 그보다 더한 것으로 바뀌었다. 그들은 뻐근해지도록 고개를 숙이고 지뢰와 계략과 매복을 생각하며 걸었다. 게으르고 초조해졌다. 휴식이 끝나면 느릿느릿 일어났고 대중없이 잠잤고 버럭버럭 성을 냈고 바짝 긴장했다. 닥 페럿은 증상을 목록으로 만들었다. 심신증*, 그는 해럴드 머피의 얼굴이 다발성 종기와 고름으로 부어오르자 말했다. 루디는 등이 아프기 시작했다. 스팅크 해리스는 손가락과 발에 감각이 없다고 툴툴거렸다. 닥 자신도 이상을 느꼈다. 그는 전부 심리전, 즉 고급 행동 수정 탓이라고 누누이 말하면서도 다르본**을 삼키고 과하게 담배를 피우고 대열의 꼬리 부근에서 걷기 시작했다. 그의 이론들은 삐걱거리게 되었다.

"우리가 여기서 안고 있는 문제는," 평화가 이어진 넷째 주 초반에 닥이 말했다. "너희가 기본적으로 진공상태라는 거야. 이해돼? 진공상태. 텅 비었다고, 혹 빨린 것처럼. 진공상태에서는 명령을 못 받아. 명령을 이행하려면 물질이 있어야 돼, 마테리엘(matériel)이. 그래서 이런 결론에 도달해 ── 명령이 없으면 물질도 없다. 목적이 없다, 바로 그거야. 한 무리 꼬맹이들이 아시아 당나귀한테 꼬리를 달려고 해.*** 그런데 좆같은 꼬리가 없는 거야. 좆같은 당나귀도 없고."

땅 자체가 발하는 듯한 하얀 빛으로 환한 아침이었다. 닥은 배를 대고 엎드려 강에서 끝나는 갈색 논의 너머를 무덤덤하게 건너다보았다. 강 너머에는 더 많은 논이 있었다.

"진공상태야. 물질이 없어, 개념상의 마테리엘이. 가정해보자. 물자 상황이 안 좋아. 보급이라는 개념상 우리의 잔돈이 줄어들고 있어. 그런데 잘 들어, 군대는 짐말에 따라서 흥하고 망한다고. 보급로가 끊기면 모든 게 끝난다는 얘기야. 그게 러시아에서 독일 놈들한테 일어났던 일이야. 찌익 늘어나고 툭툭 찢기다 팽 끊어지도록 보급 줄을 끝도 없이 늘였던 거지 ── 쏴, 시베리아에서 싹 빠져나갔어. 개념상 마테리엘이 있어야 돼, 알겠어?"

폴 벌린은 고개를 끄덕였다.

"그건 진실이야. 나폴레옹한테 물어봐. 마테리엘이 부족하면 전쟁에서 이길 수 없어. 진공상태로는 이길 수가 없다고. 결국 보나파르트 꼴이 될 거야, 해류에 쓸려 표류하는."

---

*   심리적 원인으로 일어나는 병을 통칭.
**   Darvon. 진통제 상표. 염산염의 형태로 쓰이는 비(非)마비성 화합물.
***   눈을 가린 채 꼬리 없는 당나귀 그림에 꼬리를 다는 놀이가 있다.

시드니 마틴은 끊임없이 닦달했다. 미케 1지역, 2지역, 3지역을 관통하는 내륙, 그다음엔 남쪽, 그다음엔 남동쪽, 그다음엔 북으로 직진해 강으로 복귀. 고요는 이어졌고 그들은 적을 발견하지 못했다. 오후 농구 경기는 거칠어졌다. 카차토는 이 하나를 잃었다. 해럴드 머피의 정글 염증은 터져서 벌어지고 피가 났다. 벤 나이스트롬은 제 몸에 입힐 부상에 관해 닥 페럿과 개인 상담을 했다. 어디가 제일 나을까 —— 손, 발, 손가락? 어디서 야영할지, 어디서 쉴지, 무엇을 먹을지, 땅굴을 수색할지 아니면 그냥 날려버리고 가던 길을 갈지를 두고 쓰디쓴 말다툼이 생겼다. 스팅크는 강박적으로 총기를 닦고 기름칠했다. 프렌치 터커는 호흡곤란, 가슴 통증, 널뛰는 맥박을 호소했다. 보트는 두드러기가 잔뜩 생겼다. 그리고 폴 벌린은 한밤중 깊숙한 참호를 파는 데 한참을 매달려 그 앞에 돌과 흙무더기를 쌓아 올리고 수류탄 처치공*을 마련하고 진흙을 뭉쳐 총안을 만들었다. 밤이면 그는 참호 안에서 차가운 땅바닥에 등을 대고 농구와 두더지와 습한 공기를 머금은 무덤 꿈을 꾸며 잠잤다.

때가 좋지 않았다. 8월 초, 벤 나이스트롬은 무너져 울기 시작했다. 그는 멈추질 않았다. 그는 얼굴을 위로 하고 산길에 누워 머리를 싸매고 울었다. 그는 흐느적거렸다. 닥이 팔을 잡아끌고 일으켜도 나이스트롬은 울음을 멈추지 못했다.

그리고 나중에, 농구 경기로 격한 오후를 보내고 나서 스팅크와 버니 린이 몸싸움을 시작했다.

말소리는 전혀 없었다. 그들은 말 그대로 몸싸움 중이었다. 같이 뒤엉켜 자빠져서는 서로를 휘감는 싸움이었다. 누구 하나 다가가 말리는 사람이 없었다. 스팅크는 손톱으로 버니의 얼굴을 쥐어뜯었다. 버니는 주먹과 팔꿈치로 공격했다. 그들은 상처가 나도록 싸웠다. 스팅크가 버니의 눈가를 공격해 버니의 얼굴에서 피가 흘러내렸고, 그러자 스팅크는 피가 나는 부위를 할퀴었다. 살점이 매달려 덜렁거리자 스팅크는 그걸 찢어버렸다. 전략이나 민첩함과는 무관한 싸움이었다. 스팅크는 버니의 머리를 덥석 깨물어 이로 머리카락을 마구 뜯었고 버니는 계속해서 주먹과 팔꿈치를 사용했다. 쥐어뜯고 찌르고 때리고. 대원들은 꼼짝 않고 지켜보았다. 스팅크가 버니의 귓속 깊이 엄지를 찔러 넣자 버니는 스팅크의 두 다리 사이를 퍽퍽 갈겼다. 버니의 얼굴은 시뻘겠다. 살갗이 벌어져 펄럭거리는데도 스팅크는 끊임없이 살점을 쥐어뜯었다. 그 일은 그러다 끝났다.

하지만 소강상태는 끝나지 않았다.

8월 12일에 그들은 가늘게 뻗은 뜨라봉강 변에 진을 치고 야영을 했다. 강 건너편은 찐손 2지역이라는 마을이었다. 아침이 되자 시드니 마틴 중위는 그들이 강을 건너 마을로 들어가 수색을 할 거라고 말했다. 그는 오스카 존슨을 콕 집어 쳐다보았다. 땅굴이 발견되면 수색을 할 거라고 그는 말했다. 그는 담백하게 그리고 연출 없이 말했다. 대원들은 눈길을 피했다.

"알아들었나?" 젊은 중위는 말했다. "땅굴을 발견하면 수칙대로 샅샅이 수색할 것이고 잘 해낼 것이다. 알아들었길 바란다."

"아주 멋지네요," 오스카 존슨이 말했다.

"확실히 하고 싶을 뿐이야."

"태양 같군요," 오스카가 비아냥거렸다. "달나라 사람 같다고요."

---

*   참호에 굴러든 수류탄을 처치하려고 참호 안에 또 한 번 판 구덩이.

완전한 밤은 천천히 내렸다.

대원들은 저녁 식사를 때운 다음 각자 참호를 파고 기다렸다. 그들은 그 마을을 똑바로 마주할 엄두가 나지 않아 가끔씩 얼핏, 넌지시 힐끗거릴 뿐 지켜보면서도 실제로는 지켜보는 게 아니었다. 보이는 것도 별로 없었다. 초가지붕 꼭대기, 두꺼운 산울타리, 그늘 속에서 강으로 완만히 내려오는 좁은 진흙 길.

조용한 대화가 오갔다. 버프는 몇 달 전에 그곳을 본 적이 있다고 말했다. 안 좋은 임무였어, 으스스하고, 그는 말했다. 안 좋은 곳. 스팅크 해리스는 웃음을 터뜨렸다. 덩치는 큰 게 유령에 홀렸네, 스팅크가 말했지만 루디 채슬러는 고개를 가로저으며 어쩌면 홀리는 편이 현명할 거라고 말했고 그 말에 머피는 고개를 끄덕였다.

오스카는 침을 뱉었다. 그는 지도를 들고 강 근처에 앉아 있는 중위를 건너다보았다. "게다가 저 인간. 저 인간이 우리더러 땅굴을 수색하라잖아. 너희 들었지?"

"나 들었어."

"저 인간. 꽤 용감한 인간이야."

오스카는 탄띠에서 무심코 수류탄 하나를 떼어내더니 무게를 재듯 왼손 오른손으로 주거니 받거니 했다.

"자기 무덤 파는 거지," 그가 말했다. "내가 할 말은 그거뿐이야, 저 인간이 자기 무덤을 좆나게 깊숙이 파고 있다는 거."

"가서 말해."

"말했어."

"맙소사!"

"뭐야 ─ ?"

"카차토!" 에디가 외쳤는데 너무 큰 소리였다. "그 망할 공 좀 그만 튕겨!"

카차토는 웃음을 지었다. 그는 제 참호로 가서 공을 그 안에 던져 두고 저 혼자 올라왔다. 나중에 그는 휘파람을 불기 시작했다.

"T*랑 문제가 있어," 오스카가 조용히 말했다. 그는 투수들이 새 공을 받고 주무르듯 아직도 수류탄을 주무르며 가지고 놀았다. "저 인간이 문제를 **부른다고.**"

그들은 강을 바라보며 담배를 피웠다. 죽은 잠자리들이 바다 쪽으로 떠갔다. 산 잠자리와 하루살이와 다른 곤충 들은 수면 바로 위를 떼 지어 다녔다.

"어이, 조용히 들어봐."

"듣고 있어."

강물이 반짝이는 장밋빛으로 최종 바뀌는 밤의 경계, 마을에서 개 한 마리가 물을 마시러 내려왔다. 녀석은 배가 잠기도록 첨벙첨벙 물속에 들어갔다. 완전한 어둠이 내리자 개는 흐느적흐느적 오솔길을 올라 나무들 속으로 사라졌다.

폴 벌린은 잠이 들지 않았다. 잠을 청하지도 않았다. 그는 강을 등지고 자기 참호 깊숙이 앉아 자기 뒤가 물이라는 사실에 다행스러워했다. 고요는 분명 무서웠지만 그래도 강가에서는 죽는다는 상상이 들지 않았다. 어쩌면 울창한 숲속 혹은 산비탈 혹은 어느 논이라면 죽을지도 모른다. 하지만 강가에서는 아니었다.

그는 고요를 차지하려고 애썼다. 그는 소리 내어 숫자를 세면서

---

*   lieutenant. 중위를 가리킴.

시간을 흘려보냈다. 그는 강에 귀를 기울였다. 그는 아버지가 하던 것처럼 강물 소리를 흔들리는 초목 소리와 구별해보려고 했다. 어둠은 스스로를 잠식해갔다. 자정 이후 따뜻한 안개가, 거대하고 부드러운 것이 강으로 엉금엉금 기어와 그를 덮고 흠뻑 적셨다.

그는 야구 꿈을 꾸었다.

그가 깼을 때 저기 어디 옆 참호에서 카차토가 공을 튕기는 소리가 들렸다. 얼마 뒤 그것은 멈추었고 다시 조용해졌다.

몸을 웅크려 제 참호 구석에 더 깊숙이 틀어박힌 폴 벌린은 고개를 숙이고 눈을 감고 열심히 귀를 기울였다. 하지만 아무 소리도 없었다. 바람도 풀도 심지어 이제는 강물도.

안 좋은 곳이라던 버프의 말. 안 좋은 곳, 안 좋은 때. 그는 그 생각을 않으려고 했는데 그것이 오히려 그의 생각에 시동을 걸었다. 아침이 되면 그들은 강을 건너 마을로 들어가 수색을 할 것이다, 그것이 시드니 마틴의 말이었고 그리고…… 그리고 아직도 조용했다. 초조할 만큼 조용했다. 이제 그 생각이 그의 머릿속을 차지했다. 고요는 고요하지 않았다. 아침이 되면 그들은 강을 건너 마을로 들어가…… 그는 농구를 생각했다. 승리, 가장 달콤한 건 그거였다. 움직임도 속임수도 전략도 다 좋지만 그를 흥분시키는 건 승리였다. 고요가 깨질 때의 흥분, 승리가 그토록 좋은 건 그 점에서였다. 바로 그 점, 정확히 그 점. 안 좋은 점이자 좋은 점. 승리—— 그건 점수를 아는 거고, 이기려면, 역전하려면 무엇이 필요한지 아는 거고, 무언가를 정확히 아는 거야. 승산은 계산이 가능해. 목적은 승리일 뿐 다른 게 아니고. 슛을 쏠 바스켓, 목표, 때론 점수가 나고 때론 나지 않지만 거기엔 실제로 겨냥할 것이 있고 넌 그게 뭔지 늘 알아, 게다가 점수는 믿을 수 있고. 아침이 되면……

안개가 솟아올랐다.

이제 고요가 그의 머릿속을 차지했다. 그것은 거기서 부풀어 모든 것을 밀어냈다. 그것은 그의 머릿속을 전부 차지했다.

아침이 되자 대원들은 각자 참호에서 올라와 아침 식사를 하고 판초를 말았다.

버프는 자꾸 머리를 가로저었다. 스팅크 해리스는 씩 웃었고 카차토는 농구공을 짐 가방에다 치웠고 프렌치 터커는 혈압을 호소했다. 폴 벌린은 머릿속의 그것을 느꼈다.

그들은 물을 끼얹어 아침밥 모닥불을 껐다.

장비를 다 꾸리자 시드니 마틴 중위는 손을 들어 그들을 데리고 강을 건넜다. 물은 따뜻했다. 물은 다리와 배를 따뜻하게 적셨다.

그 뒤 그들은 물 밖으로 나와 재정렬하고 찐손 2지역에 들어서는 진흙 길을 올라갔다. 폴 벌린의 머리는 고요로 아우성쳤다. 분열 —— 그래도 그는 어두운 마을 안으로 이동했다. 루디 채슬러가 지뢰를 밟았을 때 기운 없다 싶을 만큼 무른 폭발음이 났지만 그 소리는 그들 모두에게 안도감을 주었다.

열일곱.
파리로 가는 땅굴 끝의 빛

그렇다, 그리하여 사르낀 아웅 완은 서쪽으로 향하는 땅굴로 그들을 이끌었다. 그리고 나서 그들은 깊어지는 오니를 지나 하수 속을 첨벙첨벙 걷고 있었고, 땅굴은 점점 오르막이 되었고, 다들 코를 꼬집고 입으로 숨 쉬며 행군 속도를 높였다. 양쪽 벽은 폭이 넓어지며 시멘트 재질로 바뀌었고 천장도 높아졌다. 그들은 배관 말단부와 양수기와 막힌 여과 장치와 점액질의 물질을 첨벙첨벙 지났다.

그리고 마침내 그들 앞에 바위에 나사로 고정된 철제 사다리가 나타났다.

사르낀 아웅 완이 앞장섰다. 그들은 빠르게 기어올라 이내 강철 뚜껑을 맞닥뜨렸다. 사르낀 아웅 완은 그것을 들썩들썩 위로 밀어젖혔다. 끼끽 쇳소리가 났다. 맨홀 뚜껑이 열리면서 그윽한 밤하늘이 드러났다. 그들은 기어올라 만달레이 거리로 나왔다.

사르낀 아웅 완의 뒤를 따라 서두를 때 그의 뇌 끝에서 울리는 유창한 네 음절. 만달레이, 그 이름은 음악적이기까지 했다. 그는 또렷이 떠올렸다. 미술관과 황금 조각상, 갈기를 땋은 흰 종마들이 끄는 이륜마차, 흰 상의를 입은 종업원들이 차려주는 값비싼 음식, 사방에 꽃, 그리고 청결하고 포근한 침대.

만달레이, 그는 생각하다가 그 말이 입 밖으로 튀어나올 뻔했다.

그들은 도시의 냄새 속을 굽이치는 먼지 낀 도로를 따라 빠르게 걸었고 콘크리트 공동주택에 머잖아 자리를 내줄, 초라하게 늘어선 흙집들을 지났다. 아직 인적은 없었지만 온갖 간판이 있었다. 골목에서 싸움을 벌이는 고양이와 닭 들, 쓰레기가 축축하게 엉겨 있는 배수로, 희미한 콧노래, 차량 소리. 도로에는 팔미라야자와 공작야자가 줄을 짓고 있었다. 개들이 오만 곳을 배회했다. 쓰레기를 뒤지는, 제 꼬리를 물어뜯고 울부짖는 홀쭉하고 굶주린 개들.

"디트로이트가 따로 없네," 오스카가 속삭였다. "카차토는 놔둬도 되겠어. 시체 꼴로 집에 갈 테니까."

그들은 시장 쪽으로 열린 아케이드를 통과했다. 그곳은 인적이 없었다. 그들은 상점가를 가로지른 뒤 방향을 꺾어 철제 셔터로 전면을 가린 상점들을 구불구불 지나는 자갈길을 따라갔다. 폴 벌린은 계속 콧노래가 들렸다. 그는 가물가물했지만 그게 뭔지 알고는 있었다. 특정한 제목도 특정한 음도 없었다. 그냥 콧노래였다.

거리는 넓어졌다. 쓰레기 냄새는 향신료 냄새로 바뀌었다. 콧노래 소리가 갑자기 폭발적으로 흘러나왔고, 그러자 그는 제목이 생각났다.

거리는 넓은 대로가 되었다.

노란 가스등. 색색의 물을 흩날리는 분수. 관리된 풀밭을 뛰노는 아이들, 공원 벤치의 노인들이며 손을 맞잡은 연인들, 유모차를 미는 여자들, 여유 부리는 사람들, 잡담하며 웃는 사람들, 자전거와 혼다 오토바이와 수레와 버스와 당나귀 들, 단정하게 늘어선 대추야자들, 네모반듯하게 깎고 다듬은 산울타리들.

"문명," 폴 벌린은 말했다.

노면전차가 덜컹덜컹하며 도심으로 향했다. 버마 사람들과 그들의 개들과 아이들과 닭들로 붐벼도 손잡이 하나 없는 그 차량은 휘청휘청 흔들흔들하면서 모두를 밀착시켰다. 봉해진 창문, 깜빡깜빡하는 둥, 흔적도 없는 에어컨. 폴 벌린은 웃음을 멈추지 못했다. 그는 마분지 조각으로 부채질하는 늙은 여자들, 노래하는 남자들, 환호하며 악수하는 남자들, 염소 가죽에 곡주를 담아 마시는 남자들을 웃으며 지켜보았다. 노면전차는 곡선을 돌아 환한 도시로 들어서더니 정류장에서 대뜸 멈추었고, 문이 회전하며 열렸고, 그러자 신선한 도시 공기, 빵빵거리는 경적과 차들과 활기가 밀려왔다. 바깥은 붉고 거대한 달 아래 비단 같은 밤이 내려 있었다.

그들은 미니애폴리스 호텔로 안내되었다.

"힐턴이 아니네," 오스카가 투덜거렸다. "미니애폴리스 호텔이라니."

쓰러질 듯한 세 층짜리 물막이 판자 건물은 바람의 방향대로 기울어 있었고 문이 잠긴 데다 어두컴컴했다. 오스카는 가죽 샌들에다 기름에 전 갈색 의복을 걸친 콧수염 난 여자가 열어줄 때까지 문을 두드렸다. 여자는 그들을 안으로 들였다. "싸요-싸," 그녀는 말했다. "제일 싼 호텔." 열두 명의 아이가 계단과 책상과 바닥에 헐벗고 앉아 있었다. 어리고 용감한 남자아이 하나가 오스카의 소총을 만졌다. 그리고 오스카의 손을 만졌다. 오스카가 무릎을 꿇자 남자아이는 그의 얼굴을 만졌다. "검둥이," 오스카가 말했다. 남자아이의 얼굴이 환해졌다. "검둥이!" 남자아이가 말했다. 다른 아이들이 깔깔거렸고 여자는 쉿 조용히 시켰다. 그녀는 초를 켠 다음 중위더러 따라오라고 손짓했다. 그녀의 얼굴은 부스럼이 지글지글했다. "최고예요," 그녀는 말하면서 그들을 데리고 계단을 올라 굽이굽이 복도를 따라서 방으로 안내했다. " 미니애폴리스 호텔, 제일 잘 자요."

"햇볕에 타고 강해질 거예요," 사르낀 아웅 완이 그의 무릎 아래 어디선가 만족스러운 양 가르랑거렸다. 똑 하고 부러지는 소리가 한 차례 났다. "파리에서 온갖 곳을 걸을 거잖아요. 안 그래요? 암요, 맞아요, 우리는 햇볕에 탈 거고 강해질 거고 온갖 곳을 걸을 거예요. 그 도시를 고향만큼 알게 될걸요, 알아야 할 건 전부요."

"전부," 그가 말했다.

"그리고…… 그리고, 아, 우린 기념비들에 들르고서 손잡고 파리 불빛을 볼 거고요, 그런 다음에 강으로 걸어갈 거고, 온갖 사랑스러운 상점들에 걸어갈 거고…… 아마 당신이 저한테 예쁜 걸 사 줄 거예요." 그녀는 말을 멈추었다. "예쁜 거 사 줄래요?"

"전부," 그가 말했다.

그는 발이 간지러웠다. 꼬마였을 때에도 그는 누가 발 만지는 게 소름 끼쳤다.

방은 따뜻하고 침대는 포근했다. 그는 배겨낼 수 없었다 —— 포근한 것들. 그는 꼼지락거렸다. 그녀는 그의 커다란 왼쪽 엄지발가락을 잡고 있었고, 발톱을 내밀어 손톱깎이에 물린 다음 —— 똑, 똑. 그녀의 촉촉한 머리카락이 그의 다리에 해초같이 느껴졌다. 모든 게 더없이 포근했다.

그녀는 참을성 있게 작업했다. 그녀의 입술은 벌어졌고 혀는 때로 입술을 축이느라 날름거렸다.

"상병 —— ?" 그녀가 말했다.

그는 가만히 누워 있었다. 그녀가 자꾸 상병이라고 불러 이상했다.

"상병, 자고 있어요?"

그는 발가락을 움직였다.

"상병, 우리 여기서 얼마나 머물러야 해요? 파리로 다시 떠나려면요?"

그녀가 손톱깎이 날 끝으로 발톱을 정리해주는 동안 그는 그 물음에 관해 생각하는 척했다. 조용하고 푹신하고 따뜻하고, 모든 게 포근했다.

"상병 —— ?"

"나도 모르겠어," 그가 말했다. "형편대로."

"왜요?"

"일을 해야 하니까. 카차토를 찾아야지. 얼마가 걸리든 간에."

그녀는 긁어내다 말고 멈추었다.

그녀가 수심에 잠긴 목소리로 말을 꺼냈다.

"꼭 필요한 일이에요?"

"뭐가?"

"그를 —— 말하자면 —— 그렇게 필사적으로 쫓는 거요. 꼭 필요한 일이에요?"

그는 어깨를 으쓱했다. "내 생각에 꼭 필요한 일은 아닌 거 같아. 그래도 임무니까. 임무는 임무고 물러설 수 없어. 우린 아직 군인이 거든."

"그럼 그를 찾으면 어떻게 돼요? 그를 잡으면요? 그러고 나면 어떻게 돼요?"

"현실로 돌아가야지," 그가 말했다. "우리가 그를 잡으면, 그럼 현실 영역으로 돌아가는 거야."

사르낀 아웅 완은 몸을 움직였다. 뒤로 살짝 물러나는 움직임이었다.

"그럼 파리는요?" 그녀가 말했다. 그녀의 목소리는 매우 포근했다. "식당이랑 모험이랑 아름다운 정원은요? 그 정원들 벌써 잊은 거예요?"

"아니," 그가 말했다. "잊은 적 없어." 그는 애써 웃음을 지었다. "파리도 아직 한 가지 가능성이야. 진짜야. 아직 유효한 가능성."

하지만 그녀는 이제 물러나는 중이었다. 길고 촉촉한 머리카락이 그의 정강이 위로 슥 미끄러졌다. 그는 그녀가 창문으로 가 등을 보이는 모습을 지켜보았다. 네온사인이 파란색과 노란색으로 깜빡거리며 방을 비추었다. 그녀는 훌쩍훌쩍 울고 있었다. 그래서 그는 몸을 일으켜 그녀에게 다가갔다. 정신력에 달린 문제야, 그는 생각했고, 그러고서 서툴게 그녀의 배를, 그 뒤 그 아래를 두 손으로 감싸고 그녀의 머리카락에 코를 묻은 채 약속을 수정했다. 파리는 아직 가능해, 카차토는 약삭빨라서 못 잡아, 걱정하지 마. 파리를 향해 굽이치는 리본에 꿴 정신 나간 약속들, 파리에서 그는 창가에 진열된 예쁜 것들을 그녀에게 사 주고, 볕 잘 드는 카페로 그녀를 데려가 점심을 먹고, 그녀와 함께 튈르리 정원을 거닐고, 택시를 잡아 베르사유궁전에 가고, 니스에 가고, 마르세유에 가서 양귀비 제품들이 범선에 실려 바다로 나가는 모습을 지켜보는 그 모든 걸 할 생각이었다. 파리는 아직 가능해, 그는 말했다. 아직도 충분히 다가갈 수 있어. 해낼 수 있는 일이야. 아직 해낼 수 있는 일이고 아마 그렇게 될거야. 수정된 약속들. 그녀는 웃음을 지었다. 그녀는 그를 안았다. 그러고는 침대로 돌아가 손톱깎이 날로 그의 발톱 밑 덩어리진 때를 긁어내고 알코올로 문지르는, 전쟁의 흔적을 조금씩 지워나가는 일을 재개했다. 그리고 그녀는 다시 욕조로 가 머리를 헹구었다. 나중에 두 사람은 몸을 나눌 뻔했다.

아침이 되자 그들은 수색을 시작했다. 사르낀 아웅 완과 팔짱을 낀 폴 벌린은 남자들이 쪼그려 앉아 파이프 담배를 피우고 여자들이 길에 내놓은 과일과 염색한 비단과 귀금속을 두고 행상인들과 옥신각신하는 상점가를 다니며 만달레이를 행진 걸음으로 누볐다. 파리 예행연습이었다. 다가올 모든 좋은 일의 예행연습. 머리통을 짓누르는 철모 없이, 군낭이나 방탄조끼 없이, 수류탄이나 조명탄이나 그밖의 무기 없이 그는 이 환하고 멋진 도시를 홀가분하게 가로질렀다. 폴스컨페션스라는 거리에서 사르낀 아웅 완은 그가 새 옷과 하이킹화 한 켤레를 고르는 걸 도왔다. 스위트파인스라는 거리에서 그녀는 비둘기에게 빵을 던져주었다. 그들은 이라와디강을 따라가다 이동식 동물원을 우연히 마주쳤는데 거기서 여자는 공작과 거위와 원숭이와 비단뱀을 보고 얼굴이 일그러졌다. 그녀는 그의 손을 잡았다. 그녀는 남몰래 그를 톡 치고 웃으면서 우스꽝스러운 모자와 헐렁한 바지를 걸친 노인들을 가리켰다. 그는 행복함을 느꼈다. 거리에 질서가 있었다. 어울림이 있었고 생기가 있었고 화합과 사람 냄새 나는 상거래와 일상적인 인사말이 있었다. 그래서 폴 벌린은 사르낀 아웅 완과 함께 강을 따라가면서, 이제는 행진이 아니라 그냥 걸으면서 세부적인 것에 주의를 기울였다. 그는 어스름이 내릴 때까지 지속되는 햇빛을 보았다. 그는 강가의 조그만 돛단배에서 곡식 내리는 모습을 보았다. 그는 원숭이가 가죽 끈 한쪽 끄트머리에 묶여 춤추는 모습을 보았다. 그는 강물이 어두워지고 하늘이 분홍색으로 바뀌고 도시가 스스로 빛을 내기 시작하는 모습을 보았다. 그러고 그는 자기가 본 것을 믿었다.

열여덟.
파리로 가는 길의 염불

그날 저녁 그들은 또다시 수색을 했다. 그들은 높은 옥상 식당에
서 튀긴 생선을 먹었는데 저 아래로 온 도시가 불을 밝히고 있었고
화분에 심은 야자나무들은 풍경(風磬)을 딸랑거렸다. 그러고 나서
그들은 수색을 했다.

하지만 그 전에 에디가 물었다. "우리가 찾을 게 정확히 뭐야?"

면도를 하고 청바지와 줄무늬 티셔츠를 입은 에디는 번지르르하
게 빗어 넘긴 검은 머리가 영락없는 미국인이었다. "그러니까," 종
업원이 와인 뚜껑을 따는 동안 그가 말을 멈추었다가 말했다. "내 말
은, 엄청 넓은 곳이잖아. 계획이 있어야지, 안 그래?"

닥은 와인을 한 모금 하더니 적당하다고 표명했다. 종업원은 발
을 끌면서 야자나무 너머 어둠 속으로 물러났다.

"무슨 말인지 알아?" 에디가 말했다. "대체 명령이 뭐야? 이거 확
실히 정찰 임무야, 수색이야, 매복이야? 뭐야?"

"다 틀렸어," 오스카 존슨이 말했다. 그는 실크 셔츠를 걸치고 위

쪽 단추 두 개를 푼 채였다. 무릎에는 챙 넓은 중절모가 놓여 있었다. 그는 손가락 두 개를 들었다. "카차토를 찾고 싶어? 좋아, 그럼 기본에 집중해." 그가 첫 번째 손가락을 흔들었다. "하나, 술이 있는 곳에 간다." 그가 두 번째 손가락을 흔들었다. "둘, 여자가 몰리는 데를 찾는다. 술하고 계집, 알았어? 그런 데가 카차토를 찾을 곳이야. 불끈불끈 세우는 다른 놈들이랑 다를 게 없다고—술하고 여색."

에디는 미간을 오므렸다. "글쎄. 그건 별로 카차토답지 않은데."

"나 못 믿어?"

"아니, 그게 아니고," 에디가 말했다. "그냥 잘못 짚었다는 얘기야."

"기본. 기본적인 걸 주목하라니까."

"하지만 그 녀석은 술 안 마시잖아."

오스카는 어깨를 으쓱했다.

"그리고 있지," 에디가 말했다. "나는 녀석이 여자랑 감자튀김을 구별할지 의심스러워."

"감자튀김," 스팅크 해리스가 한숨을 지었다. "이크, 내가 좀 줄 걸."

종업원이 골무만 한 유리잔에 든 오렌지즙 일곱 개를 들고 나타났다. 닥 페럿이 일어나 유리잔을 들고 정숙을 요구했다.

"건배하지," 그가 말했다. "자국의 안정과 평화를 위하여. 우정과 추억을 위하여. 에디와 오스카와 스팅크 해리스를 위하여. 우리를 버리고 간 해럴드 머피를 위하여. 모든 기억을 위하여, 그것들 모두에 평화 깃들라."

그들이 들이켜자 종업원은 다시 잔을 채웠고 닥은 지난날에, 고난의 시절, 안 좋은 시절에 건배를 바쳤다. 그러더니 그는 중위를 위해 건배를 제안했다. "25년을 충실히 복무한 사내를 위하여. 이제 위대하고 도전적인 임무를 맡아 대원들을 이끄는 사내를 위하여. 그리고…… 또 어리고 사랑스러운 피난민을 위하여, 또 오스카 존슨을 위하여, 또 피더슨과 버프와 빌리 보이 왓킨스를 위하여. 그 징글징글한 인간들을 위하여."

"카차토도," 폴 벌린이 말했다.

닥이 어깨를 으쓱했다. "왜 아니겠어? 당연하지 ─ 카차토를 위하여."

그들은 건배를 마치고 계산을 했다.

"마지막으로 질문 하나만," 에디가 말했다. "녀석을 찾으면? 그다음은 어떻게 돼?"

대원들은 말이 없었다. 그들은 서로를 쳐다보다가 결국 늙은 중위한테 눈길이 쏠렸다. 그는 꼿꼿이 앉아 있었다. 광대뼈에 기미가 끼어 있었다. 그 옛날 파란색으로 환히 이글거리던 눈은 이제 두 개의 돌처럼 무미건조했다.

"그다음은 어떻게 됩니까?" 에디가 물었다. "그 자식을 찾으면요?"

코슨 중위는 손으로 아서라 하는 모호한 동작을 했다.

그러고 나서 그들은 수색을 시작했다.

그것은 일과가 되었다. 먼지가 흩날리는 거리를 자정이 되도록 배회하고, 그리고 미니애폴리스 호텔로 돌아와 잠을 청하고, 그리고 뜨거운 오후 내내 수색.

폴 벌린에게 그것은 퍼즐이었다. 카차토는 제 커다란 머리를 어디다 누이고 있을까? 그는 무엇을 바라는 걸까? 무엇이 그를 부추겼고 무엇이 계속 나아가게 만드는 걸까, 어느 길로 얼마나 오래 왜? 폴 벌린은 세부적인 것을 찾아다녔다. 그는 사르낀 아웅 완을 데리고 찻집들과 선술집들과 수많은 여인숙을 살폈고, 식당들을 팠고, 도시 외곽에 있는 경마장의 투광조명 아래서 말들한테 돈을 걸었다. 보랏빛으로 물든 저녁은 최고의 시간이었다. 그는 샨 고원에서 밤이 내리는 풍경을 보는 게, 자줏빛 그늘들이 서로 포개져 점점 짙어지는 모습을 보는 게 좋았다. 그는 길모퉁이의 대화, 웅성웅성하는 차량 소리, 인파 사이를 다니는 게 좋았다. 그렇다, 수색은 세부적인 것을 살피는 거였다. 지나온 모든 것 중에서 카차토는 무엇에 관심이 갔을까, 그리고 무엇이 그를 여기로 끌어당겼을까? 그는 단서들을 찾아다녔다. 그는 카차토가 세계 제일의 레이크 컨트리에서 낚시를 하던 기억이 났다. 그는 그 애송이가 다 해진 사진첩을 군낭 맨 밑에 가지고 다니던 기억이 났다. 사진첩은 회색 비닐로 싸여 있었다. 앞표지에는 붉은색으로 '베트남 풍경(Vues of Vietnam)'이라고 적혀 있었다. 그리고 안에는 왠지 카차토 자신의 모습보다 추억에 더 충실한, 백 장도 더 될 사진들이 연대순으로 오류 없이 정리돼 있었다. 첫 쪽에는 밑에 '내 가족'이라고 밝힌 네 명의 근엄한 인물이 그 애송이와 서 있었다. 알루미늄 크리스마스트리 앞에서 포즈를 잡은 사진이었다. 어두운 표정의 근심스러운 사내인 아버지. 뭔가를 파는 세일즈맨, 아니 어쩌면 보험계리인일지도. 두 쌍둥이 자매는 예뻤다. 마찬가지로 미인인 어머니는 호리호리하고 엉덩이가 빈약하며 스냅사진 밑에 붉은 잉크로 '크리스마스이브'라 인쇄된 데 걸맞게 잘 차려입은 모습이었다. 사진첩 더 깊숙이에는 치장용 벽토를 바른 집이 담긴, 가장가리가 누렇게 변색된 사진이 있었고 코가 뭉 툭하게 생긴 1956년형 올즈* 사진, 누군가의 무릎에서 몸을 웅크린 고양이 사진, 웃으면서 삽으로 눈을 치우는 카차토 사진, 머리를 하 얗게 민 카차토 사진, 전투복을 입은 카차토 사진, 휴가차 집을 찾은 카차토 사진, 기관총 앞에서 자세를 잡은 보트와 카차토 사진, 빌리 보이와 카차토 사진, 오스카와 카차토 사진, 녹색 파자마를 입은 총 살당한 베트콩 시체 옆에 쪼그려 앉은 카차토 사진, 죽은 소년의 검 게 빛나는 헝클어진 머리카락을 잡고 그 머리를 처든 카차토 사진, 웃고 있는 카차토 사진이 있었다.

하지만 그는 어떤 사람이었을까? 보들보들한 살결, 포동포동한 몸집, 치켜 올라간 큰 눈과 반죽 같은 살덩이. 모습이 흐릿했다. 폴 벌린은 한데 뒤섞이길 거부하는 낱낱의 기억들을 떠올렸다. 매복 중 에 부는 휘파람. 시종일관 씹어대는 껌. 그 웃음. 그는 뚱뚱하고 굼 뜨고 대머리에다 어렸다. 그는 힘든 일도 마다하지 않을 만큼 얼이 빠져 있었다. 그리고 멍청했다. 우유**같이 멍청했다. 징글징글하게 멍청한 경우였다.

그러다 그는 카차토를 발견했다.

"녀석이다," 그가 말했다. 페이스트리 조각이 목구멍에 걸렸다. 그는 다시 쳐다보고 꿀꺽 삼켰다──"녀석이다!"

사르낀 아웅 완은 웃음을 지었다. 주얼스 거리에 있는 노천카페, 보랏빛의 은은한 저녁이었다. "누구요?"

"그 녀석." 폴 벌린은 가리켰다. "저기저기. 녀석이야."

여자아이는 어리둥절한 듯 고개를 돌려 둘러보았고, 그러고 나서 다시 웃음을 지었다. 카차토가 그녀의 바로 뒤를 지나갔다. 6피트. 그녀가 지팡이로 건드릴 수 있는 거리였다.

"어디요?"

"거기. 바로 **거기**."

그녀는 다시 고개를 돌렸고 눈을 가늘게 떴고 고개를 가로저었다.

"**거기!**"

그는 승려 같은 복장이었다. 둥글고 믿음 깊은 얼굴, 긴 갈색 의복이 그에게 프라이어 턱과 판박이라는 인상을 주었다. 그는 손을 쥐고 있었다. 그는 웃고 있었다. 다른 네 명의 승려가 제자들처럼 그를 둘러쌌는데 다들 똑같이 넝마 같은 의복을 걸친 데다 다들 대머리였고 다들 카차토 같은 공허한 웃음을 짓고 있었다.

그들은 서두르는 기색 없이 어둠 속으로 사라졌다.

"저 사람?" 사르낀 아웅 완이 말했다.

"아니. 저 사람. 가운데 —— **저** 사람."

"저 사람?"

"맙소사, 아니. **저** 사람 말이야. 저 바보 같은 사람."

카차토는 어느새 시야에서 거의 사라진 채였다.

폴 벌린은 얼른 계산을 치른 뒤 여자아이의 손을 잡고 자리에서 일어나 황급히 뒤를 쫓았다. 그들은 그 길을 따라가다 넓고 탁 트인 공원으로 접어들었다.

---

*　　올즈모빌. 1897년 설립돼 2004년 폐업한 미국 자동차 회사.

**　　은어로 코카인, 정액 등을 뜻하기도 한다.

사르끼 아웅 완이 멈추었다.

"까오다이*예요," 그녀는 속삭였다.

"뭐라고?"

"더없이 거룩하다는 얘기예요. 까오다이 ── 저녁 기도죠." 그녀는 공원 한가운데 잔뜩 모여 있는 승려들 쪽을 가리켰다. 카차토는 이제 막 군중에 합류하고 있었다.

"저 중에서 누구예요?" 사르끼 아웅 완이 말했다.

불어나는 사람들 사이에서 카차토를 찾기는 불가능했다. 또 다른 승려 무리가 동쪽에서 줄지어 들어왔는데 몇몇은 유리로 둘러막은 불 밝힌 초를 받치고 있었다. 돌로 된 제단에 초들이 놓이고 시가전차 한 대가 덜컹거리며 지나가자 승려들은 돌아다니다 말고 저물녘 자줏빛 속에서 부드럽게 불경을 외며 리듬에 맞춰 몸을 흔들흔들하기 시작했다.

더 많은 승려가 군중에 가세해 이제 수백 명이 되었는데 그들은 계속 불어나고 있었고 불경은 점점 더 풍성하고 깊어졌다.

"녀석을 쫓을 거야," 폴 벌린이 말했다. "지금, 이러다가는 ── "

"안 돼요!"

사르끼 아웅 완이 팔을 뻗었지만 그는 이미 이동 중이었다.

그는 인파의 가장자리에서 잠시 멈추었다. 그는 한순간 카차토를, 혹은 카차토일지도 모르는 사람을 흘낏 보았다. 그는 심호흡을 하고 턱을 당긴 다음 맹렬히 돌진했다.

공원은 차분하고 반들반들한 하늘 밑에서 대머리로 공허한 웃음을 지으며 몸을 흔드는 사람들 천지였다.

그는 군중의 중앙 쪽으로 밀고 들어갔다. 향냄새, 그윽한 불경, 흔들흔들하는 부딪음이 있었다. 그는 팔뚝으로 앞을 밀쳤는데 군중이 그를 저지하는 것 같았다. 그는 웅성웅성 못마땅해하는 소리를 들었다. 누군가 그의 팔을 잡아챘고, 그러더니 고함은 점점 커졌다. 흔들 흔들하던 몸짓들은 중단되었다. 그는 목이 졸리고 있었다. 그는 몸을 거세게 뒤틀었지만 승려 두 사람이 그의 허리를 붙들었다. 또 다른 승려는 그의 두 무릎을 콱 잡았다. 넘어지는 순간, 폭삭 무너져 내리기 직전에 그는 도깨비불처럼 앞에 떠 있는 카차토의 둥근 얼굴을 보았다.

그는 숨을 쉴 수 없었다. 안간힘을 썼지만 그럴 수 없었다.

그는 저 자신의 침몰이 느껴졌다. 그는 어렴풋한 소리로 귓속에 쏟아져 들어오는 그들의 새된 외침을 들었다.

꿈. 눈사태에 갇힌 꿈. 환한 녹색 눈동자의 승려 하나가 소리를 지르며 그의 팔을 꺾고 있었다. 다른 두 승려는 그의 가슴 위에서 발을 굴렀다. 그는 숨을 쉴 수 없었다. 계속 애를 쓰고 밀어냈지만 전혀 소용없었다. 몸무게와 향냄새와 육신의 땀, 난생처음 겪는 압력, 익사하는 느낌. 숨 막혀, 그는 생각했다. 만달레이에서 찌부러지고 작살나는 꿈.

정신이 들었을 때 공원에는 인기척이 없었다.

사르킨 아웅 완은 그를 굽어보며 다정하게 이마를 닦아주었다.

"살았어," 그는 말했다.

그는 일어앉아 제 몸을 만졌다. 왼팔이 펴지지 않았다. 폐는 시멘

---

*   Cao Dai. 1926년 베트남에서 레반찌엔(Le Van Chien)이 창시한 종교로 유교, 불교, 도교가 섞였으며 보편주의와 채식주의를 주창.

트 가루를 잔뜩 들이마신 느낌이었다.

"나 살았어."

그녀는 계속해서 그의 이마를 닦아주었다. 그는 만개한 작약, 자수정 같은 하늘, 공원 벤치에서 타고 있는 한 개의 초를 어둠 속에서 보았다. 승려들은 온데간데없었다.

"어떻게 된 일이야?" 그는 일어서려고 했다. "뭐였어?"

사르낀 아웅 완은 그의 얼굴을 쓰다듬었다. "내가 아무리 노력해도——"

"어떻게 된 일인지 말해줘." 그는 무릎을 꿇었다. 아직도 팔이 펴지지 않았다.

"아주 영웅 같았어요," 그녀는 말했다. "까오다이를 방해하는 용감한 영웅이요. 건드려선 안 될 걸 건드리는. 내가 경고하려고 했는데요, 상병, 그랬는데, 아니에요, 아주 영웅 같았어요." 그녀는 고개를 가로젓고는 몸을 수그려 그의 이마를 닦아주었다. "아주 용감한 상병이었어요."

그는 다시 제 몸을 만졌다. 갈비뼈가 욱신거렸다.

그러자 그는 두려움이 느껴졌다. 그는 풀밭에 편안히 앉았다. 만달레이의 멋진 저녁이었다. 그는 한참을 앉아서 여자아이가 상처를 닦게 가만있었고, 그러다 두려움이, 그리고 수치심이 사라지자 처음으로 분노를 느꼈다.

그는 일어나서 몸을 털었다.

"어느 쪽이야?"

"뭐가요?"

"카차토. 어느 쪽이야?"

진짜 분노였다. 스팅크의 분노 같은 분노, 사람을 죽일 때의 분노.

사르낀 아웅 완은 물러서서 그를 빤히 보았다. 그녀의 귀고리에서 은은한 광택이 났다. 그녀는 한숨을 지었다. 그녀는 몸을 돌려 공원 너머의 크고 어두운 구조물을 가리켰다.

"저쪽이요," 그녀는 다정하게 말했다. "저쪽으로 달아났어요."

폴 벌린은 눈을 비볐다. 거대한 건물이었다. 돌과 시멘트와 철강. 택시들이 정문으로 진입하는 차도에 긴 행렬을 이루고 있었다.

"저게 뭐야?"

사르낀 아웅 완은 웃음을 지었다. "파리로 가는 길이요," 그녀가 말했다. "기차역이에요."

열아홉.
관측소

3시 정각, 에디가 직접 만든 해적기가 돛대 절반 높이에 내걸려 이제는 거세진 바닷바람에 펄럭였다. 밤이면 쌀쌀해지다니 놀라웠다. 낮에는 종일 구워지고 태워지더니 밤에는 열기가 그리워도 찾을 수 없었다. 매력적이던 것들도 영 못마땅해 보였다.

그는 판초 내피를 찾아 몸에 두르고 담배를 또 하나 태웠다. 전쟁은 그에게 담배를 가르쳐주었다. 계속되는 수업 중 하나였다.

3시 정각, 가장 어두울 때였다. 동쪽에 첫 분홍빛이 나타나려면 아직도 두 시간. 그는 다음번 경계 근무자인 스팅크를 깨우지 않기로 마음먹었다 —— 오늘 밤 근무 교대는 없을 터였다.

그는 북쪽 담장으로 이동했다. 바탕안 해안의 톱니 같은 윤곽은 저 자신을 삼킬 때까지 굽어나갔다. 달은 구름에 가려져 있었다. 이때가 가장 위험했다. 그는 관측소가 어떤 식으로 공격받았는지 들은 게 있었다. 매번 가장 어두울 때였고 각 분대가 전멸했으며 대원들은 며칠 뒤 머리나 팔이 없는 채로 발견되었다는 이야기. 그는 잊으려고 애썼다. 요령은 좋은 것에 집중하기였다. 파리로 가는 도보 여행. 보고 느끼는 모든 것, 모든 행복한 것. 예사로운 것. 평화와 고요. 그가 바라는 건 그게 전부였다. 그저 평범한 삶을 사는 것, 살아서 나이가 드는 것. 파리를 보는 것, 그리고 집으로 돌아와 평범한 시절에 평범한 마을의 평범한 집에서 사는 것. 원대하지도 않고 화려하지도 않은 것. 소박하다 할 만한 것. 어쩌면 아버지를 따라 건축일에 발을 들이거나 학교로 돌아가거나 예쁜 여자아이를 만나 결혼해서 아이를 여럿 낳을지도. 몇 년이 지나면 지난날을 돌아보며 아이들에게 이야기를 들려줄 것이다. 그건 평범한 게 아니던가? 전쟁 이야기를 몇 개 들려주는 일 ── 빌리 보이와 피더슨, 레이크 컨트리에서의 안 좋았던 일, 땅굴들. 거기다 어느 날 카차토가 어떻게 떠났는지, 그리고 그들이 어쩌다 그를 따라 부단히 걸었고 또 파리까지 내내 그를 추적했는지.

그는 웃음을 지었다. 괜찮은 전쟁 이야기가 될 터였다. 아, 회의론자도 몇 명 있겠지. 그는 벌써 그들의 말을 들을 수 있었다. 돈은 어쩌고? 호텔비랑 식대랑 기찻삯은? 여권은? 현실적인 것들은 다 어쨌어 ── 비자랑 옷이랑 접종 카드는? 탈영이잖아, 쉽게 말해 그거 아니야? 결국 영창에 수감됐어? 법적인 문제는? 증명서도 없고 군령도 아니고 무기류도 전부 불허하니까 불법 입국 맞지? 경찰이랑 세관원은 어떡했어?

그는 내륙을 가만히 바라다보았다.

물론 어느 때고 회의론자는 있었다. 하지만 그는 설명할 생각이었다. 차근차근, 하나하나, 그건 너무 세부적인 문제라고 밝힐 생각이었다. 사소한 거라고, 핵심을 벗어난 거라고. 돈은 벌면 되었다.

혹은 훔치거나 구걸을 하거나 빌리면 되었다. 여권은 위조하고 거짓말로 둘러대고 경찰을 매수하면 되었다. 가능성은 백만 가지였다. 방법은 찾으면 되었다. 핵심은 그거였다. 방법은 언제나 찾기 나름이라는 것. 추궁을 당하면 그는 해결책을 마련할 수 있었다 —— 만족스러운, 그럴듯한 해결책. 하지만 그의 상상력은 그보다 빠르게 작동했다. 속력이, 추진력이 좋았다. 방법은 찾으면 그만이었기 때문에, 해답은 얻을 수 있었기 때문에 그의 상상은 그보다 중요한 문제들 쪽으로 치달았다. 카차토에게로, 즉 여정의 분위기, 길에서 보고 깨닫는 것, 여러 개성과 활기와 사람들 그리고 마침내 파리로. 그것은 해낼 수 있는 일이었다. 그게 핵심 아닐까? 그것이 정말 해낼 수 있는 일이었다는 것.

스물.
브라보 착륙지대

그들은 마주 보는 두 줄에 앉았다. 스팅크 해리스는 이를 자꾸 딱딱거렸다. 그의 옆에서는 에디 라추티가 시합 전 몸풀기를 하듯이 목을 양어깨 쪽으로 꺾었다. 오스카 존슨은 땀을 흘리고 있었다. 루디 채슬러는 웃음을 지었다. 보트와 카차토는 코카콜라를 나누어 마셨고, 통로를 따라가면 짐 피더슨은 눈을 감고 앉아서 두 손으로 배를 부여잡고 있었다. 그에게는 비행이 전쟁보다 무서웠다.

치누크*가 하강할 때 길게 붕 뜨는 느낌이 들었다. 그것은 100피트를 뚝 떨어졌다가 솟았다가 튕겼고 개방된 선미 부위에서 찬 공기가 침투했다. 폴 벌린 일병은 어쩜 이리 추운지 이해할 수 없었다. 그는 그것이 못마땅했다. 기름진 기계 냄새가 났다. 헬기 양옆에서 좌우현 사수들이 텅텅거리는 날갯소리며 엔진 소리와 뒤섞인 단조

---

*   Chinook. 보잉사에서 만든 수송용 쌍발 헬리콥터. 모델명은 CH-47이며 치누크는 별칭.

로운 사격음을 밑에 뿌려댔는데, 뒤섞인 소리가 조금이라도 달라지면 군인들은 고개를 홱홱 돌려 그 근원지를 찾곤 했다. 그들 중 몇 사람은 씩 웃었다. 버프는 손톱을 물고 에디 라추티는 콜록거렸지만 그래도 누구 하나 별말 하지 않았다. 그들은 주로 제 무기나 군화나 맞은편에 앉은 사내들의 눈을 쳐다보았다. 오스카 존슨은 은색 땀을 흘렸고 스팅크는 이를 자꾸 딱딱 맞부딪쳤다. 버프는 제 오른쪽 엄지손톱을 유심히 살펴보았다. 그는 엄지손톱을 물어뜯다 쳐다보았다 다시 물어뜯곤 했다. 소음과 기계와 높은 곳을 싫어하지만 그것만 아니면 훌륭한 군인이었던 피더슨은 배를 부여잡고 두 허벅지를 서로 꼭 붙였다. 다른 사람들은 그를 애써 쳐다보지 않았다. 헬기가 다시 뚝 떨어져 찬 공기가 밀려들자 폴 벌린 일병은 팔로 제 몸을 감쌌다.

좌우현 사수들은 저희 총 뒤에 쪼그려 앉아 갈기고 또 갈겼다.

그들의 하강은 부드럽게 이루어지고 있지 않았다. 헬기는 거칠게 내려갔다 제동을 걸었다 다시 뚝 떨어졌다 튕겼고 벽 끈에 매달린 폴 벌린은 바르르 떨면서 어쩜 이리 추운지 의아해했다.

그는 더 나은 생각을 하려고 노력했다. 그는 좌우현 사수들이 착실하게 제 일을 하는 모습을, 즉 입은 열고 팔과 어깨는 리듬에 맞춰 들썩거리고 눈은 선글라스와 철모로 까맣게 가려진 채 저희 총 위로 등을 구부리고 길게 쓸어버리는 형태로 회전 사격 하는 모습을 지켜보았다. 치누크가 선회하여 아래로 기동하자 찰그랑찰그랑 바닥에 쏟아진 탄피가 굴러 한데 쌓였다.

폴 벌린은 추위를 덜려고 제 몸을 쓰다듬었다. 그는 다른 사람들을 지켜보았다. 버프는 왼쪽 엄지손톱을 물어뜯는 중이었고 에디 라추티는 바짓가랑이를 만지작거렸다. 피더슨은 안으로 몸을 말았다. 그의 눈은 감겨 있었고 혀는 가끔씩 날름거리며 땀을 핥아 없앴다. 그의 옆에는 딕 페럿이 앉아 있었고 딕 옆에는 버프가, 버프 옆에는 벤 나이스트롬이 앉아 있었다. 중위는 바닥에 앉아 몸을 낮게 숙이고 제 소총의 먼지를 닦아내면서 거기다 대고 말하듯 입술을 오물거렸다.

좌우현 사수들은 저희 총 위로 몸을 수그린 채 갈기고 또 갈겼다.

불쾌한 느낌이었다. 추위라는 말은 맞지 않았는데 폴 벌린은 다른 사람들도 그렇게 느끼는지 궁금했다. 그는 그들을 쳐다보지 않을 수 없었다 —— 몇몇은 차분하고 자신감 있는 얼굴, 몇몇은 어리둥절한 얼굴, 표정들이 제각각이었다. 읽기 어려웠다. 어떤 표정도 딱히 말해주는 게 없었고 좌우현 사수들은 아예 표정이 없었다.

치누크는 이제 속도를 줄여 동쪽으로 미끄러지기 시작하더니 뚝하고 사납게 떨어졌다. 고개가 숙여진 피더슨에게서 철모가 튀어 올랐는데 그것은 바닥에 떨어지기까지 공중을 한참 떠다니는 것처럼 보였다. 피더슨은 철모에 손이 닿지 않았다. 그는 입술을 자꾸 핥았다. 그가 높은 곳을 무서워하는 건 그의 잘못도 교회의 잘못도 아니었다. 그건 신앙의 잘못이 아니었다.

"4분 전," 기장이 소리쳤다. 선글라스를 낀 뚱뚱한 남자였다. 그는 통로를 걸어가 후방 적재문을 내리고 몸을 수그려 내다보았다. "4분 전," 그는 소리치며 네 손가락을 들었고, 그러더니 〈뉴스위크〉를 주머니에서 꺼내 앉아서 읽었다.

오스카 존슨은 마리화나에 불을 붙였다.

사수들은 계속해서 총을 갈겨댔다. 치누크는 이제 덜덜거리면서 엔진과 날개를 더 열심히 가동했다.

오스카는 연기를 빨고 눈을 감았다가 마리화나를 옆으로 전달했다. 군인들은 입에서 입으로 이어지는 경로를 지켜보며 마리화나에 집중했다. 마리화나가 그 줄 끝에 다다르자 해럴드 머피는 일어나서 보트에게 넘겨주었고, 그렇게 맞은편 줄을 타고 제 차례가 된 폴 벌린은 몽땅해진 꽁초를 꼬집어 데지 않게 조심조심 입술 가까이 들었다.

그는 깊게 빨아들인 연기를 속에 머금고는 좋은 생각을 하려고 애썼다. 치누크가 하강하는 게 느껴졌다. 피더슨의 얼굴은 창백했고 추위는 밀려들었고 사수들은 총을 갈기고 또 갈겼다.

기장이 세 손가락을 들었다.

즉각 새로운 소리가 났다. 천장을 달리는 여러 벌의 노출된 조작선들이 끽끽 소리와 함께 홱홱 움직이고 헬기가 격렬히 선회하자 보트는 실없이 웃기 시작했다. 닥 페럿이 그에게 쉿 했지만 보트는 계속해서 실실거렸고 헬기는 그들 발밑에서 일어서는 듯했다.

사수들은 총을 왼쪽 오른쪽 왼쪽으로 돌려가며 계속해서 갈겨댔다.

"2분 전," 기장이 소리쳤다. 그는 잡지를 매우 조심스럽게 접어 주머니에 넣고 두 손가락을 머리 위로 쳐들었다.

제 커다란 총 위로 등을 구부린 사수들은 총과 하나가 되어 어깨를 들썩거리면서 기계같이 일관된 쏠어버리는 동작으로 총을 갈겨댔다.

기장이 다시 소리쳤다.

치누크가 길게 선회하는 움직임으로 방향을 돌리자 폴 벌린은 서쪽으로 뻗은 산맥의 윤곽이, 그런 다음 판판하고 단조로운 논들이 저 밑으로 얼핏 보였다. 헬기가 진정하자 기장은 또 한 번 내다보았다. 그는 소리치면서 양쪽 엄지손가락을 들어 올렸다. 통로를 사이에 두고 앉은 대원들은 장전을 하고 있었다. 오스카는 얼굴을 문질러 닦고 씩 웃었다. 중위는 아직도 소총 위로 몸을 바짝 숙인 채 소곤거리며 먼지를 닦고 있었다. 찬 공기가 선체에 침투했고 사수들은 계속해서 총을 갈겨댔다. 바들바들 떨던 폴 벌린은 탄띠가 만져질 때까지 가슴께를 토닥거렸다. 그는 탄창 하나를 꺼내 찰칵 소리가 나도록 소총에 밀어 넣고, 그런 다음 첫 탄환이 약실에 들어갔나 확인하고자 귀를 대고 노리쇠뭉치를 풀었다. 그렇게 춥지만 않으면 좋겠다, 그의 바람은 그게 전부였다. 그는 지독한 추위가 싫었다.

"진입," 기장이 소리쳤다. 그의 턱 밑 지방이 출렁거리고 있었다. "그녀가 안달이 나 있다, 병아리들아. 다들 꾸물거리지 말고 후딱들 내린다."

그는 두 엄지를 쳐들었고 대원들은 일어서서 발을 끌며 선미로 이동했다. 그들은 씩 웃고 콜록거리고 눈을 깜빡였다. 기관총을 한쪽 어깨에 안정되게 걸친 버프는 이제 기관총을 이 어깨 저 어깨로 넘겨가면서 손가락을 체계적으로 바꾸어 각피를 오물오물 씹었다. 똑바로 서 있기가 어려웠다. 치누크는 걷잡을 수 없이 흔들리고 있었고 대원들은 적재문 쪽으로 쏠리자 서로를 붙잡아주었다.

"1분 전," 기장이 소리쳤다.

그러고 새로운 소리가 났다. 개 호각처럼 높고 날카로운 소리였다. 보트는 갑자기 소리를 지르고 있었고 에디와 스팅크는 위아래로 들썩들썩하면서 선미 쪽으로 밀려가고 있었다. 해럴드 머피는 자빠

졌다. 거구인 그는 거기 누워 웃으면서 고개를 절레절레했지만 일어
서지는 못했다. 그는 그냥 거기 누워 고개만 흔들었다. 선체에 구멍
이 뚫렸고, 구멍이 점점 늘어났고, 구멍으로 바람이 빨려 들어왔고,
보트는 소리를 지르고 있었다. 바닥이 길게 찢겨 벌어지더니 천장에
도 그에 질세라 상처가 났고 온 방향에서 바람이 울부짖었다. 하얀
빛이 일순 구멍으로 침투해 맞은편 구멍으로 빠져나갔다. 먼지 부스
러기가 빛 속을 떠다녔다. 타는 냄새가 났다 ── 금속과 과열된 기계
와 사수들의 총. 해럴드 머피는 여전히 바닥에서 웃으며 고개를 가
로젓고 일어서려 했지만 그러지 못했다. 그는 무릎으로 딛고 몸을
밀어 올려 거의 일어설 뻔하다가 채 그러기 전에 자빠지고는 고개를
절레절레하면서 웃고 다시 시도했다. 피더슨의 눈은 감겨 있었다.
그는 배를 부여잡고 가만히 앉아 있었다. 아직도 앉아 있는 사람은
그가 유일했다.

사수들은 총을 갈기고 또 갈겼다. 그들은 온갖 데다 갈겨댔다. 그
들은 저희 총을 감싸고 있었다.

"공-오-공," 기장이 소리쳤다.

그러고 나서 더 많은 바람이 불어닥쳤다. 기장의 탄창이 떨어졌
고 새로 불어든 바람이 그걸 가로챘다. "젠장!" 기장이 괴성을 질렀
다.

치누크는 몹시 덜컹거리며 대원들을 벽에다 내동댕이쳤고, 그러
더니 이를 갈듯 빠드득거리고 터지고 찢기고 불에 그슬리는 듯한
── 달아오른 금속의 ── 잡음을 냈고, 그러더니 사방에 푸른 연기
가 피어올랐고, 그러더니 어떤 물리력이 대원들을 벽으로 밀쳐 그대
로 꼼짝 못 하게 만들었고, 그러더니 강한 압력이 가해졌고, 그러더

니 새 구멍과 새 바람이 생겼는데 사수들은 제 커다란 총 뒤에 쪼그려 앉아 갈기고 갈기고 갈겼다. 머피는 바닥에 있었다. 카차토의 빈 코카콜라 깡통이 개방된 선미 부근으로 달가닥달가닥 굴러가더니 거기 잠시 걸려 있다가 휙 날아갔다. 피더슨은 말없이 앉아 있었다. 천장은 자상이 하나 벌어져 있었고, 기장은 괴성을 질렀고, 해럴드 머피는 계속 웃으면서 고개를 가로젓고 일어서려 했고, 사수들은 계속해서 총을 갈겨댔다.

기장의 살찐 얼굴은 파랬다. 그는 대원들을 적재문 쪽으로 밀었다.

피더슨은 그냥 거기 앉아 있었다. 기장이 그에게 괴성을 질렀지만 피더슨은 거기 붙박여서 제 배를 꽉 쥐고 누르기만 했다.

"공-하나-공," 기장이 괴성을 질렀다. "저 좆같은 새끼 일으켜 세워! 누가──"

치누크가 부드럽게 바닥에 닿았다.

사수들은 계속해서 총을 갈겨댔다. 그들은 달아오른 저희 총 위로 등을 구부린 채 갈기고 또 갈겼다. 그들은 조준 않고 맹목적으로 갈겨댔다.

"하선!" 기장이 고래고래 소리를 지르며 제일선 대원들을 적재문 아래로 밀치는데도 사수들은 저희 총 뒤에서 과묵하게, 오만 데다 총을 갈겨대느라 정신이 팔려 있었고, 그런데도 기장은 고래고래 소리를 지르며 밀쳐대고 있었다.

스팅크 해리스가 첫 번째로 나왔다. 그다음은 오스카 존슨과 중위와 닥 페럿이었다. 그들은 곤죽에 폭폭 빠졌고 사수들은 계속해서 총을 갈겨댔다. 다음은 버프였고 그다음은 에디 라추티와 보트였다. 논은 사격 때문에 보글거렸다. 대원들은 진흙을 철벅철벅 건다 자빠지다 하면서 몸을 낮게 숙이고 달리느라 애썼고, 사수들은 총을 갈기느라 몸을 들썩거렸고, 논은 거품이 일었다. 다음으로는 해럴드 머피가 나가자빠졌고 그다음은 벤 나이스트롬, 그다음은 폴 벌린과 카차토였다. 추위는 온데간데없었다. 이제는 태양과 논과 끝없는 사격뿐이었는데, 발이 미끄러져 거름 속에 파묻힌 폴 벌린은 잠시 허우적대다 말없이 눕고는 계속해서 총을 갈기고 또 갈기는, 기계적으로 갈겨대는 사수들을 지켜보았다. 그들은 멈추지 않을 터였다. 그들은 하얀 총을 부드럽게 안고서 갈기고 갈기고 갈겼다.

치누크가 논에 거품을 일으키면서 흔들흔들 맴을 돌았다. 기장은 고함을 치면서 피더슨을 적재문 쪽으로 잡아끌더니 밖으로 내던졌다.

사수들은 휘날리는 빗발처럼 길고 눈부신 호를 그리며 총구를 휘둘렀다. 피더슨은 균형을 잡듯 잠시 멈추었다가 눈을 감고 철벅철벅 걷기 시작했다. 그는 철모를 잃어버린 채였다. 그의 뒤에서는 총에 녹아들어 총과 한 몸이 된 사수들이 붉은 예광탄과 흰 빛으로 논을 휘저으며 갈기고 또 갈겼고, 그러다 피더슨은 두 다리에 처음으로 총알을 맞았다.

하지만 사수들은 멈추지 않았다. 그들은 빗자루로 쓸듯이 꼼꼼하게 열을 맞추어 갈겨댔다. 하얗고 짙은 연기가 그들의 얼굴을 가렸다.

천천히, 차분하게, 피더슨은 반듯한 자세로 진창에 누웠다.

그는 총상을 당해도 광분하지 않았다. 그는 차분했다. 배를 부여잡은 그는 자기가 가라앉거나 말거나 일부 뜬 채로 일부 잠긴 채로 있었다. 하지만 사수들이 계속 갈겨대는 통에 그는 다시 총에 맞았고 이번에는 뒤로 홱 잡아채인 듯 첨벙 입수했다.

거대한 치누크가 굉음을 냈다. 녀석은 일어나 흔들흔들 방향을 틀더니 상승하기 시작했다. 벼 무더기는 바람에 반으로 접혔고 선글라스에 가려 눈이 먼 사수들은 부드럽고 고르고 지속적인 사격을 위해 총을 떠받친 채 묵묵히 갈겨댔다. 그들의 팔은 검었다.

피더슨은 등을 대고 누웠다. 그는 잠시 경직돼 꼼짝을 못 하다가 조금 뒤 몸이 풀렸다.

그는 느린, 게으른 움직임으로 소총을 들었다.

그는 신중하게 조준했다. 치누크는 상승해 방향을 꺾고 사수들은 계속해서 총을 갈겨댔지만 피더슨은 서두르지 않았다.

그는 단발을 격발했다. 소리가 달랐다 —— 단단하고 날카롭고 단호하고 정곡을 찌르는 소리였다. 그는 다시 격발했고, 그러고 나서 신중하게 또다시 격발했고, 그러자 녹색 플라스틱 덩어리들이 치누크의 뚱뚱한 복부에서 떨어져 나갔다.

사수들이 미쳐 날뛰며 총을 갈겨대도 피더슨은 매우 신중한 조준과 격발로 상승 중인 헬기를 좇았다. 한 번에 한 발, 부드럽고 정확하게. 그는 진흙탕 속을 까닥거리면서 치누크를 좇더니 녀석의 거대한 밑창에 총알을 박아 넣었다. 그는 몸을 굴려 상승 중인 기계를 따라갔다. 그는 침착했고 제게 완전히 몰입해 있었다. 좌우현 사수들은 불현듯 사라졌지만 과열된 총들은 자동으로 끊임없이 회전하며 총알을 갈겨댔고, 치누크는 피더슨이 차분한 조준으로 플라스틱 복부에 격발할 때마다 부르르 떨었다.

치누크의 그림자가 그의 머리 위를 지나갔다.

그러고 나서 그림자는 쪼그라들었고 머잖아 치누크는 비누칠하듯 논을 물결과 거품투성이로 만든 채 높이높이 멀어져 자취를 감추었는데, 그때조차 폴 벌린은 헬기에 달린 기관총의 흔들림 없는 총소리를 들을 수 있었다.

스물하나.
파리로 가는 철도

12월의 맑은 새벽 2시 정각, 폴 벌린은 일어앉아 목을 긁고 창가로 갔다.

그 지역은 한결같았다. 드넓고 움푹한 논들이 잠처럼 느리게 지나갔다. 불빛도 마을도 없었다. 달은 밤 내내 꼼짝 않고 있었다. 그들을 실은 델리 급행열차는 여덟 시간 동안 고작 200마일을 이동한 참이었다. 낡은 열차는 건들건들 달리는 듯했다 ── 규칙 없이 덜컹거리는 움직임에 이어 급제동에 이어 정지하는 느낌. 밤사이 기관사와 제동수들이 바깥에 앉아 차를 마시는 긴 대기 시간이 두 차례 있었다.

폴 벌린은 한숨을 쉬었다. 그는 창밖을 잠시 가만히 내다보았다. 그리고 일어나 기지개를 켠 다음 중위가 잠들어 있는 뒤쪽으로 어슬렁어슬렁 갔다. 늙은이의 얼굴은 멍든 색을 띠고 있었다. 그는 자리에서 두 다리를 접고 죽은 듯이 잤다. 폴 벌린은 아래로 손을 뻗어 판초 내피로 그를 덮어주었다.

중위가 눈을 껌뻑껌뻑했다.

"죄송합니다. 계속 주무세요."

중위는 고개를 끄덕였다. "꿈인가," 그가 속삭였다. "어디…… 우리 어디지?"

"치타공*에 거의 다 왔어요."

"꿈이군," 코슨 중위가 말했다. 그는 꼼짝하지 않았다. 그는 몇 초간 정신을 못 차렸다. 그러다 다시 눈을 껌뻑껌뻑했다. "치타공?"

"마을입니다. 도시요. 한 시간쯤 남았어요."

"치타공." 늙은이는 한숨을 쉬었다. "치타공이 뭐람? 이게 무슨……. 잠이 깨면 다 끝나 있을 거라는 생각이 자꾸 들어. 어떤 느낌인지 알아? 푸, 악몽이 따로 없군. 서울에 있었을 때가 떠올라. 처음 체포됐을 때지. 이만한 해군 공병대원이 있었는데, 잭 대니얼스라는 엄청난 거구의 후레자식이었어. 팔뚝이 꼭……. 잭 대니얼스, 그게 그놈의 진짜 이름이었어. '뭐라고?' 내가 물으니까 이 거대한 후레자식이 말했지. '잭 대니얼스.' 진짜로 진지한 말투길래 내가 증명해보라고 했더니 아니나 달라, 그놈이 인식표랑 신분증이랑 제 이름이 새겨진 플라스크 술통을 꺼내더라고. 잭 대니얼스. 딱한 새끼. 어쨌거나 내 기억에는 녀석이 나를 거기에 데려갔어 — 말하자면 뭐야 — B 조인트**로. 반 시간 뒤에는 곤드레만드레 얼근하게 취했지. 잭 대니얼스도 마찬가지였고. 어떻게 됐겠어? 녀석이 곤봉이랑 의자랑 온갖 걸 휘둘러가며 싸움판을 벌인 거야. 할리우드니 뭐니 그런 염병할 걸 생각하면 돼. 그랬더니 헌병이 나타났는데 거기에 나도 있는 거지, 술에 뻗어서, 주먹 한 방 못 내밀고. 다음 날 아침에 나는 체포됐어. '이유가 뭡니까?' 나는 말했지. '저는 아무 짓도 안 했

습니다. 아기처럼 잠들어 있었습니다.' 하지만 그게 뭐? 나는 체포됐
어, 알겠어? 결백해도 어쨌거나 체포됐고 거기서 일이 꼬이기 시작
한 거야. 그러고…… 그러고, 젠장, 지금 내 느낌이 그래. 기이하다
고. 그게 딱 지금 느낌이야."

"그러시겠죠."

"잭 대니얼스! 그 후레자식 만나기만 하면 아주 ——"

"진정하십시오. 이제 뒤로 기대세요."

폴 벌린은 부드럽게 혀를 차며 판초 내피를 중위의 턱까지 올려주
었다. 열차는 저만의 끝없이 덜컹거리는 소리를 냈다.

"넌 좋은 녀석이야, 안 그래?"

"저야 끝내주죠."

"맞아, 넌 그래. 훌륭한 녀석이야. 잭 대니얼스 한 트럭보다도 낫
지. 그딴 거 절대로 마시지 마. 나야 언젠가 손에 넣으면……. 하여
간 너는 바른 사람이잖아, 너는." 늙은이는 목을 빼고 뒤를 힐끗 보
더니 목소리를 줄이고 기밀인 양 말했다. "자, 내가 내밀한 정보를
줄 테니까 입 다물 수 있지?"

"주무셔야 할 것 같습니다. 아침에 들려주세요."

"군말 마. 나는 널 믿는다, 애송이. 다른 녀석들은 —— 엿 먹으라
그래. 내가 믿는 건 너야." 그는 또 한 번 뒤를 보았다. 그러더니 입
술을 핥았다. "우린 납치당했다."

"네?"

---

*   방글라데시 동남부에 자리한 항구도시.

**   조인트(joint)는 저속한 무허가 술집을 가리킨다.

"납치당했어," 중위는 쉰 목소리로 말했다. "낚였어. 체포되고 붙잡혔다고, 우리 전원 다."

"그렇군요."

"제기랄, 그렇군요라니! 확실한 정보야. 우린 납치당했어."

폴 벌린은 웃지 않을 도리가 없었다.

"다른 의혹은 없습니까?"

"아직 없어. 그냥 경계하고 기다려."

"카차토라고 생각하세요 ——?"

"제길." 중위는 멸시하듯 머리를 흔들었다. "너 또 꿈속이구나. 언제쯤 꿈에서 벗어날래? 카차토? 빌어먹을, 그 녀석은 시시한 감자야. 더 큰 물고기가 배후에 있어."

늙은이는 잠시 말없이 누워 열차의 움직임대로 흔들렸다.

"치타공이라니!" 그가 낄낄거리고는 주먹을 쥐었다. "내가 숱한 곳을 다녀봤어도 치타공은 처음이네. 기이하군, 안 그래? 내가 베닝이랑 폴크랑 서울이랑 홍콩에는 가봤다 이거야. 그런 데를 다 가봤는데 여긴 한 번도……. 〈홍콩으로 가는 길〉 본 적 있어?"

"밥 호프 나오는 영화요."

"주여, 그땐 영화다운 영화가 나왔지. 진짜 영화." 중위는 등을 파묻었다. 그는 소리 내어 웃더니 한숨을 쉬었다. "한데 치타공이라니? 누가 빌어먹을 〈치타공으로 가는 길〉 따위를 보자고 지갑을 열겠어? 무슨 말인지 이해돼? 시대가 바뀌나 보군. 맙소사, 시대가 끊임없이 바뀌어. 마구 바뀌고 또 바뀐다고, 안 그래? 한 번을 안 멈추고 말이야."

"그런 것 같아요."

"치타공이라니!"

"코 주무십시오."

코슨은 어깨를 으쓱했다. "물론이지, 아가, 자는 척해야지. 하지만 잊지 마. 계속 지켜보다가 기회가 오면 찢어지는 거야. 나도 그럴테니까. 이 난장판에서 벗어날 길이 보이는군, 펑, 사라지는 거지. **사라진다고.**"

늙은이는 30초도 못 되어 호흡이 누그러졌고 평화로이 잠들었다.

납치? 폴 벌린은 그 고백을 잠시 숙고했다. 어떤 것, 행복한 것으로 시작된 일, 그러다 이제 다른 무엇으로 변해가는 일. 의도된 피해는 없었다. 하지만 통제를 벗어나 있었다. 사건들이 저희만의 궤도를 돌았다.

그는 앞쪽 화장실로 가 스스로를 가두었다. 그는 단추를 끄르고 양변기에 푹 앉아 열차의 흔들림과 경련을 한 손으로 버텼다. 말도 못 할 냄새가 났다. 그는 입으로 숨을 쉬었다.

납치 — 늙은이가 아주 잘못된 건 아니야. 그래, 고백은 할 수 있어, 좋아, 하지만 그래서 남는 게 뭔데? 불명예, 전우들을 잃는 것, 낭만적인 우정의 끝, 모든 일의 끝.

그는 일어나 바지 단추를 채우고 변기 손잡이를 꾹 눌렀다. 약하고 물살 없는 쉭 소리가 났다.

카차토에 관해서도 늙은이가 옳았다. 꼼짝없이 최종적인 책임을 져야 할 별난 놈, 못난 당나귀 자식. 책임. 필요한 건 그거였다 — 누군가는 그걸 굳은 다짐으로 받아들여야 했다.

"책임," 그는 말했다.

그는 어깨를 똑바로 펴고 거울을 들여다보았다. 책임의 결과는 불확실했다. "책임," 그는 말했다. 그는 단호한 목소리를 내려고 애썼다. 그는 눈을 가늘게 뜨고 입매를 직선으로 만들었다. "책임," 그는 말했다.

그러다 그는 그것을 보았다.

지나오는 동안 다른 빠뜨린 건 없을까? 다른 놓친 단서는 없을까?

하지만 이번 단서만큼은 뜻밖에도 정말로 그의 수중에 있었다. 그것은 눈을 깜빡거려야 할 만큼 눈부신 분홍색 립스틱으로 남겨진 단서였다.

> 장미는 빨갛고
> 제비꽃*은 파랗고
> 델리는 다음
> 그다음은 팀북투**

느낌이 완전한 현재 시제로 와닿았다.

스팅크는 통로에서 퀵 킬을 연습했다. 그는 소총 개머리판 끝을 어깨에 탁 갖다 붙이고 총구를 낮추어 격발했다. "탕!" 그는 날카롭게 외쳤다. "트-으-앙!"

닥 페럿은 의료낭을 꾸렸다.

에디 라추티는 꼼지락꼼지락 제 몸을 만지며 이를 훑았다.

오스카 존슨은 전투 계획을 세웠다. 침착하고 차분한 오스카 존슨은 권위가 있었다. 그는 급이 달랐다. 그는 사람들을 죽인 적이 있었다. 죽 원칙을 지켰다. 그는 이제 누런 종잇조각에 전술을 그려가며 신속하게 계획을 짰다. 다 끝나자 그는 일어서서 정숙을 요구하더니 계획을 어떻게 실행할지 설명했다.

"일반적인 수색이고 변기 내리는 수준의 일이야," 그가 말했다. "잡스러운 건 빼고 원칙대로, 이해했지?"

에디와 닥이 고개를 끄덕였다. 이해된 것이었다.

"좋아, 그럼," 오스카가 소곤거렸다. 그는 열차 약도를 들어 보였다. "에디랑 내가 앞쪽을 맡고 닥이랑 벌린이 뒤쪽을 맡는다. 스팅크는 소대장이랑 여기 있어. 저쪽에 —— "

스팅크가 화를 내며 투덜거렸다.

"저쪽에," 오스카는 조용히 말을 마쳤다. "우리가 녀석을 스멍꼬의 간절한 품으로 곧장 몰아가는 거야. 덤불 흔들어서 칠면조 모는 거랑 똑같아."

"칠면조 쏘기 대회!"***

"그게 계획이야. 꼼꼼하게 하는 게 요령이야. 실수는 금물, 아무것도 놓치지 마. 움직이는 게 있으면 수색해. 문이 있으면 열어보고. 꾸물꾸물하면 꼬집어봐. 전부 운용 규정대로, 원칙대로. 아무것도 놓치지 마."

그러고 그들은 움직였다.

비좁은 이등칸들. 푹 꺼진 눈으로 바라보는 아이들, 크게 울어대는 아기들, 개들과 닭들, 통로의 작은 난롯불 앞에서 몸을 움츠린 여자들.

---

*   원문은 사전에 없는 단어인 vilits. 지방색 혹은 교육 수준이 드러나게 제비꽃(violets)을 일부러 틀린 음독으로 적은 것.

** 아프리카 말리 중부에 자리한 도시. 아주 먼 곳을 일컫는 말이기도 하다.

*** turkey shoot. '식은 죽 먹기'라는 뜻도 있다.

"다 됐어," 닥이 말했다. "마지막으로 한 번 더."

폴 벌린은 기억이 났다. 진심으로 수치스러운 유일한 기억.

그는 그들의 눈을 피했다. 그들은 인형이었다. 그는 붐비는 객차에서 앞을 밀쳐가며 체계적으로 신분증을 확인하고 붙인 수염과 퍼티로 만든 가짜 코와 적의 하부 조직 여부를 조사했다. 캐묻기, 걸러내기. 열린 가방 들추기와 쌀 단지 발로 차서 엎기. **몸수색해**, 시드니 마틴 중위의 말에 그는 그들의 몸을 수색했었다. 진흙탕인 뜨라봉강 인근이었다. 첫 번째는 아이들이었다. 아담한 발목에서 시작해 앙상한 정강이와 나사 같은 무릎으로, 넓적다리에서 엉덩이로, 작고 검은 눈을 피해 허리를 따라 위쪽으로 올라가 어깨와 머리카락을 뒤졌고, 그러고 나서는 다음 아이, 그러고 나서는 마을 우물가에 잠자코 쪼그려 앉은 세 남자 노인 차례였다. **미안해요 파파상** ── 정말로 깊은 진심이 담긴 말이었지만 제대로 입 밖에 낸 적은 없었다. 하지만 그는 진심이었다. 그렇다, 정말이었다. 그는 첫 번째 노인에게 웃음을 지어 자기가 몹시 진심임을 드러낸 다음 어색한 몸수색을 시작했다. 흰 반바지 말고는 아무것도 걸치지 않은, 호찌민처럼 턱에 한 움큼의 가느다란 수염이 난 앙상한 노인이었다. **미안해요 파파상**. 움푹한 가슴, 입가의 염증. 노인이 웃음으로 화답하지 않았던 걸까? 이해가 오가지 않았던 걸까? **저도 이러고 싶지 않아요, 이 일을 누가 좋아하겠어요, 하지만 우린 우리가 할 일을 하는 거예요.** 그건 이해가 아니었던 걸까? 그 딱한 늙은 영감이 웃음으로 일을 바로잡거나 무마하지 않았던 걸까? 그래서 8월 아주 멋진 날 그는 뜨라봉강 변에서 몸수색을 하다가 더 자세한 조사를 위해 노인이 흰 반바지를 내리도록 거들었고 쪼글쪼글한 노인은 체면을 잃었다. **샅샅이 수색해**, 마틴은 말했다.

그러고 늙은 얼간이는 은밀한 부분을 수색당하자 그의 팔을 움켜잡았다. 오, 맞아, 그다음은 여자들이었다. **싹 다 수색해**, 시드니 마틴 중위는 말했다. **웃게 만들어봐**. 그래서 그는 두말 않고 여자들을 싹 다 수색했다. 줄을 세워 한 사람씩, 차마 눈은 쳐다보지 못한 채 허벅지와 엉덩이와 가슴을 따라 토닥토닥, 손가락을 대지 않고. 그다음은 아기들, 잠든 아기들의 몸을 수색하며 총부리로 요람을 뒤엎었다. 고양이와 개 들도 싹 다 수색했다. 마을 전체가 수색을 당했다. 애무라고 부르는 기술이었고, 그러고 나서 두 시간 뒤 버프는 제 커다란 철모 속에서 사후 세계를 떠돌았다.

그는 그 기억이 떠올랐다. 그것은 자연법칙이었다. 인간의 행실과 순리.

그가 붐비는 통로를 지나면서 상자와 지갑을 열어보고 좌석 밑을 살피고 수하물차를 뒤지고 승무원실을 수색하는 동안 닥은 엄호를 맡았다.

그리고 나서 뒤로 돌아 다시 체계적으로 삼등칸들, 거기서는 온갖 가족들이 동요 속에서 큰소리를 쳤고 여자들은 갓난아기를 방패처럼 와락 움켜잡았고 열차장은 어마어마한 렌치를 흔들며 괴성을 질렀다. "부끄러운 줄 알아야지!"

하지만 그들은 저희 사냥감이 튀어나오도록 몰이를 하며 걸음을 재촉했다.

"**부끄러운 줄 알아!**" 열차장이 우레처럼 호통을 쳤다. 수염을 기르고 머리에 기름 낀 리넨 터번을 두른 그 남자의 얼굴은 광택제를 바른 듯 빛났다. "**사악한 놈들! 못된 놈들!**"

다시 이등칸들, 거기서는 승객들이 제 좌석에 몸을 웅크렸고 고온으로 달구어진 공포의 냄새가 났다. 그 뒤 우편 칸으로 넘어가서는 봉인된 가방이 찢기어 벌려지고 캔버스 재질의 분류함이 총검으로 쑤셔지고 쌓여 있던 소포와 상자 들이 푹푹 찔렸다.

"**불법이야!**" 열차장이 괴성을 질렀다. 그는 몸 옆으로 렌치를 검처럼 흔들며 이제는 펄펄 날뛰고 있었다. 그는 닥과의 몸싸움으로 렌치를 떨어뜨리고도 괴성을 멈추지 않았다. "**치욕이야! 수치야! 부끄러운 줄 알아!**"

저쪽 칸 승객들이 그의 경악을 감지한 듯했다. 차량 전방에서 시작돼 후방으로 불어나는 인파 속에서 여자들은 신음에 통곡을 하기 시작했고 아기들은 울어댔고 개들은 짖었고 남자들은 고함을 치며 전진하기 시작했다.

닥이 총기를 들어 천장에 한 발 발사했지만 폭도들은 멈추지 않고 다가오고 있었다. 그는 다시 한 발을 쏘았는데, 창문이 작살나 뜨거운 바람이 차량 안을 휘몰아치다 빠져나가는 충격인데도 폭도들은 사나운 열차장을 앞세워 전진했다.

폴 벌린은 연민으로 대응했다. 그는 웃어 보였다. 그는 마음을 가라앉히고 이해가 담긴, 이웃의 온정이 담긴 웃음을 굳게 지었다. **저는 당신들 편이에요**, 그는 말하고 있었다. **저도 이러고 싶지 않아요. 이러기 싫어요. 우린 우리가 할 일을 하는 거예요.** 하지만 군중은 계속 다가오고 있었다.

"출구로," 닥이 말했다. 그는 폴 벌린의 팔을 움켜잡았다.

인파가 최종적으로 달려드는 찰나 그들은 가까스로 다음 객차로 넘어가 문을 쾅 닫아걸고 일등칸으로 허겁지겁 돌아갔다.

폴 벌린은 바들바들 떨고 있었다. "**미개인들,**" 그는 속삭였다.

"자, 진정해."

"세상에 미친 사람들이 우글거려."

나중에 오스카와 에디가 돌아왔다. 그들은 불행해 보였다.

"빵점," 오스카가 말했다.

"아무것도?"

오스카는 어깨를 으쓱했다. "이것뿐이야." 그는 흰 바늘땀이 들어간 비닐 재질의 검은 여행 가방을 들어 보였다. 카차토의 무단이탈 가방이었다. 가방은 비어 있었다.

스물둘.
그들은 누구였나 혹은 누구라고 주장되었나

에디 라추티는 노래 부르기를 사랑했다. 그는 군가와 동요를 불렀다. 그는 급진파가 아니었고 목적 있이 만든 음악을 경멸했지만 가끔은 포크송도 불렀다. 마마 캐스*가 그의 최애였다. "살아생전," 그는 말하곤 했다. "그렇게 한번 노래해봤으면 좋겠어…… 매일 밤 새로운 마을에다 여자들은 꼬리를 물지, 지갑은 두둑하지." 제3분대 사람들은 그의 구슬픈 노래를 최고로 좋아했다. 고향에 가는 노래, 가족에 관한 노래, 여자 친구에 관한 노래. 그는 이런 노래들을 마음으로 불렀다. 그는 고전음악을 싫어하는 체했지만 토요일 저녁 6시 정각이면 — 그것으로 토요일이 토요일인 줄 알았다 — 제이크 임스 상사의 진행으로 다낭 지역에서 방송되는 〈상사가 들려주는 대가들〉이라는 라디오 프로그램을 절대 놓치지 않았다. 프로그램이 끝나면 에디는 한동안 말을 않고 길게 펼쳐진 땅 너머를 건너다보았고, 그러다 흥얼거리기 시작하더니 노래를 불렀고, 그러면 가끔은 밤도 괜찮을 때가 있었다.

타르로 포장된 활주로처럼 깨끗하고 매끄러운 그의 이마는 급격한 내리막을 이루다 뚝 끊겼다. 그의 코는 꽉 찼지만 납작하거나 펑퍼짐하지 않았다. 솟은 턱. 두개골에 착 붙은 귀, 그리고 마치 관자놀이께 정맥을 땡땡하게 융기시키다 압력이 초과돼 부풀어 오른 듯한 정수리. 그의 땀은 은색이었다. 검은 눈에 검은 피부, 머리의 크기와 모양이 강조되게 돋은 검고 푸석푸석한 머리카락. 똑바른 목. 사람 또는 사물한테 말을 거느라 몸을 돌릴 때의 귀족 같은 방식, 엄청난 자기 수양이 엿보이는 태도. 가끔은 건들건들해 보이지만 언제나 유려하고 언제나 우아한. 어렴풋한 웃음, 가느다란 눈, 위험한 순간에도 태연하다 못해 태만한 표정. 싸늘함. 자연적이든 의도적이든 남들이 애정을 품지 못하게, 대다수가 좋아하지 못하게 사이를 두는 거리감. 단단하고 억세고 침착한 것들을 다 갖춘…… 오스카 존슨은 자기가 디트로이트 도심에서 나고 자랐다는 주장을 극구 철회하지 않았는데, 그는 자기가 거기서 인간의 외교 원칙을 처음 배웠다고 말했다. 그는 원칙들을 정확한 순서로 나열했다 — 타협, 상부상조, 예의, 관용. "그래도 원하는 게 안 나오면," 오스카는 말했다. "그럼 그 개새끼를 해머로 작살내는 거지." 그가 말하기 좋아하던 외교란 설득하는 기술이었다. 그리고 — 그의 자료를 전혀 참조하지 않는 — 전쟁은 쉽게 말해…… 수단만 다른 외교였다. 그는 디트로이트를 애정 어린 일반화로 말했다. 깜둥이 동네, 호모 마을, 범죄 도시. 그는 라이언스와 타이거스와 피스톤스**에 대해 열정적으로 이야기

---

*   캐스 엘리엇(Cass Elliot). 마마스 앤드 파파스의 멤버.

했지만 정작 몰아세우면 현역 선수 이름 하나 대지 못했다. 보비 레인이 아직도 패스를 주고 있었다. 예일 래리가 리그 최고의 펀트*꾼이었다. 놈 캐시는 진짜 억센 놈팡이.** 그는 디트로이트에 관해 이야기했지만 그의 우편물은 메인주 뱅고어로 송달되었다. 바하버에서 온 깜둥이, 보트는 말하곤 했다. 동부 연안의 흑인 형제단, 숨 쉴 때 바닷가재 냄새 나는 놈.*** 하지만 이 말은 오스카를 웃음도 해명도 없도록 싸늘하게 만들었는데…… 사실 그의 말투는 발음이 불분명한 데다 자기 색이 강하며 현대에 발명된 온갖 문법이 첨가된 면이 있었고, 폭력을 달고 사는 빈민가 암굴 깊숙한 데서 제대로 물들면 자음을 누락하고 **어미와 새끼와 쿨과 짱****을** 찾아대느라 무례할 수 있었다. 모두 사실이었다. 하지만 폴 벌린에게는 왠지 일부러 그러는 것처럼 보였다. 연기는 아니었지만 그렇다고 자연스럽지도 않았다. 그보다는 무대 위의 제 연기 방식을 과도하게 모사한 것 같았다. 그래도 단정하기는 어려웠다. 오스카 존슨과는 말을 나누기 어려웠고 이 점이 그에게 권위를 부여했다.

"꽁자오(가톨릭)," 짐 피더슨은 마을 사람 중 하나가 십자가를 찼거나 묵주를 가지고 다니는 걸 보면 말하곤 했다. 그는 웃음을 지으면서 "꽁자오, 꽁자오" 말하고는 절을 하며 마저 웃었고, 그런 뒤 갈색 마닐라지 폴더에 가지고 다니던 예수그리스도 사진을 찾느라 제 군낭을 뒤졌다. 그 사진들은 텍사스 엘패소에서 있었던 그리스도의 교회(Church of Christ) 선교 때 나누어 받은 것이었다. "꽁자오," 그

★★   각각 디트로이트에 근거지를 둔 미식축구팀, 야구팀, 농구팀.

는 말하면서 사진을 찾고는 조심스럽게 꺼내 먼지나 상처가 없는지 꼼꼼히 살핀 다음 꾸벅 절하며 그걸 건넸다. 그는 천주교 신자는 아니었지만 기독교를 어떤 형태로든 강화하는 걸 제 소임으로 여겼다. 짐 피더슨은 도덕적인 입장이 있다고 닥은 종종 말했다. 언젠가 그는 제3분대가 핑크빌*****의 한 마을을 깡그리 불태우려던 걸 막은 적이 있었다. 언젠가 그는 죽어가는 베트콩 여자 하나를 응급처치한 적이 있었다. 언젠가 그는 빌리 보이가 겁에 질려 죽었을 때 빌리의 부모님께 편지를 써서 빌리 보이는 훌륭한 사람이었고 좋은 동반자였으며 자주 예수그리스도에 대한 믿음을 증언했다고 말한 적이 있었다. 거기에 답장은 끝내 없었지만 짐 피더슨은 개의치 않았다.

추저분한 몸뚱이. 스포츠머리 속에 덕지덕지한 버짐. 격정과 우울과 지독한 화가 한데 들끓는 다혈질에 언제나 조금이라도 유리한 쪽을 택하는, 거세고 빠른 선제공격의 신봉자. 승산이 있으면 무모해지는 사람. 의심은 많지만 그래도 아첨 하나면 꼼짝없이 넘어가는 사람. 강단 있고 키 작고 억세며 뻐꾸기시계처럼 날이 선…… 스팅

---

*   미식축구에서는 공격권이 네 번 주어진다. 그중 세 번 동안 10야드를 전진하지 못하면 마지막에는 공을 상대방 진영으로 멀리 차서 넘겨줘야 하고 공을 차는 순간 공수 교대가 이루어진다. 이때 공을 차는 행위가 펀트다.
**   보비 레인과 예일 래리는 디트로이트 라이언스에서 활약했던 미식축구 선수. 놈 캐시는 디트로이트 타이거즈에서 활약했던 야구 선수. 다 철 지난 사람들.
***   메인주 남부 항구도시 바하버(Bar Harbor)는 바닷가재로 유명하다.
****   원문은 mothers, dudes, cools, bads. 모두 비속어.
*****   Pinkville. 미군 은어. 미군의 남베트남 비무장 민간인 대량 학살이 자행된 미라이 지역을 일컫는 말.

크 해리스는 7인 가족에서 왔다. 아들은 자기 하나. 기계공에 땜장이인 스팅크는 제 소총을 돌보는 데 엄청난 수고를 아끼지 않아 기름칠에 청소에 우중에도 마른 상태를 유지했고 테디 베어를 안은 아이처럼 그걸 몸으로 말고 잤으며 움직이는 부품들은 시도 때도 없이 만지작거렸다. 무기는 둘도 없는 친구라고 그는 말했다. 그래서 6월 첫 주중에 버니 린이 살갑게 다가오자 스팅크 해리스는 이를 심각하게 받아들이고는 어떤 놈이 전쟁에서 친구를 필요로 하느냐고, 어디 버니가 썩 괜찮은 친구를 사귀는지 보자고 닥에게 말할 정도였다. 처음에는 신중하더니 그 뒤 사르르 녹은 그는 편지로 버니를 제 막냇동생 칼라에게 소개했고, 가장 아끼는 여동생과 새 친구가 매일같이 편지를 주고받기 시작하자 엄청나게 의기양양해했다. 그는 편지가 오가는 모습을 근엄하게 관찰했다. 그의 질문은 늘 신중하고 희망적이었다. 그것이 끝난 건 6월 30일, 스팅크가 버니 린의 지갑에서 칼라의 스냅사진을 발견하고서였다. 그의 가장 사랑하는 여동생이 헐벗은 채 아무런 부끄럼 없이 카메라에 얼굴을 내밀고 허공 높이 팔 벌려 뛰기를 하고 있었다. 스팅크 해리스는 배신당하기 딱 좋은 사람이었다.

홀아비인 코슨 중위는 아직도 결혼반지를 끼고 있었다. 대위 진급에 두 번, 그중 한 번은 부당하게 물을 먹은 그는 두 줄로 된 계급장*을 아직도 주머니에 가지고 다녔다. 천생 군인인 그는 아직도 미육군을 사랑했다. 시드니 마틴처럼 그도 임무를 섬겼다. 하지만 시드니 마틴과 달리 그는 임무를 인텔리의 의무는커녕 직업적인 규범으로도 섬기지는 않았다. 코슨 중위에게 임무란 구체적인 상황들에 의미를 부여하는 추상적인 개념이었고 이것이 다른 장교들과 가장 구별되는 점이었다. 그는 대원들에게 땅굴에 들어가라고 지시하지 않았다. 그는 그냥 땅굴을 날려버리라고 지시하거나 제 손으로 날려버렸고 이 점과 군인으로서의 사명 사이에 어떠한 불화도 없었다. 대원들은 그를 사랑했다.

그의 눈은 주로 회색이되 변화무쌍한 회색이었다. 그의 코는 똑 발랐다. 입술은 가늘고 꼭 다물렸다. 그는 장신이었다. 줄담배를 피우는 그의 이는 제 머리카락의 음영과 제법 어울리는 색깔을 띠었는데 철 테 안경마저 그 칙칙한 인상을 강화했다. 이론가요, 실용주의자인 닥 페럿은 과학을 깊이 섬겼다. 하지만 이는 많은 걸 뜻했다. 그것은 빌리 보이 왓킨스의 경우처럼 겁을 죽음의 원인으로 진단한다거나 혹은 버니 린에게 M&M을 먹인다거나 혹은 경험적 관측의 반복으로 가설을 철저히 검증한다는 뜻으로, 즉 걸핏하면 짐 피더슨이나 프렌치 터커와 논쟁에 휘말린다는 뜻이었다. "주안점은," 언젠가 닥은 말했다. "먹히는 걸 찾는 거야. 그게 진짜 과학이지 ── 먹히는 거. 마술, 마법, 뭐라고 부르든 상관없어, 먹히기만 하면 좋은 과학이야." 제3분대원 대다수에게는 이것으로 충분했다. 닥이 개인사를 화제로 삼는 일은 드물었지만 언젠가 폴 벌린에게 말하길 그는 꼬마 시절 뇌우와 불과 기계에 강하게 끌렸다. "진짜 호기심 천국이었어," 그는 말했다. "어느 날 아버지가 이만한 새 에어컨을 가져왔는데 ── 초창기 모델이라 거대했지 ── 나는 그 빌어먹을 걸 자꾸

---

*   미 육군 대위 계급장은 은색 막대 두 줄이다.

이쪽저쪽으로 살피면서 냉기가 어디서 나오나 골머리를 썼지. 알겠어? 내 말은, 아직 꼬마였으니까. 나는 냉기가 잔뜩 저장된 작은 상자가 거기 들어 있을 거라고 생각했어. 바보가 따로 없었지. 그래서 드라이버를 꺼내서 해체하기 시작한 거야. 알루미늄 배관이며 모터며 뭔지도 몰랐던 것들을. 전부 해체했어…… 빌어먹을 내용물을 다 뜯어냈지. 근데 상자가 없더라고. 냉기를 못 찾겠는 거야. 우리 아버지가 말이야, 아버지가 난장판을 보더니 눈이 뒤집히던걸. '이런 멍청한 자식,' 아버지가 말하더라. '상자 따윈 **없어.** 이건 기계야, 냉기를 **만들어내는** 기계.' 하지만 난 그래도 이해가 안 됐어. 냉기를 몽땅 가둬두는 장소가 안에 있어야 한다고 계속 생각했거든. 거기에 냉기를 **집어넣어야** 한다고 계속 생각했다고. 진짜 저능아였지. 아버지는 조립해서 돌려놓을 생각을 한 번도 안 했어. 아직도 그 얘기를 해. 나는 아직도 아버지한테 말하지, 뭐냐, 아버지가 나를 그냥 내버려뒀으면 그 빌어먹을 방법을 찾았을 ——"

완전한 이름이 알려진 건 소수였고 어떤 사람은 이름 일부, 어떤 사람은 전혀 이름이 알려지지 않았다. 아무도 신경 쓰지 않았다. 명백하게 터무니없는 경우만 아니면 군인은 보통 자기가 선호하는 이름 내지 스스로 지은 이름으로 불렸고 세례명을 성이나 애칭과 나누는 수고도 딱히 들이지 않았다. 스팅크 해리스는 그냥 스팅크 해리스로 알려졌다.* 그에게 다른 이름이 있었던들 그걸 아는 사람은 하나도 없었다. 프렌치 터커는 프렌치 터커지 그 밖의 것이 아니었다. 어떤 사람들은 전쟁에 올 때부터 제 이름이 있었고 어떤 사람들은 와서 이름을 얻었다. 버프**는 힘과 끈기와 지구력을 입증해 제 이름을 따냈다. 그는 드물게 격식을 차려 워터 버펄로라고 부르지 않는한 이름과 성이 따로 없었다. 닥이라는 이름은 너무 자연스러워서 간과되었다. 그의 실제 이름은 아무도 몰랐고 물어보는 사람도 없었다.*** 각자 불리던 이름은 일면 자기가 누구인지 말해주는, 일면 자기가 누구이고자 하는지 말해주는 척도였다. 예를 들어 카차토는 가족의 성으로 불리는 데 흡족해했다. 그것은 더할 나위 없었다. 어떤 사람들은 다른 이들과 반대의 이유로 아무런 별명도 없이 다녔다. 즉 스스로 마다해서, 별명이 시원찮아서, 아무도 관심을 갖지 않아서. 또 어떤 사람들은 그저 계급으로 알려졌다. 시드니 마틴 중위를 대신하러 온 코슨 중위는 그냥 중위 아니면 소대장으로 불렸다. 그것은 그가 원한 방식이었다. 어떤 사람은 이름으로 불렸고 어떤 사람은 성으로 불렸다. 폴 벌린은 항상이라고 할 만큼 성과 이름이 함께 불렸는데 그에게는 그편이 잘 어울렸다. 이름은 대원들을 단합시켰다, 사실이다, 하지만 그들 사이에는 아득한 거리가 놓일 때도 있었다. 레디 믹스****. 그의 본명을 아는 사람은 아무도 없었다. 아무도 기억하지 못하는 게 분명했다. 신참 부사관, 석 달짜리 미국 본토 교육으로 부사관 갈매기를 단 여드름쟁이 아이 레디 믹스는 그들과 열이틀을 함께했다. 다들 그가 금세 죽을 거라고 생각했고, 그는 그렇게 되었고, 그의 완전한 이름은 모르는 게 차라리 나았다. 벌어진 일은 차라리 잊는 게 편했는데, 왜냐하면 어떤 의미로는 결코 벌어

---

* 스팅크는 '악취'라는 뜻.
** Buff. 버펄로, 물소의 줄임말.
*** '닥'은 의사 선생이라는 뜻으로 실제 이름이 아니다.
**** 레디 믹스는 시멘트 혼합물인 레디믹스트콘크리트의 줄임말이다.

진 일이 아니었기 때문이다. 차라리 이렇게 말하는 게 편했다. "레디
믹스? 묘지에 많잖아 ── 묘비."

스물셋.
파리로 가는 길의 도피

델리, 타일로 장식한 피닉스 호텔 로비에서 늙은 중위는 미친 듯이 사랑에 빠졌다.

그들은 정오에 도착해 환전을 한 뒤 점심시간이라 길 막히는 택시를 잡기 전에 조차장을 후딱 수색한 참이었다. 폴 벌린이 늘 염원하던 그 인도였다. 맨발로 무리를 지어 달리는 아이들, 새된 목소리, 무명과 마드라스 면직물 다발 사이에서 어슬렁거리는 소. 어색한 화해, 부에 바짝 사로잡힌 가난, 하지만 폴 벌린에게는 매력적이지 않을 수 없는 모습이었다. 그는 짐을 풀어 인스타매틱* 카메라를 꺼낼 수 있다면 하고 바랐다.

그런 뒤 피닉스 호텔에서 늙은이는 사랑에 빠졌다.

그녀는 접수대 안쪽에서 운동용 자전거를 타고 있었다. 청바지에

---

*   Instamatic. 코닥사에서 1963년부터 출시한 126밀리 또는 110밀리 보급형 카메라.

얇은 모슬린 블라우스를 입은 그 여자를 보자 폴 벌린은 곧장 어머니가 떠올랐다. 직관적인 인상, 완전한 존재였다. 제모하고 다시 칠한 눈썹, 환한 진홍색 립스틱, 검은 머리카락 사이사이에 은근히 섞인 적갈색 머리털.

"미국인이군요!" 그녀는 외쳤다.

그녀는 웃으면서 다소 헐떡거리는 모습으로 운동용 자전거를 내려와 그들을 맞았다.

그녀는 숨이 가빴다. "미국인이라니!" 그녀는 거듭해서 말했다. 그녀의 눈길이 그들을 한 사람 한 사람 가볍게 건드리다 중위에게 정착했다. "미국인이라니! 솔직히 오늘 **느낌**이 오더라니까요. **예감**이랄까, 말하자면 말이에요. 솔직히 그랬어요. 아침에 깨서 밖을 보고 혼자 생각했죠, 아, 오늘은 미국인들이 오겠구나. 제가 그러지 않았겠어요? 제가?"

그녀가 가만히 바라보자 중위는 고개를 끄덕이며 같은 눈길을 돌려보냈다. 그는 군낭도 내려놓기 전에 사랑에 빠져버렸다.

그녀의 이름은 하미졸리 찬드, 그녀는 철자를 엽서에 상세히 적어주었다. 미국인들은 그녀를 언제나 졸리*라고 불렀다.

그날 저녁 칵테일 너머로 그녀는 존스홉킨스 대학에서 장학금을 받으며 호텔 경영을 공부하느라 볼티모어에서 2년을 보냈다고 설명했다. 인생을 통틀어 가장 멋진 시기였다고 그녀는 말했다. 배를 타고 항해한 기억, 백화점과 쇼핑몰, 매켄리 요새, 블록**, 리틀 이태리. 아메리카는 그녀의 머릿속에서 마스제드솔레이만***의 황금 종처럼 울렸다.

"타락했어요," 그녀는 밝게 말했다. "제 남편이 주장하는 게 그거

예요 —— 햄버거랑 프렌치프라이랑 윈스턴 담배 때문에 타락했대
요."

"기혼이시군요?"

졸리 찬드는 또 한 번 어머니를 상기시키는 태도로, 말하기엔 너
무 고통스러운 사실을 시인하는 태도로 폴 벌린에게 고개를 끄덕였
다.

이제 저녁이 내렸고 그들은 넓은 날개로 비상 중인 새들 모양의
모자이크 타일로 장식된 탁 트인 안마당에 앉았다. 멀구슬나무 아래
풀밭에서 귀뚜라미들이 부드럽게 울어댔다.

긴장을 풀고 주석 잔을 들이켜면서 그들은 졸리 찬드가 행복에 젖
어 말하는 미국에서의 시간에 귀를 기울였다.

"천재성과 발명의 땅이죠," 그녀는 말했다. "텔레비전만 해도 그
래요. 당신들은 단지 고마워하는 걸로 그쳐서는 안 돼요. 텔레비전
은 말이죠, 미국의 숭고한 발명 중 하나거든요 —— 미국의 발명이 **분
명**하죠, 남들이 뭐라든 간에요 —— 음, 나라를 하나로 묶어주는 발명
이랄까."

그녀는 다리를 꼬고 긴 담배에 불을 붙인 뒤 중위에게 웃음을 지
었다. 새로 그린 그녀의 눈썹은 무척 풍부한 표정의 아치형이었다.
그녀의 손톱과 입술은 황혼 속에서 은은한 분홍색으로 빛났다.

"맞아요," 그녀가 말했다. "텔레비전은 미국의 천재성이 낳은 독

---

*   '행복한' '즐거운' 등의 뜻이다.
**   이스트 볼티모어에 뻗은 400개의 구역(블록)을 묶어 부르는 말. 술집과 섹스
      숍과 스트립 클럽 등이 즐비한 유흥 단지로 유명하다.
***   이란 남서부의 주요 도시. 유전 지대의 중심지.

보적인 물건 중 하나예요. 복잡한 나라를 온전한 모습으로 유지해주는 수단이요. 미국이 온 사방에 퍼져 나가기 시작하는데, 부와 기회와 복잡성이요, 바로 그때 TV가 그 모든 걸 단합시켜주는 거죠. 부와 가난, 흑과 백——다 같이 맷 딜런과 팰러딘* 같은 영웅을 공유하는 거예요. 1월에는 슈퍼볼이 화제죠. 10월에는 야구고요. 이러니저러니 해도 계층 사이에 그만큼 능숙하게 즉각 다리를 놓을 수 있는 건 미국인들뿐이에요, 다양성을 하나로 묶을 수 있는 건요."

유심히 귀를 기울인 중위는 닥 페럿에게 고개를 끄덕여 보였다.

"거참," 그가 근엄하게 말했다. "세련된 여성이시군."

"진(gin) 좀 줘요," 스팅크가 말했다.

"**주세요**," 중위가 그를 쏘아보았다. "망할 놈의 진 좀 **주세요**, 라고 해야지."

나중에 졸리 찬드는 그들을 식당으로 안내했는데 거기서는 약속했던 대로 그녀가 '신성한 소'라고 다정하게 부르는, 설구워 피가 배어 있는 소고기가 메인 요리로 나왔다. 그녀의 남편이 요리를 날랐다. 그는 키가 그녀의 절반이나 될까 싶은 왜소한 남자였다. 음식이 다 날라지자 그는 얇은 커튼 뒤로 사라졌다.

"하크스가 못마땅해할까 겁나네요." 그녀는 와인과 소고기 쪽을 몸짓으로 가리켰다. "미국에서는——축복이 있기를——자기가 원하는 걸 먹잖아요, 그렇죠? 전통에 목매지 않고요. 하지만 여기서는 햄버거 하나도 범죄가 돼요. 다 슬프기 그지없는 일이죠." 그들이 들기 시작하자 그녀는 어째서 높은 값에 엄청난 위험을 무릅쓰고도 아마다바드에서 소고기를 밀수입할 수밖에 없었는지 설명했다.

"용감한 여성이시군요," 코슨 중위가 말했다. 그는 진지해지면 팔짱을 끼는 버릇이 있었다. "당신은 용감한, 눈여겨볼 만한 여성이에요."

"하크스는요 —— 제 남편이요 —— 그이는 저더러 타락해서 희망도 없다던걸요."

"네?"

"불결하다고 그이가 말했죠. 썩었다고."

길고 호사스러운 식사였고 졸리 찬드는 매력적이었다. 냉장 청어 너머로 그녀는 닥에게 의료보장 제도의 미래에 관한 질문을 던졌고 그가 의료 전달 체계며 의사-환자 비율, 노인 의료보험 제도 대 저소득층 의료보장 제도에 관해 논하는 동안 주의 깊게 귀를 열었다. 수프와 샐러드 너머로 그녀는 오스카의 선글라스와 새 모자를 칭찬했고, 스팅크에게 네 자매 사진을 보여달라고 요구했고, 에디가 〈도망자〉**의 최종회를 묘사하자 대단히 즐거워하며 귀담아들었고, 킴블이 마침내 외팔이 사내를 찾아낸 대목에선 폭발적으로 박수를 쳤다. 하지만 그녀가 눈여겨본 사람은 주로 중위였다. 그녀는 점잖게 아부하는 말로 떠보면서 그가 군인으로서의 삶을, 가본 장소들과 본 것들을 이야기하도록 구슬렸다. 늙은이는 빠르게 취하고 있었다.

디저트를 들 때 한 차례 여자의 남편이 다시 나타났다. 그는 흰옷에다 머리에 터번을 둘렀고 무릎까지 오는 각반을 차고 있었다. 그는 잠시 조용히 서 있었다. 그러더니 아무 말 않고 몸을 돌려 얇은

---

*   맷 딜런과 팰러딘 모두 텔레비전 또는 라디오 서부극에 나오는 총잡이.
**   〈The Fugitive〉. 1963-1967년 방송된 범죄 드라마. 뒤이어 언급되는 킴블은 주인공의 이름.

커튼 속으로 모습을 감추었다.

중위는 그사이 눈치를 채지 못했다.

한국에서는, 그는 졸리 찬드에게 말하고 있었다. "……한국에서
는, 맹세코 사람들이 우릴 좋아했어요. 이해가 되시나요? 그들은 우
릴 **좋아했답니다**. 존경, 바로 그거였죠. 게다가 제대로 된 전쟁이었어
요. 전선도 일정하고 뒤통수치는 수작도 없고. 이길 때도 있고 질 때
도 있지만 아무렴 어때요, 전쟁이 그런 거지."

그는 와인을 조금 쏟고는 감정 없는 눈길로 지긋이 내려다보았
다.

"문제는 이런 경우죠," 그는 천천히 말했다. "베트남의 진짜 문제
가 뭔지 아십니까? 아세요? 문제는 이거예요. 아무도 누구를 좋아하
지 않아요."

그는 느릿느릿 고개를 가로저으며 쏟아진 와인을 냅킨으로 닦기
시작했다.

"맞아요, 그게 문제예요. 그게 다른 점이죠. 베트남에서는 아무것
도 존경하지 않아요. 마음이 없어요. 아무도 속에 마음을 갖고 있지
않아요, 아시겠습니까? 철모에 올라앉은 비둘기도. 위장 중인 매복
병도. 그게 정말로 다른 점이죠. 마음이 없다는 거."

졸리 찬드는 그의 팔을 만졌다. 쯧쯧 혀를 차던 그녀는 브랜디를
한잔하러 그를 정원으로 데리고 나갔다. 다들 뒤를 따랐다.

펠트 천 같은 밤이었다. 올리브 향의 참파카초령목, 귀뚜라미, 멀
구슬나무 그리고 장미. 폴 벌린은 정원 너머 멀리서 차들의 웅성거
림을 들을 수 있었다. 다들 버들가지 벤치에 앉으니 얼마 안 되어 어
린 남자아이가 브랜디와 잔을 가지고 나왔다. 그들은 조용히 들이켰

다.

자정께 닥은 침실로 올라갔다. 그 20분 뒤 에디와 스팅크와 오스카는 당구를 치러 실내로 들어갔다.

평화로웠다. 폴 벌린은 사르낀 아웅 완의 무릎에 한 손을 올리고 앉아 있었다. 그는 얼마간 멍하니 그냥 앉아 있었고, 그러다 주변이 빙빙 돌기 시작했다. 브랜디 때문인지 몰랐다. 그는 비틀비틀하는 느낌이 진정될 때까지 똑바로 앉았다. 그는 브랜디를 이 사이로 굴리며 그게 타들어가도록, 마지막 방울이 움푹한 혀에 갇혀 증발하도록 내버려두었다.

"마음이요," 중위는 중얼거리고 있었다. "마음, 그건 변해선 안 될 한 가지죠. 한국에서는…… 한국에서는 마음이 존재했어요. 사람들이 사람들을 좋아했죠. 규율도 있었고 존경도 있었고." 그는 취한 상태였다. 그의 목소리는 조용하고 슬펐다. "무슨 일이 일어난 걸까요? 뭐가 잘못된 거죠?"

졸리 찬드는 그가 일어서게 거들었다.

"마음 말입니다," 중위는 말했다. "마음에 무슨 일이 일어난 걸까요?"

둘이서 정원을 벗어날 때 늙은이는 흐느끼고 있었다.

다음 날 아침 중위도 졸리 찬드도 아침 식사를 하러 내려오지 않았다. 다들 조금은 당황스러웠다. 언짢고 피곤한 기색인 그 여자의 남편이 정원을 내려다보는 작은 식사 공간으로 차와 빵을 날라주었다. 그는 눈을 들지 않았다. 그는 차를 따르고 잠시 기다리다 슬그머니 사라졌다.

에디는 음식을 수상쩍은 듯이 쳐다보았다. "안전할까?"

"내 짐작으로는 비소가 들었을걸." 닥이 차를 시음해보더니 어깨를 으쓱했다. "하지만, 젠장, 난 저 딱한 남자 원망 못 하겠어. 소대장이 더 잘 알겠지."

"사기꾼이야."

"어?"

"그 여자 사기꾼이라고." 오스카가 팔짱을 꼈다. "어젯밤 TV랑 쇼핑몰에 관한 거 다 헛소리라고. 그런 헛소리 어디서 들어본 적 있어? 늙은이 말이야, 아무래도 사기꾼에 관한 수업 좀 들어야겠어. 어떻게 식별하는지."

"풋사랑이지," 에디가 말하고는 씩 웃었다. "나도 아주 안절부절못하겠던걸."

이후 다른 이들이 도시를 보러 나간 동안 폴 벌린은 로비에서 안락의자를 찾아 앉아 엽서를 적었다. 적당한 말을 찾기가 어려웠다. 그는 어머니의 얼굴을 떠올려보았다. **다 괜찮아요**, 그는 적었다. **델리는 북적거리고 아름다워요. 저는 건강하고요. 전쟁은 끝났고 저도 집으로 갈 거예요.** 두 번째 엽서에서 그는 한 여자아이를 만났다고, 어린 피난민이라고, 그리고 운이 따르면 봄에는 다들 파리에 있을 거라고 말했다.

위층, 사르킨 아웅 완은 아직 잠들어 있었다.

그는 카메라를 찾고 그녀에게 키스한 다음 엽서를 부치러 혼자서 외출했다. 아직 이른 시각이었지만 거리는 차량과 가축 또 향신료 냄새로 소용돌이쳤다. 희고 고운 먼지가 모든 걸 뒤덮은 듯 보였다.

우체통을 찾은 뒤 그는 찬드니 초크 상점가를 배회하면서 틈틈이 멈추어 언젠가 일이 끝나면 기억하고 싶어질 것들을 사진으로 담았다. 혈석, 뱀 묘기꾼, 터번을 쓰고 흰 반바지를 걸친 노인들. 슬라이드 쇼로 봐야지. 불을 끈 거실, 의자에 앉은 엄마랑 아빠. 사진만 봐도 알 거야.

그는 길을 꺾어 도시의 더 젊고 부유한 곳으로 이어지는, 벽돌로 포장된 거리에 들어섰다.

주택가였다. 그늘을 드리운 나무, 녹색의 넓은 잔디, 영어로 이름과 주소가 각인된 나무 재질의 문패. 집들은 단정하게 페인트칠되었고 현대적이었다. 전부 익숙한 모습이었다. 여름날의 일요일 —— 팔을 걷어붙이고 정원을 돌보는 데 열심인 어머니, 스프링클러와 새들 목욕통과 돌 깔린 테라스와 다듬어진 산울타리, 누군가의 뒤뜰에서 윙윙거리는 잔디깎이.

집, 그는 생각했다.

주택들 너머에는 나무가 우거진 공원이 있었다. 공원 너머에는 저렴한 공동주택이 있었고 공동주택 너머에는 판잣집들이 있었다.

그는 판자촌에는 가지 않았다.

호텔로 돌아오니 늦은 오후였다. 졸리 찬드와 중위는 단둘이 정원에 앉아 있었다. 그는 두 사람을 방해하지 않았다. 접수대를 보니 사르긴 아웅 완의 쪽지가 놓여 있었다. 고딕체로 또렷이 작성된 쪽지였다. "우리 자기 상병. 비누랑 크림 사러 나가요. 다른 사람들은 끔찍한 버스 관광 중이에요. 미국인들 어디 아픈 거 아니에요?"

그는 슬픈 기분이 들었다. 왜인지 이해할 수 없었다.

그는 방으로 가 샤워를 하고 침대에 누웠다. 집, 그는 계속 생각했다. 동떨어진 듯했다. 그는 부모님이 이해해주실지 궁금했다. 그것은 도망이 아니었다. 꼭 그런 건 아니었다. 그 이상의 일이었다. 그는 집 짓는 일을 하는 아버지, 어머니, 마을을 생각했다. 그는 자기가 얼마나 젊은지 생각했다.

스물넷.
집으로 건 전화

숲에서 두 달을 보내고 8월, 소대는 한 주 동안의 대기 휴가를 보내러 쭈라이로 돌아왔다.

그들은 수영을 하고 모래사장에서 미니 골프를 치고 술을 마시고 편지를 쓰고 아침 늦게까지 잠을 잤다. 밤에는 플로어 쇼가 열렸다. 노래와 스트립쇼와 춤이 있었고, 그러다 나중에는 향수병을 앓았다. 좋을 것도 안 좋을 것도 없는 시간이었다. 그들 주변 어디를 보나 전쟁이었다.

휴가 마지막 날, 오스카와 에디와 닥과 폴 벌린은 제82통신대까지 걸었다. 그 부대는 최근에 미국과 무선전화망을 설치한 상태였다.

"MARS라고 불러요," 어린 일병이 접수대에서 말했다. "군사 제휴 무선 시스템(Military Affiliate Radio System)을 줄여서요." 그는 친절하고 새카맣게 탄, 주근깨 하나 없는 빨강 머리 친구였다. 양쪽 손목에 금시계를 찬 그 소년은 서로 시간이 맞나 보려는지 두 시계를 자꾸 힐끗거렸다. 그는 좀 초조해 보였다.

그들이 전화 걸 차례를 기다리는 동안 일병은 시스템이 어떻게 작동하는지 설명해주었다. 일련의 무선중계 장치가 태평양 건너 호놀룰루 시내의 전화교환국에 신호를 보내면 거기서 일반 해저 전화선을 타고 샌프란시스코로 보내지고 바로 거기서부터 미국에 있는 어떤 전화로든 걸리는 것이었다. "진짜 신기하죠," 소년이 말했다. "날씨에 따라 많이 다르긴 한데 그래도 우아, 어떤 때에는 옆집 놈하고 얘기하는 거 같다니까요. 그 방에 같이 있었으면 욕 나왔을걸요."

그들은 한 시간 가까이 기다렸다. 중계 장치 문제라고 일병은 설명했다. 그는 씩 웃으면서 오스카의 군화 쪽을 몸짓으로 가리켰다. "당신들 땅개인가 보군요. 보졸이요."

"그런가 봐," 오스카가 말했다.

소년은 진지하게 고개를 끄덕였다. 그는 무슨 말을 하려다가 고개를 가로저었다. "땅개라니," 그는 중얼거렸다.

에디의 전화가 첫 차례였다.

일병은 그를 작은 방음 부스로 데려가더니 스피커와 마이크와 두 짝의 헤드셋이 설치된 제어장치 뒤에 앉혔다. 폴 벌린은 플라스틱 창을 통해 지켜보았다. 잠시 아무 일도 일어나지 않았다. 그러다 붉은 등이 깜빡거리자 일병은 에디에게 헤드셋 하나를 건넸다. 에디는 의자에서 들썩거리기 시작했다. 그는 몸을 살짝 앞으로 숙인 채 한 손으로 마이크를 잡고 꼭 붙들었다. 그의 눈은 보기 어려웠다.

그는 한참을 부스 안에 있었다. 거기서 나왔을 때 그의 얼굴은 밝게 상기돼 있었다. 그는 오스카 옆에 앉았다. 그는 하품을 했고, 그러더니 곧장 눈을 가리고 비볐고, 그러더니 기지개를 켜고 눈을 깜빡깜빡하며 담뱃불을 붙였다.

"이크," 그는 조용히 말했다.

그러더니 그는 소리 내어 웃었다. 어색하고 엉터리 같은 웃음이었다. 그는 목을 가다듬고 웃음을 짓고 자꾸 눈을 깜빡거렸다. 그는 격하게 담배를 빨았다.

"이크," 그가 말했다.

"왜 그래——"

에디는 실없이 웃었다. "그게…… 너도 들어봤어야 돼. '누구세요?' 그녀가 그러더라고. 이렇게——'**누구신데요?**' 진짜 이러더라니까."

그는 손수건을 꺼내 코를 풀고는 고개를 절레절레했다. 그의 눈은 반짝거리고 있었다.

"진짜 이러더라고——'**누구요?**' '에디야'라고 내가 말하니까 마가 '어떤 에디요?'라길래 나도 말했지. '네 생각엔 어떤 에디 같아?' 거의 기절을 하더라고. 쓰러지거나 뭐 그럴 뻔했지. 베트남에서 걸려온 전화니까 내가 총에 맞았나 싶었나 봐. '너 어디야?' 묻는 거야, 영현 등록소나 뭐 그런 데서 전화를 건 줄 알고, 그래서——"

"잘됐네," 닥이 말했다. "그래, 아주 잘됐어."

"그럼. 그게——"

"아주 잘됐어."

에디는 먹먹해진 귀를 뚫으려는 듯 고개를 흔들흔들했다. 그는 잠시 말이 없었다. 그러다 웃음을 터뜨렸다.

"솔직히 그 소리 들어봤어야 돼. '누구요?' 자꾸 그러더라니까. '**누구요?**' 진짜 잘 들리던걸. 옆에 있는 것처럼…… 그리고 페티! 그 자식이 빌어먹을 고등학교에 다니더라니까, 믿어져? 내 남동생. 이제 페티라고 부르기도 뭐해. '피트,' 그 자식이 말하데. 〈로런스 웰크 쇼〉에 나오는 그 남자같이 완전 중후한 목소리로 — '페티가 아니라 피트야,' 그 자식이 그러더라고.* 믿어져?"

"굉장하네," 닥이 말했다. "정말 굉장해."

"잘 들리느냐고? 두말하면 잔소리지! 마의 좆같은 뻐꾸기시계 소리까지 들리더라니까, **그만큼** 잘 들려."

"과학기술 참."

"그러게," 에디는 씩 웃었다. "진짜 과학기술이지. 내가 '저기, 마'라고 하니까 뭐라는지 알아? '지금 누구야?' 완전히 겁먹은 소리더라고, 알겠어? 있지, 나도 막 —"

"대단하다, 에디."

다음은 닥, 그다음은 오스카였다. 두 사람 다 별로 목이 메지도 않으면서 애써 억누르느라 모양새가 다소 우스워졌다. 처음에는 매우 조용하고, 그러다 웃음이 터지고, 그러다 말이 빨라지고, 그러다 다시 조용해지고. 그들을 지켜보자니 폴 벌린은 따뜻한 느낌이 들었다. 오스카마저 행복해 보였다.

"과학기술은 대단해," 닥이 말했다. "과학기술은 당해낼 수가 없어."

"젠장. 우리 아버지 말이야, 한 말이라곤 '이상'이 전부였어. 다른 말은 일절 없이 — '날씨가 좋구나,' 아버지가 말하더라고. '이상.'" 오스카는 고개를 가로저었다. 그의 아버지는 이탈리아에서 무전병으로 복무했었다. "믿어져? 말하는 게 다 '이상' 아니면 '알았다, 오버'야. 미쳤어."

그들은 틈틈이 수심에 잠겼다. 그러다 누구 하나가 낄낄거리든가 방긋 웃곤 했다.

"파이어리츠**는 금년에 나가리라던데. 가망 없다고 페티가 말하더라."

"죽겠군."

"그러게, 그런데도 페티 그 녀석은 파이어리츠에 미쳤더라고. 순 그거밖에 몰라. 우리가 여기서 러시아 놈들이랑 싸운다고 생각하더라니까. 파이어리츠, **순** 그거밖에 몰라."

"미쳤어," 오스카가 말했다. 그는 자꾸 고개를 가로저었다. "이상 교신 끝이라니."

이런 모습을 보고 폴 벌린은 기분이 좋았다. 친구 같았다. 진짜 전우, 그는 그들 하나하나와 가까워진 느낌이었다. 그들이 웃으면 그도 웃었다.

그러다 일병이 그의 어깨를 두드렸다.

그는 핑 도는 느낌이 들었다. 부스 안은 전부 새하얗게 페인트칠 돼 있었다. 그는 거기 앉아 씩 웃으며 각 손가락을 꽉꽉 주물렀다. 그에게 손을 흔드는 닥의 모습이 플라스틱 창으로 보였다.

"긴장 풀어요," 일병이 말했다. "시내 통화라고 생각하면 돼요."

소년은 그에게 헤드셋을 씌워주었다. 딸깍딸깍 또렷한 소리가 나더니 진공청소기같이 윙윙거리는 전자음이 길게 났다. 그는 어머니가 토요일마다 낡은 후버 청소기를 돌리던 기억이 떠올랐다. 카펫

---

*   페티(Petie)는 어린아이, 주로 여자아이의 애칭.
**   피츠버그가 연고지인 야구팀.

냄새, 창으로 들어오는 노란 빛 속에서 피어오르는 고운 먼지 가루. 깔끔한 집. 제자리를 단정히 지키는 것들.

그는 저도 모르게 웃고 있음을 깨달았다. 그는 헤드셋을 귀에 바짝 눌렀다. 무슨 요일이더라? 일요일이길 그는 바랐다. 그의 아버지는 일요일이면 빈둥거리길 좋아했다. 빈둥거리기, 그는 그렇게 불렀는데 그것은 고치거나 짓거나 부수려고 물건을 연구하면서 땜질하고 상상하고 손수 이것저것 만진다는 뜻이었다. 빈둥거리기⋯⋯ 그는 일요일이길 바랐다. 다들 뭘 하고 있을까? 어느 달이더라? 그는 전화기를 그려보았다. 그것은 부엌에, 싱크대 왼쪽에 있었다. 검정색이었다. 검정색, 아버지가 파스텔 색 전화기에 진저리를 낸 탓이었다. 그러고 그는 전화벨을 떠올렸다. 그는 부엌과 지하실에서 동시에 울리던 그 소리가 또렷하게 기억났는데, 아버지가 추가로 대충 달아둔 지하실 벨은 시멘트 벽에 반사돼 훨씬 크게 들렸다. 그는 지하실을 그려보았다. 그는 거실과 작업실과 부엌을 그려보았다. 조리대 위의 분홍색 포마이카와 분홍색에 흰색으로 얼룩덜룩한 벽. 그의 아버지는 한시도⋯⋯

일병이 그의 팔을 건드렸다. "아주 또박또박 말해야 돼요," 그가 말했다. "그리고 말이 끝날 때마다 '이상'이라고 말해야 돼요, 규정이니까요, 사랑하는 사람들한테도 똑같이요. 알았죠?"

폴 벌린은 고개를 끄덕였다. 헤드폰에서 즉각 다른 종류의 소리가 지지직거렸다.

그는 뭔가 의미 있는 말을 떠올리려고 애썼다. 억지스럽지 않은 말. 편하고 자연스러우면서 사랑이 담긴 말. 잘 지내고 있다는 말로 시작할까. 상황이 그렇게 나쁘지는 않다고. 그러고 나서 아버지 사

업은 잘되는지 묻는 거야. 겁먹은 걸 들켜선 안 돼. 걱정하실 테니까
──그것은 닥의 조언이었다. 휴가 온 것처럼 들리게끔 넘실대는 바
닷가며 살이 얼마나 멋지게 타고 있는지 말해. 부모님한테 말해⋯⋯
젠장, 피부암에 걸릴 정도의 햇볕에다 진탕 퍼붓는 술에다, 마이애
미에서 보내는 휴가 같다고 말해. 그게 닥의 조언이었다. 부모님한
테 말해⋯⋯ 일병이 마이크를 그에게로 돌렸다. 소년은 제 두 손목
시계를 확인하고 웃음을 지으며 무언가 속삭였다. 부엌, 폴 벌린은
생각했다. 그는 이제 부엌을 볼 수 있었다. 미네소타에 사는 이모한
테 물려받은 어머니의 낡은 호두나무 식탁. 크고 하얀 레인지, 냉장
고, 싱크대 위에 있는 스테인리스스틸 찬장, 검정색 전화기, 티끌 하
나 없이 깔끔한 스톤 부인네 뒤뜰을 내다보는 창문. 그녀, 그 스톤
부인은 제정신이 아니었다. 아버지한테 물어볼 것이 있었다. 그 늙
은 부인이 아직도 겨울에 밖에 나가 빗자루로 눈을 쓰나요, 심지어
눈보라가 치는데도 끊임없이 쓰나요, 아직도 가을엔 마당에 쌓인 낙
엽을 쓰나요, 그리고 여름엔 민들레 홀씨를 쓰나요? 물론이지! 그
는 아버지한테서 부인 얘기를 끌어낼 생각이었다. 웃기고 유쾌한 얘
기. 언젠가 늙은 스톤 부인은 빗속에 나가 잔디에 고인 빗물을 비만
큼 빠른 속도로 바깥 배수로로, 그런 다음 길 위쪽으로 온종일 쓸었
는데, 살짝 기운 길이라 빗물은 끊임없이 그녀에게 도로 흘러들었
고, 맙소사, 스톤 부인은 발목이 물에 잠겨서는 빗자루로 중력을 이
겨내느라 자정까지 생고생을 했다. 맙소사, 그의 아버지는 고개를
절레절레하면서 늘 말했다. 이웃들. 그게 대화 나눌 한 가지였다. 그
러고 나서 그는 어머니한테 담배는 끊었느냐고 물어볼 생각이었다.
그에 얽힌 농담이 있었다. 어머니는 말하곤 했다. "물론이지, 이번

주에만 네 번을 끊었는걸." TV 아니면 어디서 주워들은 농담이었다. 또는 이렇게 말하곤 했다. "아니, 그래도 엄마는 이제 적어도 튤립은 안 피우잖아, 럭키를 피우지."* 그들은 웃음을 터뜨리곤 했다. 그는 겁먹은 걸 들키지 않을 생각이었다. 그는 빌리 보이나 프렌치를 언급하지도, 버니 린이나 다른 누구에게 일어난 일을 언급하지도 않을 생각이었다. 그렇다, 그들은 웃음을 터뜨릴 거였고 나중에 통화가 끝날 무렵에는, 어쩌면 그때는 그가 두 분을 사랑한다고 말할지도 몰랐다. 그는 편지 끄트머리에 적은 것 말고는 부모님한테 그 말을 한 적이 있었는지 기억나지 않았지만 이번에는 어쩌면…… 회선은 다시 지지직거리다 딸깍딸깍하더니 연결이 완료되면 어김없이 나는 디지털 송신음이 났고, 그러다 첫 전화벨 소리가 들렸다. 그는 그 소리를 알았다. 둔탁한, 거리 때문에 기력 없는 소리였지만 그래도 그 오래된 벨소리였다. 만 번도 넘게 들어본 소리였다. 그는 가족의 목소리를 듣듯이, 이제는 더 나이가 들어 세월의 소행 때문에 달라졌을지언정 아직도 아버지랑 어머니의 것과 똑같은 목소리를 듣듯이 전화벨 소리를 들었다. 그는 무슨 말을 할까 하던 생각을 멈추었다. 그는 전화벨 소리에 집중했다. 그는 검정색 전화기가 보였고 그것의 소리가 들렸다. 일병이 엄지를 들었지만 폴 벌린은 그걸 알아차렸는지 못 알아차렸는지 전화벨 소리에 웃음만 짓고 있었다.

"운이 없었어," 나중에 닥은 말했다.

오스카와 에디는 그의 등을 탁탁 쳤고 일병은 어깨를 으쓱하며 종종 그런 일이 있다고 말했다.

"뭘 어쩌겠어?" 오스카가 말했다.

"그러게."

"혹시…… 누가 알아? 부모님이 드라이브든 뭐든 나가셨을지. 장 보러. 세상이 멈춘 건 아니니까."

스물다섯.
일상적인 방식

그러고 나서 그들은 산으로 갔다.

하지만 처음에 시드니 마틴은 요령 피우는 일은 없을 거라고 말했다. 그들은 빠르고 힘겨운 행군을 할 예정이었다. 그들은 응당 할 일을 할 예정이었다. 낙오한 대원은 낙오한 자리에 버려질 예정이었다.

"골칫거리란 말이야," 헬기가 그들을 산기슭에 데려다놓기 전 오스카 존슨이 말했다. "그 인간은 항상 더 많은 골칫거리를 찾아. 일부러 그러는 거 아냐? 그렇잖아 ── 그 인간은 골칫거리를 **바라는** 거잖아?"

그러고 나서 그들은 산으로 갔다.

그 길은 붉은색이었다. 산의 지세를 따라 자연스럽게 휘감는 대신 위로 곧장 뻗은, 행군하기에 안 좋은 각도로 산을 타는 길이었다. 등산이나 산책을 하기에 좋은 길이었다. 장엄한 경관에다 길을 따라 다종다양한 열대 관엽식물이 자라 있었고 사방 천지가 야생 그대로 순수했다. 식물학 현장 실습을 하거나 화가가 그림을 그리기에는 괜찮았겠지만 행군을 하기에는 별로 좋은 길이 아니었다.

비가 내린 흔적은 없었다. 길은 토기처럼 갈라져 있었고 길가에 난 풀은 쉽게 바스러졌다. 바람이 분다면 참나무 마루를 싸리비로 쓸듯 바스락거릴 풀이었지만 바람은 전혀 없었고 오후는 새도 못 견딜 만큼 뜨거웠다. 행군하는 소리가 났다. 붉은 길을 밟는 군화 소리, 탄약과 마테리엘이 출렁거리는 금속성의 소리, 군인다운 소리. 도합 서른여덟 명의 군인이 산길을 올랐고 거기에 열세 살 난 원주민 소년 정찰꾼이 가세했다.

서른여덟 명의 군인과 소년은 고개를 숙이고 행군했다. 그들은 낮과 길과 산비탈을 견디느라 몸이 구부정해졌다. 그들은 녹초가 되었다. 그들의 생각은 다리와 발에 있었다. 몇몇 군인은 목에 손수건을 둘렀다. 일부는 행군할 때 알루미늄 안테나가 깐닥깐닥 반짝거리는 군사용 무전기를 메고 다녔다. 다른 일부는 트랜지스터라디오를 가지고 다녔다. 군인들 중 힘센 사람들은 기관총을 가지고 다녔는데, 한 손이 지렛대처럼 경사도에 맞춰 균형을 잡는 동안 다른 손은 어깨에 올린 그 커다란 총의 총열을 움켜잡았다. 대원들은 전부 세 열수류탄과 모기 퇴치제와 양어깨에 길게 늘어뜨린 기관총 탄띠를 가지고 다녔다. 그들은 전부 여러 개의 수통을 가지고 다녔다. 그들은 거의 전부 철모 대신 정글모를 걸쳤다. 그들의 철모와 방탄조끼가 군낭에 매달려 있었던 건 늦은 8월이라 전투가 아직 멀었다는 이유에서였다. 붉은 산길 주변으로 무질서하게 흩어진 그들의 대열은 산기슭부터 이어졌는데, 산기슭에서는 제3분대가 정상을 향해 막 오르막을 딛기 시작한 참이었고 정상에서는 제1분대가 전투가 진행 중인 서쪽의 훨씬 더 높은 산을 향해 고원을 유유히 나아가는 중이었다. 군인들 대부분은 상의를 벗은 채였다. 최고로 그은 건 전쟁에 온 지 가장 오래된 이들이었다. 갓 도착한 이들은 허여멀건 살에 어깨뼈와 목만 탔는데, 그들은 아직 군화가 진흙으로 붉어지지 않은 탓에 남들보다 더 조심조심 걷느라 가장 취약해 보였다. 그들의 이름을 아무도 몰랐던 건 그들이 산속 전투에 투입될 목적으로 급히 파병된 탓이었다.

대열의 꼬리, 서른아홉 번째를 맡은 폴 벌린 일병은 행군의 고생스러움을 고스란히 느꼈다. 그는 산이나 임박한 전투 혹은 거기서 벌어질 일에 관해 생각하지 않았다. 그는 주로 엉덩이에 무게를 싣고 제 군화 밑으로 길이 지나가는 모습을, 군화가 보였다 사라졌다 하는 모습을 지켜보았다. 길은 싹 말라 있었다. 걸을 때 먼지가 차이지는 않았다. 여름날의 시멘트처럼 단단했다. 그는 생각에 빠지고 싶지 않았다. 등반이 생각할 기력을 빼앗아 다리와 엉덩이와 등에 나누어 주는 바람에 그는 생각 없이, 마냥, 그저 멈추지 않고 길을 올랐는데, 그러다 그는 저 자신을 빠져나가는 느낌이 들었다. 저자신을 빠져나가는 건 산으로 가는 오르막 중에 처음 벌어진 일로, 그래도 그는 작은 산의 최고봉을 올려다보며 길을 올랐고, 오르되한편으론 말없이 저 자신을 빠져나갔고, 그러다 고개를 들어 금발의중위가 내려다보는 모습을 보았다.

시드니 마틴 중위는 혼자 서 있었다. 그는 자기 대원들이 올라오는 모습을 내내 팔짱 끼고 지켜보았다. 그는 상의를 걸치고 있었다. 겨드랑이 밑과 쏙 들어간 등은 젖어서 검었고 소매는 팔꿈치 위까지 접혀 있었다. 측면에서 볼 때 그의 얼굴은 어렸다. 정면에서 볼 땐 그리 어리지 않았다. 그는 아직 올라오는 군인들의 숫자를 세면서 입술을 오물거렸다. 그는 스물하나를 세고 거기에 정찰꾼을 더했다.

　부사관들이 그에게 다가왔는데 그들도 상의를 걸치고 있었다. 부사관들은 의논을 하더니 그중 하나가 서쪽을 향해 쌍안경을 꺼내 들고는 전투가 있을 더 높은 산을 훑어보았다. 쌍안경을 든 부사관은 그러다 몸을 돌려 금발의 중위에게 무슨 말을 했는데 중위는 말없이 고개만 끄덕이더니 부사관들이 자리를 뜨자 혼자 서서 대원들이 올라오는 모습을 지켜보았다. 그는 딱 한 번 서쪽을 쳐다보았다. 산의 푸르름이 장관이었다. 녹색의 숱한 음영, 아주 녹색은 아니어도 녹색에 영감은 받은 색깔들, 중위가 거짓이라 여기는 그 색깔들은 엄청나게 시원하고 해방되고 평화로운 인상을 풍겼다. 전투의 낌새는 보이지 않았다. 그는 전투가 눈보다 귀로 먼저 파악되겠지만 그마저도 수 시간 뒤의 일임을 알았다. 그는 전투를 위해 대원들의 체력을 아껴야 한다는 걸 알았다. 그는 전투가 끝나기 전에 대원들을 투입해야 한다는 것도 알았다. 그는 고려할 문제가 많았다. 지뢰가 묻혔을 위험은 있지만 속도 면에서 유리한 산길을 고수할지 아니면 속도는 떨어지지만 덜 위험한 험지를 뚫고 갈지. 더위도 문제였다. 지친 대원들을 전투에 내보내는 것도 문제였다. 그에게는 다른 문제들도 있었지만 그는 지휘관이므로 오랜 통솔 원칙에 따라 부사관들을 통해 지시를 내렸다. 이 점이 부사관들을 내내 만족시켰고 마침내 사내들과 소년들에게 그에 대한 존경심을 심어주었다. 중위는 상식과 군사전략을 훈련받았다. 그는 투키디데스와 클라우제비츠*를 읽었고 전쟁을 선과 악 어디로도 치달을 수 있는 종결 수단으로 여겼지만 그의 관심사는 효율성이지 선이 아니었다. 군인의 관심사는 수단에 있지 끝장을 내는 데 있지 않았다. 그래서 젊은 중위는 전술과 전략과 역사에 관한 제 지식에, 제 유창한 독일어와 스페인어에, 웨스트포인트 사관학교에서 자기가 받은 훈련에, 단위부대의 잠재력을 극대화할 수 있는 제 능력에 스스로 자부심을 가졌다. 그는 임무를 섬겼다. 그는 대원들 또한 섬겼지만 임무가 우선이었다. 그는 언젠가 대원들이 이를 이해해주길 바랐다. 즉 효율성은 대원들에게 내려진 임무를 강조해야만 하고, 그러자면 전쟁에서는 어쩔 수 없이 힘든 희생을 치러야 한다는 것을. 그는 언젠가 대원들이 왜 땅굴을 날려버리기 전에 수색할 필요가 있는지, 왜 그들이 휴식 없이 산으로 행군해야 하는지 이해해주길 바랐다. 그는 그런 이해를 바랐지만 거기에 괘념치는 않았다. 그는 대원들을 오냐오냐하지도, 그들과 우정을 쌓지도 않았다. 또 그는 그들을 골려주려고 애쓰지도 않았다. 행군을 시작하기 전에 그는 그들의 목숨을 돌보는 건 자신이며 누구의 목숨도 낭비하지 않겠다고 말했지만, 그러면서도 자신은 군인의 사명감으로 임무를 돌보는 사람이며 그러지 않으면 어떤 죽음도 어리석은 죽음일 뿐이라고 설명했다. 그는 뜨거운 날이었는데도 불구하고 행군 중 요령을 피우는 일은 참지 않겠다고 소대에 전달했다. "우리는 군인다워질 것이다," 그는 그들에게 말했다. "그리고 우리는 부단히 행군할 것이고 전투에 늦지 않을 것이다. 누구든 낙오하는 사람은 낙오한 자리에 버려질 것이고 일사병도 예외는 없다." 대원들은 그의 연설에 환호하지 않았지만 그러든 말든 젊은 중위에게는 문

---

* 투키디데스는 『펠로폰네소스 전쟁사』를 쓴 고대 그리스의 역사가. 카를 폰 클라우제비츠는 『전쟁론』을 쓴 프로이센의 군인이자 군사이론가.

제 될 것 없었다.

철모를 벗고 최고봉에 선 시드니 마틴은 산길을 고수하기로 마음 먹었다. 그는 그 결정을 "전투 소리가 나한테 들릴 때까지 산길을 고수할 것이다"라는 평서문으로 말했고, 그 말을 하고 나서는 그에 관해 두 번 생각하지 않았다. 그러는 대신 그는 구름을 올려다보면서 그들이 태양을 이겨냈으면 하고 바랐지만 맑은 하늘은 요지부동이었다. 주변 전역이 꼼짝없이 구워졌다. 중위는 팔짱을 꼈다. 길을 올라오는 나머지 대원들을 지켜보던 그는 그들이 정상을 찍고 고원을 따라 더 높은 산으로 이동하는 내내 그 숫자를 헤아렸다.

아직도 길을 오르는 중이던 폴 벌린 일병은 리듬을 잃지 않고 가뿐히 제게 돌아왔다. 시간의 경과에 대응할 줄 아는 몸, 지속성에 대한 감과 목적의식, 그는 산을 타는 동안 편안했다. 그는 고개를 숙인 채 목 아래 약 1인치, 척추 가장 위쪽까지 올려 멘 군낭의 균형을 잡느라 몸을 앞으로 구부렸고, 위쪽으로 골고루 분배한 무게를 두 다리로, 다리에서 오르막길로 옮겼다. 그는 생각에 빠지지 않았다. 저 위쪽에서 금발의 중위가 팔짱을 끼고 서 있는 모습이 눈에 들어왔다. 중위의 허리띠 버클은 반짝거렸고 입술은 그에게 말을 하듯 혹은 숫자를 세듯 오물거리는 것 같았는데, 무엇을 세는 걸까 혹은 왜 세는 걸까? 폴 벌린 일병은 알지 못했다. 그가 아는 것은 길이었다. 그가 아는 것은 등 쪽의 잡아당김과 손에 들린 검은 소총의 감촉과 장비의 무게와 더위였다.

길을 따라가는 동안 마을은 나오지 않았다. 농지도 정글도 아니었다. 그곳은 논과 정글을 잇는 지대였다. 초라한, 아름다운 지대였다. 풀은 제초되지 않아 무성하고 그것을 빗어주는 바람 한 점 없는 곳, 움직임이라곤 서른여덟 명의 군인과 열세 살 난 소년 정찰꾼의 꾸준한 행군뿐이었다. 폴 벌린은 생각에 빠지지 않았다. 행군은 그들을 길과 이어주었고 길을 타는 게 전부였다. 해부학 강의, 힘줄이 늘어나는 느낌, 기계처럼 작동하는 근육과 체액과 조직. 기계가 멈출 때까지 길을 오를 생각이었다. 그러다 때가 되면 그는 기계가 그러듯이 뚝 멈출 생각이었다. 그는 군말 없이 멈추고 쉬고 쓰러질 생각이었다. 그는 땀투성이인 이마를 땀투성이인 팔뚝으로 닦았다. 때가 되면 나는 멈출 것이다, 그는 스스로에게 말했다. 다시 빠져나갈 것이다…….

금발의 중위는 그가 올라오는 모습을 지켜보았다. 그 대원이 누구인지 이름을 몰라도 그리 대수로운 문제는 아니었는데, 왜냐하면 그는 자기가 이름을 모르는 대원들을 단지 군인 또는 부대원이라 불렀고, 이름을 떠나 그편이 제일이었고, 둘 중 어느 단어도 비인격적이거나 폄하하는 의미가 전혀 없었기 때문이다. 그는 터덜터덜하는, 한 보 한 보 왠지 모르게 느긋한 그 아이의 자동적이고 이상한 걸음을 지켜보면서 슬픔과 자부심을 동시에 느꼈다. 그는 그 아이가 군인으로 보였다. 아직 좋은 군인은 아닐지 모르지만 그래도 군인이었다. 그는 그 아이가 전체의 일부로, 임무로 인해 똘똘 뭉친 여러 군인 중 하나로 보였다. 중위는 둔치가 아니었다. 그는 이런 소신들이 인기 없음을 알았다. 그는 자신의 집단과 자신의 지휘 아래 있는 대원들 집단이 서로 소신을 공유하지 않음을 알았다. 하지만 그는 대원들에게 제 생각을 강요하지 않았고 그저 각자가 군인답게 스스로 기운 내길 요구했다. 그래서 폴 벌린이 꿋꿋하게 올라오는 모습을 지켜보던 중위는 그 아이의 끈기와 고집에 대단한 감탄을, 감탄과 애정이 결합된 무엇을 억누르지 못했다. 그는 그 아이를 은밀히 격려했다. 임무를 위해, 그렇다, 그리고 소대의 안녕을 위해. 그러나 또한 그 아이 자신의 안녕을 위해, 그리하여 그 아이가 사명감을 갖고 전투에 합류해 승리할 수 있도록.

중위는 전투를 즐기지 않았다. 피에 굶주리지도 피에 배부르지도 않은 그는 제 경력 중 전투를 즐긴 일이 없다시피 했고, 싸움이 끝났을 때 배 속에 무언가 차오르는 느낌도 마찬가지로 없었다. 하지만 전투는 치러져야 했다.

그 아이가 올라오는 모습을 지켜보면서 중위는 엄청나게 절박하고 엄청나게 자부심 어린 느낌에 감명받았다. 그 아이는 어렸다, 그렇다, 하지만 진지한 사내였다. 중위에게 의지력은 곧 자부심이었다. 제 소대를 지켜보던, 그 아이가 올라오는 모습을 지켜보던 중위는 이제 자부심에 흠뻑 젖었다. 대원들은 그 사실을 모르고 앞으로도 결코 모르겠지만 그는 이 사내들을 사랑했다. 이름을 모르는 이들까지, 대열의 마지막에 올라오는 폴 벌린까지 — 그는 그들 전부를 사랑했다.

하지만 그는 둔치가 아니었다. 그는 자신이 겪고 있는 전쟁이 무언가 잘못되었음을 알았다. 공통된 목적의 결핍. 그는 차라리 프랑스나 헤이스팅스나 아우스터리츠에서 전투를 치렀어야 했다. 그는 차라리 생비트에서 싸웠어야 했다. 하지만 중위는 전쟁에서 무엇보다 중요한 건 결코 목적이 아님을, 목적도 원인도 아님을 알았고 또 전투는 언제나 사람 간의 일이지 목적 간의 일이 아님을 알았다. 그는 목적을 위해 죽는 건 상상할 수 없었다. 죽음은 그 자체가 목적이었고 거기에는 자격도 제한도 없었다. 그는 전쟁을 찬양하지 않았다. 그는 영예를 섬기지 않았다. 하지만 그는 전투의 어떤 매력이 항구적으로 마음을 끄는지 알았다. 요컨대 전투를 치를 때마다 수없이 죽음을 마주할 기회가 있다는 것. 전쟁이 발명된 건 단지 그 이유 때문이라고 중위는 남몰래 믿었다 —— 그래서 사내들이 반복을 통해 더 나아지려 애쓰고, 학습한 것을 다음번에 써먹고, 저희 죽음을 강탈당하지 않으려 한다고 믿었다. 시드니 마틴은 오직 이런 의미에서만 전쟁을 종결 수단으로 섬겼다. 종결 자체에, 수없이 반복되는 종결에 맞설 수단. 그는 겸손하고 생각 깊은 남자였다. 그는 말수가 적었다. 그는 파란 눈에 고운 금발에 건치였다. 그는 직업군인이었지만 여느 직업군인과 달리 가장 중요한 임무는 내면의 임무라고, 모든 사내가 저 자신에 대해 중요한 것을 배우는 게 최우선 임무라고 믿었다. 그는 다른 장교들에게 이런 이야기는 하지 않았다. 아무한테도 이런 이야기 하지 않았다. 하지만 그는 여기에 믿음이 있었다. 산으로 가는 임무는 그 자체로도 중요하지만 대원 각자가 용기와 끈기와 의지력을 최대 용량으로 발휘해보는, 제 의무감을 비춰보는 거울로서 훨씬 더 중요하다고 그는 믿었다.

아직 붉은 길 위, 이제 꼭대기까지 4분의 3을 오른 폴 벌린 일병은 중위같이 한눈에 넓고 멀리 내다보기에는 유리하지 않았다. 기계적으로 행군 중인 그는 오직 고된 노동을 하기에만 유리했다. 그는 강인함을 느꼈다. 그는 넓적다리근육과 배근육의 작동을 느꼈다. 그는 다가오는 전투와 산에 관한 생각에 빠지지 않았다. 그는 얼마간 아무런 생각에 빠지지 않았다 —— 행군에 그냥 자연스럽게 동화되었다. 쉬운 일이었다. 그러다 때가 되면, 결심이 서면 그는 뚝 멈출 생각이었다. 하지만 지금은 다리가 계속 길을 오르고 있었다. 그는 길을 살펴보았다. 세월과 풍화를 겪어 얼룩덜룩한 빛깔이었다. 그는 꼼짝 않는 풀을 보았다. 그는 스팅크 해리스가 기관총 탄띠를 벗어 잡풀 속에 내던지고 속도 높여 걷는 모습을 보았다. 그는 카차토가 총구를 아래로 향하고 소총을 지팡이처럼 짚는 모습을 보았다. 그는 에디 라추티와 피더슨과 보트의 벗은 등에서 광택제처럼 반짝거리는 땀방울을 보았고 소대가 길을 오르는 동안 차근차근 펼쳐지는 일들을, 즉 발이 굳은 보병들, 중력을 지느라 땅과 가까워진 사내들의 괴짜 같은 모습을 보았고 붉은 길을 보았다. 저 위쪽에서 금발의 중위가 혼자 서서 지켜보는 모습이 눈에 들어왔다. "우리가 잘 싸우면," 시드니 마틴은 행군 전에 말했다. "형편없이 싸웠을 때보다 적은 인원이 죽을 것이다." 폴 벌린 일병은 그 말을 곰곰이 따져보지 않았지만 그것이 맞는 말이면서 위험한 말임을 알았다. 그는 자신이 잘 싸우지 못할 걸 알았다. 그는 임무에 애정이, 자기를 잘 싸우게 할 만큼 강한 애정이 없었고, 그래서 당장 걸음을 멈추고 싶은데도 밑에서 다리가 끊임없이 움직이는 모습에 놀라움을 느꼈다. 늙고 허약해지기 전에는 죽음을 대면하고 싶은 욕망이 없지만 산속의 진짜 전투에서 살아남지 못하리라는 믿음이 확고하던 폴 벌린은 오르막길을 나아가는 내내 자기가 잘 싸우지 못하리란 걸 알고도, 확실히 알고도 올라갔고, 한 발 한 발 올라가면서 흰 꽃이 핀 야생화며 뒹구는 자갈을 하나둘 제각각 눈에 담았고, 어떤 물리적인 힘에 이끌리듯 한 번도 걸음을 멈추지 않았다 — 관성 혹은 동종 친화성 혹은 자석의 인력에 이끌리는 것 같았다. 그는 고집도 욕망도 결단도 자부심도 행사하지 않고 생각도 의지도 목적도 없이 그냥 다리와 폐로 오르막길을 걸어 올랐다. 그에게 극적인 느낌은 없었다. 그는 묘한 정적을 느꼈다. 그는 때가 되면, 그만하라고 스스로 말만 하면 언제라도 자기가 멈출 수 있을 거라는 느낌이 들었다. 그러다 그는 결심했다. 처음엔 꿈처럼 불가능한 생각으로 다가왔으나 알게 모르게 결심으로 굳어진 것, 그는 제게 때가 되었다고 말했다. 그는 멈출 생각이었다. 그는 결심했다. 그는 무너진 무릎, 축 늘어진 삭신으로 자빠지고 뒹굴다 어디에 이르든 다시는 꼼짝하지 않을 생각이었다. 그는 푹 쓰러질 생각이었다. 그는 아주아주 가만히 누워 하늘을 지켜보다 아마 잠이 들 것이고, 그 뒤에는 짐 꾸러미에 쟁여둔 코카콜라를 꺼내 마실 것이고, 그 뒤에는 또다시 잠이 들 것이다. 이 모든 게 결심이었다. 하지만 그 결심은 다리까지 전달되지 않았다. 확고해진 결심이지만 붉은 길을 끊임없이 오르는 다리로 흘러들지는 않았다. 눈사태 속의 바위처럼 무력하게 또 강력하게, 폴 벌린 일병은 중단도 중단할 힘도 없이 산을 향해 행군했다.

시드니 마틴 중위는 그가 올라오는 모습을 지켜보았다. 서른아홉 명의 행렬 중 마지막 군인의 황소 같은 고집에 감탄한 그는 저 아이가 너무나 좋은 걸 대변해준다고 생각했다 —— 인내, 수양, 충성, 자제, 용기, 근성. 하느님이 주신 가장 위대한 선물은 의지력이야, 폴 벌린 일병의 등반에 감탄한 중위는 생각했다.

감성적인 사람이 아니던 시드니 마틴은 손을 들어 그 아이를 맞이했다.

하지만 폴 벌린은 중위의 심정을 감지하지 못했다. 그는 눈을 내리깔고 묵묵히 길을 올랐다. 매 걸음이 매 생각이었다. 그는 더위도 알아차리지 못했고 그 지대의 아름다움도, 중위가 들어 보인 손도 알아차리지 못했다. 만약 알아차렸더라도 이해하지 못했을 것이다.

그는 정신이 멀고 영혼이 무뎌지고 역사에 무감했던 데다 자기가 산으로 가는 붉은 길 위의 발걸음을 멈추지 못한다는 경이로움에 사로잡혀 있었다.

스물여섯.
파리로 가는 길의 휴양

델리에서 보낸 시간은 좋은 때에 속했다. 카차토는 모습을 드러
내지 않았고, 하루에 한 번 경찰 본부에 들르는 일을 빼면 그들은 그
를 찾아다니는 데 많은 시간을 허비하지 않았다. 낮은 뜨거웠다. 저
녁은 따뜻했다. 에디 라추티는 호텔 맞은편에 있는 에어컨 나오는
영화관에서 오후를 보냈다. 오스카와 스팅크는 신시가지에 있는 기
생집*들을 호기심에 들렀고 닥 페럿은 미국 잡지를 파는 간이매점을
찾았으며 건강이 돌아온 듯한 중위는 어떤 때에는 시골로 당일치기
여행을 떠나고 어떤 때에는 그냥 피닉스 호텔 안마당에 앉아 낮은
소리로 대화를 나누며 졸리 찬드와 시간을 함께 썼다.

폴 벌린은 사르킨 아웅 완과 며칠을 함께했다. 이따금 비가 내리
는 아침이면 두 사람은 로비에 조용히 앉아 창문으로 비를 바라보
았고, 그러다 비가 멈추면 손을 잡고 거리로 나갔다. 두 사람은 가끔
옷이나 장신구나 특수 화장 크림을 쇼핑했다. 그들은 가끔 동물원을
찾았다. 두 사람은 자주 허기가 지도록 걸었고, 그러면 배를 채우고

나서 저녁 식사 때까지 또다시 걸었다. 점심을 먹거나 걷거나 구시가지에서 사진을 찍으며 그녀와 함께할 때 그는 전쟁에 관해서도 파리에 관해서도 생각하지 않았다. 그는 그날그날의 간절함과 평화로움에 관해, 그리고 어디에 들러 저녁을 먹을까 걱정하는 게 얼마나 멋진 일인지에 관해 생각했다. 긴 걸음을 하는 동안 사르낀 아웅 완은 쩔런에서 살던 이야기를 종종 들려주었다. 비밀스러운 찌개처럼 그 지역이 저만의 특별한 향을 풍기던 일, 한때 아버지의 식당이 연대장이며 정치인이며 온갖 주요 인사들에게 매력을 뽐내던 일. 그러고 나서 그녀는 포트다지에 관해 물었다. 진짜로 소 키우는 마을이에요? 박차를 달고 걷는 거 어려워요? 그는 아니라고, 주로 옥수수를 키우는 마을이라고, 하지만 그렇다고, 포트다지에서는 많은 사람이 박차를 달고 걸어보려다 다리와 발목이 부러진다고 말했다. 병원으로서는 그게 총상에 다음가는 최대 수입원이라고 그는 말했다.

대개의 저녁에 두 사람은 로비에서 카드놀이를 했고, 그런 다음 그의 방으로 올라가 키스를 했다. 그는 둘이서 육체를 나누는 시늉을 했다.

두 사람은 자주 파리에 관해 이야기했다. 사르낀 아웅 완은 둘이서 함께 식당을 열거나 혹은 센강 우안에 피부 미용실을 차려 도시에서 가장 부유한 여자들의 피부를 손질할 수 있을지 궁금해했다. 이런 이야기를 나눌 때면 그녀의 얼굴은 환해졌는데 그는 이럴 때 그녀를 만지는 게 제일 좋았다. 그녀의 종아리에 손을 얹고 문질러

---

*   원문은 nua dem. '자정'이라는 뜻의 베트남어로 종종 성전환자들이 맞이하는 유흥업소.

그 부드러운 살결과 그녀가 면도를 깜빡한 부분의 짧게 곤두선 검은 털을 느끼는 일. 그는 그녀에게 크림을 발라주는 게 좋았다. 자루에 가득한 온갖 종류의 크림. "이거는요, 얼굴에 유분을 보충하는 거예요," 그녀는 말하면서 유분을 보충한 다음 그게 세균이 침투하지 못하도록 모공을 막는 데 도움이 된다고 설명하곤 했다. 그러고 나면 그녀는 소리 내어 웃으면서 그의 코에도 조금 묻혔고, 스며들도록 문질렀고, 그런 다음 그의 뺨과 목과 가슴과 배에 더 많은 크림을 문지르며 그에게 보충되는 느낌이 드느냐고 물었는데, 그러면 그는 그렇다, 몹시 보충되는 느낌이다 말하곤 했다.

그는 그런 저녁도 오후도 좋았지만 가장 좋은 건 아침이었다. 그는 흠뻑 젖은 거리를 내다보며 차양과 우산과 신문 아래 몸을 움츠린 인파를 눈에 담는 게 좋았다. 그는 사르깅 아웅 완의 목에 손을 얹고 그녀가 웃음을 지을 때까지 그대로 두어 잠을 깨우는 게 좋았다. 그는 또 어느 때인가 몸에서 크림과 비누 냄새를 풍기며 아이처럼 잠든 그녀를 바라보는 게 좋았고, 또 그녀가 기지개를 켜고 눈가를 비비고 바닥에서 운동하는 모습을 보는 것도 좋았다.

그렇다, 그는 아침이 가장 좋았지만 저녁도 좋았다. 졸리 찬드는 언제나 미국의 주식(主食)과 좋은 와인 그리고 그 뒤 충분할 만큼의 브랜디로 우아한 저녁 식사를 대접했다. 어느 저녁 닥 페럿은 안마당에 있는 석쇠로 햄버거를 구웠다. 오스카는 콩 샐러드를 만들고 스팅크와 에디는 수박을 잘랐으며 졸리 찬드는 요란한 축하와 함께 헌트 케첩 반 통을 꺼내 왔다. 미국에서 돌아올 때 마흔다섯 통이 함께였다고 그녀는 말했다. 이게 마지막 케첩이었다. 그래서 다들 그녀에게 환호했고, 그러고 나서 중위가 몇 차례의 건배를 제안했고,

그 뒤 야외 식사가 끝나자 다들 자정까지 포크송을 부르고 몸짓 알 아맞히기 놀이를 했다.

하지만 그럴 때 말고는 다들 중위와 졸리 찬드를 못 보다시피 했다. 닥 페럿은 걱정에 빠졌다. "애먼 데 충성 중이시군," 그는 말했다. "얼마나 넘치는 보상을 바라길래. 늙은 바보께서 이 일로 훌륭하게 망가질까 봐 무서워."

그렇다고는 해도 중위는 회복의 기미를 보였다. 살이 더 팽팽해진 데다 탄력이 있었고 기분도 고조되었으며 설사병도 완전히 사라진 채였다. 그는 졸리 찬드 앞에서는 차분했다. 그는 그 여자의 의자를 잡아주고 잔이 비었는지 살피고 웃거나 고개를 끄덕이거나 미국의 경이로움에 관한 그녀의 잡담에 동조해 딱딱거리는 소리를 내는 데 시종일관 주의를 기울이다 못해 어색할 정도로 공손했다. 그는 잘 차려입고 구식으로 단정하게 가르마를 나누며 다시 자신을 돌보기 시작했다. 그는 대원들도 이제부터 똑같이 좋은 습관을 들이라고 요구했다. "위수부대가 있기에," 그는 졸리의 귀에 들어가도록 크게 말했다. "전시 부대가 있다." 어느 날 저녁 그는 콧수염이 거뭇해지기 시작한 스팅크를 면도차 두 번이나 올려 보냈다.

"가망 없는 양반이야," 어느 오후 닥이 말했다.

중위와 졸리 찬드는 정원에서 마티니 한 통을 나누고 있었다. 그 여자의 웃음소리가 로비를 떠나갔다.

"무섭군," 닥이 말했다. "내 말은, 보자고, 그는 어떤 의무가 있어, 그렇지? 화장한 처녀 따위가 빤히 보이는 별별 수작을 건다고 모든 걸 내려놓을 순 없다는 얘기야. 더구나 건강도 안 좋은 사람이."

폴 벌린은 어깨를 으쓱했다. "의사 처방이 그런지도 모르잖아. 만약 소대장님이 ——"

"절대 아닐걸." 닥은 얼굴을 찌푸리고 담배 한 대를 흔들어 꺼냈다. "의사는 네 앞에 있잖아, 친구, 그리고 나는 그런 처방 내린 적 없고. 내 장담하는데 이거 문제야."

"그렇게 생각해?"

"문제지."

하지만 할 수 있는 일이 전혀 없었다. 중위는 눈이 뒤집힌 상태였다. 어느 저녁 오스카가 이제 슬슬 다음으로 넘어갈 생각을 하자고 말하자 늙은이는 피식 웃더니 졸리 찬드의 손을 잡고 어디론가 데려갔다. 그는 카차토를 찾는 데 관심이 없었다.

전략은 기다리는 것으로 바뀌었다. 오스카 또는 스팅크가 이따금 대사관이나 기차역으로 순찰을 앞장서기도 하고 다 같이 주요 버스 정류장 두 곳에 한동안 죽치기도 했지만 끝내 제자리걸음이었다. 기세는 사그라졌다. 알 수 없는 불안함에 초조해하던 폴 벌린은 제 카메라를 들고 며칠이나 도시를 배회했다. 그는 온갖 빛깔과 조화가 있는 평화로운 느낌이 좋으면서도 가던 길로 되돌아가야 한다는 충동을 느꼈다. 일을 완수해야 했다. 게다가 알 수 없는 죄책감에 사로잡힐 때도 있었다. 사르킨 아웅 완과 체커를 하는 밤이면 전부 꾸며진 세상이라 스르르 녹아 없어질 것 같았다. 너무 고요하고 너무 평온했다. 허공에 매달린 느낌이었다. 도대체 여기서 뭘 하고 있는 거지? 왜? 정확히는 죄책감이 아니었다. 정당화할 이유가 필요한 거였다. 머잖아 언제든 불려가 이 일을 해명해야 하리라는 느낌이 들었다. 왜 너희는 전쟁에서 이탈했는가? 목적이 무엇인가? 그는 법정을 떠올렸다. 하얗게 분칠한 가발을 쓴 판사, 아버지, 엄숙한 얼굴로 줄지어 앉은 포트다지의 온 주민. 그는 기소장이 낭독될 때 흘러 나오는 낄낄거림과 야유를 들을 수 있었다. 수치심, 내리깐 눈. 그는 그것이 비겁한 일이나 단순 탈영이 아님을 힘겹게 해명할 때 흐르는 제 땀줄기를 느낄 수 있었다. 꼭 그런 것은 아니었다. 일부는 카차토의 소행이었다. 일부는 임무, 일부는 관성, 일부는 모험, 일부는 가능성을 뒤쫓는 일이었다. 그러면서 그것을 훨씬 넘어서는 일이었다. 그는 딱히 꼬집어 말할 순 없어도 그것이 파리로 가는 길에 보고 느끼고 깨닫는 것 전부와 관련된 일임을 알았다.

그는 다음으로 넘어갈 준비가 되었다.

그리고 나서 아침 일찍 닥 페럿은 그에게 신문을 보여주었다.

"카차토잖아," 폴 벌린이 말했다.

그는 신문을 들어 더 환한 빛에 비추었다. 사진은 입자가 거칠고 군데군데 뿌옜지만 카차토의 행복한 얼굴이었다. 미심쩍은데, 그는 깨달았다. 하지만 그래서 뭐? 사진이 시원찮으면 다른 방식으로 —— 과감한 마음의 도약으로 —— 단지 눈을 감고 이루면 되지.

"그럼 여기 있겠네. 델리에!"

닥은 어깨를 으쓱했다. "더 자세히 봐. 뒤쪽. 거기 보여? 그게 뭐 같아?"

"이거?"

"그래. 그게 뭐 같아?"

폴 벌린은 사진에 찍힌 크고 까만 얼룩을 유심히 들여다보았다. "이건…… 글쎄. 큰 기계라든가 뭐 아닐까."

"기관차야," 닥이 말했다. 그는 웃음을 지으면서 신문을 접어 주머니에 넣었다. "정확히 그거야. 기관차. 어젯밤 타피어(Tapier) 역에서 찍힌 사진이야."

"그리고?"

"그리고 카불*행 열차지. 우리 카차토가 올라탄 게 분명해." 닥은 또 한 번 웃음을 지었다. "자, 짐 챙겨. 아프가니스탄 보고 싶다고 노래 불렀잖아?"

그들은 정오까지 준비를 마쳤다.

스팅크와 에디가 아래층 로비로 군낭들을 나르는 동안 오스카는 나가서 택시를 잡았다. 호텔은 매우 조용했다. 바깥 정원에서는 중위와 졸리 찬드가 버들가지 그네에 함께 앉아 있었다. 그들은 코냑을 마시는 중이었다.

"시간 됐습니다," 닥이 말했다. 그는 제 손목시계를 톡톡 두드렸다.

중위는 웃음을 지었다. 그는 한 발로 그네를 밀었다 당겼다 했다. 그의 눈 표면에 촉촉한 막이 생겼다.

닥은 폴 벌린에게 슬쩍 눈치를 보내더니 늙은이의 어깨를 다정하게 만졌다.

"소대장님? 시간이 —"

"아니," 중위는 말했다. 그네에서 삐걱거리는 소리가 났다. 코냑을 홀짝이던 중위는 졸리 찬드를 한참 바라보더니 고개를 가로흔들었다. "나로서는 전부 끝이야. 나는 공식적으로 퇴역한다."

"농담 그만하세요."

"농담 같아?"

"네, 소대장님, 농담 같아요." 닥은 그네를 정지시켰다. "이러지

마세요, 이제 기차 시간 20분 남았어요. 말도 안 되는 소리 그만하세
요."

코슨 중위는 쓰라리게 웃었다. "말도 안 되다니!"

"이러지 마시고 ——"

"말도 안 되다니!" 늙은이는 일어서서 다시 잔을 채우더니 꿀꺽
들이켰다. 그의 얼굴은 붉어 있었다. "똑똑히 말하는데, 다 **끝났어**.
더 이상의 전진은 없어. 어차피 내 전쟁도 아니었고."

"전쟁은 끝났습니다."

"하!"

"끝났다고요," 닥이 말했다. "하지만 저희는 아직 소대장님이 필
요해요."

중위는 잔을 흔들었다. "바보 같은 소리 집어치워, 닥. 그냥 집어
치우자고. 전쟁은 안 끝났어. 우린 피 터지는 전쟁에서 **떠나온** 거야
—— 도망쳤어, 달아났어. 이해되나? 의무나 임무 같은 헛소리는 관
둬. 난 거기서 벗어났으니까."

"소대장님이 필요하다니까요," 닥이 말했다. "정말이에요, 저희는
소대장님이 계셔야 돼요."

폴 벌린은 고개를 끄덕이며 웃음을 짓느라 애썼다. 그는 중위가
그네에 앉아 졸리 찬드의 어깨에 팔 두르는 모습을 지켜보았다. 그
녀는 의미 없는 웃음을 지었다.

중위는 고개를 절레절레하며 제 코냑을 가만히 바라보았다. "내
가 필요하다고? 시드니 마틴이 필요했던 것처럼?"

폴 벌린은 안구 안쪽이 멍해지는 느낌이 들었다. 그는 레이크 컨트리가 기억났다 —— 깊은 분화구와 땅굴, 비, 시드니 마틴에게 벌어진 슬픈 일.

"아니," 중위는 한숨을 쉬었다. "너희는 내가 필요하지 않아. 그랬던 적도 없지. 어쩌면 내가 바보일지도 모르지. 시대에 뒤처진. 그래도 말이야, 맙소사, 나는 너희를 이해 못 하겠어. 마음도 없고 존경심도 없잖아. 하는 짓이 전부 말이야, 하나도 이해를 못 하겠어." 그는 졸리 찬드를 또다시 쳐다보았다. "그러니까 나는 여기서 하차한다. 노병이 작별을 고한다고."

"카차토는 어쩌시고요? 저희로는 도저히 —— "

"아이고."

닥은 무언가 말하려다 말고 어깨를 으쓱했다.

"그게 답니까?"

"그게 다야. 쭉 나아가라고, 로드니. 빠아리에 가서 엽서 보내고."

그들은 잠시 말이 없었다. 그러고 나서 닥은 악수하려고 손을 내밀었다. 폴 벌린은 눈이 아렸다. 그는 눈을 깜빡깜빡하며 말을 꺼내려고 했지만 그러지 못했다.

더 이상의 말은 없었다. 중위는 폴 벌린의 팔을 탁 치고 잠시 붙잡았다가 눈길을 돌렸다. 끝난 것이었다. 그들이 정원을 떠나는 내내 삐걱거리는 소리만 들렸다.

안에서 닥이 다른 이들에게 상황을 설명했다.

"딱해," 그가 말했다. "아파, 아픈 사람이야. 진짜로 딱해."

오스카 존슨이 어깨를 으쓱했다. 그는 선글라스를 벗어 광이 나게 닦고는 호주머니에 끼웠다. 그는 여전히 씩 웃고 있었다.

"뭐가 웃겨?"

"부상당했잖아," 오스카가 말했다.

"어?"

"부상당했다고. 늙은이 말이야, 말하자면 보행 가능한 부상자잖아, 안 그래?"

닥은 눈을 들었다. 그러고는 웃음을 지었다.

"그럼 그려져?" 오스카가 말했다. "부상자를 두고 가는 법은 없어. 있을 수 없는 일이지."

어둠이 내리자 그들은 살금살금 정원으로 기어들었다. 졸리 찬드는 자리에 없었다. 중위는 철제 탁자에 머리를 박고 깊은 잠에 빠져 있었다. 코냑병은 비어 있었다. 오스카와 에디가 다리를 맡았다. 스팅크와 폴 벌린은 팔을 맡았다. 닥 페럿은 문을 열었다. 그들은 늙은이를 택시에 싣고 운전사에게 50루피를 건넨 뒤 서두르자고 말했다.

스물일곱.
상상의 나래

더 새것에다 더 빠른 열차였다. 객차는 그들의 독차지였다. 내려진 창문과 빠르게 불어드는 밤공기와 석탄 연기 냄새와 또다시 느껴지는 움직임, 속도를 내기 좋은 평지를 지나고 캄캄하고 우아한 계곡을 지나고 더 높고 더 추운 지역을 지나고 산에 들어서고 편자브와 페샤와르와 카불을 지나다 끝내 카불을 지나치게 될 빠른 움직임 속에서 그들은 좌석과 통로에 판초를 펼치고 푹 곯아떨어졌다. 해가 떴다. 산은 붉게 물들다 하얘지더니 그 뒤 여러 빛깔이 뒤섞였다. 열차는 계속 오르막을 달렸다.

산에는 눈이 내려 있었다. 눈 덮인 낭떠러지. 중위는 눈을 비비고 눈을 가만히 바라보다 포악하게 고개를 흔들었다.

"어디야?" 그는 자꾸 되물었다. "내가 대체 어디야?"

늙은이는 판초를 팽개치더니 폴 몰 담배를 한 대 톡톡 두드려 꺼내 불을 붙이고 다시 물었다. "여기 어디야?" 그러고 나서 그는 한숨을 지었다. 그는 담배를 태우며 고원들이 달려드는 모습을, 암담하고 바람 부는 11월의 시골을 가만히 내다보았다. 먼 산들은 눈을 뒤집어썼고 눈은 영구적인 듯 보였으며 바람은 강하게 공간을 채웠다.

"납치," 중위는 말했다. "그거로군."

달아나다, 날아가다, 날아갔다, 달아났다*…… 고지대를 내려갔다 올라갔다, 열차의 궤도를 감추는 눈보라를 헤치며 돌진. 산, 눈을 붙들어 잡은 오래되고 건장한 산들이 골짜기에서 갑자기 치솟았다.

달아나다, 날아가다, 날아갔다, 폴 벌린은 열차의 엄청난 견인력을 체감하며 생각했다.

휑한 바위투성이 지역이었다. 염소 몇 마리, 돌담 옆에 꼿꼿하게 서 있는 낙타 한 마리, 얼음덩어리가 흐르는 강.

레이크 컨트리 같아, 폴 벌린은 생각했다. 세계 제일의 레이크 컨트리.

그는 그 생각에 빠지고 싶지 않았다. 산 높은 곳, 그들은 끝내 전투지까지 행군했었다. 붉은 길을 끊임없이 올라 더 높은 산으로 그는 걸음을 멈추지 않았고, 멈출 수 없었고, 그러다 자기가 잘 싸우지 못할 줄 진작부터 알았던 그 전투에 발을 들였다. 그러고 그는 잘 싸우지 못했다. 감추었던 가벼운 공황 발작으로 경련, 전쟁 중의 유일한 대규모 전투에서 피신, 거기 그대로 누울 수밖에 없었던 그는 아수라장 속에서 숨을 죽인 채 근육을 씰룩씰룩, 손가락을 씰룩씰룩, 조개처럼 두 다리를 배까지 끌어당겼지만 폭격기가 날아와 산을 폭격하자 그 다리마저 경련을 일으켰다. 폭격기들은 몇 시간 동안 계

---

* 원문은 Flee, fly, flew, fled로 아이들이 수련회 등에서 부르는 〈Flee Fly Flo〉라는 말장난 노래의 가사.

속 날아들었다. 산들이 불탔다. 바위가 불탔다. 그러고 나서 시드니 마틴은 일어나 전진하라고 외쳤다. 레디 믹스는 총에 맞았다 — 아무도 본명을 모르는 레디 믹스. 그들은 계속 전진했다. 산은 탈취되었다. 그들은 산에서 사망자들을 발견했다. 그들은 사망자로 가득한 폭격 구덩이를 발견했다 — 대개 불타버린 데다 끔찍한 악취가 나는, 말라빠진 왜소한 남자들이었다. 아무런 움직임이 없었다. 시체는 무더기로 쌓여 있었고 그중 일부는 여전히 무릎을 꿇고 제 총에 엎드려 있었다. 엄청난 고요가 내렸다. 그래서 그들은 사망자들 사이에서 밤을 보내고 아침이 되어서야 시신의 숫자를 셌는데 시신은 더러 머리 개수로만 헤아릴 수 있었다. 그들은 전리품인 무기와 군수품 상자와 의약품의 숫자를 셌다. 폴 벌린은 바보 같은 경련을 멈추지 못했다. 그러고 나서 아침 느지막이 비가 내렸다. 구덩이들에 회색 물이 차올랐다. 비는 그날 오후도 그다음 날도 내렸다. 여전히 비가 내리던 다다음 날 구덩이의 물은 최고치에 달했고 사망자들의 새카만, 이제는 부풀어 오른 시신은 수면에서 까닥거렸다. 닥 페럿이 그것을 레이크 컨트리라 이름 붙인 건 그때였다. "세계 제일의 레이크 컨트리," 닥은 말했다. 그들은 까닥거리는 사망자들을 끄집어낸 다음 헬기가 싣고 가도록 그물에 쌓아 올렸다. 그들은 시드니 마틴의 명령으로 땅굴과 참호를 수색했고 참호에서 더 많은 사망자를 발견했다. 그들은 부상자들이 간이침대에 죽어 누워 있는 병원의 잔해와 수통을 발견했고 불탄 살점과 오렌지 껍질과 철모를 발견했다. 소탕 작전 내내 비는 끊임없이 내렸다. "레이크 컨트리," 닥이 버릇처럼 내뱉은 말은 곧 유행으로 번져 다른 이들도 그것을 레이크 컨트리라 부르기 시작했다. 그들은 전체가 하나로 이어진, 산속 암석층 깊숙이 뚫린 더 많은 땅굴을 발견했는데 그때마다 시드니 마틴은 샅샅이 수색할 것을 요구했다. 오스카 존슨이 해결책을 진지하게 입에 올리기 시작한 것은 거기, 레이크 컨트리에서였다.

달아나다, 날아가다, 날아갔다…… 화강암 지대를 내려갔다 올라갔다, 열차는 그들을 싣고 아프가니스탄 중부를 가로질렀는데 그곳은 굵고 부지런한 강줄기들이 뻗어 있는 데다 이제는 겨울, 그것도 한겨울이었고, 일등칸은 사내들의 열기와 먼지투성이 기계의 열기로 푹푹 찌는 냄새가 났고, 그들은 카드놀이를 하고 잠을 자고 날개처럼 펼쳐지는 낯선 이국을 구경했다.

"어딥니까?" 늙은 중위가 물었다.
"오비썰이우," 그들을 그날 밤 제 돌집에서 재워줄 마을 이장이 말했다.
"어디요?"
"오비썰," 이장은 중위나 오스카나 에디가 마을 이름을 발음하려고 애쓸 때마다 웃음을 터뜨리며 말했다. "혀를 이렇게 ── 오비썰."
전방의 궤도를 보수하는 동안 그들은 이장의 따뜻한 돌집에서 밤을 묵었다. 펑퍼짐한 엉덩이에 씩씩한 여자인 그의 아내가 양고기찌개와 비스킷과 우유를 가져다주었다. 나중에 그들은 거대한 벽난로에서 불이 춤추는 모습을 지켜보며 바람 소리에 귀를 기울였다, 눈보라가 밤새 사나웠다. 눈이 창문 높이까지 쌓였다. 땅은 차갑게 얼어붙었지만 이장의 집은 온기가 있었다. 그는 거구에다가 콧수염을 턱까지 늘어뜨리고 있었다. 머리카락은 검정색이었다. 그는 역사이야기꾼이었다. "나는 역사 이야기만 하지," 그는 말했다. "미래에 관한 이야기는 절대 안 해요. 점을 치는 건 미치광이들이랑 늙은 여자들 몫이거든. 역사는 그보다 강력한 과학인데, 신성모독 같은 악덕은 없고 확실성의 미덕만 있기 때문이우. 오직 신만이 미래를 말해요. 오직 신만이 역사를 만들고."

눈보라가 울부짖는 동안 오비씰의 이장은 파이프 담배를 피우며 역사 이야기를 했다. 그는 자신의 역사, 그러고 아내의 역사, 그러고 중위의 역사를 이야기에 올렸다. 그는 중위가 한때 대위라는 고위 장교까지 올라갔던 일, 향락과 대수롭잖은 불운 탓에 모든 게 끝장나버린 일에 관해 풀이를 하더니 신의 의지는 언제나 인간의 의지보다 강하다고 이야기했다. "우리는 우리의 삶을 살 수는 있지만," 그는 말했다. "마구간에 묶인 말과 마찬가지로 삶을 훠이 내쫓지는 못해요."

나중에 다른 이들이 잠들자 폴 벌린은 제 역사도 풀이해달라고 이장에게 부탁했다. 하지만 이장은 웃음을 지으며 고개를 가로저었다. "자네는 어려," 그는 말했다. "자네 스스로 진짜 역사가 이루어질 만한 시간을 보내고 와. 난 아직 이루어지지 않은 역사에 관해서는 말할 수가 없거든."

"저 그렇게 어리지 않아요."

이장은 폴 벌린의 팔을 꼭 잡았다. "10년 뒤에 와. 그땐 자네도 제법 이야기할 만한 역사를 가졌을 테니까."

그들은 숫양 가죽을 덮고 잤다.

아침이 되자 오비씰의 이장은 그들을 열차까지 바래다주었다. "여행 잘들 하시우," 그는 말했다. "무사히 다니시고, 신의 은총을 빌어요."

그는 중위에게 말린 양고기 한 봉지를 내밀었다. 그는 늙은이의 두 뺨에 입을 맞추고 악수를 한 다음 끌어안았다. 그의 눈에는 눈물이 맺혀 있었다.

그러고 나서 그들은 열차에 올랐다. 바깥에서는 장화에 털 코트에 캡 모자를 걸친 오비쎌의 이장이 손을 흔들며 웃음을 짓다가 열차가 그들을 데리고 멀어지자 울음을 터뜨렸다.

스물여덟.
관측소

그는 정말로 역사를 가지고 있었다.

그의 아버지는 집들을 지었고 어머니는 정원에 독한 술을 묻어두었다. 그는 여름에 야구를 한 적이 있었다. 아버지와 카누를 타러 간 적이 있었다. 위스콘신 숲의 인디언 길잡이 프로그램에서 길을 잃은 적이 있었다. 주일학교와 주간 야영. 성실한 학생. 글씨 쓰기와 역사와 지리에서 받은 높은 점수. 세부적인 데 깐깐한 사람. 그는 디모인 강에 바위들을 집어 던지면서 이것이 언젠가 물길을 틀 거라는 공상에 빠진 적이 있었고, 바위들이 어떻게 쌓여 새로운 흐름과 굽이를 만들어낼지, 작은 원인이 얼마나 큰 결과를 초래할지 상상해본 적이 있었다. 그는 언젠가 부자가 되어 세계 여행을 떠날지 모른다는 공상을 한 적이 있었고, 자기가 결코 목격한 적 없는 것들에 대한 추억을 공상한 적도 있었다. 몽상가, 선생님들은 통지표에 그렇게 적었다 —— 멋쩍고 수줍고 내향적이지만 이런 성격은 나이가 들면 잦아들 겁니다. 고등학교 시절, 루이즈 위어츠마가 여자 친구가 될 뻔한 적이 있었다. 그는 그녀를 영화관에 데려갔고, 나중에 둘은 이런저런 의미 있는 대화를 나누었고, 나중에 그는 그녀에게 키스하는 시늉을 했다. 그는 고등학교를 졸업한 적이 있었다. 센터빌 주니어 칼리지에 입학해 28학점을 이수한 다음 관둔 적이 있었다. 아버지와 여름내 집들을 지은 적이 있었다. 튼튼하고 빈틈없는 집들이었다. 고된 노동, 태양, 손안의 나무 감촉, 망치, 들고 때리고 기다리던 일. 아버지의 셰비에 올라 팔을 창밖으로 내밀고 담배를 물고 여자아이들을 바라보며 메인가(街)를 거슬러 달리다 멈춰서는 루트비어 한 잔, 그러고 나서 집으로. 그는 스무 살에 군인이 된 적이 있었다.

아무렴, 그는 역사를 가지고 있었다.

스물아홉.
파리로 가는 길의 참상

    그들은 테헤란에서 촌스러운 하숙집에 방을 잡았다. 색 바랜 양탄자에 깃털 담요 그리고 벽에는 당나귀와 낙타 그림 벽지를 바른 조용한 곳이었다. 방들은 깨끗했고 그것이 중위에게 설사병을 또 한 바탕 견딜 틈을 주었다.

    거기서 그들은 크리스마스를 기념했다. 닥과 에디는 휴게실에 색색의 전구를 매달았다. 사르낀 아웅 완은 스팅크가 에그노그*를 끓이는 동안 초를 만들었다. 그리고 크리스마스이브, 어둠의 엄호로 왕립 기념 정원에 몰래 기어든 그들은 바늘잎이 기다란 괜찮은 가문비나무를 찍어 넘긴 뒤 에디의 판초에 누이고는 그것을 시신처럼 들고 도시의 오래된 거리를 누볐다. 그들은 나무 옆에서 그날 밤을 보냈다. 술을 마시고 어색한 내용의 대화를 나누면서 그들은 가문비나무를 훈장과 노끈과 수류탄과 초로 장식했다. 나중에 그들은 캐럴 몇 곡을 불러보았고, 그리고 나서는 오스카의 마지막 남은 귀한 마리화나를 피웠다. 그날은 조용히 끝났다. 중위는 휴게실 바닥에 뻗었다. 사르낀 아웅 완은 침대로 올라갔다. 스틱크와 에디와 오스카는 새벽까지 주사위를 굴리며 도박을 했다. 뭐 어때, 폴 벌린은 생각했다. 그곳은 불신자들의 땅이었다.

늙은이의 병은 새해 첫날과 1월 내내 지속되었다. 그는 침대에 눕거나 담요를 두르고 창가에 앉아 먹지도 말하지도 않고 웅크리기만 한 채 하루를 흘려보내곤 했다. 델리 이후로 죽 그랬다. 윤기 어린 눈에 환각 증세. 그는 제 몸을 꼭 안고 바들바들 떨며 서리로 뒤덮인 거리를 장님처럼 가만히 내다보았다. 가끔은 기억 속에서 무언가를 낚아챈 듯 고음에다 움푹 꺼진 목소리로 박자를 타가며 오래된 행진가를 부르기 시작했다. 그 모습이 모두를 걱정시켰다.

"두개골이 반쯤 열린 거야," 닥이 말했다. "전에도 본 적 있어……열 때문에 저 남자 머리가 푹 익었었지."

"그렇게 안 좋아?"

닥은 어깨를 으쓱했다. "좋지 않아. 스크램블드에그랑 해시 브라운처럼 푹 익은 거야. 전에도 본 적 있어, 진짜야, 그래도 이번처럼은 아니었어, 이렇게 나쁘진 않았어."

폴 벌린은 휴게실 창문 앞 의자에 조용히 앉아 있는 늙은이를 슬쩍 건너다보았다. 사르낀 아웅 완이 그에게 수프를 먹이는 중이었다.

"의사를 불러야 할 것 같아. 만약에 ── "

"아니," 닥이 말했다. "의사는 소대장의 병 못 고쳐. 페니실린 맞는다고 나을 병이 아니야."

---

*   맥주나 포도주 등에 달걀과 우유를 섞은 술.

"그럼?"

닥은 고개를 가로젓더니 안경을 벗어 소맷자락으로 문질렀다.

"노스탤지어야 —— 근본적인 병이지, 의사가 고쳤다는 소리 한 번도 들어본 적 없어."

"향수?"

"바로 그거야. 늙은이는 중증이야. 노스탤지어, 그 말은 그리스어에서 온 거야. 내가 조사해봤어. 그리스어에서 직접 유래했어. 알고스(Algos)는 고통이란 뜻이야. 노토스(Notos)는 집으로 돌아간다는 뜻이고. 노스탤지어는 그러니까 집으로 돌아가는 고통인 거지. 집 생각을 하는 데서 통증이 따르는 거야. 내 말 알겠어? 늙은이의 근본적인 질환은 향수병이라고. 빌어먹을 전쟁이랑 군대랑 직업군인 인생에 노스탤지어가 웬 말인지. 설사병, 열, 그건 그냥 진짜 질병의 증상일 뿐이야."

"그럼 우리가 할 일은?"

"시간이지," 닥이 말했다. 그는 안경을 꼈다. "노스탤지어에는 그게 유일한 해독제야. 그냥 저 남자한테 시간을 주자고."

그래서 그들은 테헤란에서 병이 가시기를 기다리느라 가속도를 붙이지 못하고 새해를 흘려보냈다. 그들은 평소처럼 카차토를 수소문하고 호텔들을 확인하고 열차와 버스 정류장에서 눈을 떼지 않았다. 하지만 카차토의 흔적은 전혀 없었고 날씨는 관광을 하기에 너무 추웠다. 서커스 구경 한 번과 주말 당일치기 시외 나들이 한 번을 빼면 그들은 하숙집과 거리를 두지 않았다. 낮은 회색빛이었고 밤은 끝나지 않는 듯했다. 대원들은 다음으로 넘어가야 한다고 점점 더 자주 이야기를 나누었다. 평온함을 즐기던 폴 벌린조차 행동을 간절히 바라고 있었다.

　그러다 그들은 체포되었다.

　참수 후 불과 몇 분 만에 벌어진 일이었다.

　온화한 겨울 오후였다. 그들은 중위를 따뜻하게 입혀 도시의 좁은 거리로 데려갔다 —— 산책이라고, 늙은이가 폐를 신선한 공기로 채울 때라고 닥은 말했다. 그러다 그 일이 벌어졌다. 그들은 아치 길을 가로지른 다음 높은 연단 주위로 군중이 우글우글한 넓은 벽돌 광장에 들어섰다. 소음이 격렬했다. 사람들은 앞으로 자꾸 밀치고 있었다.

　스팅크는 팔꿈치를 써가며 밧줄 친 연단 바로 아래 구역으로 그들을 이끌었다. 그들은 거기 멈추었다.

　"장관이군," 닥이 말했다. "문명이 낳은 진정한 장관 중 하나지."

　"뭔데?"

　"뭐긴, 구경거리지. 저거 봐."

　단상 뒤쪽에 색색의 현수막과 국기가 파티 장식처럼 걸려 있었다. 깃발 아래에는 열두 명의 군 장교가 나란히 늘어선 엄숙한 가죽 의자에 앉아 있었다. 장교들은 훈장과 끈목과 휘장이 달린 정복을 입고 있었다. 그중 몇몇은 웃으면서 군중 속 사람들에게 손을 흔들었다.

　"미어터지네," 닥이 중얼거렸다. "기를 쓰고 버둥거려도 꼼짝을 못 하겠어."

　"그러게."

　"저 사람들 봐." 닥은 셰리를 홀짝이며 담배를 피우는 두 장교를 가리켰다. "VIP 자리야. 베트남에 가져가서 입장권 팔아야 되는데. 한번 해봐, 여기서 꼼짝이나 할 수 있을까 모르겠지만."

소음은 엄청났다. 흰색 반바지에 샌들을 신은 조그만 남자아이가 더 잘 보겠다고 자꾸 앞을 밀치는 군중 속에서 엎어져 잠시 모습을 감추었다. 누군가 소리를 질렀다. 그러자 남자아이는 다시 거기 서 있었다. 한 여자가 아이의 귀를 붙잡고 끌고 가자 사람들은 웃음을 터뜨리며 박수를 쳤고, 그러자 여자는 주먹을 흔들어 보였다. 사방이 온통 시끌벅적한 소음이었다.

연단 저편에서는 경찰들이 곤봉을 사용해 사나운 무리 사이로 통로를 트고 있었다. 그들이 거칠게 때려가며 꾸역꾸역 길을 터도 군중은 또다시 불어나 통로를 막았고, 그러면 경찰은 고함을 치며 더더욱 거칠게 때렸다. 연단 위의 군 장교들은 여기에 신경 쓰지 않았다. 그들은 저희 의자에 앉아 농담을 나누며 셰리를 홀짝거렸다.

"온다," 닥이 말했다.

그는 연단 뒤에 멈춘 경찰 승합차를 가리켰다. 승합차는 한 번에 몇 미터씩 살금살금 나아갔다. 승합차의 사이렌이 울부짖고 경찰 한 반이 도보로 이동하며 지나갈 길을 정리해도 별 차이 없었다. 군중은 즉각 승합차를 에워쌌다. 사내들은 흙받기와 발판에 올라타고 있었다. 다른 이들은 후드와 뒤 범퍼를 우르르 덮었다. 그러는 내내 광장 뒤쪽의 확성기에서는 군악이 요란하게 울려 퍼졌다.

"보여?" 닥이 말했다. "내가 뭐랬어? 진짜 장관이랬지?"

"그러게."

"문명이 바치는 가장 숭고한 제물 중 하나."

중위는 이제 바닥에 앉아 있었다. 그의 머리는 두 손안에 있었다.

그는 음악 소리대로 흔들흔들하고 있었다.

승합차가 밧줄이 쳐진 구역에 다다르자 더 많은 경찰이 몰려와 연단까지 쐐기 대형을 이루었다. 군중은 조용해졌다. 두근두근 낄낄거리는 소리들이 들렸고 멀리서 한 차례 고성이 났다. 군악은 멈추었다.

얼마간 완전한 정적이 깔렸다. 그러다 승합차의 문이 열렸고 단신에 수척하다시피 한 스무 살가량의 젊은이가 걸어 나왔다. 그의 손목은 뒤로 묶여 있었다.

곁에 있는 군인에게 말없이 고개만 한 번 끄덕인 그 아이는 군중을 지나쳐 제 힘으로 연단에 올라갔다. 겁을 먹었는지 안 먹었는지 내색이 없었다. 그의 눈은 흔들림이 없었다. 그는 고개와 척추를 똑바로 유지했다. 연단에 다 오른 그는 국기와 현수막을 근처에 배경으로 두고 겸손하게 섰다. 그는 군인 하나가 손목을 풀어주러 오자 웃음을 지었다.

"잘 봐둬," 닥이 말했다. 그는 폴 벌린의 어깨를 만졌다. "네 파리 원정이 이렇게 훌륭해, 가는 길에 온갖 멋진 장관이 펼쳐지잖아. 문명이지. 이 엿 같은 걸 **잘 봐둬.**"

"그냥 가자," 폴 벌린은 조용히 말했다.

"아이, 안 돼. 안 돼, 네가 이걸 **잘 봐두면** 좋겠어. 집중해, 아주 세부적인 것까지 하나도 빼먹지 말고."

그래서 폴 벌린은 호리호리하고 공손한 그 아이가 연단 앞 의자로 끌려가는 모습을 지켜보았다. 군중은 변함없이 고요했지만 이제 고요함에는 소음이, 조용조용 웅성거리는 소리가 배어 있었다. 군인 두 명이 의자 양옆에서 젊은이를 지켰다. 약간의 지체 후 또 다른 군인이 연단에 올랐다. 그는 커다란 흰 수건과 여러 은색 도구가 담긴 쟁반을 날랐다. 환한 겨울 햇살에 도구들이 반짝거렸다. 이 모습에 군중은 꼼지락꼼지락 앞을 밀기 시작했다. 소음은 점점 커졌다. 뒤쪽 어디선가 남자 하나가 휘파람을 불고는 군중이 킥킥거릴 만한 말을 외쳤다.

세 번째 군인은 순식간에, 전문 기술임이 드러나는 날렵한 동작으로 그 아이의 어깨에 흰 수건을 두르고 집게로 고정한 다음 쟁반에서 도구 하나를 골랐다.

"빌어먹을," 에디가 속삭였다. 그는 눈길을 돌렸다가 다시 쳐다보았다.

"뭔데 그래?"

"아닙니다. 가서 주무세요."

"뭔데?"

"면도칼이요," 닥이 말했다. "제가 보기엔 면도칼이네요."

군중은 이제 박수를 치고 있었다. 거의 정중함이 묻어나는 별난 소리였다. 군인이 쟁반에 놓인 얕은 사발에 주기적으로 담갔다 뺀 솔로 아이의 목에 비누 거품을 바르기 시작하자 박수는 멎었다. 젊은이는 아무런 말도 하지 않았다. 그의 눈은 뜨여 있었다. 그는 그 군인에게 편한 각도가 되도록 몸을 수그렸다. 군중은 이에 박수를 보냈다. 군인은 흐트러짐 없이, 전문가다운 확실한 손놀림으로 그 아이의 목이며 머리통 아래 비좁은 부분을 면도했다. 그러는 데 걸린 시간은 단 1분이었다. 이후 군인은 몸을 숙여 인사한 뒤 젊은이에게 깨끗한 수건을 건넸고 젊은이는 웃음을 지으며 그걸로 남은 비누 거품을 닦았다.

"저 새끼한테 팁 줘야지," 스팅크가 말했다. "왜 저놈한테 팁 안 주는 거야?"

확성기가 군악을 연주했다. 연단 뒤쪽에 앉은 장교들은 한 사람씩 일어나 아이에게 가서 두 뺨에 입을 맞추고는 뒤로 물러나 경례를 하고 자리로 돌아갔다. 당번병이 셰리를 더 따랐다. 이후 두 번의 연설, 그 뒤 더 많은 음악이 있었고 아이는 마치 낯익은 얼굴을 찾듯 군중을 건너다보며 식순이 끝나도록 참을성 있게 기다렸다. 그는 맨정신인데도 겁먹지 않은 표정이었다.

날씨는 이제 더 쌀쌀해진 듯했다. 바람은 없었고 국기와 깃발은 연단 뒤쪽에 미동 없이 걸려 있었다.

폴 벌린은 침착해지려고 애썼다. 집중, 그게 답이었다 —— 세부적인 것을 기억하고 훗날 이해할 수 있게 저장해.

닥이 팔꿈치로 그를 찔렀다.

아이가 연단을 가로질러 무거운 나무로 된 단두대로 끌려가는 중이었다. 그는 장교 하나가 짧은 진술문을 읽는 동안 부동자세로 서 있었다. 세부적인 것, 폴 벌린은 계속 생각했다. 그는 자세히 지켜보았다. 아이의 코에 파리 한 마리가 앉아 있었다. 한겨울이었지만, 그렇다, 파리였다. 소년은 자꾸 머리를 흔들고 입김을 불어 쫓으려고 했지만 파리는 철석같이 붙어 있었다. 그의 발언이 시작되었다. 젊은이는 고개를 획획 저어 파리를 떨치려 했지만 두 군인이 양쪽에서 팔을 잡고 있었다.

"제발," 폴 벌린은 속삭였다. 그러다 크게 외치고 있었다. "저 파리, 누가 좀 ——"

하지만 아이의 머리는 이미 눌리고 있었다. 그는 혀를 날름거리며 잠시 몸부림쳤고 눈에 눈물이 고여 있었다. 그것은 두려움이 아니었다. 수치심이었다. 젊은이는 나무 단두대의 둥글게 파인 홈 안에 목이 눌린 채 파리를 쫓고자 필사적으로 머리를 흔들다 이제는 파르르 떨었다. 그는 한 차례 마른침을 삼켰다. 그러고 눈을 껌뻑거렸다. 그의 신경은 온통 파리에 쏠려 있었다. 그는 복면을 뒤집어쓴 망나니가 앞으로 걸어 나와도 올려다보지 않았다.

아이의 혀가 여전히 코 쪽을 날름거릴 때 일은 끝났다.

단두대 밑에 바구니는 없었다.

세부적인 것, 폴 벌린은 생각했다. 마음에 걸리는 자잘한 것들. 보푸라기 한 올 두 올, 붉은 진흙 부스러기, 타는 듯한 색을 발하는 단풍 속의 열매 송이, 수치심으로 두려움을 억누른, 축축이 배어나는 감정.

젖은 눈, 날름 내민 혀, 젊은이의 머리는 묵직하게 떨어졌다.

"장관이군," 닥이 속삭였다.

군중은 박수를 쳤다. 그러고 음악이 연주되었다. 그러자 군 장교들은 경례를 하고 연단을 하나둘 떠나기 시작했다.

폴 벌린은 우아하고 섬세한 곡선을 이룬 아이의 코를 따라 파리가 맴도는 모습을 지켜보았다.

그 뒤 아직 춥고 볕이 쨍한 오후, 오스카는 군중을 헤치고 그들을 광장 저편의 선술집으로 이끌었다. 다들 큰 몸짓과 재연으로 처형에 관해 논하느라 술집은 시끌시끌하고 북적거렸다.

그들은 창문가에 자리를 잡고 마실 걸 주문했다.

"자, 결국 보고 말았군," 닥은 한숨을 지었다. "자국의 안정, 평화 유지. 마땅한 대접이지, 안 그래?"

오스카 존슨은 땀이 배어 있었다. 그는 냅킨으로 얼굴을 문지르고 선글라스를 닦았다. 그의 뒤에서는 사내 하나가 코를 씰룩거리는 익살맞은 동작을 하고 있었다. 다른 사내들은 웃고 있었다.

"마땅한 대접 아니었어, 오스카?"

"대가를 치른 거지," 오스카가 말했다. 그의 이마는 여전히 촉촉하게 광이 났다. "때로는 대가가 따르는 법이야."

"아마 살인자일걸," 스팅크 해리스가 말했다. "내가 볼 땐 뻔해. 걔 눈 봤지 —— 리처드 위드마크*랑 똑같잖아. 진짜 부리부리한 눈."

"그는 파란 눈이잖아, 젠장."

"누가?"

"위드마크. 위드마크는 파란 눈이야. 그 남자애 —— 걔는 갈색 눈이고."

"살인자 맞아," 스팅크가 말했다. "내기하자. 내기 어때, 닥?"

"싫어, 술이나 마실래."

"그럼 술이나 마시자."

"장관이었어, 암. 내가 장관일 거라고 했잖아, 내 말 맞지?"

중위의 얼굴은 오래된 클리넥스 휴지처럼 쭈글쭈글했다. 그는 술을 마시지 않았다. 그는 광장을 마주하고 앉아 연단이 있는 곳을 내다보았다. 군중은 이제 거의 가고 없었다.

그들은 해 질 무렵까지 술을 마셨고, 그런 다음 술집에서 일어나 광장이며 여기저기 은행과 관공서가 즐비한, 자갈 깔린 좁은 거리를 지나 숙소로 걸었다. 그들은 술에 취해 있었다. 그들의 노랫소리가

---

*   Richard Widmark. 미국 배우.

건물들에 반사되었다. "조개," 스팅크 해리스가 노래를 불렀다. 그는 저녁 식사로 조개를 원했고, 그래서 다 같이 조개를 찾아다녔으나 조개는커녕 체포되었다.

또 한 번 예고 없는 일이었다.

오스카는 에디를 탓했고 에디는 자꾸 조개를 고집한 스팅크를 탓했다.

"좆같은 **조개**," 에디가 경찰 본부로 실려 가면서 말했다. "네가 자꾸 조개 찾았잖아. 아니야? 네가 조개를 원했고, 그래서 내가 어디 가야 조개가 있는지 물어봤잖아."

"하필 **경찰**한테."

"그럼 누구한테 물어봐? 사람이 길을 모르면 경찰한테 물어보지. 난 그랬을 뿐이야, 그냥 물어만 봤다고."

경찰 본부에 도착한 그들은 작은 대합실로 끌려갔다. 창살 쳐진 창문이 커튼에 일부 가려 있었다. 가구는 천으로 덮여 있었고 새 카펫들이 무더기로 쌓여 있었다. 방에서 생선 냄새가 어렴풋이 풍겼다. "조개네," 에디가 투덜거렸다.

10분을 기다리자 단정한 콧수염에 피부가 짙게 그은 장신의 수척한 사내가 방으로 들어왔다. 그는 중위와 악수를 나누고는 정중하게 웃으며 그들에게 앉으라고 청했다.

자기는 파히 랄론, 왕실 보병 연대(His Majesty's Royal Fusiliers) 대위라고 그는 말했다. 군인 신분인 그는 사바크*와의 임시 협업을 위해 최근 파견된 참이었다.

"어디요?" 오스카가 말했다.

그 장교는 또다시 웃음을 지었다. 그의 이는 담배로 착색돼 있었다.

"사바크요," 그가 말했다. "그걸…… 당신들은 뭐라고 부릅니까? 국내 안보요. 쿠르드족을 잡아 죽이는 게 편한 사람한테는 끔찍한 임무죠."

"그렇겠죠," 오스카가 말했다. "언제나 그게 더 재밌잖아요, 안 그래요?"

차와 샌드위치를 가져오라고 당번병을 보낸 대위는 파이프를 꺼내어 가죽 쌈지에 든 담배를 꾹꾹 눌러 담고 성냥을 그었다. 그는 시작하기가 난처하다는 태도로 그들의 테헤란 체류에 관해 정중히 취조했다. 강가에 있는 사랑스러운 이슬람 사원에 가보았는가? 박물관은? 아람코** 연구소는? 뭘 찾아다닐지 아는 사람한테는 훌륭한 도시라고 그는 말했다.

"전부," 오스카가 말했다. "전부 다 봤어요."

대위는 고개를 끄덕였다. "반가운 말씀이군요. 그럼 당신들은 관광객이네요."

그것은 질문이 아니라 진술인데도 사내는 한동안 말을 멈추고 파이프를 살폈다. 그러더니 그는 또다시 웃음을 지으며 여자들 자세로 다리를 꼬았다.

"관광객이라," 그는 말했다. "그렇다면 테헤란은 볼 게 많죠. 산도

그래요. 커다란 코펫다그* 숫양을 사냥하고 싶다면 말이죠. 이 양 사냥하십니까?"

"아니요," 닥이 말했다.

"그럼 관광만?"

"바로 그겁니다," 닥이 말했다. "경치만 보러 다녀요."

대위의 파이프는 불이 사그라든 채였다. 그는 안달을 하며 그걸 내려놓고 담배에 불을 붙였다. "하긴 그게 더 낫겠군요. 커다란 숫양인데 그놈이 엄청 빨라요. 지금은 몇 마리 되지도 않고 크지도 않죠. 그러니까, 네, 숫양 사냥은 관두는 게 낫겠어요." 그는 변명하듯 고개를 가로흔들었다. "그럼 명백한 오해군요. 당신들은 관광만 하고 있으니. 제가 이 사항을 경사한테 전달하겠습니다."

"누구요?"

"울람 경사 말입니다, 체포한 경찰이요. 제가 지금 경사한테 가서 미쳤느냐고 말하죠. 그는 당신들이 아마 군인일 거다, 여권 없는 미국 군인일 거다 믿고 있던데, 제가 지금 가서 당신들은 관광 중일 뿐이라고 말하죠. 너 미쳤느냐고 하겠습니다, 아시겠죠?"

"그 사람 돌았네요," 닥이 말했다.

"돌았다!" 랄론 대위는 두 다리를 찰싹 쳤다. "아주 좋은 단어입니다 ── 돌았다!" 그는 웃음을 터뜨리더니 콜록콜록하다 또 한 번 다리를 찰싹 쳤다.

그러더니 그는 닥 페럿을 보며 웃음을 지었다. "자, 그럼 당신들 여권을 살펴봐도 꼴사나운 잘못은 아니겠지요? 기분을 해치고 싶진 않습니다만 규칙이 ──"

"그럴 리가요," 닥이 말했다.

"한결 마음이 놓이네요."

"일말의 잘못도 아닙니다." 닥은 근엄하게 말했다. "그러기는커녕, 대위님, 저희 여권을 보여드리다니 더없을 영광입니다."

"얼마나 기쁜 말씀인지 이루 말할 수가 없네요."

"이하동문입니다."

장교는 그들 하나하나에게 웃음을 지어 보였다. "규칙이 너무 많아요, 아시겠지만. 이 규칙 저 규칙."

"그러게 말이에요."

"자. 제게 여권을 보여주시겠습니까?"

"꼭 그래야 되나요?"

"안타깝게도요."

닥도 그에게 웃음을 지어 보였다. "안타까움을 나눠야겠습니다. 왜냐하면, 아시겠지만, 여권을 보여드리기가 불가능해서요."

"불가능이요?"

"유감스럽게도요," 닥은 한숨을 쉬었다. 그는 눈을 감고 있는 중위를 힐끗 건너다보았다. "현재는, 걱정스러운 일인데, 저희한테 여권이 없습니다. 그렇지 않았다면 기꺼이 내드렸을 텐데요. 영광이 멀어졌네요."

파히 랄론 대위는 웃음을 거두지 않았다. 그는 담뱃재를 뚫어지게 쳐다보다가 윗입술에 묻은 담배 부스러기를 핥았다.

"여권이 없으시다?"

"유감스럽게도요."

---

*   Kopet Dagh. 이란과 투르크메니스탄 접경에 있는 황량한 산맥.

사내는 고심에 빠져 고개를 끄덕였다. "알겠습니다. **전부** 없으시다 이거죠?"

"그게 바로," 닥은 정중하게 말했다. "유감스러운 일입니다."

"네, 알겠습니다."

닥은 목을 가다듬었다. 말할 때 그의 목소리는 믿음이 갔다. "진상을 말씀드리면 저희는…… 뭐라 표현해야 할까요…… 저희는 어떤 군사규정 아래 이동 중입니다. 상호 군사 이동 조약이요. 따라서 여권은 불필요하죠."

"아," 대위가 말했다. "그럼 **지금** 군인이신가요?"

"관광 중인 군인이죠."

"그런가요?"

"그럼요," 닥은 말했다. 그의 어조는 대단한 비밀을 털어놓듯 은밀했다. "관광 중인 군인, 돌아다니는 군인이요. 그 점에서는 그러니까, 엄밀히 말해 군인은 아닌 거죠. 차이가 큽니다."

"그러므로 여권은 불필요하다? 제가 이해한 게 맞나요?"

"완벽합니다," 닥이 말했다.

"하지만 당신들은 군인이고요?"

"일종의 군인이요."

"휴가 중인 군인?"

닥은 어깨를 으쓱했다. "꽤 비슷합니다. 관광 중인 군인이에요."

고개를 끄덕이며 다시 다리를 꼬고 등을 기댄 대위는 당혹스러워 보였다. 잘생긴 남자는 아니었지만 그가 처신하는 방식에서는 대단한 위엄이 배어났다.

"그랬으면 더 좋았을 텐데요," 그는 느리게 말했다. "진작 말씀해주셨다면요."

"실수입니다," 닥은 수긍했다. "저희가 처음부터 분명하게 말씀드릴 것을."

"군인 신분은 부끄러운 게 아닙니다."

"그 반대죠. 정반대요, 대위님 ── 그건 특권이자 영예입니다."

또 한 번 어색한 중단이 있었는데 그것은 당번병이 차와 샌드위치가 담긴 쟁반을 들고 들어와 마침내 깨졌다. 대위는 마음이 놓이는 듯했다. 그는 일어서서 직접 따른 차와 천으로 된 냅킨으로 싼 샌드위치를 권하며 웃었고, 크림과 설탕은 어쨌느냐고 당번병을 나무라면서 어째 거드는 게 예전 같지 않다는 듯 고개를 절레절레했다.

그는 스팅크와 에디와 오스카가 게걸스레 먹는 모습을 흡족하게 지켜보았다.

"당신들 지휘관께서는요," 그는 말했다. "저분은 안 드신답니까?"

중위는 조는 듯했다. 그의 눈은 감겨 있었고 머리는 사르긴 아웅완의 어깨 위에서 쉬고 있었다. 그녀는 그의 머리를 다정하게 주물러주었다.

"만약 저분이 아프시면," 대위는 입 모양으로 걱정을 내비치며 말했다. "저희가 즉시 의사를 불러드릴 수 있어요. 지휘관께서 아프신가요?"

"향수병이에요," 닥이 말했다. "관광 중인 군인한테 생기는 병이죠."

"아무렴요." 사내는 차를 한 모금 하면서도 걱정이 가시지 않는지 중위를 찡그린 눈으로 보았다. "자, 그럼. 여권이 없다고들 하셨죠?"

"그게 문제의 핵심입니다," 닥이 말했다.

"그리고 또…… 어떤 규정의 보호를 받으며 여행 중이라고 하셨고요. 그렇게 이해해도 됩니까?"

"정확합니다. 정확히 그래요. 저희는 어떤 상호 군사조약에 따라 여행 중입니다."

"여권이 필요 없는 조약이고요?"

"정확합니다."

"제가 바보로군요," 장교는 말했다. 그는 머리를 툭툭 두드렸다. "저는 괜찮은 군인이고 모든 규정을 공부하지만 바보 같아서 걱정이에요. 이 특별한 조약에 무지했음을 인정합니다."

"치욕스러운 일은 아닙니다," 닥이 말했다.

"그래도 제가 알고 있었어야죠. 제 어리석음에 당황스럽군요."

스틱크 해리스는 낄낄거리며 또 다른 샌드위치에 손을 내밀었다. 그는 군화를 벗은 채였다.

닥은 그를 쏘아본 다음 장교에게 도로 몸을 돌렸다. "다시 말씀드리지만 대위님, 규정이 너무 많습니다. 일일이 숙지하기가 불가능하죠. 하지만 확실히 말씀드리건대 조약은 존재하고 또 모든 조인국에 의해 현재 이행되고 있습니다. 1965년 상호 군사 이동 조약."

"네?"

"1956년에 비준되고 1965년에 재천명되었어요. 제네바에서요."

"제네바라," 사내는 중얼거렸다. 그는 누런 종이 쪼가리에 대강 받아 적었다. 그러고는 콧수염을 쓸면서 한숨을 쉬었다. "규칙 위에 더 많은 규칙이 있군요. 다시 말씀드리면 저는 동쪽에서 전투나 치르는 게 나았을 멍청한 군인이에요. 규칙! 사바크에서 일하느라 열심히 공부했건만. 마누라가 저더러 지겨운 사람이라더군요. 공부를 해도 해도 번번이 더 공부할 규칙이 있네요, 저는 멍청한데 말입니다. 하지만 네, 합리적인 조약이 분명한데 그걸 모를 만큼 제가 무지한 거겠죠."

"괜찮습니다."

"괜찮다고요? 이런, 하지만 무지는 놔두면 늘 폐가 되죠. 제 어리석음이요, 그게 큰 폐를 끼쳤으니 사과를 드려야겠습니다." 그는 손바닥으로 제 이마를 때렸다. 그러더니 사르킨 아웅 완을 쳐다보았다. "그런데 젊은 숙녀분도 있네요. 저분도 군인이신가요?"

"아니요," 닥이 말했다. "젊은 숙녀분은 임시 안내자라고 해두시면 됩니다 ── 좀 미묘한 문제라서요. 하지만 그녀도 물론 똑같은 규칙과 특권을 적용받습니다. 조약에 포함돼 있어요."

"의심할 바가 없군요," 대위가 말했다. "사실은 저도 이제 슬슬 규정이 떠오릅니다. 제네바요, 맞죠?"

"그겁니다, 맞아요."

"네, 기억나기 시작해요. 규정! 머리가 바보다 보니 연기처럼 희미하긴 한데, 네, 이제 기억나는 것 같아요. 제네바, 1965년. 이 규정을 찾아서 공부를 해둬야 다음번에 제 멍청함이 폐가 안 되겠군요. 이 규칙 저 규칙. 다 뱀 구덩이처럼 쓸데없는 요식인 것을! 군대가 싸우러 나가는 게 진짜 용한 일이라니까요."

"정말 그래요," 닥은 한숨을 쉬었다. "신의 조화랄지."

장교는 일어서서 박수를 쳤다.

"자, 그럼. 다 됐습니다."

"가도 되나요?"

"당연한 말씀을요! 한데 여쭐 것이 ──" 장교는 뜸을 들였다. "이

꼴사나운 잘못에 대해 사죄를 드려도 될지 궁금하군요. 될까요? 어쩌면 제가 배상해드릴 수 있을 것 같은데요?"

"이런, 꼭 그러실 필요는 없습니다."

"하지만 제가 그래야겠습니다. 제 멍청함이 대가를 치러야죠! 가타부타 맙시다. 제가 무지에 대한 속죄로 술을 살게요. 승낙하시렵니까?"

닥은 어깨를 으쓱했다. "영광입니다."

대위가 문서 작업에 매진하는 동안 짧은 지체가 있었다. 그러고 나서 그는 앞부리가 높은 정모를 쓰고 주머니 단추를 채운 다음 그들을 서(署) 바깥으로 데리고 나갔다. 이제 밤이었다. 거리에 와락 쏟아진 찬 바람이 거대한 눈발을 몰아 어두운 건물들의 벽이며 창문에 내동댕이쳤다. 폴 벌린은 얼마 동안 역사의 지난날로 휙 끌려가는 느낌이었다. 가로등 없이 황량하고 잔인한 인적 없는 거리. 그는 참수가 떠올랐다. 파리 녀석도 떠올랐다── 한겨울인데. 그는 오들오들 떨어 사르낀 아웅 완과 팔짱을 꼈다.

음침한 아치 길을 지나면서 대위는 최근 어떤 테러와 태업 건 때문에 통행금지령이 내려졌다고 설명했다. "하지만 괜찮습니다," 닥의 어깨를 토닥이며 그가 말했다. "우린 군인이라서 예외니까요. 사실 통금을 단속하는 건 우리의 막중한 임무죠. 군인이 되는 즐거움 중 하나요, 그렇죠? 우리 새벽까지 술 마시면서 통금이나 단속해보죠."

그는 연이은 골목과 아치 길을 지나 음산한 뒷거리로 그들을 이끌더니 지하 암굴로 내려갔다. 그곳이 어딘지 밝혀줄 불빛도 간판도 없었지만 실내는 춤추고 노래하고 대화하고 술 마시는 사람들로 북적거렸다. 인파는 군인과 학생으로 고르게 갈렸다. 학생들은 춤을 추었다. 군인들은 벽 쪽 탁자에 앉아 있었다.

"이제 통금을 단속합니다," 장교가 말했다. 그는 거센 미국 음악 때문에 소리를 질러야 했다.

동료들에게 팔을 흔든 그는 그들을 연주 무대 근처의 둥글고 넓은 탁자로 안내해 맥주를 시켰다.

드럼과 기타 소리 속에서 파히 랄론 대위는 야전병 생활에서 느끼는 형제애며 공동체 의식에 관해, 즉 어째서 전투가 남자로 하여금 평화에 감사하게 만드는지, 어째서 초라하기 그지없는 참호에서도 사랑이 발견되고 심지어 하느님도 발견되는지 열정적으로 이야기했다. 폴 벌린은 이런 종류의 이야기에 감동받아본 적이 없었다. 그는 빠른 음악에 맞추어 빠르게 춤추는 학생들을 건너다보았다. 깜빡거리는 불빛 때문에 춤추는 사람들이 수족관을 쩔쩔거리는 물고기처럼 보였다. 벽 주변에는 안 보는 척 감시 중인 많은 군인이 모자를 곱게 접어 무릎에 올리고 앉아 있었다. 그들 역시 통금을 단속하는 중이었다.

춤추는 사람들과 음악 때문에 폴 벌린은 고향이 생각났다. 그는 탁자 밑으로 사르낀 아옹 완의 손을 잡아 꼭 쥐고는 생각에 빠지지 않으려고 애썼다.

"이런 문제를 미국 군인과 상의할 수 있어서 좋군요," 음악이 멎자 랄론 대위가 말했다. "군인은 늘 다른 군인한테 배울 게 있어요, 그렇죠? 하지만 아아, 가끔씩 저는 말이 너무 많아서 배우질 못해요. 이제 귀를 열어야겠습니다. 내막을 말씀하시는 동안 저는 듣고만 있을게요."

"어떤 내막이요?" 에디가 말했다. "비랑 이(蝨)요?"

"아니, 아니요! 전쟁 말입니다. 당신네 전쟁에 관해 말씀해주시면 귀담아듣겠습니다."

에디는 웃음을 터뜨렸다. "그야 아주 근사하죠."

"절 놀리시는군요."

"진짜로요. 영화로 찍어도 될 만큼 대단한 전쟁이에요."

"대단하고 축축한 전쟁이죠," 스틱크 해리스가 말했다.

"제가 속고 있는 것 같군요. 알겠습니다."

"그냥 전쟁이에요," 닥이 말했다. "새로 말씀드릴 게 없어요."

파히 랄론 대위는 웃음을 지었다. "반박하는 건 아니지만, 동의 못 하겠군요."

"영광입니다."

"각각의 군인은 말이죠, 서로 다른 전쟁을 치르는 겁니다. 같은 전쟁이라고 해도 그건 다른 전쟁이라고요. 이해되십니까?"

"지각(知覺)의 양상 말씀이시군요."

대위는 고개를 끄덕였다. 그는 탁자에 몸을 쑥 기대고 있었다. 그의 눈은 초롱초롱한 검정색이었다. "지각의 양상! 맞아요, 바로 그겁니다. 전투에서, 전쟁에서 군인은 볼 수 있는 것 중에서도 작은 파편만 봅니다. 군인은 사진 찍는 기계가 아니에요. 그는 카메라가 아닙니다. 그가 기록에 담는 건, 말하자면 말이죠, 자기가 기록하게 돼 있는 몇 안 되는 항목뿐이지 그 이상이 아니에요. 이해되십니까? 그러니까 제 말씀은, 전투가 끝나면 군인들은 저마다 다른 이야기, 어마어마하게 다른 이야기를 갖게 되고, 따라서 전쟁이 끝나면 마치 무수한 전쟁이 있었던 것처럼 된다, 아니 군인 숫자만큼 많은 전쟁이 있었던 것처럼 된다 이겁니다."

닥 페럿은 잠시 기다렸다. 그는 폴 벌린을 힐끗하더니 냉철하게 숙고하는 표정으로 얼굴을 바꿨다. 짐 피더슨이나 프렌치 터커와 논쟁하기 전에 내보이던 표정이었다.

"대부분 인정합니다," 닥이 말했다. "우린 다르게 태어나서 보는 것도 다르고 기억하는 것도 다르죠."

"그렇고말고요."

"맞아요, 대부분 수긍할 수 있을 것 같아요. 이 사실만 빼고요. 전쟁은 지각과는 별개로 저만의 정체성을 지닌다."

"사실주의자시군요." 랄론 대위는 웃음을 지었다. "그럼 인기 없는데."

닥은 겸손한 손짓을 해 보였다. "좋은 분석가라면 그 정도 값은 치러야죠. 하지만 아무럼 어때요. 요점은 전쟁이 어떻든 간에 지각된다는 겁니다. 전쟁은 저만의 현실성을 띠죠. 전쟁은 땅을 죽이고 못쓰게 만들고 찢어발기고 고아와 과부를 만듭니다. 이게 전쟁의 내막이에요. 어떤 전쟁이건 말이죠. 그러니까 베트남에 관해 새로 말씀드릴 게 없다던 얘기는, 그 점이 여느 전쟁과 다를 바 없다는 겁니다. 정치학은 가증스러워요. 사회학도 가증스러워요. 다들 베트남이 특수하다, 미국 전쟁사의 커다란 일탈이다 말하는 소릴 들으면 화가 치밉니다 —— 어떻게 그게 군인한테 한국전쟁이나 제2차 세계대전과 다를 수가 있겠어요. 이해되세요? 전쟁에 대한 **느낌**은 베트남이나 오키나와나 똑같다는 거예요 —— 감정도 똑같고, 근본적으로 똑같은 것이 보이고 기억된다는 거죠. 제 말씀은 그겁니다."

"그러면 목적은요?" 대위가 말했다.

"목적이요? 같아요, 같아. 목적도 늘 똑같아요."

"하지만…… 하지만 제가 알기로는 목적의 결핍이 지금껏 당신들한테 한 가지 난제였던 것 같은데요. 그게 아니라는 겁니까? 목표와 목적이 부재한다, 그래서 보병은 열심히 싸워 이겨야 한다는 도덕적 책임이 결여돼 있다. 이렇게 이해하면 제가 오해하는 건가요?"

닥 페럿은 제 머그잔을 집어 통에 있는 술을 따랐다. 연주자들이 다시 무대로 돌아오고 있었다. 학생들도 일어나 무도장으로 이동하고 있었다.

"맞는 말씀입니다," 닥은 천천히 말했다. "틀린 말씀이기도 하고요. 맞아요, 가끔은 대체 무슨 일이 벌어지는지 이해하기 어려운 게 사실이에요, 하지만 헤이스팅스나 벌지에서 싸웠던 부대들도 틀림없이 같은 고민을 안고 있었을 겁니다. 제 말씀은, 만약에 그들도 그 생각을 하다가 말았다면 ── 내가 씨발 뭣 때문에 싸우는 거지? 하는 거요 ── 그랬다면 장담컨대 베트남에 온 사람들처럼 혼란에 빠진 멍텅구리가 됐을걸요. 게다가 나쁜 목적, 사악한 목표를 위해 용감히 싸운 그 수백만의 군인은 어쩔 거예요? 나치, 쪽발이요. 그놈들 지랄맞게 잘 싸웠잖아요."

"그러다 졌죠," 랄론 대위가 말했다.

중위는 불현듯 몸을 곧추세워 앉았다. "저자한테 한 수 가르쳐 줘!" 그가 말했다.

"좀 괜찮으십니까?"

"괜찮고말고! 얼른 가르쳐주라니까."

다시 소음이 고조되고 있었다. 닥 페럿은 몸을 돌려 연주자들을 쏘아보았다.

"좋아요," 닥이 말했다. "그들이 진 건 확실해요. 하지만 그게 형편없이 싸웠기 때문인가요? 맙소사, 아니죠. 그들이 진 건 비행기랑 열차랑 총알이랑 폭탄을 충분히 만들지 못해서예요. 그들이 진 건 **목적** 때문이 아니에요, 마테리엘 때문이지. 그들은 충분한 물질을 생산 못 했던 겁니다."

랄론 대위는 이 말을 숙고했다. "맞아요. 하지만 전쟁 중에 한 나라는 부족한 생산을 동맹국의 산업 역량으로 메울 수 있죠. 그렇지 않습니까? 영국은 도덕적인 목적을 끌어옴으로써 미국의 산업 원조를 끌어냈고 독일을 물리칠 수 있었어요. 그에 반해 독일과 일본은 사실상 동맹국이 없는 외톨이였고요. 그들의 이상에 다른 나라를 끌어들이지 못한 건 사실 그들한테 마땅한 이상이 **없었기** 때문이죠. 그래서 상대를 무너뜨려야 하는 뚜렷한 도덕적 목표도 끝내 결여됐던 것이고요."

"큰 소리로 가르쳐주란 말이야," 중위가 말했다. "불알을 쥐고 있는 건 너야—이제 **꽉 움켜쥐어.**"

음악이 연주되고 있었다. 격렬하고 시끄러운 음악이었다. 색색의 조명이 번쩍이고 있었고 학생들은 쌍으로 무리로 춤추고 있었다. 군인들은 벽에 붙어 노래를 부르고 있었다.

"제법이시군요," 닥이 말했다. "하지만 대위님은 주제를 벗어났어요. 우린 이기고 지는 걸 말하는 게 아닙니다. 전쟁이 어떻게 **느껴지느냐**를 말하는 거죠. 현장에서 느끼는 거요. 그리고 제 말씀은 일반 보졸한테 목적이랑 정의는 아무래도 상관없다 이겁니다. 그딴 건 **안중**에도 없어요. 나가서 부랴부랴 꽁무니에 총알 맞기 바쁘니까요. 목적이란 건—개소리예요! 보졸의 안중에 있는 건 어떻게 숨이 붙어 있나 하는 거라고요. 아님 부비트랩을 밟으면 어떤 느낌일지 궁금해하든가요. 미쳐버릴까? 사방에 토를 할까 울어버릴까 기절할까 비명을 지를까? 어떤 꼴일까 —— 뼈랑 살점이랑 고름 천지일까? 그가 생각하는 건 이런 거지 목적이 아니다 이겁니다."

"도망칠 생각도 하고요," 장교가 부드럽게 말했는데 너무 부드러워서 재차 말해야 했다.

"네?"

"도망이요," 파히 랄론이 말했다. "군인은 도망칠 생각도 하죠. 도망칠까 아니면 남아서 싸울까?"

폴 벌린은 눈길을 돌렸다. 그는 춤추는 학생들을 바라보았다.

"그래요," 대위는 말했다. "도망칠 생각도 군인은 합니다, 그렇죠? 자주들 한다고요. 전투에서 도망치는 자기 모습을 상상해요. 무기를 내려놓고 뒤로 돌아 달리고 달리고 달리고, 그렇게 절대 뒤돌아보지 않고 무작정 달리고 또 달리는 거요. 군인들은 이런 생각에 빠져요. 저도 압니다. 맞죠? 그게 군인이 제일 잘하는 생각이잖아요."

"그리고요?"

사내는 제 콧수염을 만지며 웃음을 지었다. "그리고 목적은 도망치는 걸 막아줍니다. 목적이 없으면 대원들은 도망쳐요. 제 꿈을 실현하겠다고 우르르 앞다투어 달리고 달리고 할 겁니다. **목적**이야말로 대원들을 부대에 남아 싸우도록 다그쳐주죠. 오직 목적이 말입니다."

중위는 환호했다. 오스카 존슨은 무언가 중얼거리고 일어나 근처 탁자로 이동했다. 여자 하나가 어깨를 으쓱하고 그를 따라 무대로 나가기까지 그는 네 사람에게 춤을 청했다. 그녀는 청바지와 폴로셔츠를 입고 있었다. 그녀는 코를 천장까지 쳐들고 춤을 추었다.

"어쩌면 그럴지도 모르죠," 닥이 말하고 있었다. "어쩌면 일부는 목적 때문인지도 몰라요. 하지만 더 큰 부분을 차지하는 건 자존심입니다. 그리고 두려움이요."

"도망치지 않는 이유가요?"

"그럼요. 자존심과 두려움, 그게 군인들이 도망치지 않는 이유예요."

"두려움이다?"

"바로 그겁니다. 우리는 자기 평판이 어떻게 될까 봐 두려워서 버티는 거예요. 우리 자아요. 자존심, 그게 우리를 전선에 붙잡아둡니다."

"하지만 목적이 자존심을 반영하지 않습니까?" 대위가 말했다. "좋은 목적이 결핍되면 군인의 자아가 위험에 빠지고, 따라서 뛰어나고 용감하게 싸울 가능성이 낮아지는 거 아닌가요? 전쟁에 정당성이 없으면 군인은 목숨, 제 고귀한 목숨을 희생해봐야 위신이 서지 않는단 걸, 그러므로 보나 마나 제 자존심도 위신이 떨어지리란 걸 잘 압니다. 안 그렇습니까?"

에디와 스팅크는 이제 일어나 춤추고 있었다. 드럼과 술잔들이 달그락거려 소리를 알아듣기 어려웠다. 음악 때문에 폴 벌린은 자꾸 집 생각이 났다 ─ 고등학교 체육관에서 추던 춤, 그의 팔에 안긴 루이즈 위어츠마, 그러다 나중에 더 많은 춤과 애들용 음료가 있는 포트다지 외곽의 커다란 헛간으로 자리 이동, 다락의 건초 냄새에다 오랜 기간 도살되고 팔리고 먹힌 소들의 냄새, 루이즈 위어츠마의 머릿결, 그리고 집. 그는 사르킨 아웅 완의 손을 꼭 잡았다. 그녀는 어렸다. 그들 모두 어렸다. 예를 들어 카차토. 그리고 에디와 스팅크와 오스카, 그들도 어리기는 마찬가지였고 피더슨도 프렌치 터커도 버프도 보트도 버니 린도 루디 채슬러도 레디 믹스도 시드니 마틴도 어렸다. 다들 아주 말도 안 되게 빌어 처먹을 만큼 어렸다.

폴 벌린은 일순 남중국해의 관측소로 슬며시 돌아갔다. 일부는 여기, 일부는 거기. 어느 쪽이 현실인지 분간이 안 됐다.

집중, 그는 깊은 숨을 들이마시고 저 자신을 놓아주었다. 그렇다, 음악과 번쩍이는 조명과 춤추는 사람들, 그것은 현실도 비현실도 아닌 채 단지 **거기** 있었다.

파히 랄론은 이제 그들의 관광에 관해 묻고 있었고 닥은 장대한 관광이라고 말했다. 라오스와 버마와 인도와 고지대인 아프가니스탄 관광, 그러고 이제 그들은 테헤란을 관광 중이었고 머잖아 파리로 이어지는 모든 길을 관광하고 있을 터였다.

"파리!" 대위가 소리쳤다. "당신들은 운이 좋군요. 제 최고의 관광은 다마스쿠스*였는데 파리에 비하면 아무것도 아니죠. 파리라! 안내자가 있는 관광인가요?"

"네," 닥이 말했다. "그렇다고 할 수 있어요."

그는 다음으로 넘어가 어쩌다 카차토가 우기에 전쟁을 뜨는 사태가 발생했는지, 어쩌다 저희가 그를 데려오도록 급파됐는지, 올바른 결론을 도출하고자 저희가 어떤 결심을 했는지 설명했다.

"목적이 있군요." 장교는 웃음을 지었다. "대단한 목적을 띤 임무네요."

중위가 새된 비웃음 소리를 냈다.

랄론 대위는 염려하는 것 같았다. "하지만 그는 탈영병이다, 맞습니까? 이 카차토란 사람이 말이죠? 그러면 당신들 목적은 그를 저지하는 거군요. 탈영병이라, 그들은 지구 끝까지라도 쫓아야죠. 개처럼 쫓겨봐야 돼요. 안 그러면——"

"안 그러면 뭐?" 중위가 말했다. "무슨 차이가 있소? 군인 하나 없다고 해서."

장교는 머뭇거렸다.

"진심이십니까?"

"진심은 무슨," 코슨 중위는 한숨을 쉬었다. "맞아, 난 그냥 일이어떤 꼴로 돌아가는지도 모르는 늙고 아픈 멍청이일 뿐이지."

"하지만 중위님. 만약에 이…… 이 카차토를 자유롭게 도망치도록 놔두면 그 결과는——" 대위는 또 한 번 말을 끊고 닥 페럿을 힐끗 건너다보았다. "저는 그저 제 신념에 관해서만 말할 수 있겠죠. 제 고국에 관해서만요. 여기서는, 그러나, 탈영이 가장 중대한 위법에 듭니다. 오늘 오후만 해도 한 아이가 비슷한 범죄로 처형을 당했어요."

"그 아이가 탈영병이었습니까?"

"오, 아니요," 대위는 말했다. "아닙니다, 그 아이는 그저 무단이탈을 한 거예요. 진짜 탈영병이라면 형벌이 그렇게 친절하지 않아요."

"참 자비롭네요."

종업원이 와서 탁자를 훔치고 가득 찬 술통 세 개를 내려놓았다. 이제 음악은 느리고 애절했고 학생들은 밀착해 춤을 추었다. 몽롱하고 구슬픈 음악이었다. 귀를 기울인 채 춤꾼들을 바라보던 폴 벌린

---

*   시리아 사막지대의 도시.

은 자신이 슬며시 사라지는 걸 느꼈다. 등불과 꽃으로 장식한 고등학교 체육관, 금발에 알 수 없는 웃음을 띤 루이즈 위어츠마, 그녀가 춤추면서 흥얼대던 모습. 똑같은 곡, 똑같은 애절함. 그 뒤 쭈라이에서도 대기 휴가 중에 한 번 이 느리고 강렬하고 슬픈 곡, 흐느적흐느적하는 똑같은 곡을 들은 적이 있는데, 한국 여자아이는 노래에 맞춰 옷을 벗고 있었고, 모두 노래를 부르며 스트립쇼를 지켜보았고, 다가올 아침을 생각하는 이는 아무도 없었고, 그냥 다 같이 노래를 부르며 슬픔과 행복만을 느꼈다, 피더슨도 버니 린도 프렌치 터커도 모두 다.

그래서 학생들은 느리게 춤을 추었고, 파히 랄론은 전쟁이 어떻게 되어가며 전략은 무엇인지 묻고 있었고, 닥은 좋은 날은 매우 좋고 안 좋은 날은 매우 안 좋지만 대개는 확실히 알기 어려워 말하기가 힘들다 말했고, 그러자 대위는 전쟁이 어떻게 되어가는지는 당최 알기가 어렵다며 그 말에 동의했다. 음악은 처지고 시끄럽고 슬펐고 학생들은 밀착해 춤을 추었다. 그들 중 일부는 춤추면서 노래를 불렀다. 에디와 오스카와 스팅크는 이제 탁자로 돌아와 매복 대형이 얼마나 다양하게 짜이는지 아느냐며 전통적인 X형과 L형과 O형 매복을 대위한테 선보이고 있었고, 방어선 방호와 360도 사살 환경을 제공하므로 O형이 그중 최고라는 데 다들 동의했다. 슬프게 고동치는 음악, 서로를 꼭 안고 거기에 맞춰 춤추는 학생들, **겁내지 마요, 슬픈 노래를 그보다 나은 노래로 만들어요, 기억해요***…… 그러다 오스카는 그들이 봉쇄 및 수색(cordon-and-search) 전술을 소수의 상황에서 어떻게 실천하고 다른 여러 상황에서 어떻게 실패하는지 도표로 보여주고 있었고 장교는 고개를 끄덕이며 받아 적었다.

학생들은 노래가 끝날 때까지 춤을 추었다.

그러고 나서 더 빠르고 별로 구슬프지 않은 새로운 노래가 흘러나오자 학생들은 서로 떨어져 빠르게 춤을 추었다.

"조명지뢰는," 에디가 말하고 있었다. "이제 쓸모없는——"

폴 벌린은 사르낀 아웅 완의 손을 잡고 그녀를 무도장으로 데려갔다. 비현실적이라고 그는 생각했다. 단지 그가 만들어낸 존재——눈을 깜빡하면 그녀는 사라졌다——그래도 그는 그녀가 음악에 맞춰 눈을 감는 모습, 그녀의 크롬 십자가가 스웨터 위에서 널뛰는 모습, 몹시 찰랑거리는 그녀의 땋은 머리가 좋았다. 그녀는 춤추면서 웃음을 지었다. 그는 그 모습도 좋았다. 언젠가 루이즈 위어츠마가 비밀을 감추며 웃던 그 모습이었다. 이제는 사르낀 아웅 완이 무언가를 감추는 똑같은 웃음을 지은 채 입은 벌리고 눈은 반쯤 감고 십자가를 찰랑거리며 춤을 추었다.

"취했군요, 상병," 그녀는 춤추면서 말했다.

"아니."

"아이, 맞잖아요. 완전 취했어요, 상병."

탁자에서는 파히 랄론이 공병에 관해 캐묻고 있었다.

"아주 추잡한 개자식들이에요," 스팅크 해리스가 말했다. "쭈라이 위쪽에 전향한 공병이 둘 있었는데, 찌에우 호이 같은 부류요, 그놈들이 철조망을 어떻게 통과했는지 그런 온갖 걸 시연하던 중에 말이죠, 그 자식들이 글쎄, 지들이 좆같은 볼베어링이나 뭔 줄 아는지 좆

---

* 비틀스의 〈Hey Jude〉. 언급된 가사 원문은 "don't be afraid / take a sad song and make it better / remember".

같은 윤활유 같은 걸 처바르고는 철조망 밑을 좆나게 미끄러지는 거예요, 미끄러진다고요. 내 말 맞지?"

"맞아," 에디가 말했다.

"좆나게 맞지, 암. 보고도 못 믿겠어. 추잡해, 기름에 전 조그만 땅딸보들. 추해."

"스팅크는 사실만 말해요."

"물론이지, 사실이에요. 놈들이 다리 사이에 묵직한 걸 좆나게 매달고 다니잖아요, 여기에요, 그런데 맹세컨대 크기가 뭐만도 못하냐면——"

"스팅크 소시지."

"어이, 엿이나 드셔. 뭐만도 못하냐면——"

"스팅크는요, 꼴려야 공병만 해요."

전쟁 이야기는 나중에야 나왔다.

이야기는 내내 그런 식으로 흘렀고, 그 뒤에야 전쟁 이야기가 시작되었다.

학생들은 춤추고 음악은 시끄러운 가운데 에디가 피더슨에 관한 이야기를, 그 뒤 오스카가 거구 버프에 관한 이야기를 들려주었다. "봤어야 돼요," 오스카의 말이 끝나자 에디가 말했다. "우리 버프가요, 발견하고 보니 딱 오스카가 말한 대로였어요. 기도하는 아랍인처럼 철모 위로 몸을 푹 웅크리고 있었어요. 기분을 나쁘게 하려는 말은 아니에요."

파히 랄론은 웃음을 지으며 조금도 기분 나쁘지 않다고, 자기는 기독교 정신을 실천 중이라고 말했다. 그러고 나서 그는 자신의 전쟁 이야기, 언젠가 눈 속에서 전투를 치른 후 눈을 어떻게 바라보게 되었나 하는 이야기를 들려주었는데 이야기가 끝나자 존경 어린 침묵이 감돌았고, 그러자 오스카는 닥의 어깨에 손을 올렸다. "들려드려," 그가 말했다. "저 남자한테 **최고**의 이야기 들려드려."

음악은 점점 시끄러워졌다. 드러머는 쇠 파이프를 사용하고 있었다. 그 공간은 음악의 지휘로 움직였다. 조명은 희고 노랗고 까만 빛을 번쩍거렸다.

"들려드려," 오스카가 말했다. "저분한테 끝장나는 전쟁 이야기 들려드리라고."

폴 벌린은 메스꺼웠다.

"빌리 보이 말이야. 저분한테 빌리 보이 얘기 들려드려."

메스꺼워, 폴 벌린은 생각했다. 불쾌한 느낌이었다 —— 목구멍 안쪽의 무언가 축축하고 미끈거리는 것. 그래서 닥이 굉장히 무더운 날이었다, 그만큼 더운 날은 전에 없었다 입을 떼며 끝장나는 전쟁 이야기를 들려주는 동안 폴 벌린은 일어나서 간신히 밖으로 나가는 길을 더듬었다.

이제 추웠다, 매우 추웠다. 그는 다리에 힘이 없었다. 춥고 취한 데다 다리에 힘이 없었지만 끝장나는 전쟁 이야기에 귀를 기울일 만큼 춥고 취하고 힘없진 않았다. 그 정도로 취한 건 아니었다.

그는 옷깃의 단추를 채우고 돌담에 기댔다. 거리는 캄캄했다. 그는 실내의 음악 소리, 드럼 소리와 노랫소리는 들렸지만 끝장나는 전쟁 이야기는 들리지 않았다.

사르낀 아웅 완이 밖으로 나왔다.

"거봐," 그녀는 웃음을 지으며 말했다. "당신 엄청 취했어요, 상병."

"갈까."

"엄청 취했다고요. 술꾼이랑 있어도 저 안전한 거죠?"

"그 정도 술꾼은 아니야. 그렇게 바보 같은 술꾼일라고."

그녀는 그의 손을 잡았다. 두 사람은 음악이 잦아들 때까지 거리를 거슬러 걸었다. 두 사람은 상점가를 따라가다 골목길을 통과해 처형장의 연단이 달빛 속에 덧없고 초라한 인상으로 서 있는, 인적 없는 벽돌 광장으로 넘어갔는데 사르긴 아웅 완의 또각또각 날 선 신발 소리가 거기 있는 은행과 관공서에 울려 퍼졌다. 두 사람은 한동안 거기 있었다. 주변이 고요했다. 그러고 나서 두 사람은 방향을 틀어 조각상과 철제 울타리와 겨울철 관목 들이 서 있는 대로로 나섰다.

"아니," 그가 말했다. "어쩌면 술꾼인지도 몰라, 그래도 그렇게 정신 못 차리는 술꾼은 아니야."

사르긴 아웅 완은 그에게 키스했다.

"그럴 거예요," 그녀는 말했다. "아무튼 그거 정말 어처구니없는 이야기였어요. 너무너무."

서른.
관측소

4시 정각, 그는 생각했다. 10분 후 4시.

그는 자신에게 20달러를 걸었고, 그러고 나서 모래주머니 담장 안쪽에 꿇어앉아 시계를 확인했다. 8분 후 4시. 20달러 거저먹기 ──그는 시간 맞히기 술사로 서커스에 합류했어야 했다.

날씨는 이제 더 추웠다. 잔바람은 바람이 되었다.

첫 여명까지는 한 시간, 날이 밝으려면 한 시간 반.

그는 시간이 다가오는 모습으로 몇 시인지 맞힐 수 있었다. 추위와 바람, 그러다 나중에는 은색의 어슴푸레한 빛이 파도 끝자락에 걸리고, 그러고 나면 그 빛이 퍼져 파도의 골을 채우면서 파도에 형태가, 즉 끓인 우유의 피막 같은 주름이 생기고, 그러고 나면 새들이 날고, 그러고 나면 하늘이 개는 그 모습으로. 그는 이런 온갖 것으로, 거기다 바람과 모래의 운율로, 그리고 제 심장박동으로 시간을 맞힐 수 있었다.

그것은 얼마나 열심히 관측하느냐의 문제였다. 착각과 현실의 분리. 무엇이 벌어진 일이고 무엇이 벌어졌을지 모를 일일까? 벌어졌을지 모를 모든 일 중에서 왜 하필 테헤란의 참수에 이끌렸을까? 왜 산뜻한 일들이 아니고? 왜 전쟁에서 평화로 매끈한, 가지런한 호가 그려지지 않을까? 이런 것들이 의문이었고 답은 열심히 관측하는 데서만 얻을 수 있었다. 닥이 옳았다. 관측은 내면을 들여다보도록 요구한다던, 관측 기계에 대한 공부라던 말 또한 그가 옳았다 —— 관측기의 반사경이며 필터며 배선이며 회로.

통찰력, 시야. 네가 보는 게 기억을 결정하고 기억은 보는 걸 좌우해. 순환 구조지, 닥은 말한 적 있었다. 깨뜨려야 할 순환 구조. 그러려면 그 과정에 치열하게 집중할 필요가 있어. 즉 사물의 순서에 주의하고, 그 흐름을 정리해 한 사건이 다른 사건으로 어떻게 이어지는지 이해하고, 벌어진 일이 확장되다 벌어졌을지 모를 일의 시야에 들어서는 지점을 찾는 거야. 어디가 지렛목이었을까? 사실에서 상상으로 꺾인 지점이 어디일까? 카차토는 우리를 어디까지 데려갔던 것일까? 거기서 더 데려갔다면 어디까지 갔을까?

그는 밤을 마주하고 애를 썼다.

그는 알려진 사실들을 순서대로 나열하느라 또 한 번 애를 썼다. 빌리 보이가 처음. 그러고 나서…… 그다음이 누구더라? 그 뒤 뜨라봉강 변에서 긴 공백이 있었고, 맞아, 그러고 나서 루디 채슬러가 마침내 고요를 깼지. 그 뒤 프렌치 터커, 그 몇 분 뒤 버니 린. 레이크 컨트리는 그다음. 세계 제일의 레이크 컨트리, 거기서 레디 믹스가 산으로 돌격하다 죽었어. 그러고 나서 버프. 그러고 나서 시드니 마틴. 그러고 나서 피더슨.

그렇다, 그러고 나서 카차토가 굼뜬 움직임으로 그들을 멀리 데려갔다. 하지만 얼마나 멀리 그리고 왜? 만달레이, 델리, 테헤란, 그 너머는 어디더라? 순서 맞추기가 어려운 부분이었다. 한 사슬로 꿰여 있어도 사실들은 실제의 순서를 지키지 않았다. 사건들은 흐름이 없었다. 사실들은 따로따로 분리돼 마구잡이에다 무작위였고, 발생하던 순간부터 편편이 깨져 있던 터라 부드러운 전환이, 사건이 잇달아 전개된다는 느낌이 없었다.

그는 남쪽 담장으로 이동해 에디의 판초 밑에서 야간 조준경을 찾았다. 그는 렌즈 뚜껑을 돌려 따고 그 무거운 도구를 모래주머니 담장 위로 올렸다.

관측, 그게 요령이었다. 그는 조준경 접안 구멍에 눈을 대고 배터리 스위치를 켰다.

밤이 움직이고 있었다.

환한 녹색으로 일렁거리는 눈부신 빛, 철저히 움직이고 있었다. 시골이 움직였다. 해변, 바다, 모든 게. 하지만 그는 눈길을 피하지 않았다. 그는 접안 구멍에 눈을 꾹 대고서, 초점이 고해상도로 정확해지도록 커다란 플라스틱 다이얼을 돌려가며 밤이 움직이는 모습과 꽝응아이가 움직이는 모습을 지켜보았다.

그것이 기계를 다루는 요령이었고 그는 그 요령을 알았다. 그래서 그는 집중했다.

그는 처음으로 돌아가 일의 순서에 집중했다. 전쟁에 온 첫날. 그날 얼마나 무더웠는지, 그리고 어쩌다 첫날부터 끝장나는 전쟁 이야기를 목격했는지.

서른하나.
야간 행군

　서른두 명의 군인으로 이루어진 소대는 어둠 속을 말없이 일렬로 이동했다. 그들은 꿈속의 양처럼 한 사람 한 사람 산울타리를 통과한 다음 조용히 초원을 건너 논으로 내려왔다. 거기서 그들은 멈추었다. 시드니 마틴 중위가 무릎을 꿇고 손짓을 하자 다른 이들은 그늘 속에서 한 사람씩 쪼그려 앉거나 꿇어앉거나 엉덩이를 대고 앉았다. 그들은 오랫동안 꼼짝하지 않았다. 그들의 숨소리를 제외하면, 그리고 딱 한 번 그들 중 하나가 방뇨한 액체의 부드러운 소리를 제외하면 서른두 대원은 내내 침묵을 지켰다. 몇 사람은 그 모험에 흥분했고 몇 사람은 겁을 먹었고 몇 사람은 긴 행군에 녹초가 되었고 몇 사람은 저희 안전이 확보될 바다에 도달하길 몹시 바랐다. 이제 대화는 없었다. 더는 농담도 없었다. 대열의 꼬리, 폴 벌린 일병은 조용히 엎드려 제 소총의 검정 플라스틱 개머리판에 이마를 푹 얹었다. 그의 눈은 감겨 있었다. 그는 자기가 전쟁에 와 있지 않다고 공상하고 있었다. 그는 빌리 보이 왓킨스가 전장에서 겁에 질려 죽는 모습을 보지 못했다고 공상했다. 그는 자기가 소년으로 돌아가 아버지랑 여름날 자정 디모인강에서 야영 중이라고 공상했다. "침착해," 아버지는 말했다. "안 좋은 건 무시해, 좋은 것을 찾으렴." 그는 어둠 속에서 눈을 감고 공상했다. 그는 눈을 뜨면 아버지가 거기 모닥불 옆에 있을 거라고, 그리고 아버지와 아들 두 사람이 중요하지 않은 것, 사소한 것을 되는대로 떠올리며 도란도란 이야기 나누다 침낭으로 기어들 거라고 공상했다. 그러고 나중에 아침이 되면 전쟁은 사라져 있을 거라고 그는 공상했다.

아침에 바다에 도달하면 상황은 나아질 것이다. 그는 바닷물로 목욕할 것이다. 면도를 할 것이다. 손톱을 깎고 더껑이를 해결할 것이다. 아침에 그는 첫날을 잊을 것이고, 그러면 둘째 날도 그렇게 나쁘진 않을 것이다. 그는 익힐 것이다.

그의 옆에서 "이봐" 하는 소리가 나더니 움직임이 있었고, 그러더니 더 큰 소리가 났다. "이봐!"

그는 눈을 떴다.

"이봐, 우리 이동해. 일어나."

"알았어."

"잤어?"

"아니, 그냥 쉬고 있었어. 생각 중이었어." 그는 그 군인의 얼굴이 일부만 보였다. 포동포동하고 둥근, 아이 같은 얼굴이었다. 그 아이는 웃고 있었다.

"괜찮아," 그 군인이 속삭였다. "시동 걸어."

그러고 그는 그 아이의 그림자를 따라 논에 들어섰고, 한 차례 발을 헛디디고 소총을 떨어뜨릴 뻔하고 무릎이 베이면서도 그림자를 쫓아 걸음을 멈추지 않았다. 맑은 밤이었다. 그는 앞쪽에 논을 가로질러 늘어선 다른 이들의 까만 형상을, 하늘과 뚜렷하게 대비되는 그들의 윤곽을 식별할 수 있었다. 남십자성은 이미 나와 있었다. 그가 아직 이름을 모르는 다른 별들도. 머잖아 이름을 익힐 거라고 그는 생각했다. 포동포동한 밤 구름도 있었다. 서쪽으로 이상한 불빛도 있었다. 달은 아직이었다.

논을 건너면서 자신의 군화와 다른 많은 군화의 자장가 같은 소리에 귀를 기울이던 그는 생각에 빠지지 않으려고 몹시 애썼다. 심장마비로 인한 죽음, 닥 페럿이 말한 건 그거였다. 닥 페럿의 이름을 모를 때였다. 그가 아는 거라곤 닥이 한 말, 심장마비로 인한 죽음이라던 말이 전부였는데 그래도 그는 그 생각을 하지 않으려고 몹시 애썼고 그 대신 생각을 않는 것에 관해 생각했다. 이제 끔찍할 정도의 두려움은 없었다. 이 순간, 논을 빠져나와 좁은 먼짓길로 발을 내딛는 지금 주로 느껴지는 두려움은 또다시 입도 뻥긋 못 하도록 겁에 질리면 어쩌나 하는 두려움이었다.

그래서 그는 생각에 빠지지 않으려고 애썼다.

생각을 막는 요령이 있었다. 숫자 세기. 그는 먼짓길을 걷는 자신의 걸음을 세며 숫자에 집중했고, 숱한 걸음은 달러 지폐이며 밤새도록 걷는 한 보 한 보가 자기를 더욱더 부자로 만들어줄 거라고, 그래서 얼마 안 가 갑부가 될 거라고 공상했고, 그렇게 끊임없이 숫자를 세면서 재산을 어떻게 쓸지, 무엇을 사고 무엇을 하고 무엇을 인수하고 소유할지 깊이 생각했다. 그는 아버지와 눈을 맞추고 어깨를 으쓱하며 말할 것이다. "처음에는 아주 안 좋았는데, 확실히요, 하지만 이것저것 많이 익혔고 거기에 적응했어요. 그들하고 하나가 된 적은 없지만 —— 그들하고는요 —— 그래도 그들의 이름을 많이 익히고 잘 지냈고 거기에 적응했어요." 그러고 나서 그는 빌리 보이 왓킨스에 관한 이야기, 그저 하나의 이야기, 흔하디흔한 이야기를 아버지에게 들려주되 두려움에 관해서는 절대 누설하지 않을 것이다. 그러는 대신 그는 아버지가 자랑스러워하게 말할 것이다. "그렇게 나쁘지는 않았어요."

노래도 생각을 막는 또 하나의 요령이었다 —— **어디 갔니, 빌리 보이, 빌리 보이, 오, 어디로 갔나, 멋쟁이 빌리는?*** 또 다른 노래, **여자가 생겼어, 그녀의 이름은 질, 그녀는 춤 안 춰도 그녀의 여동생은 추겠지****, 또 우렁차게!***** 그 밖에도 그가 바다를 향해 나아가며 머릿속으로 부른 다른 노래들. 바다에 도달하면 그는 모래를 파고들어 저 높이 뜬 구름처럼 잠들 것이고, 수영도 하고 흰 파도에 잠수도 하고 가재도 잡고 짠 내도 맡을 것이며, 다른 이들이 빌리 보이에 관한 농담을 하면 웃음을 터뜨릴 것이고, 다시는 겁에 질리지 않을 것이다.

그는 숫자를 세면서 걸었고, 그러다 보니 달이 나왔다. 희미한, 동전 크기로 줄어든 달이었다.

철모가 머리에 무거웠다. 아침이면 그는 가죽 내피를 조정할 것이다. 아침이면 긴 행군 끝에 그의 군화는 까맣게 반짝거리는 빳빳

---

*   미국 민속곡인 〈Billy Boy〉. 원래 가사는 "어디 갔니"가 아니라 "어디 갔다 왔니"다.

**   지지 톱(ZZ Top)의 〈Tube Snake Boogie〉로 보이지만 원곡에 "그녀의 이름은 질"이라는 가사는 없다.

***   본 먼로(Vaughn Monroe)의 〈Sound Off〉라는 군악. 흑인 사병 윌리 덕워스가 지어 〈덕워스 구령Duckworth Chant〉으로도 불린다.

함을 잃고서 다른 군화들처럼 붉은 진흙 빛깔로 바뀔 것이고, 그는 수염이 거뭇해질 것이고, 그의 옷은 시골 냄새, 즉 진창과 녹조와 거름과 엽록소와 부패와 곰팡이 냄새를 풍기기 시작할 것이다. 그는 다른 이들처럼 냄새를 풍기다 못해 그들과 같아 보이기 시작할 테지만 맹세코 그들과 하나가 되지는 못할 것이다. 그는 적응할 것이다. 맡은 역할을 할 것이다. 하지만 그는 그들과 하나가 되지는 못할 것이다. 그는 면도를 하고 몸을 씻고 무기를 청소해둔 그대로 깨끗이 유지할 것이다. 그는 약실과 방아틀뭉치와 총구와 탄창을 닦을 것이고 나중에는, 다음번에는 겁내지 않고 그걸 사용할 것이다. 바다에 도달하는 아침이면 그는 군인들의 이름을 익혔을 것이고 그들의 농담에 어쩌면 웃음을 터뜨릴 것이다. 그들이 빌리 보이에 관해 농담을 하면 그는 웃긴 척 웃음을 터뜨릴 것이고 아무것도 누설하지 않을 것이다.

걷기, 걸으면서 숫자 세기, 공상하기, 그는 기분이 한결 나아졌다. 그는 달이 더 높아지는 모습을 지켜보았다.

요령은 개인적인 일로 받아들이지 않는 거였다. 거리 두기. 무리를 따르되 하나가 되지는 않기. 그게 진짜 요령일 것이다. 자신을 분리시키는 게 진짜 요령일 것이다. 주변을 눈여겨보는 게. "좋은 것에서 눈을 떼지 마," 강가에서 아버지는 말했다. "눈은 뜨고 엉덩이는 낮춰, 아빠의 조언은 그거 하나야." 그러므로 그는 그리할 것이다. 낮은 자세. 아름다운 것 찾기. 이를테면 이제 더 높이 미끄러지는 달, 행군의 느낌, 모든 아이러니와 진실, 그리고 어떤 것도 진지하게 받아들이지 않는 자세. 그게 요령일 것이다.

아주 이슥한 시각에 딱 한 번 그들은 잠든 마을을 에워서 갔다. 또 다시 그 냄새가 풍겼다 —— 지푸라기, 소, 곰팡이. 대원들은 조용했다. 마을 저쪽에서 어둠 속의 빛줄기처럼 개 한 마리가 짖으며 나왔다. 그러더니 근처에서 다른 개가 짖기 시작했다. 종대는 멈추었다. 그들은 개 짖는 소리가 잦아들 때까지 기다렸고, 그러고 나서 원뿔 모양의 봉분과 조그만 제단 들이 있는 묘지를 지나 황급히 마을을 벗어났다. 그곳은 향기로운 냄새가 났다. 값비싼 로션과 향수가 늘어선 어머니의 화장대 냄새. 오드뱅*. 어머니는 큰 병마다 술을 감춰두곤 했고 아버지는 그걸 한 보따리 찾아내 집 뒤로 가지고 나가 불을 지피고는 한 병 한 병 소각로에 내던졌는데, 그러면 그 병들은 포화처럼 날카로운 폭발음을 냈다. 향기로운 냄새, 그랬다. 훌륭하고 튼튼한 흉벽이자 총안이 되어주는 봉분들, 엄청나게 고요한 장소, 향수 가게에서 잠들듯 밤을 보내기에 괜찮은 곳이었다.

하지만 그들은 걸음을 계속해 산울타리를 통과하고 또 다른 논을 건너 바다가 있는 동쪽으로 향했다.

그는 조심조심 걸었다. 그는 익힌 것들을 기억했다. 빌리 보이는 그러지 않았다. 그래서 겁에 질린 빌리 보이는 얼이 나간 눈빛으로 얼굴이 파래져 팔과 목의 정맥을 불룩거리다 죽었다.

그는 조심조심 걸었다.

한밤중 그의 앞에는 그가 아직 이름을 익히지 못한 그림자 군인들이 줄을 늘어뜨리고 있었다. 그는 몇몇의 얼굴을 알았다. 그리고 그들의 형체, 그들의 키와 몸무게와 몸집, 행군 중 그들이 제 몸을 끌고 다니는 방식을 알았다. 하지만 그는 아직 그들을 분간하지는 못

---

*   eau de bain. 프랑스 겔랑사의 향수 제품. '목욕물'이라는 뜻.

했다. 밤중에는 모두가 같은 조각처럼 엇비슷했고 누구랄 것 없이 꿋꿋한 침묵과 침착함과 끈기로 이동했다.

그래서 그는 제 걸음을 세며 조심조심 걸었다. 그러다 8600보까지 세자 종대는 갑자기 이동을 멈추었다. 군인들은 한 사람 한 사람 꿇어앉거나 쪼그려 앉았다. 길가의 풀은 젖어 있었다. 폴 벌린 일병은 뒤로 누워 눈을 감고 이슬을 핥을 수 있게 고개를 돌렸는데, 눈 감기는 또 하나의 요령이었다. 그는 아마 잠들었을 것이다. 눈을 감고 아무렇지 않은 척……. 눈을 뜨자 그의 옆에는 아이 같은 얼굴의 아까 그 군인이 말없이 껌을 씹으며 앉아 있었다. 더블민트 향기가 밤중에 맑게 풍겼다.

"또 자?" 그 아이가 말했다.

"아니. 잠은 무슨."

그 아이는 껌을 씹으면서 살짝, 매우 조용히 웃는 소리를 냈다. 그러더니 그는 수통 뚜껑을 돌려 따 한 모금 들이켜고는 어둠을 비집고 그것을 건넸다.

"좀 마셔," 그가 말했다. 그는 속삭이지 않았다. 높은 목소리, 어린아이의 목소리였고 거기엔 두려움의 기색이 없었다. 파랗고 우람한 아기. 램프의 요정 목소리.

폴 벌린은 물을 마시고 수통을 돌려주었다. 그 아이는 껌 한 장을 그의 손가락에 쥐어 주었다.

"조용히 씹어야 돼, 알았지? 풍선이든 뭐든 절대 불지 말고."

그 군인의 얼굴을 알아보는 건 불가능했다. 커다란 얼굴, 완벽하다 싶을 만큼 둥근 얼굴이었다.

그들은 가만히 앉아 있었다. 폴 벌린 일병은 단맛이 사라질 때까지 껌을 씹었다. 그 뒤 어둠 속에서 곁을 지키던 그 아이는 휘파람을 불기 시작했다. 멜로디는 없었다.

"어쩌려고 그래?"

"뭐가?"

"그 휘파람."

"이크, 내가 휘파람 불었어?"

"휘파람 비슷했어."

그 아이는 소리 내어 웃었다. 그의 이는 크고 고르고 하얬다. "가끔씩 까먹는다니까. 멍청한가 봐, 안 그래?"

"잊어버려."

"휘파람이라니! 가끔씩 내가 어디에 있는지 까먹어. 사람들 말이야, 쟤들이 나한테 짜증을 내는데도 싹 까먹는다니까. 너 여기 새로 왔구나, 그렇지?"

"그런 것 같아."

"신기하네."

"뭐가 신기한데?"

"신기해," 그 아이는 말했다. "그냥 그렇다고. 내가 까먹는 거 말이야. 휘파람을 불다니! 내가 정말 휘파람 불었다 이거지?"

"그걸 휘파람이라고 한다면."

"이크!"

그들은 잠시 말이 없었다. 귀뚜라미도 새도 없는 조용한 밤이라 진짜 전쟁이라고는 떠올리기 어려웠다. 그는 다시 그 군인의 얼굴을 살펴보았지만 철모 아래는 그저 부드럽고 통통한 느낌뿐이었다. 껌을 씹는, 웃음을 띤 하얀 이. 하지만 상관없었다. 그 아이의 얼굴이 보였더라도 이름을 몰랐다. 이름을 알았더라도 상관없기는 마찬가지였을 것이다.

"시간 좀 남았어?"

"아니."

"제길." 그 아이는 껌을 이로 터뜨려 날카롭고 거센 소리를 냈다. "상관없지."

"부탁인데 —"

"시간을 모르면 시간이 더 빨리 간다니까. 그래서 난 시계를 안 사. 오스카한테 한 개 있고 빌리한테는…… 빌리 걔한테는 두 개 있구나. 시계가 두 개야, 믿어져? 나는 한 개도 사본 적 없는데. 시간을 모르면 시간이 빨리 가니까."

그들은 또 한 번 말이 없었다. 그들은 풀밭에 나란히 누웠다. 달은 이제 매우 높이 매우 환하게 솟았고 그들은 구름이 엄호해주길 기다렸다. 잠시 후 은박지가 구겨지고 질겅질겅 씹는 소리가 났다. 축축하고 시끄러운 소리였다.

"나는 단맛이 사라지는 게 싫어," 그 아이가 말했다. "더 줄까?"

"괜찮아."

"말만 해. 천억 통 있으니까. 진짜 신기해, 안 그래?"

"뭐가?"

"오늘 말이야. 닥이 말한 거 진짜 신기해. 빌리 보이에 관해서."

"그래, 진짜 신기하더라."

그 아이는 저만의 함박웃음을 지었다. "그 껌 좋아? 별로면 다른 껌도 있어. 어떤 거냐면 —"

"좋아."

"여기 블랙 잭도 있어. 블랙 잭 좋아해? 크, 난 진짜 좋아하는데! 주시 프루트(Juicy Fruit)가 두 번째, 블랙 잭이 첫 번째. 비 오는 날 씹으려고 쟁여두는 중이지, 대략. 무슨 말인지 알지? 네가 씹고 있는 건 더블민트라고."

"이것도 좋아."

"좋고말고," 그 아이, 둥근 얼굴의 군인이 말했다. "블랙 잭이랑 주시 프루트 빼면 그게 내 최애거든. 블랙 잭 껌 좋아해?"

폴 벌린은 한 번도 씹어본 적 없다고 말했다. 그 아이가 자꾸 너무 큰 소리로 말하는 바람에 그는 불안했다. 그는 일어앉아 뒤를 돌아보았다. 모든 것이 캄캄했다.

"신기하네," 그 아이가 말했다.

"그러게. 조금 조용히 하는 게 어떨까?"

"신기해. **한 번도 없다고?**"

"뭐가?"

"블랙 잭. 한 번도 씹어본 적이 없다고?"

산길 위쪽에서 누군가 닥치라며 쉬 소리를 냈다. 그 아이는 고개를 흔들며 손가락을 제 입술에 갖다 대더니 웃고서 뒤로 누웠다. 그러고 한참 동안 휑한 정적이 돌았다. 한 시간, 어쩌면 그보다 오래 지속된 정적이었는데, 그러다 그 아이는 또다시 처음에는 부드럽게, 그러더니 시끄럽게 휘파람을 불고 있었고 폴 벌린은 그를 팔꿈치로 쿡 찔렀다.

"진짜 신기해," 그 군인이 속삭였다. "빌리 보이에 관한 거. 닥이 말한 거 말이야, 들어본 중에 제일 신기하지 않아? 그런 얘기 들어본 적 있어?"

"어떤 얘기?"

"닥이 한 얘기."

"아니, 한 번도 없어."

"나도야." 그 아이는 또다시 껌을 씹고 있었고 감초 향이 풍겼다. 달은 조금 낮아져 있었다. "나도 그래. 나도 그런 얘긴 한 번도 못 들어봤어. 그래도 닥은 있지, 아주 똑똑한 사람이야. 아주 넌더리 나게 똑똑한 사람."

"그래?"

"그렇고말고. 걔가 뭔가 말하면 있잖아, 진실을 말하는 거라고 알아두면 돼. 그렇게 **알아둬.**" 그 군인은 몸을 뒤집어 엎드리더니 손가락으로 박자를 맞춰가며 휘파람을 불기 시작했다. 그러다 느닷없이 멈췄다. "제길!" 그는 제 뺨을 찰싹 후려쳤다. "또 휘파람! 망할 휘파람 그만 불어야 되는데." 그는 웃음을 지으며 제 입을 탁탁 때렸다. "아무튼 확실한 건, 닥은 똑똑한 사람이야. 모르는 게 없어. 닥이 얼마나 많이 아는지 넌 못 믿을걸. 엄청나. 엄청 많이 알아."

폴 벌린은 고개를 끄덕였다.

"음, 너도 알게 될 거야. 닥은 유능해." 그 아이는 일어앉아 고개를 절레절레했다. "심장마비라니!" 그는 두 뺨을 풍선처럼 부풀렸다가 공기가 빠지게 흘려보내는 우스꽝스러운 표정을 지었다. "심장마비라니! 너도 그 말 들었지? 전장에서 심장마비, 닥이 그렇게 말한 거 맞지?"

"맞아," 폴 벌린은 속삭였다. 그는 폐에 쿡 하는 압력을 느꼈다.

"믿어져? 빌리 보이 심장이 마비된 거? 겁에 질려서?"

폴 벌린은 낄낄거렸는데 그러지 않을 수가 없었다.

"상상이 돼?"

폴 벌린은 또렷하게 상상이 되었다. 그는 위생병 보고를 상상했다. 그는 전보를 펼치는 빌리네 아버지를 상상했다. **귀댁의 아들 빌리 보이가 어제 베트남공화국에서 활동 중 겁에 질려 사망하였음을 알려드리게 돼 유감입니다.**

그는 몸을 굴려 엎드리고는 젖은 풀밭에 얼굴을 처박았다.

"살짝 시끄럽네," 그 아이가 말했다. 하지만 폴 벌린은 낄낄거리느라 몸이 들썩대고 있었다. 전장에서 겁에 질려 죽을 줄이야.

"살짝 시끄러워."

하지만 그는 낄낄거리다 못해 콜록콜록했고 멈추지를 못했다. 그는 낄낄거리며 기억을 떠올렸다. 무더운 오후, 불쌍한 빌리, 눈부신 알루미늄 깡통에 든 코카콜라를 마시던 그들, 사격 연습으로 구멍이 잔뜩 난 깡통들을 나란히 세워놓고 총 쏘던 사내들, 얼마나 재미있고 얼마나 바보 같은 일이었으며 얼마나 무더운 날이던지, 그러고 행군을 시작하자 전쟁이 마냥 나쁘게만 보이지는 않았고, 그러다 얼마 못 가 빌리가 지뢰를 밟았고, 그러자 작고 여린 소리, **푸** 하는 시시한 소리, 그냥 **푸** 하는 게 전부인 소리가 났고, 그러자 빌리 보이는 거기 서서 벙긋 웃었고, 말하자면 난처해하는 바보의 모습이었고, 그렇게 그는 거기 서서 제 발이 있었던 곳을 내려다보았고, 그러다 결국 주저앉았고, 그러면서도 말 한 마디 없이 벙긋 웃고 있었고, 그의 발이 들어 있는 군화는 거기 놓여 있었는데 그 웅장하지도 극적이지도 않은 **푸** 소리, 얼마나 뜨겁고 맑고 선명한 날이던지.

"이봐," 어둠 속에서 그 아이의 말이 들렸다. "살짝 시끄럽다고, 알았어?" 하지만 폴 벌린은 낄낄거림이 멈추지 않았고 팔을 깨물며 애써 억눌러도 기억은 떠올랐다 ──"전쟁 졸업이네, 빌리," 닥 페럿은 말했다. "백만 불짜리 부상인걸."

"이봐, 살짝 **시끄럽다니까.**"

하지만 빌리는 이제 한쪽 군화를 붙들고 있었다. 그는 이미 신겨 있는 군화 끈을 굳이 풀어 다리를 도로 쑤셔 넣고서 군화와 발을 다리에 잡아매겠다고 끈을 자꾸 만지작거렸지만 뜻대로 되지 않았고, 그러자 다들 몇 번이고 말했다. "이봐, 전쟁 졸업이라고, 진정해." 하지만 빌리는 군화를 신을 수 없었는데 이미 신겨 있었기 때문이다. 그는 자꾸 애를 썼지만 뜻대로 되지 않았다. 그러자 그는 겁에 질렸다. "좆같은 군화가 안 신어져," 그는 말했다. 그리고 그는 겁에 질렸다. 그는 파래진 얼굴로 팔과 목의 정맥을 불룩거리면서 군화를 잡아당기다가 울고 있었다. "허튼소리," 위생병 닥 페럿이 말했지만 빌리 보이는 끈을 조이면서, 자기가 죽을 거라고 말하면서 자꾸만 시끄럽게 울어댔고 그러거나 말거나 의무관은 말했다. "허튼소리 하지 마, 네가 얻은 그 부상 백만 불짜리야." 하지만 얼이 나간 빌리는 울면서, 자기가 죽을 거라고 말하면서 제 발이 들어 있는 군화를 당겨 신었다. 그러다 닥 페럿이 그에게 모르핀을 놓았는데, 그러고 나서도 빌리는 울음을 그치지 않고 군화와 씨름했다.

"입 좀 다물어!" 그 군인이 쉭 소리를 냈는데, 혹은 낸 듯했는데, 감초 향이 그를 완전히 덮고 있었고 그 향 때문에 폴 벌린은 더더욱 낄낄거렸다. 눈이 아렸다. 그는 어둠 속 젖은 풀밭에서 낄낄거리느라 입을 다물지 못했다.

"이봐, 그만해, 조용히 해."

하지만 그는 멈추지 못했다. 그는 배 속에서 들리는 소리를 거기에 그대로 가둬두려 했지만 거세고 쑤시는 소리라 몃게 할 수 없었고, 그래서 빌리 보이가 전장에서 겁에 질려 죽은 게 언제인지 떠올리지 않을 수 없었다.

빌리가 군화를 잡아당기다 휘청거리자 닥 페럿과 다른 두 사람이 그를 붙잡았다. "이봐, 너 아무 일 없어," 닥 페럿이 말했지만 그 소리가 들리지 않던 빌리는 점점 더 몸이 굳고 손이 오그라들고 감은 눈이 찌그려지고 이가 갈리고, 그렇게 온 부위를 꽉꽉 쥐어짰다.

나중에 닥 페럿이 설명하길 빌리 보이는 죽도록 무서워하다가 심장마비로 정말 죽어버렸다. "거짓말 아니야," 닥은 말했다. "전에도 본 적 있어. 부상 때문에 죽은 게 아니라 심장마비 때문에 죽은 거야. 거짓말 아니야." 그래서 그들은 뺨까지 주름이 지도록 눈을 찌그려 감은 빌리를 합성수지 판초로 말아 초원 너머 마른논으로 나르고 노란 연기를 날려 헬기를 부른 다음 거기에 실은 뒤 닥이 수건으로 싼 군화를 빌리 옆에 놓아주었는데, 그렇게 벌어진 일이었다. 헬기는 빌리를 데려갔다. 노래 부르기를 사랑한 에디 라추티가 나중에 그 노래를 기억해내는 바람에 우스개는 시작되었으니, 에디는 이런 노래를 불렀다. **어디 갔니, 빌리 보이, 빌리 보이, 오, 어디로 갔나, 멋쟁이 빌리는?** 그들은 바다 쪽으로 행군하면서 캄캄해질 때까지 노래를 불렀다.

이제 등을 대고 누워 낄낄거리는 폴 벌린의 눈에 달의 움직임이 들어왔다. 그것은 달이었을까? 아니면 흘러가는 구름 때문에 달이 움직여 보인 걸까? 아니, 낄낄거림을 내쫓으려고 그를 덮쳐 가슴을 짓누른 그 아이의 둥근 얼굴인지도. 하지만 그때조차 폴 벌린은 웃음을 멈추지 못했다. "그렇게 나쁘지는 않았어요," 그는 아버지에게 말할 것이다. "저야 남자다웠죠. 첫날에요, 전쟁에 온 첫날부터 그런 꼴을 목격했는데, 처음부터 전부 다요, 익숙해지고 나니까 그렇게 나쁘지 않았고, 나중에는요, 나중엔 한결 괜찮아졌는데, 나중엔 있잖아요, 일단 요령을 익히니까 나중엔 그렇게 나쁘지 않더라고요." 그는 멈추질 못했다.

그 군인은 그를 올라타 있었다.

"이봐, 이제 됐어, **그만**."

그때 처음 그는 그 얼굴을 또렷이 보았다.

"이제 됐다고."

달의 얼굴, 그러다 나중에 달은 구름 뒤에 숨었고 종대는 이동을 시작하고 있었다.

그 아이는 그를 일으켜 세웠다.

"괜찮아?"

"물론이지, 괜찮아."

그 아이는 그에게 껌 한 장을 건넸다. 블랙 잭, 귀한 물건이었다. "넌 잘할 거야," 카차토는 말했다. "그럴 거야. 넌 유머 감각이 끝내주니까."

서른둘.
관측소

이제 움직임 없이 안정된 모습이었다.

폴 벌린은 야간 조준경에서 눈을 뗐다.

그의 시야는 시력에 맞추어졌다. 움직임 없이 안정된 모습, 밤은 이제 그의 눈에 단단히 붙들렸다. 견고한 것들. 해변, 전방의 철조망, 달과 더없이 밝은 별들, 꽝응아이가 세상을 만나는 매끈한 경계선, 물리적인 장소. 파도 끝자락이 부서졌다. 어두운 색소가 그보다 밝은 색소에서 떨어져 나갔다. 4시 30분, 그는 생각했다. 손목시계를 확인할 것도 없었다. 첫 여명을 보았으니 이제 4시 30분이었다.

그는 조준경의 전원을 껐다. 그는 렌즈 뚜껑을 원위치로 돌린 다음 알루미늄 보관함에 기계를 도로 넣고 배 통조림을 하나 땄다. 그는 천천히 먹었다. 동틀 녘은 확실히 위험했지만 그는 제 눈을 믿었고 지금 그 눈에 보이는 건 안정되고 차분한 모습뿐이었다.

빌리 보이는 죽었다.

빌리 보이 왓킨스도 다른 이들처럼 사망자에 속했다. 단순한 진

실이었다. 유난히 끔찍한 일도, 떠올리기 힘든 일도, 심지어 슬픈 일
도 아니었다. 일개 사실이었다. 그것은 첫 사실이었고 거기서부터
다른 사실들이 이어졌다. 이제는 사실들이 끝나는 데까지 가보느냐
마느냐 하는 문제에 지나지 않았다.

그는 배를 먹었다. 남김없이 끝내자 그는 깡통을 해변에 떨어뜨
렸다.

서른셋.
파리로 가는 길에 법을 어기어

그들은 2월 열흘째에 다시 체포되었다. 자다가 깨서 수갑을 차고 대빗자루에 줄줄이 꿰어 하숙집을 나와서는 대기 중이던 가축용 트럭에 우르르 실렸다. 트럭은 테헤란 거리를 쏜살같이 달려 회색 돌로 지은 구치소로 그들을 데려갔는데 거기서 그들은 검색을 거쳐 지문을 채취하고 사진을 찍고 면도를 한 뒤 각각 독방으로 끌려갔다. 폴 벌린이 휴대용 달력으로 날짜를 세어보니 딕이나 에디 혹은 다른 누구의 코빼기도 보지 못한 지 여드레. 아무도 보이지 않았다. 목소리도 들리지 않았고 메아리도, 문을 여닫는 소리도 들리지 않았다. 미닫이 구멍을 통해 배식된 그의 식사는 기다리고 있으면 마치 기다렸다는 듯이 나타났고, 중세 지하 감옥 같은 냄새는 그로 하여금 경탄에 젖어 눈을 껌뻑거리게 만들었다. 그래서 그는 잠을 잤고, 의아해했고, 쇠붙이가 돌에 부딪치는 소리를 귀담아들었다. 그러다 깊은 잠에 들었을 때 누군가 그를 깨워 눈가리개를 씌우고 좁은 복도로 끌고 내려갔다. 그는 목에 축축함을 느꼈다. 그는 손 하나가 자신을 만지는 느낌이 났고, 고개가 앞으로 수그려졌고, 그러더니 목을 삭 긋는 예리한 느낌에 이어 눈 녹을 때의 냉기가 뒤따랐다. 면도칼, 그는 생각했다. 그는 눈가리개 속에서 눈을 뜬 채 매 손놀림에 파르르 떨었다. 그는 침을 꿀꺽 삼키면서 자기가 삼켜온 많은 걸 상상했다. 삼키던 즐거움을.

일이 끝나자 그는 다른 방으로 끌려갔고 거기서 눈가리개가 풀렸다.

그 방은 투광조명 빛으로 노랬다. 가구는 하나도 없었다. 방 한가운데에는 스팅크와 에디와 닥과 오스카와 중위가 바닥에 바짝 둘러앉아 있었는데 다들 목이 면도된 채였고 천장으로 치솟은 콘크리트 기둥에 따로들 수갑으로 묶여 있었다. 분홍색 **차도르**를 입고 머리에 천을 두른 사르킨 아웅 완은 그 방을 자유롭게 돌아다녔다. 그녀는 그의 목에 입을 맞추더니 군인 하나가 그를 기둥에 수갑으로 매다는 동안 옆으로 비켜났다. 무장한 보초 두 명이 문을 지켰다.

"동물원에 온 거 환영해," 오스카가 말하고는 윙크를 했다. "침팬지랑 테디 베어 신세네, 일동 환영 인사 하자고."

"이게 무슨 일이야?"

"악랄해. 분명 사악한 짓하고 관련됐어."

손잡이가 돌아가고 문이 열리더니 파히 랄론 대위가 급히 들어왔다. 그는 자신의 정모와 커다란 가죽 서류 가방을 들고 있었다.

"여러분," 그는 지체 없이 말했다. "이거 매우 사죄를 드려야겠습니다. 무슨 말로 입을 떼야 할지 모르겠군요." 그는 맨바닥에 앉아서 서류 가방을 열고 내용물을 가만히 들여다보았다. 그러더니 그는 한숨을 지었다. "당신들이 체포된 걸 오늘 아침에야 알았어요. 즉시 본부로 달려갔죠. 결백하다, 제가 그들한테 얘기했어요. 네, 당신들은 관광 중인 결백한 군인이라고요. 참 어렵군요. 사바크가 말이죠, 쉽게 답을 주지 않아서요."

"질문이 별로였나요?" 닥이 물었다.

"유감스럽게도," 대위가 말했다. "지금 농담을 주고받을 때가 아니에요. 당신들 상황이 심상치 않아요."

"심상치 않다, 목을 면도한 이유가 있군요?"

"안타깝게도." 랄론 대위는 다시 서류 가방을 빤히 들여다보았다. "현재로서는 혐의를 단정하기가 어려워요. 구체적인 사항 말이죠. 당연히 신문은 제가 계속하겠지만 사바크가 그걸 친절하게 보고만 있진 않을 겁니다. 제 목도 위태롭군요. 하지만 어쨌든 문제가 풀리게끔 제가 힘을 써보겠습니다."

"무슨 문제요?" 닥이 말했다. "**문제**가 뭔데요?"

"간첩 행위."

"첩보다 이겁니까?"

대위는 고개를 끄덕였다. "거기다 방해 공작 모의, 혁명 선동 모의, 테러리즘, 무단 입국, 여권 비소지, 무허가 화기 소지, 소지 무기 미신고, 이란의 샤한샤* 국왕 폐하 위해(危害) 모의도요."

"다 하셨나요?"

"안타깝게도," 랄론 대위가 말했다. "더 있습니다. 또 다른 문제가 있어요." 대위는 얼굴이 발개지더니 눈길을 돌렸다. "탈영," 그가 말했다.

---

* 　이란의 통치자를 가리키는 말로 '왕 중의 왕'이라는 뜻.

오스카 존슨이 웃음을 터뜨렸다.

"웃깁니까?" 대위가 물었다. "탈영이 웃겨요?"

"아니요," 오스카가 말했다. "그래도 좀 우스운 면은 있네요."

랄론 대위는 어깨를 으쓱하더니 서류 가방에서 서류철을 꺼냈다. 그는 그것을 펼치더니 위쪽 한 귀퉁이를 스테이플러로 철한 종이 다발을 빼냈다.

그는 손가락으로 보고서를 톡톡 두드렸다.

"개인적으로," 그가 말했다. "저는 여기 적힌 말을 믿지 않아요. 순 오해라고 확신합니다. 그래도 말이죠, 안타깝지만 안정이 되기 전까지는 당신들이 위험한 상황임을 말씀드립니다." 그는 보고서를 두 번째 페이지로 넘겼다. "여기에 진술된 대로, 테헤란 주재 미국 대사관에 문의한 결과 당신들은 군사적으로든 정치적으로든 공식적인 비호 아래 여행 중이라는 걸 입증하는 데 실패했어요. 솔직히…… 솔직히 저는 당신네 주재무관 사무소에서 당신들 이름도 못 들어봤을까 봐 두렵습니다. 지금 문의가 더 진행 중인데, 아이고, 여권도 없고 다른 참고 문서도 없으니——"

"망했군요," 오스카가 조용히 말했다.

닥 페럿은 억지로 웃음을 지었다. "보세요, 이거 전에 끝난 일 아닌가요? 제가 설명드렸잖습니까——우리가 어떤 상호 군사규정에 따른 권한으로 여행 중이라고요. 기억하시죠? 제네바, 1965년."

"딱하군요," 랄론 대위가 말했다.

"네?"

"끔찍하게 딱한 일인데, 그런 규정은 찾을 수가 없습니다."

"쳇, 헛소리," 스팅크가 툴툴거렸다. "변호사 없어요? 괜찮은 변호

사라면 찾을지도 ——"

대위는 냉정히 고개를 끄덕였다. "확실히 말씀드리는데, 저희가 규정집을 계속 검토하겠습니다. 자료실을 싹 뒤지느라 사바크는 이 순간에도 바빠요. 그런데도 조약은 많지, 문서 작업은 넘치지. 시간이 걸립니다. 사실이에요, 시간이 많이 걸려요."

장교는 목을 가다듬고 보고서 세 번째 페이지로 넘어갔다. "그 와 중에 더 심각하고 실질적인 문제가 남아 있습니다. 자동화기, 폭발물, 세열수류탄, 총검, 칼, 조명탄 휴대요. 목록이 참 포괄적이에요, 과장 없이 말하는데도. 왜 명백한 의혹이 생기는지 이해하시리라 봅니다."

"저희는 군인이에요," 에디가 말했다. "전투병은요, 전투병들은 그런 물건을 항상 가지고 다녀요."

대위는 처음으로 웃음을 지었다. 그는 필기를 했다. "그래요," 그가 말했다. "거 아주 괜찮은 주장이군요. 사바크가 열심히 들어줄 거라는 확신이 듭니다." 그는 또 한 번 웃음을 짓더니 이를 딱딱거렸다. "반면에 저희 나라처럼 국내 안보가 최우선인 곳에서는 그런 엄청난 양의 화력을 지니려면 군인들조차 정당한 해명을 해야 하죠. 이 점 이해하시죠? 왜, 저희 군인들도 ——"

"망했군요," 오스카가 말했다.

"그러니 이런 걸 죄다 왜 가지고 다녔는지 이제 해명해주시렵니까?"

"우리가 불법을 저지른 거네요."

제 손가락을 유심히 관찰하던 닥 페럿이 등을 곧게 펴고 앉았다. "잘 들어보세요," 그가 말했다. 그는 대위의 눈을 똑바로 쳐다보았다. "저희는 열흘 전에 침대에서 끌려 나왔어요. 총구를 겨눠서 체포하고, 구금소에 내동댕이치고, 독방에서 썩게 내버려두고. 변호사는 없었습니다. 영장도요. 공식적인 혐의는 없었죠. 비공식적인 혐의도. 기소도 없었고 그 인정 절차도 없었습니다. **아무것도요**. 자……이제 분명히 하죠. 이거 뭐 하는 짓입니까?"

랄론 대위는 눈살을 찌푸렸다. "정치요," 그는 말했다.

"정치? 무슨 종류의 정치요?"

"아이고," 대위는 한숨을 지었다. "정치 얘기는 현명하지 못합니다."

"과연 그럴까요?"

"부탁이에요. 해명을 하는 건 당신들 안녕을 위해서예요. 간청드리는데——"

닥의 목소리는 얼음장 같았다. "전에 말씀드렸을 텐데요."

"그럼 한 번 더 해주시겠습니까?"

닥은 말을 멈추고 침묵이 자신을 거들게 내버려두었다. "그러죠, 그럼. 하지만 이번에는 제대로 해주세요. 저희는 **군인**입니다. 미 보병이요. 임무는——카차토라는 도망자를 잡아 오는 거예요. 전부 완전히 적법한 일이죠. 다 사실이고요."

"카차토," 장교가 읊조렸다. 그는 성(姓)을 받아 적었다. "이름도 말씀해주시렵니까?"

아무도 이름을 몰랐다.

에디와 스팅크가 설명을 제공하자 랄론 대위는 그것을 제 공책에 정성껏 옮겨 적었다.

"자, 그럼," 그가 말했다. "이 카차토가 그 탈영병이라는 거군요,

그렇죠? 시민적, 군사적 의무에서 달아난 자가요?"

"만세."

"그리고 당신들은 달아난 게 아니고요?"

"네," 닥이 말했다. "달아난 건 카차토죠. 저희는 쫓습니다."

"그러면 당신들은 탈영이 아니네요?"

"이제 알아들으시는군요," 닥이 차갑게 말했다. "이제야 이해하고 계세요."

대위는 고개를 끄덕이며 공책에 갈겨쓴 뒤 보고서 네 번째 페이지로 넘어갔다. 그는 연필로 한 줄 한 줄 따라가며 한참을 검토했는데, 굼뜬 독자인 그는 난해한 퍼즐을 푸느라 어려움을 겪는 아이처럼 굵고 까만 눈썹을 자꾸만 모았다. 그는 지루해하는 눈빛이었다.

"저는 둔해요," 그가 마침내 말했다. "그냥 머리가 좋지 못한 군인입니다. 하지만 요약해보죠. 여권도 없다. 주권국의 영토를 통과할 인가도 없다. 현지 미국 관계자의 입증도 없다. 이 일…… 임무 때문에 당신들을 파견했다는 명령서도 없다. 소형 화기에 전쟁 물자를 들고 다녀도 된다는 허가도 없다. 이 사실들에 동의하십니까?"

닥은 어깨를 으쓱했다. "사실은 사실이고," 그는 천천히 말했다. "해석은 별개의 일이죠. 사실을 알맞은 틀에 끼우는 일이요. 저희는 당신이 곤경에서 벗어나게 해줄 거라고 믿습니다."

"도마에 올랐다니까요," 오스카가 말했다. "제길, 우릴 커다란 도마에서 그냥 내려줘요."

대위는 눈을 비볐다. 그는 보고서를 다시 서류 가방에 넣고 일어섰다.

"저는 변호사가 아니에요," 그는 말했다. "아무것도 이해 못 하는 가엾은 사람이지. 하지만 우리는 같은 군인이니까 저도 제가 할 수 있는 걸 해보겠습니다."

"그동안은요?"

"그동안은," 랄론 대위가 말했다. "결백을 확신하면서 마음 편히 기도나 하세요. 당신들의 순수한 동기를 믿고."

물처럼 형태가 없던 폴 벌린의 동기는 상상을 통해 쓸려 갔다. 그에게 중력 같은 무게를 더하는, 파도처럼 훅 끼얹히는 압력, 그를 점점 더 깊은 곳으로 떠미는 겹겹의 경사면. 그의 뇌는 잠수병에 걸렸다.

통제 밖이었다. 엉망이 되어버렸다. 달아날 수는 있었지만 그 결과를 앞지를 수는 없었다. 상상에서조차.

상상 — 때로 그는 인생 전부를 거기에 낭비한 것 같았다. 프로야구에서 이력을 쌓을 계획으로 허송세월하던 애송이 시절의 긴긴 여름 오후. 열심히 연습했다면 어땠을까, 야구 강습이란 강습은 다 찾아다니고, 수업을 받고, 마이너리그에 들어가 에이 클래스와 트리플 에이 클래스에 올라가면 그다음은 마침내 메이저리그 — 미네소타 트윈스나 시카고 컵스. 어떻게 되었을지 그려보던 일. 가끔은 정교한 계획까지 적어가며 전략을 짰고 상상을 미래에 형태를 부여하는 일종의 도구로 삼았다. 백일몽만은, 공상만은 아니었다. 그저 가능성을 헤아려보는 방법이었다. 통제하기, 감독하기. 그러면 결말은 언제나 행복했다. 이후 고등학교에 올라 새로 헤아릴 것들이 생겼다. 대학을 갈지 아니면 아버지를 따라 집짓기 사업에 뛰어들지. 이러지도 저러지도 못한 채 선택을 보류하는 방편으로 그는 센터빌 주니어 칼리지에 입학했다. 길고 결실 없는 2년이었다. 아, 그는 할 것은 다 했다──성적도 좋았고 몇몇 책에는 재미도 붙었다──한동안은 아이오와 대학교로 옮겨 교육학 학사를 딸까 고민할 정도였다. 그는 역사와 국어를 좋아하고 애들을 좋아해서 어쩌면 교육이 답이었을지 모른다. 하지만 센터빌에서의 두 번째 연말에 그는 출발점으로 되돌아갔다. 막연히 초조함을 느꼈다. 그는 학교 상담사에게 이야기한 기억이 났다. "중퇴요?" 단신에 왜소하며 유머라곤 없던 그 남자는 말했다. "전쟁 중인 거 몰라요?" 사실을 말하자면 폴 벌린은 몰랐다. 아, 그는 **알았다**, 하지만 자신의 일이라는 느낌이 도무지 없었다. 그는 싸우는 모습을 TV로 보고 신문으로 그 기사를 읽었지만 어쩐지 영 현실 같지 않았다. 그래서 그는 끝내 중퇴했다. 사실 판단해서 한 일은 아니었다. 정반대였다. 판단 불능. 표류, 그는 자기가 표류하도록 손을 놓은 채 1967년 여름을 포트다지에서 아버지와 일하며, 도시 변두리에 고급 주택 두 채를 지으며 보냈는데, 길고 뜨거운 날들이었고 보기 좋게 그을었고 몽유병을 앓는 느낌이었다. 그러다 징집이 되었을 때 별다른 충격은 없었다. 그때조차 전쟁은 현실 같지 않았다. 무리에 섞여 기초 군사훈련을 받은 다음 고등 각개훈련을 받는 중에도 현실감은 들지 않았다──또 하나의 백일몽, 별난 공상이었다. 그는 어렸다. 그게 큰 부분을 차지했다. 그는 단지 너무 어렸다. 그러고 나서 이어지는 5월, 휴가차 집에 돌아온 그는 디모인강으로 야영을 떠났다. "다 괜찮을 거야," 아버지는 말했다. "물론 끔찍한 것도 보겠지, 하지만 좋은 걸 찾으려고 애쓰렴. 배워서 익히려고 애쓰고." 그러고 그가 한 일이 그거였다. 자기 안으로 움츠러들기, 눈꺼풀 까고 좋은 것만 보기. 전쟁이 끝나면 무슨 일이 생길까.

나는 무엇을 할까. 어떻게 기념할까. 파리.

하지만 이번 일은 뭔가 잘못된 것이었다.

그들은 가구와 양탄자와 천갈이 의자가 있는 더 넓고 편안한 별실로 옮겨졌다. 길고 멍한 시간이었다. 몇 시간인지 며칠인지 그는 확신할 수 없었다. 오스카와 닥은 땅굴이며 쇠톱이며 탈출에 관한 막연한 대화를 나누었지만 가망은 없었다. 바닥이 시멘트였다. 벽은 돌이었다. 스팅크 해리스는 장난감 총을 깎기 시작했는데——"딜린저*처럼 뻥쳐서 나가는 거야"——결국 장난감 총 같은 장난감 총이 나왔다. 그래서 그들은 기다렸다. 그들은 잠을 자고 편지를 썼다. 매일 아침 동이 트면 이발사가 와서 그들의 목을 면도했다.

"불길해," 오스카는 그 뒤 말하곤 했다. "악마 같아."

폴 벌린은 나갈 방법을 열심히 궁리했다. 그건 기적이야, 그는 계속 생각했다. 신의 은총이 필요해. 그는 밤이면 사르킨 아웅 완과 누워 가능성을 더듬었다. 때로는 바닷가의 관측소로 슬며시 돌아가 아래를 내려다보며 파국의 환영에 넋을 잃곤 했다. 탈영——이건 정말 탈영 아닐까? 결국엔 반드시 대가가 따를 텐데? 책임을 추궁하면? 의심의 여지 없이 시작부터 전부 미친 일이었다. 파리로 이어진 길은 어디에도 없었다.

그러다 어느 날 아침 그들이 면도를 당하고 있을 때 파히 랄른 대위가 별실로 들어왔다. 그는 면도칼을 힐끗하고 물러나려 했지만 닥이 들어오라고 팔을 흔들었다.

대위는 가까스로 옅은 웃음을 지었다. 그는 담배를 한 대 피우고 이발사가 닥의 어깨에 수건을 덮고 작업해나가는 모습을 지켜보았다. 면도칼 소리는 양피지를 연필로 긋는 소리 같았다.

"그래서," 닥이 말했다. "판결은 났습니까?"

대위는 면도 작업에 매료된 듯했다. 그는 이발사가 면도칼을 닥의 귀 밑에서 위로, 그런 다음 민첩하게 아래로, 그런 다음 또다시 위로 아래로 쓸되 칼질이 끝나면 번번이 칼날을 닦는 모습을 눈여겨보았다.

"대위님?"

랄론 대위는 제 콧수염을 만지작거렸다.

"정말 애를 썼습니다," 그는 말했다. "당신들 사건을 제 상관들께 보고했어요. 확증이 아니니 좋게 봐달라고 애원을 했죠. 제가 **정말** 애를 썼습니다."

"그래서 판결은요?"

"안타깝게 됐습니다."

엄청난 정적이 깔렸다. 매우 수선스러운 정적이라고 폴 벌린은 생각했다. 그는 오스카가 방 저쪽에서 —— 질기고 맹렬한 눈길로 —— 비난하듯 자기를 바라보고 있음을 느꼈다. 이렇게 말하는 듯했다. **어이, 네 좆같은 꿈이잖아. 이제 뭐라도 좀 해봐.**

잠시 후 닥 페럿은 한숨을 지었다.

"음," 그가 말했다. "어느 정도 외교적 압력을 행사할 때가 된 것 같군요. 샘 삼촌**이 말이죠. 새미가 돕고 나설 때라고요."

대위는 고개를 가로저었다. "안타깝게도," 그는 말했다. "그건 불

---

*   John Dillinger. 미국 대공황기의 악명 높은 은행 강도.

**   Uncle Sam. 미국 정부.

가능할 겁니다. 명백히 생산적인 일이 아니거든요. 무슨 말이냐, 당신네 정부는 당신들을 몰라요. 아니면 모르기로 했든가. 어떤 경우든 결과는 같으니 걱정이군요."

"결과요?" 닥이 말했다.

이 대목에서 대위는 눈길을 피했다. 그의 담배에서 재가 떨어졌다.

"결과라니요?"

대위는 웃음을 지으려고 애썼다. "내일입니다," 그는 말했다. "내일까지는 아직 많은 시간이 남았어요. 무슨 일이든 일어날 수 있죠. 관용, 사면──"

"**무슨** 결과인데요?"

다른 장교가 즉각 별실로 들어왔다. 그는 파히 랄론과 쌍둥이인지도 몰랐다. 거뭇한 피부, 콧수염, 구깃구깃한 바지. 사바크 국내안보부 대령인 그는 광을 낸 까만 군화를 신고 장갑을 끼고 있었다.

그 남자는 문가에 서서 일종의 알 수 없는 만족감으로 그들을 쳐다보았다. 그의 끈진 시선은 마침내 오스카 존슨에게 꽂혔다.

"벗어," 그가 말했다. 그는 오스카의 눈을 가리켰다. "선글라스. 치워."

"이거요?"

대령은 고개를 끄덕였다.

"저기요, 하지만 저는 눈에 진짜 끔찍한 문제가 있어요. 저는──"

장교의 시선 속 무엇이 오스카를 멈추게 했다. 그는 폴라로이드*를 치웠다.

"이제 그거 바닥에 내려놔."

"제 선글라스요?"

"바닥. 바닥에 내려놔."

오스카는 눈을 껌뻑거리며 말을 들었다. 그는 에디를 힐끗하고 씩 웃었다.

"이제," 대령이 기계공 같은 단호한 목소리로 말했다. "그 위에 올라서주실까."

"올라서라고요?" 오스카는 여전히 씩 웃고 있었다. "선글라스를 으깨란 말씀인가요?"

사바크 장교는 이를 깨물었다. 그는 두 걸음 만에 방을 가로질렀다. 그는 뒷굽으로 폴라로이드를 밟고 발을 이리저리 비볐다. 그와 한 동작으로 그의 팔꿈치가 오스카의 코를 가격해 나뭇가지 꺾는 소리가 났다. 오스카는 넘어지면서도 씩 웃고 있었다.

"광대 놈들," 대령이 말했다.

"그게 아니라——"

"어릿광대로군, 하나같이." 그 남자의 목소리는 납덩이같았다. 그의 눈길이 폴 벌린에게 쏠렸다. "여기 광대가 또 있군, 그렇지?"

폴 벌린은 일어섰다. 믿을 수 없게도 그는 웃음을 짓고 있었다. 그는 웃음을 참지 못했다.

"구치소가 순 광대판이야. 탈영한 광대. 광대들이 웃긴 얘길 늘어놔보라지, 어디 사바크가 웃나." 그 남자는 팔을 내밀어 폴 벌린의 이마에 장갑 낀 손을 얹었다. "웃네. 네 눈엔 내가 웃겨?"

---

*　　Polaroids. 선글라스 상표.

"아닙니다. 저는──" 그는 말을 끝낼 수 없었다. 눈이 화끈거렸다. 그는 코가 두개골까지── 꿈이 머무는 곳까지── 함몰되는 느낌과 함께 바로 넘어졌지만 그러고도 웃음은 멈추지 못했다. 그러다 그는 멈추었다. 통증이 밀려와서였다.

대령은 왼쪽 장갑을 벗으면서 더 있을 가치가 있나 판단하듯 그들을 냉담히 바라보았다.

"그러면," 그가 마침내 말했다. "이제 시인하지."

"뭘 시인해?" 스팅크가 말했다. "이 형편없는 나치 놈아, 어디 내가──"

하지만 스팅크는 이미 꽥 소리와 함께 코를 쥐고 자빠지고 있었다. 폴 벌린은 바닥에서 지켜보았다. 그는 그 남자가 어떻게 한 건지 궁금했다.

"이제 시인하게 될 거야. 나한테 말하겠지. '네, 저희가 임무에서 도망쳤습니다. 어리석게도 방향을 돌려 달아났습니다.' 그렇게 말하게 될 거라고. 지금 말해."

그들은 말했다.

"크게," 대령이 만족한 듯 속삭였다. "크게 말해. 그래야 내가 알아듣지."

"우리는 도망쳤다," 그들은 말했다.

"**진심**이 없군. 확신을 갖고 말해. 한 놈도 빠짐없이 돼지같이 도망쳤다고. 당장 시인해. 돼지같이 도망친 탈영병이다."

"돼지같이," 그들은 다 함께 말했다.

"명예도 모르는 것들."

"우리는 돼지같이 도망친 탈영병이다," 그들은 한 사람도 빠짐없이 말했다. 폴 벌린은 코를 가리고 피를 숨 쉬면서, 하지만 큰 소리로 말했다.

"이번에는 그…… 이 임무, 이 **임무**라는 게…… 그게 허구라고 말해. 지어낸 이야기다 말해. 비겁함을 감추려는 알리바이라고 말해."

그들은 큰 소리로 말했다. 그들은 시인했다.

"파리까지 행군하는 건 불가능하다고 말해. 말하라니까. 그건 멍청하고 불가능한 일이다 시인해."

"멍청하고," 그들은 말했다. "불가능한 일이다."

"어허, 확신을 갖고 말해야지. 크게 말해, 더없을 확신을 갖고."

"멍청하고," 그들은 더 큰 소리로 말했다.

"목청껏 지르란 말이야. 파리까지 걸어가는 건 멍청하고 불가능하다 나한테 소리를 지르라고."

그들은 목청껏 질렀다. 그들은 통증이 느껴질 만큼 숨을 폐 끝까지 들이마시고 멍청하고 불가능하다 소리를 질렀다.

"광대 놈들," 대령은 부드럽게 말했다. "네놈들이 광대라고 말해."

"광대다," 그들은 말했다.

"더 크게."

"광대다!" 그들은 외쳤다.

서른넷.
레이크 컨트리

"날려버리죠," 오스카 존슨이 반복해서 말했다. "내려갈 생각 말자고요 —— 그냥 저 좆같은 것들 날려버리고 이동해요."

시드니 마틴 중위는 고개를 가로저었다. "잘 모르나 본데," 그는 말했다. "땅굴은 수색한 **다음에** 날려버리는 게 운용 규정이야. 그게 절차고 그 방식대로 이행될 거야."

오스카는 웃음을 지었다. 그는 웃는 버릇이 있었다.

"프렌치 터커 기억하십니까?"

"기억해," 중위는 말했다.

"버니는요?"

"둘 다 기억해. 두 사람 다 기억하지만 그래도 규정은 규정이야." 시드니 마틴은 팔짱을 꼈다. 그는 두려워하지 않았다. "이번에," 그는 차분히 말했다. "우리는 내려간다."

오스카가 웃음을 지으며 해럴드 머피를 힐끗하자 그는 눈길을 피했다.

"소대장님," 오스카가 말했다. "불쾌하게 하고 싶진 않아요. 그건 제 성격에도 안 맞아요. 하지만 솔직히 말해 여기 있는 누구도, 단 한 사람도 저 구멍 밑으로 제 몸뚱이를 내려보내지 않을 거예요."

시드니 마틴 중위는 호주머니에서 공책을 꺼냈다. "내려가," 그는 말했다.

"싫어요." 오스카는 웃음을 지었다. "저는 그렇게 못 하겠어요."

시드니 마틴은 고개를 끄덕이면서 오스카 존슨의 이름을 공책에 정성 들여 적었다. 그러고 나서 그는 대원들 각각에게 땅굴로 내려 가라고 지시했고 대원들은 한 사람 한 사람 거부했다.

시드니 마틴은 공책에 이름을 아홉 번 적었다.

"카차토?"

"아직 낚시 중입니다," 보트가 말했다.

"벌린?"

"싫습니다," 폴 벌린이 말했다.

중위는 어깨를 으쓱하더니 폴 벌린의 이름을 적었고, 그러고 나서 제 군화와 양말과 방탄조끼를 벗었다. 그는 말을 하지 않았다. 그는 손전등과 45구경 권총을 꺼내 들고 구멍으로 기어 들어갔다.

대원들은 그 주변에 무리를 지어 기다렸다.

"딱 보니 일 나겠는데," 얼마 뒤 보트가 말했다.

오스카가 땅굴 입구의 흙먼지에다 침을 뱉었다.

"비나이다," 보트가 말했다.

대원들은 숨을 죽이고 시드니 마틴의 땅굴 속 움직임에 귀를 기울 였다. 한 차례 미끄러지는 소리, 그러다 한 차례 쿵 하는 소리, 그러 다 숨 쉬는 듯한 소리가 났다.

폴 벌린 일병은 자리를 피했다. 그는 제 군낭에 걸터앉아 산을 바라다보았다. 주변은 습하고 고요했다. 새도 없었다. 그게 한 가지 특이한 점이었다 — 새도 나무도 없었다. 한때 녹색의 숲과 수많은 새가 있었지만 이제 나무들은 목탄 색깔로 탄 그루터기였다. 덤불도 산울타리도 풀도 없었다. 온 대지가 그을려 엉망이 되었고 폭격을 받아 생긴 사발 모양의 분화구들은 일주일간 내린 비로 가득 차 있었다. 그 물은 하늘처럼 회색이었다. 폴 벌린은 분대 임시 숙영지 너머 산비탈 아래로 어느 분화구에 다가붙어 있는 한 낚시꾼의 희미한 모습을 알아볼 수 있었다. 카차토, 그는 생각했다. 레이크 컨트리에 나가 낚시하는 멍청한 아이. 이 생각에 그는 웃음이 났다. 그는 뒤로 기대어 여기는 전쟁터가 아니라고 공상했다. 여기는 레이크 컨트리*였다.

"절대적인 사실인데," 오스카가 말하고 있었다. "저 사람이 우리 이름을 적었어. 전원 다."

스팅크와 해럴드 머피가 구시렁거렸다.

"전원 다, 저러고 다음번에는 우리한테 들어가라고 시키겠지." 오스카는 땅굴을 빤히 들여다보았다. 그는 한숨을 짓고 웃었다. "시드니는 영 배울 줄 몰라. 저 사람은 사실을 안 받아들여."

"바로 그거야, 완전 사실인데도."

"시드니 마틴은 골칫거리를 찾는 데 선수고, 나는 그가 결국 찾아낼 거라고 믿어."

"그렇게 생각해, 오스카?"

"백 번 천 번. 그렇게 생각해."

오스카는 탄띠에서 수류탄 하나를 빼 들었다. 야구공처럼 생기되

봉제선이 없는, 다루기도 던지기도 쉬운 새로운 종류의 수류탄이었
다.

그는 무게를 재듯 그것을 들고 있었다.

"내 말 알겠어? 보존이야. 저러는 게 다 그거야 —— 좆같은 자기
보존."

짐 피더슨은 코를 문지르고 땅굴 너머의 한 지점을 보았다. "우리
가 좀 기다려주면 어떨까, 응? 저 사람한테 얘기해. 기본적인 사실을
설명해줘."

"내가 말했지, 저 사람은 사실을 안 **받아들인다고**. 운용 규정만 받
아들이지."

"맞아, 그래도 우리가…… 그러니까 내 말은, 우리가 솔직히 얘기
해줄 수 있잖아. 응? 어떤 입장인지 정확히 말해주자니까?"

"그럼 어떻게 되는데?" 오스카가 말했다. "프렌치 터커랑 똑같은
꼴밖에 더 돼?"

피더슨은 고개를 끄덕였다. 그는 전에 케냐로 선교를 다녀온 말
수 없는 아이였지만 고개를 끄덕이고 눈길을 돌렸다.

"보존," 오스카가 말했다. "종의 생존, 살아남는 건 우리야."

저 혼자 땅굴에서 물러앉은 폴 벌린 일병은 레이크 컨트리의 낚시
꾼을 멀찍이서 지켜보았다. 그는 폭격기가 날아와 산에 폭격을 퍼붓
는 바람에 분화구가 생겨나던 일, 그리고 비가 분화구에 고이던 일
을 기억했다. 그 이름을 지은 건 닥 페럿이었다. **세계 제일의 레이크
컨트리**, 닥이 말하고 나서 그 말은 금세 유행이 되었다. 모두가 그렇

---

*   캐나다 브리티시컬럼비아주에 동명의 호수 지역이 있다.

게 말하고 있었다. "레이크 컨트리 사상자," 버니 린과 프렌치 터커가 —— 또 다른 땅굴로, 산의 암석층에 뚫린 땅굴망 전체로 이어지는 —— 땅굴 속에서 죽자 그들은 그렇게 말했는데 두 번 다 땅굴 수색을 고집한 건 시드니 마틴 중위였다.

"만져," 오스카가 말했다.

그는 수류탄을 내밀었다. 그는 안전핀을 뽑고 엄지손가락으로 스푼을 꽉 누르고 있었다.

"전원," 그는 말했다. "만장일치면 좋겠어."

첫 번째로 만진 건 스팅크였다. 그다음은 에디, 그다음은 해럴드 머피, 그다음은 보트와 피더슨과 벤 나이스트롬, 그다음은 닥 페럿.

"벌린."

폴 벌린은 여기가 위스콘신 숲이라고 공상하고 있었다. 인디언 길잡이. 녹음이 진 깊은 숲속, 진정한 야생.

그는 일어나서 땅굴 쪽으로 가 수류탄을 만졌다.

"빠진 사람?"

대원들은 서로를 쳐다보며 머릿수를 헤아렸다. 누군가 카차토의 이름을 속삭였다.

"그 녀석 어디 있어?"

"낚시," 보트가 말했다. "마지막으로 봤을 때 낚시하고 있던데."

"빌어먹을!"

"불러와," 오스카 존슨이 말했다. "얼른."

"그럴 시간 없어." 스팅크가 구멍에 몸을 들이밀고 소리를 듣더니 고개를 가로저었다. "안 돼 안 돼 —— 저 인간 좀 있으면 나와."

"낚시라니!"

"그냥 해," 스팅크가 말했다. 그는 상기된 얼굴이었다. 그는 흥분해 있었다. "그 찜찜한 거 떨어뜨려. 당장, 그냥 떨어뜨려."

하지만 오스카 존슨은 뒤로 물러났다. 그는 안전핀을 끼우고 꽉 구부려 스푼을 고정한 다음 폴 벌린에게 수류탄을 건넸다.

"가서 카차토한테 말해," 그가 말했다.

"말?"

"상황을 설명하라고. 수류탄* 가져가. 단체 일에 신경 좀 쓰게 해."

그러고 나서 시드니 마틴 중위의 손이 나타났다. 그는 제 몸을 끄집어낸 다음 양말과 군화를 신고 똑바로 섰다. 그는 두려워하지 않았다. "이제부터는 이렇게 하는 거야," 그는 말했다. 그는 이름들이 적혀 있는 가슴께 호주머니를 탁탁 두드렸다. "먼저 수색을 하고, 그런 다음 날려버린다. 그게 순서야."

"이제 날립니까?" 보트가 말했다.

"그래," 시드니 마틴이 말했다. "이제 날려도 돼."

구멍을 막는 데에는 네 개의 수류탄이 들었다.

나중에 시드니 마틴 중위는 가슴께 호주머니를 또 한 번 탁탁 두드렸다. "이제부터는 정확히 이렇게 하는 거야," 그는 말했다. "우리는 운용 규정을 따른다. 알아들었길 바란다."

오스카는 웃음을 지으며 완벽히 알아들었다고 말했다.

---

*   원문은 세열수류탄(fragmentation grenade)을 줄인 프래그(frag). 베트남전쟁 때에는 억울한 징병에 대한 불만과 상부에 대한 반감으로 상관 살해가 잦았고 이것이 프래깅(fragging)이라는 용어로 정착했는데 이 말은 저 수류탄을 주로 이용하던 데서 유래했다.

서른다섯.
세계 제일의 레이크 컨트리

"물고기는 없어," 폴 벌린이 말했지만 카차토는 레이크 컨트리로 낚시를 하러 갔다. 그는 한 가닥 기다란 끈에다 클립을 묶고 거기에 햄 조각을 꿰고 나서 '비밀'이라는 라벨이 붙은 다 쓴 에어로졸 깡통을 찌로 매달았다. 카차토는 분화구 가장자리로 내려갔다. 그는 적당한 물때를 찾듯 잠시 멈춰 있다가 낚싯줄을 멀리 넘겼다. 찌가 퐁당 가벼운 소리를 냈다.

"물고기는 없다니까," 폴 벌린이 말했다. "단념해. 한 마리도 없어."

카차토는 손가락을 입술에 가져다 댔다. 그는 쪼그려 앉아 낚싯줄을 홱 끌어당기고는 수은색 물에서 파닥거리는 찌를 바라보았다. 비가 레이크 컨트리에 거품을 일으켰다.

"모르겠어?" 폴 벌린이 말했다. "농담이잖아. 레이크 컨트리, 그거 그냥 닥이 농담한 거야. 알지? 폭탄 분화구에 비가 찬 거야, 완전 코미디라고. 호수도 없고 물고기도 없어."

하지만 카차토는 마냥 웃음을 지으며 손가락을 입술에 가져다 댔다.

어두워지고 있었다. 부분적으론 영원한 어스름에 갇힌 기분을 주는 비 때문이었지만 부분적으론 밤이 진짜로 다가오고 있어서였다. 하늘은 물처럼 은색이었다. 카차토는 낚시꾼의 참을성으로 미끼를 갈고, 그때그때 물의 흐름과 수심을 파악하고, 낚싯줄이 꼬이지 않게 엄지로 길을 잡아가며 종일 낚시를 한 참이었다. 그는 비에 흠뻑 젖어 있었다.

"감기 걸리잖아," 폴 벌린이 말했다.

"난 문제없어. 괜찮아."

"그럴지 몰라도 막상 걸리면 안 괜찮을걸. 여기서 낚을 건 감기뿐이야."

카차토는 찌를 끈지게 바라보았다. 그의 손가락은 까져 있었다. 손톱을 물어뜯은 짧고 퉁퉁한 새끼손가락에 붉고 깊은 줄 자국이 나 있었다. 그의 얼굴은 물렀다. 밀랍이나 젖은 종이 같은 얼굴이었다. 얼굴 여기저기를 긁어내거나 다른 부위와 뭉갤 수 있을 것 같았다.

찌가 기슭 가까이 까닥까닥 다가오자 카차토는 클립을 끄집어내 미끼를 점검한 뒤 찌를 다시 물속으로 던졌다. 비는 입처럼 뻐끔거리는, 마맛자국 같은 작은 구멍들을 만들어냈다.

"그만 포기해," 폴 벌린은 다정하게 말했다. "널 생각해서 하는 말이야."

카차토는 웃음을 지었다. 그는 엉킨 걸 풀듯 어깨를 움직이더니 뒤로 편히 기대고는 까닥까닥 떠 있는 '비밀'을 지켜보았다.

"포기해."

"입질이 왔어."

"아니야."

"약하긴 한데 진짜 입질이야. 너도 언제든 구별할 수 있어."

"불가능한 일이라니까."

"참을성," 카차토는 말했다. "아버지가 말씀하신 게 그거야. 참을성을 가져라, 그러시더라고. 참을성 없이는 물고기를 못 낚아."

"물고기가 없어도 물고기를 못 낚지. 아버지가 그 말씀은 안 하셔?"

"참을성."

"이래봐야 도움 안 돼. 이래서는 아무것도 못 바꿔."

폴 벌린은 철모를 내려놓고 그 위에 걸터앉았다. 그는 비가 옷깃을 타고 내려가는 게 느껴졌다. 산에서 건너온 천둥이 분화구 물을 그릇에 담긴 수프처럼 출렁이게 만들었다. 분화구 너머에는 하나같이 물이 가득 찬 네 개의 더 작은 분화구가 있었고 마지막 분화구 너머에는 그루터기가 되어버린 커다란 나무가 있었다. 레이크 컨트리의 모든 건 죽어 있었다.

"그러니까 널 생각해서 하는 말이야," 폴 벌린이 말했다. "저들은 네가 가담만 하면 된대. 만장일치를 바란대."

카차토는 손가락으로 낚싯줄을 매만지면서 제물낚시꾼 같은 정확도로 낚시를 했다. 그는 비든 감기든 신경 쓰지 않는 듯했다. 그는 손등으로 코를 문지르고 슬슬 낚싯줄을 감더니 제물낚시 동작을 흉내 내 줄을 홱 던졌다. 비는 꾸준했다.

"사람들이 걱정해," 폴 벌린이 말했다. "에디랑 오스카가, 닥도 마찬가지고. 닥이 너 그만 안 두면 독감 걸릴 거래."

"너흰 참 좋은 친구들이야."

"그런 얘기가 아니잖아."

"그런 얘기가 아니면?"

"해야만 하는 일이라고. 그게 다야. 어떻게든 벌어질 일이야."

카차토는 또 한 번 웃음을 지었다. 그는 클럽을 끄집어내 미끼를 다시 끼우고 분화구로 멀리 던졌다.

"입질이 왔어," 카차토가 말했다. "사람들한테 그렇게 얘기하면 돼. 그냥 나한테 입질이 왔다고 얘기해."

"그리고 나서는? 그다음에는 뭐라고 말할까?"

"나는 그거 안 하겠다고."

"그런다고 저들이 안 할 거 같아?"

카차토는 어깨를 으쓱했다. "그 사람 그렇게 나쁜 사람 아니야. 한번은 나한테 무전기 나르게 해줬어. 기억나? 강가에서. 마틴이 허락해줘서 나도 무전기를 날랐어. 그렇게 나쁜 사람 아니야."

"그럴지도 모르지." 폴 벌린은 찌가 물에서 바르르 떠는 모습을 지켜보았다. "하지만 그런다고 저들이 안 할 거 같아? 아무도 못 막아. 어떻게든 벌어질 일이라고."

물은 차가워 보였다. 죽은, 맑은, 살균된 물이었다.

폴 벌린은 오스카의 수류탄을 꺼냈다.

"다들 네가 만졌으면 좋겠대," 그는 말했다.

카차토는 묵묵부답이었다. 그는 고개를 돌려 수류탄을 잠시 쳐다보고는 눈길을 돌렸다.

"만지는 게 좋을 거래. 도리가 없어 —— 어떻게든 벌어질 일이야. 이건 널 생각해서 하는 말이야."

"넌 어때?"

"난 심부름꾼인걸."

폴 벌린은 카차토를 쳐다보지 않았다. 그는 분화구를 건너다보았다. 감기 때문에 목이 칼칼했다. 그것이 눈을 화끈거리게 했다.

"만져," 그는 말했다.

"입질이 왔어."

"지금 만져."

폴 벌린은 카차토의 왼손을 낚싯줄에서 떼어냈다.

"물었다," 카차토가 속삭였다. "하나 걸렸어!"

폴 벌린은 수류탄을 내밀어 그 아이의 손에 단호히 쥐었다. 수류탄은 미끌미끌하고 차가웠다.

"내가 뭐래! 진짜 **콱** 물었어!"

"거 멋진데."

"콱 물었어!"

카차토의 눈길은 레이크 컨트리의 찌를 결코 떠나지 않았다. 그 아이의 손을 놓아준 폴 벌린은 수류탄을 도로 넣고 카차토가 상대의 목숨이 가엾다는 듯 낚싯줄을 만지작거리는 모습을 지켜보았다. 그는 웃고 있었다. 그의 관심은 온통 레이크 컨트리에서 까닥거리는 '비밀'에 쏠려 있었다.

카차토가 커다란 분화구를 낚는 동안 폴 벌린은 옆에 앉아 한참을 구경했다. 산에 천둥이 가득하다 비가 거세지면서 어둠이 밀려왔다. 물과 뭍이 뒤섞이는 것처럼 보였다.

위스콘신에서와 똑같았다. 폴 벌린은 눈을 감았다. 똑같았다. 소나무, 모닥불 연기, 강꼬치고기 구이, 아버지의 애프터셰이브 로션.

큰 곰과 작은 곰, 영원한 친구.

눈을 뜨자 클립 작업 중인 카차토의 모습이 보였다.

"좀 어때?"

"얌생이가 미끼만 물어 갔어." 카차토는 윙크를 했다. "그래도 다음번엔 잡을 거니까. 이제 기술이 좀 생겼거든."

"참을성 있게," 폴 벌린이 말했다.

그는 오스카의 천막 쪽으로 비탈을 걸어 올랐다. 아침이 되면 좋은 식사를 해야겠다고 그는 생각했다. 그게 도움이 될 터였다. 숲에서는 언제나 식욕이 돋았다.

에디와 오스카와 닥 페럿은 스터노 깡통에 둘러앉아 교대로 손을 녹이는 중이었다.

"얘기해봤어?"

폴 벌린은 수류탄을 그들 앞 땅바닥에 내려놓았다.

"낚시꾼이랑 있어보면 알잖아," 폴 벌린이 말했다. "정신이 백만 마일 밖에 팔려 있어."

그들은 불꽃이 사그라질 때까지 말이 없었다. 그 뒤 오스카는 수류탄을 집어 탄띠에 걸었다. "그럼," 그가 말했다. "전원이란 얘기네."

서른여섯.
상상의 나래

자정에 그들의 목은 마지막으로 면도를 당했다. 그들은 총구에 찔려 콘크리트 샤워 부스로 이동했다. 이후 그들은 사진을 찍고 멀건 칠면조 수프와 빵으로 된 간단한 저녁을 배급받은 다음 넓은 공용실에 수감되었다. 스팅크 해리스는 대놓고 눈물을 흘렸다. 닥과 오스카는 편지를 썼다. 중위는 잤다. 에디 라추티는 간이침대에 반듯하게 누워 팔베개를 한 채 밤처럼 그윽한 음성으로 동요를 불렀다. 긴 불침번이 시작되었다. 기적, 폴 벌린은 계속해서 생각했다. 그가 바라는 건 그것뿐이었다 —— 자연법칙을 이겨내는 진짜 기적, 필연적 결말의 이해 못 할 반전. 그는 얼마간 아버지를, 그런 다음 어머니를 생각했고, 그러고 나서 기적에 관한 꿈을 꾸며 잠이 들었다.

바닷가의 탑으로 돌아간 폴 벌린은 여러 가능성을 곰곰이 헤아렸다. 기적, 그는 생각했다. 고도의 상상 행위 —— 대담하고 야단스럽고 허무맹랑한. 그렇다, 머릿속이 만화 같았다.

그러고 밤이 깊어 달이 떠오르자 카차토의 둥근 얼굴이 창문에 나타났다. 얼굴이 떠다니듯 보였다. 숨이 턱 막힌 사르낀 아웅 완은 폴 벌린을 흔들어 깨웠다. 기적, 그는 계속 꿈을 꾸는 중이었다. 하지만 그는 이내 껌뻑껌뻑 눈을 뜨고 팔을 뻗어, 창살 사이로 슥 내밀어진 M-16을 움켜쥐었다. "가," 카차토가 속삭였다.

그러고 일은 시작되었다 —— 폭발, 총 맞은 멜론처럼 박살 난 거대한 철문, 연기, 사이렌, 그러고 나서 옷과 군화를 겨우 낚아챌 틈이 있었고, 그러고 나서 그들은 달리고 있었다. 투광조명으로 환한 복도와 창살과 강철로 이루어진 미로를 힘껏 달렸다. 총격이 뒤를 따라도 그들은 힘껏 달렸다. 눈부신 노란 탐조등이 두리번거렸다. 문이 뻥뻥 열렸다. 콘크리트 벽이 그들을 좌절시키는 듯했다. "어서가!" 그 순간 카차토가 소리치면서 깨진 미로를 뚫고 벽을 넘어 그들을 멀리 이끌었다. 멀리멀리, 그들은 구불구불한 거리와 골목 들을 허둥지둥 달리고 담들을 넘어 달빛이 쏟아지는 마당들을 건너고는 파란 타일로 장식한 돔 지붕들의 높은 상공에서 터지는 조명탄에 당나귀들이 울어대는 한밤의 상점가를 가로질렀고, 별의 광채와 조명을 받으며, 등 뒤에 추격을 달고 다다다 총소리를 들으며, 자갈 깔린 거리를 단호히 내달리는 카차토를 힐끗거리며 그를 사정없이 쫓았다. 폴 벌린은 미친 듯이 달렸다. 그는 카차토의 소총과 사르낀 아웅 완의 손을 꼭 쥐고 달렸다. 빠르게, 고개를 숙이고 전력으로. 군인으로서 최고의 꿈이었다 —— 격렬하고 힘겹고 필사적인 전속력의 달리기. 명예롭지 않은 달리기. 의무도 영광도 임무도 안중에 없는 달리기. 그저 달리기를 위한 달리기일 뿐 그 밖의 것이 아닌 달리기. 산속에서 죽지 않길 바라며 경련을 하던, 씰룩씰룩하는 몸을 웅크린 채 능력만 된다면 얼마나 멀리 또 얼마나 빨리 달아날 수 있을까 상상하던 때와 같았다.

그래서 지금 그는 달렸다. 그는 기적, 하고 생각하며 눈을 감고 그것을 실현했다.

그러고 나서 도주 차량에 탑승 —— 안 될 게 뭐람? 기적의 밤이었고 그는 기적의 사나이였다. 그러니 안 될 게 뭐람? 그렇다, **차**였다. 카차토는 차를 가리키며 뭐라 소리쳤고, 그러고는 사라져버렸다.

오스카가 차를 몰았다. 1964년형 임팔라였다. 차체의 반짝거리는 경주용 줄무늬, 백미러에 대롱대롱 매달린 스펀지 주사위. 펜더 스커트*, 흙받기, 가로로 길게 파인 홈, 표범 무늬 천을 씌운 좌석. 그들은 거기 구겨 탔고 오스카가 차를 몰았다.

뒷좌석에서 눈을 감은 폴 벌린은 오직 기적에 관한 생각으로 여념이 없었다. 달아나다, 날아가다, 달아났다, 그는 오스카가 차로 꼭두새벽의 테헤란을 빠르게 달릴 때 생각했다. 시제(時制)가 뒤엉켰고 장소들이 뒤섞였다. 그들은 구시가지의 아치형 관문을 통과해 샤의 황금빛 왕실을 지난 다음 빈민가며 쓰레기 소굴이며 방향 모를 거리에 들어섰다.

추운 날씨였다. 폴 벌린은 카차토의 소총을 움켜쥔 채 사르낀 아웅 완에게 몸을 웅그렸다.

그들은 이제 뒷길에 있었다. 길도 아니었다 —— 자갈에 바퀴 자국이 난 곳이었다. 정글에 온 것처럼 불쑥불쑥 캄캄한 건물들이 나타났다. 만화, 폴 벌린은 생각했다 —— 원색적인 색감과 밤을 휘젓는 탐조등 그리고 사이렌이 마구 울려대는 도시 —— 딱 만화였다 —— 하지만 그는 진짜라고 믿었다.

방향을 살피던 닥이 북쪽을 지시하며 리비스쿠와 에비스를 지나라고 하자 오스카는 커다란 차를 격하게 유턴했다. 소음기가 없는 낡은 임팔라는 괴성을 질러 밤을 흔들었다. 노란 전조등은 동상들과 얼어붙은 짐승들과 겨울 빙판을 하나하나 가려냈다. 하늘은 조명 빛으로 계속해서 열려 있었다. 그들은 이제 사냥당할 처지였다──비행기와 헬리콥터, 사이렌, 총과 손전등을 든 수색대, 어둠 속을 쏴하고 훑는 투광조명과 높은 바리케이드 뒤로 보이는 군인들의 윤곽. 오스카는 차를 빠르게 몰았다.

한때 그들은 막다른 길에 부닥쳤다. 길이 뚝 끊겨 있었다. 닥은 욕을 내뱉으며 차에서 뛰쳐나가더니 손전등을 흔들어 오스카에게 후진을 알렸고, 그러고 나서 연이은 골목들과 돌로 된 구불구불한 도로를 지나 북쪽으로 향하는 새 길을 일러주었다.

도주, 폴 벌린은 생각했다. 테헤란 한복판에서 도망.

그는 눈을 떴다. 길은 이제 넓어졌고 건물들은 듬성듬성했다. 보아하니 외곽에 다다랐거나 도시의 버려지다시피 한 구역에 온 듯했다. 곳곳의 텅 빈 부지에서 불이 타고 있었다. 총소리는 계속해서 그들을 뒤쫓았다.

"아이젠하워 대로다," 오스카가 녹색 교통표지를 읽고 말했다. "저들이 아이크**를 좋아하는군."

"말도 안 돼," 닥이 말했지만 그것은 틀림없는 아이젠하워 대로였

---

*   fender skirts. 옆에서 볼 때 뒷바퀴 윗부분을 가리게끔 펜더에 덧댄 일종의 덮개. 영국에서는 '각반(spats)'이라고 부른다.
**   미국 전 대통령 드와이트 아이젠하워의 애칭.

는데, 표지를 또 한 번 발견하자 중위는 옛 군가를 부르기 시작했다. 침이 그의 뺨을 타고 흘렀다.

중속, 폴 벌린은 생각에 빠져 있었다. 그는 현기증이 났다. 중속, 고속, 과속 — 휙휙 지나는 불빛, 거울에 매달려 가쁘게 흔들리는 스펀지 주사위.

아이젠하워 대로는 거대한 원형 교차로로 흘러들었다.

그들이 원형 교차로에 진입하자 하늘은 느닷없이 불이 붙었다. 머리 위에서 쾅 하는 소리가 나더니 빛이 번쩍했고 이내 열이 뒤따랐다. 낙하산이 조명탄을 원형 교차로 상공에 붙들어 맸다. 매복, 폴 벌린은 알아차렸고 오스카는 그 말을 입 밖에 냈다.

"진 빠져," 오스카가 속삭였다.

그는 브레이크를 힘껏 밟았다. 임팔라가 측면으로 끽 미끄러지며 원형 교차로에 들어섰다. 하늘에서 무언가 눈부시고 하얀 빛이 폭발했다. 그러더니 온 하늘이 열렸다.

"진 빠진다고," 오스카가 말했다.

폴 벌린은 뒷좌석 깊숙이 몸을 웅크렸다. 그는 대포 소리, 조명의 굉음, 중위의 노랫소리가 들렸다.

"진 빠져!" 오스카가 소리를 질렀다.

원형 교차로의 한가운데, 급변하는 사건의 중심부에서 탱크 열두 대와 병력 수송 장갑차들이 신나게 다가오고 있었다. 감지 중인 레이더처럼 포탑들이 회전하기 시작했다. 군인들은 탱크 뒤에서 총을 — 소총과 기관총을 — 쏘았고 붉은 예광탄들은 다트처럼 바람을 타고 예쁘게 돌진해 왔다. 차가 걷잡을 수 없이 흔들렸다. 갑자기 금속 타는 냄새가 나더니 찢기는 소리가 들렸다. 붉은 다트들이 차 문에 구멍을 냈다. 와장창 깨진 창문으로 바람이 훅 빨려 들어왔다.

"진 빠져," 오스카는 끊임없이 말했다. 그들은 원형 교차로를 빠른 속도로 돌았다. 슬로모션처럼 보이지만 빠른 동작이었다.

탱크 하나가 사격을 했다. 원형 교차로가 요상한 보라색으로 변했다. 임팔라는 차체가 들썩하더니 잠시 허공에 머물렀다가 떨어졌다. 쿵 내려앉으면서도 차는 여전히 측면 주행으로 교차로를 돌았다.

스팅크의 문은 텅 하고 열려 있었다. 그는 눈물을 흘리며 팔걸이에 매달려 있었지만 원심력 때문에 밖으로 튕겨 나가기 직전이었다. 그는 비명을 지르며 문짝을 할퀴었다.

"진 빠져!" 오스카는 소리치고 있었다. "진, 진, 진!"

두 번째 탱크가 사격을 했다. 똑같은 보랏빛이 났다. 그들 뒤에 있던 회색 석조 건물의 중간층이 사라졌다. 꼭대기 층은 아래층으로 폭삭 내려앉았다. 흙먼지와 연기와 돌 부스러기가 뒤섞여 소나기같이 내렸다.

스팅크는 비명을 지르고 있었다. 그는 소리를 지르며 필사적으로 팔걸이를 붙잡았고, 그러는 사이 세 번째, 네 번째 탱크가 사격을 했다. 문이며 창문은 계속해서 구멍이 났다.

폴 벌린은 그것을 멈추려고 했다. "그만," 그가 말하고는 목소리를 높였다 ——"그만!"—— 하지만 그것은 그의 통제를 벗어난 일이었다.

스팅크의 비명은 점점 고조되었다. 에디가 그를 와락 잡아채 그대로 목깃을 붙잡고 버텼다. 스팅크는 팔걸이를 꽉 쥐어짰다. 그는 울면서 비명을 질렀고, 다들 좌우로 휘청휘청하는 중에도 브레이크를 힘껏 밟았다 속도를 올렸다 하며 빙빙 돌았고, 사격은 멈추지 않왔다.

오스카가 갑자기 브레이크를 걸었다.

"후진!" 누군가 외쳤으나 그들은 이미 후진 중이었고, 뒤로 달리는 사이 탱크 포탑은 회전을 해 그들을 겨냥했다.

그렇게 뒤로 달아나던 그들은 어느 순간 노상 장애물을 넘고 원형교차로를 이탈해 재빨리 혼잡한 고속도로를 탔는데 그것은 후진만으로 이루어낸 일로, 그때까지도 스팅크 해리스는 열린 문짝을 할퀴며 거기 매달려 있었다. 이제 사격은 따돌린 상태였다.

그들은 1마일을 더 가서 차를 세웠다.

"진이 다 빠졌어," 오스카가 조용히 말했다. "다들 지독하게 진이 빠진 모양이군."

그들은 스팅크를 안으로 들이고 차 문을 잠근 다음 방향을 돌려 서쪽 방면 고속도로에 진입했다.

대화는 없었다. 그들은 말없이 차에 앉아 차량의 흐름이 저희를 도시 밖으로 실어 가게 몸을 맡겼다. 기적, 폴 벌린은 생각했다. 그는 평온한 저녁의 교통을 내다보았다. 휴가 끝, 집으로 돌아가는 가족들. 테헤란에서 빠져나와 가파른 경사를 오르다 마침내 수평의 고원으로 접어드는 매끄러운 타르 포장도로. 그들의 아래이자 뒤에는 조명 때문에 여전히 부연 하늘만 남고 도시는 어느새 온데간데없었다. 얼마 안 가 교통량은 줄어들었다. 마주 오는 뜸한 전조등, 퍼져 있는 트럭 한 대, 그리고 어둠. 앞은 개방도로였다.

그리하여 밤새 똑바로 달리는 동안, 늑대의 고장 머나먼 다코타의 스텝 지대에 뜨는 달처럼 어두운 상현달을 뚫고 죽어라 달리는 동안

도로는 고르고 빨랐다.

이제 폴 벌린이 차를 몰았다.

다른 사람들은 자고 있었다. 사르낀 아웅 완은 머리를 무릎에 파묻고 잤다. 오스카는 소리 없이 잤고 닥은 코를 높이 쳐들고 잤고 중위는 지저분하게 젖은 숨을 쉬며 잤다.

그리고 폴 벌린은 차를 몰았다. 그의 눈꺼풀은 속도를 견뎠다. 등속, 변속, 쾌속──감기는 눈을 뜨게 만드는 운율 놀이, 그는 한때 소총을 잡던 방식으로, 즉 애정은 없지만 놓칠까 봐 두려운 마음으로 핸들을 꼭 잡았다. 폭포를 타고 낯선 땅에 내려 차츰 번져오는 어둠의 가장자리로 내몰린 기분이었다. 통제가 안 되었다.

그는 바다를 떠올렸다. 그렇게 한동안 그는 두 곳에 동시에 있었다. 그는 동물의 왕국 같은 이곳을 빠른 속도로 지나는 한편, 저 멀리 파도 끝자락이 난초 같은 분홍색으로 바뀌는, 그리고 눈을 가늘게 뜨고 바라보면 천해의 산호도 똑같은 분홍색으로 감미롭게 빛나는, 모래주머니가 있는 바닷가의 탑에도 올라가 있었다. 서두르자, 그는 생각했다. 그래서 그는 바닥에 디딘 발을 꾹 밟으면서 막무가내로 견뎠다. 그가 할 수 있는 일은 그것뿐이었다.

통제 밖, 어쩌면 늘 그랬는지 몰랐다. 하나의 일에서 다음 일이 초래되고, 그러다 보면 어느새 아무런 예고도 없이 무관한 일들이 일어났다. 카차토가 레이크 컨트리에 낚시하러 갔던 그때처럼. 개같이 비가 내려 온 전쟁이 빗물을 흠뻑 뒤집어썼는데도 퍼치와 강꼬치고기와 메기를 잡겠다고 레이크 컨트리에 낚시하러 나간 우리의 카차토. 그는 그 일을 기억했다. "한 사람도 빠짐없이 만져야 돼," 오스카 존슨은 말했었다. "그 녀석이 네 말은 듣겠지. 가서 녀석한테 말해."

그래서 그는 군말 않고 그 아이에게 사리에 맞는 이야길 하러 분화구로 내려갔다. "도리가 없어," 그는 말했다. "빌어먹을, 널 생각해서 하는 말이야, 네가 가담하지 않아도, 그래도 어떻게든 벌어질 일이지만, 그래, 널 생각해서 하는 말이라고." 그래서 그는 카차토의 축 늘어진 손에 수류탄을 쥐여 주었다. 마음이 움직였던 걸까? 그것은 자신의 결단이었을까? 어쩌면 그랬을지도, 어쩌면 안 그랬을지도. "전원이란 얘기네," 나중에 오스카는 말했다.

그러고 나서 코슨 중위가 시드니 마틴 중위를 대신하러 왔다. 사건에서 사건이 초래된 경우였고, 그들이 인간다운 통제를 벗어난 경우였다.

"슬픈 일이야," 카차토는 그날 나중에 말했다.

"사고는 언제든 일어나," 폴 벌린은 말했다.

그러자 카차토는 어깨를 으쓱하더니 웃음을 지었고, 그러고는 레이크 컨트리에서 낚시를 계속했다. 그는 진지하게 낚시했다. 그는 화든 피로든 조금도 드러내지 않고 낚시했다. 그는 얕든 깊든 모든 위치에서 분화구를 낚았고 포기하지 않았다.

매우 슬픈 일. 카차토는 멍청했지만 옳았다. 시드니 마틴 중위한테 일어난 일은 매우 슬픈 일이었다.

폴 벌린은 핸들을 쥐어짜며 견뎠다.

밤늦게 그는 터키로 넘어갔다. 국경 역은 버려져 있었다. 한 시간이 지나자 땅은 대체로 평지였다. 그러다 오르막이 시작되었고, 그는 졸음을 쫓기 위한 요령으로 오랫동안 해온 숫자 세기를 했다. 그는 메사의 숫자를 셌다. 그는 꼭대기가 평평하고 사방이 고층 건물 외벽처럼 뚝 떨어지는 그 언덕들의 숫자를 셌다. 옛 멕시코* 같은 산자락과 꼭대기와 산등성이, 깎아지른 절벽으로 이루어진 협곡, 큰 동굴, 개울과 메마른 계곡과 단층, 길 잃은 양과 들개, 도로 한복판을 흐르는 중앙선, 뒤에서 들려오는 짐승의 울음소리, 심장박동, 말을 타고 협곡 지대를 누비며 사람을 사냥하는 타타르족.

그는 차를 몰아 달의 표면 같은 평원을 열심히 가로질렀다.

동트기 한 시간 전 그는 앙카라에 닿았다. 완만한 분지에 자리한 그 도시는 깊이 잠들어 있었다. 그는 갓길로 차를 빼고 밖으로 나와 뻐근한 넓적다리를 주물렀다. 다가오는 여명은 쌀쌀했다.

차에 도로 들어가니 닥 페럿이 깨어 있었다.

"유목민의 땅이네," 닥이 말했다. 그는 잠시 머뭇거렸다. "괜찮아?"

"그런 것 같아."

"기대 못 한 일이야, 그렇지?"

"응," 폴 벌린은 말했다. "전혀 기대 못 했어." 그는 시동을 걸고 도로에 올라섰다.

그곳 도시를 돌고 이즈미르로 가는 도로를 타는 데 한 시간이 걸렸다. 닥은 간당간당한 불빛 속에서 지도 읽기를 했다.

"앞으로 두 시간," 닥이 마침내 말했다. "쏜살같이 달리면 그보다 덜 걸릴 수도 있어."

그래서 폴 벌린은 쏜살같이 달렸다. 아나톨리아 평야를 가로지르고 마을도 빛도 없는 지대를 따라 바다를 향해 전속력으로, 물가를 찾아 필사적으로, 이제 무법자의 진정한 의미를 이해하며.

---

*   멕시코를 미국 땅인 뉴멕시코와 상대해서 부르는 말.

백미러에 여명이 비쳤다.

여명은 분홍색으로 환하게, 천천히 고개를 들었다. 땅은 내리막이었고 차가운 계곡물들은 바다로 가는 비탈을 찾아다녔다. 계곡물들은 도로와 나란히 달리는 넓은 강으로 다 함께 흘러들었다.

그들은 아침 느지막이 살리힐리라는 마을에 차를 세워 기름을 넣고 아침을 먹은 다음 강 따라 50마일을 더 달린 후 이즈미르 방면인 남쪽으로 차를 꺾었다. 다시 녹색의 지대였다. 도로를 따라 농장들이 있었다. 밭은 경작 중이었고 울타리 너머에서는 염소와 양이 평화롭게 풀을 뜯었다.

"소금이다," 닥이 말했다. 그는 제 코를 만졌다.

스팅크는 창문을 돌려 열고 머리를 내밀어 소리를 질렀다. 바람이 따뜻했다.

에디는 뱃노래를 불렀다.

그러다 마지막 열의 언덕들이 불쑥 솟아올랐다. 그들은 언덕들을 다 넘고 내려가다 바다를 보았다.

그들은 활공하듯 언덕을 내려왔다. 그들은 몇 에이커나 되는 고른 백사장을 끼고 달렸다. 도로를 따라 가지런히 늘어선 오래된 올리브나무, 햇살 속에서 돌아가는 스프링클러, 시골은 온갖 빛깔로 눈이 부셨다.

폴 벌린은 차를 빠르게 몰았다. 속도제한은 없었다. 그들은 법 너머에 있었다. 얼마 안 가 그들은 하얀 돌과 하얀 회반죽으로 시원해 보이는, 도시의 낮은 건물들을 처음으로 맞닥뜨렸다.

그는 항구까지 내리 차를 몰았다.

그는 골목에 차를 댔다. 오스카가 두 남자아이한테 차를 감시해

달라며 돈을 치렀고, 그러고 나서 그들은 물 쪽으로 서둘러 내려갔다.

정확히 그가 상상하던 대로였다.

얼린 생선 대야와 채소 대야가 부둣가에 죽 늘어서 있었다. 보트와 예인선과 범선, 물에 가까이 면한 회반죽 건물, 생선 냄새, 소금 냄새.

그들은 가장 긴 선창의 끄트머리까지 걸었다. 그들은 주변 모두와 악수를 나누었다. 오스카, 심지어 오스카도 활짝 웃고 있었고, 에디와 닥과 스팅크는 아이처럼 소리 내어 웃다 눈물이 맺혔고, 사르긴 아웅 완은 그들에게 입맞춤을 해주었고, 중위는 〈바람에 꺾인 사나이〉*를 불렀다. 바다는 수평선까지 뻗어 있었다.

"해낼 수 있어," 폴 벌린은 말했다. 그는 하늘이 바다를 건드리는 서쪽을 가리켰다.

"그래," 닥은 웃음을 지었다. "어쩌면 그럴지도 몰라."

"해낼 수 있어. 그럼, 맹세코 **해낼 수** 있지."

---

* 원제는 "Blow the Man Down"으로 풍랑 등 자연의 힘에 좌절하는 선원들의 이야기를 담은 영국 뱃노래.

서른일곱.
땅은 어떠했나

폴 벌린이 최고로 잘 아는 건 땅이었다. 그는 땅에서 살아가는 사람들은 몰라도 땅 자체는 잘 알았다. 그는 더러 사냥꾼들이 자기가 가장 아끼는 숲을 알듯이, 농부들이 자신의 농사땅을 알듯이 꽝응아이를 알았다. 그는 위험한 장소도 알았고 안전한 장소도 알았다. 밤을 준비하느라 참호를 파다 보면, 한 삽의 땅을 퍼 떨구다 보면 때로 두려움 내지 의혹의 감정이 들었지만, 그래도 대체로 든 감정은 그 물리적인 장소에 대한 경탄, 흙의 질감 하며 색깔과 음영 하며 크기도 시야각도 훨씬 거대한 경사지들과 비교되는 시골 지역의 그 비탈면들에 대한 경탄이었다.

꽝응아이는 농촌이었다. 해안을 따라 —— 새우와 붉돔과 오징어 등의 —— 어업이 조금 이루어지고 서쪽 멀리에는 고무와 과일을 얻을 수 있는 산들이 있었지만 그 밖에는 전부 농업이었다.

마을이 소유하고 관리하는 농장들은 민영기업이 아니라 공동체 기업으로서 운영되었다. 땅에 씨를 뿌리고 보살피는 건 마을에 사는 사람들이었고 수확물은 점토로 빚은 커다란 항아리에 담겼는데 그 중 일부는 땅에 묻히고 일부는 더 큰 마을에서 열리는 시장으로 옮겨졌다. 하지만 그는 그 경제적 의미는 몰랐다. 그가 아는 건 땅이었다. 그는 땅 한가운데 자리한 마을도 그 땅의 일부라는 걸 알았다. 그는 그곳의 특산물이 쌀이고 쌀은 논에서 자란다는 걸 알았다.

논은 땅에 깊이를 부여했다. 그가 전에 몰랐던 깊이, 8월이면 옥수수가 나는 포트다지의 순한 땅에서는 몰랐던 깊이, 콘크리트 땅인 도시들에서는 몰랐던 깊이. 꽝응아이에서 땅은 심원했다. 그는 행군으로 보낸 긴 하루하루를 통해 논에서 나는 냄새가 전혀 역겨울 게 없음을 알았다. 살아 있는 냄새였다. 세균, 곰팡이, 녹조, 삶을 만들고 지속하는 혼합물들. 향긋한 냄새는 아니었지만 땀 냄새만큼 불쾌하거나 지독하지는 않았다. 이따금 선택의 여지가 없을 때면 그는 논에서 잤다. 그는 그 푹신함과 따뜻함, 나중에는 한기를 알았다. 그는 여러 날을 밤새 그런 식으로, 논두렁에 등을 기댄 채 발과 다리와 무릎을 논 깊숙이 담그고 보냈다. 한번은 전쟁 중 가장 무더웠던 날 논물도 마셔본 터라 그는 맛도 알았다. 그는 두 손으로 물을 휘젓고 큰 덩어리의 부유물이 가라앉도록 기다린 다음, 갈증이 질병에 대한 공포보다 훨씬 컸던 탓에 그 물을 벌컥 삼켰다. 위험한 줄 알면서도 그랬다. "논에서 오줌 싸지 마," 그는 자기한테 도움을 주던 미국 본토 주재 어느 일병에게 언젠가 들은 적 있었다. "오줌 싸면 코끼리병*이라는 질병에 걸려. 진짜 재수 없는 병이야. 논에는 병균이 사는

---

*   상피병. 열대지방의 풍토병으로 사상충 등이 원인이며 상처가 부어오르고 피부가 코끼리 피부처럼 변한다.

데, 잘 들어, 그래서 네가 오줌 싸면 그 조그만 새끼들이 네 오줌 줄기를 타고 바로 올라와, 네 주사기로." 하지만 폴 벌린은 오줌이 마려울 땐 싸야 했고, 그래서 때로는 논에도 쌌다. 무릎 깊이의 진창에 서서, 10억 마리의 용맹한 병균이 오염되지 않은 물을 찾아 열심히 노 젓는 모습을 상상하면서.

땅에 관해 생각할 때면 그는 언제나 논이 가장 먼저 떠올랐다. 하지만 그다음에는 거의 동시적으로 산울타리가 떠올랐다. 그것들은 미술관 정원이나 아이오와의 오래된 주택들 앞마당 잔디에서 볼 수 있는 산울타리가 아니었다. 그것들은 울창하고 다듬어지지 않은, 돌보는 이 없는 덩굴이었다. 키가 장신 남성의 곱절이나 되는 그 산울타리들은 그보다 부유한 나라들에서 울타리가 맡는 역할을 했다. 그것들은 어떤 건 들여보내고 어떤 건 밀쳐냈다. 하지만 그보다도 산울타리들은 마을에 일종의 옷이 되어주었다. 마을은 멀리서 보면 마을이 아니었다. 멀리서는 쌍안경으로 보아도 얽히고설킨 덩굴식물과 관목 덩어리에 지나지 않았고 그 본모습을 보려면 산울타리를 통과해야만 했다. 지키는 역할을 하는, 아니 대개 은닉을 하는 꽝옹아이의 산울타리들은 드러내선 안 될 게 뭐든 간에 그걸 영원히 감추는 일종의 스모크 유리 같았다. 커튼이나 벽 같았다. 위장막 같았다. 그래서 논이 성숙함과 나이와 깊이를 상징한다면 산울타리는 땅의 이런 은밀한 속성에 대한 표현이었다. 짓궂고, 배배 꼬이고, 감추고, 엉망진창 종잡을 수 없고, 모퉁이를 돌면 느닷없이 나오는 막다른 길에 시시각각 변하는 지평선 같은 성격. 그것은 기분에 지나지 않았다. 거대한 미궁을 행군하는 기분. 수수께끼로 범벅이 된 덫에 걸린 기분. 산울타리는 오래된 저택의 벽 같았다. 비밀스럽게 열리는 나무판자며 다락문이며 눈알을 굴리는 초상화들. 산울타리는 그에게 언제나 그런 기분, 일관된 기분을 주었다.

땅은 붉었다. 그는 그 땅을 전쟁에 합류하던 날 공중에서 처음 보았다. 부분부분 연하고 짙기는 해도 언제나 그대로인 산호의 분홍색. 나중에 더 가까이서 보니 그것은 대원들의 무기와 옷과 군화에, 스팅크의 손톱에, 보트의 누런 살갗에, 닥 페럿의 뿌연 안경에 막처럼 끼어 있었다. 흙이 붉은 건 필시 철 성분이 많은 데다 산화 과정 때문일 거라고 닥은 설명했지만 폴 벌린에게 유래는 중요하지 않았다.

전쟁은 발과 다리로 하는 싸움이었고, 따라서 그는 오솔길을 알았다. 한 마을과 그다음 마을을 이어주는 먼짓길, 아니면 논두렁을 따라 꾹꾹 눌린 진창길, 아니면 앞서 군인들이 지나가며 다져놓은 풀길. 이따금 오솔길은 도로가 되었는데 그렇다고 타르나 콘크리트를 깐 건 아니었다. 도로가 도로라 불리는 건 그들이 수레를 끌고 지나다니거나 견인포를 사용한 흔적이 났을 경우였다. 오솔길은 두말할 것 없이 멀리하는 게 상책이었다. 하지만 자주, 다들 지치거나 게으러지거나 서두를 때면 그들은 위험에도 불구하고 오솔길을 이용했다. 오솔길은 땅처럼 붉었다. 오솔길은 좁았다. 오솔길은 자주 캄캄하거나 그늘이 졌고, 그래서 그들은 주로 지세대로 낮은 곳을 내려가다가 부상을 입었고, 이런 이유로 우기가 되면 종종 발걸음이 다급해졌다. 그들은 위태로웠다. 오솔길을 따라가지 않는 한 지뢰나 부비트랩으로 죽는 사람은 없었다. 노출되고 상시 감시당하고, 오솔길은 매복이 있을 게 뻔한 장소였다. 그래도 이런 위험을 마주하는 게 논의 습기나 깊숙한 잡목림의 가려움을 마주하는 것보다 좋을 때가 자주 있었다. 어떤 위험을 무릅쓰든 오솔길을 빨리 지나가는 게 혼란스럽고 적대적인 지역을 천천히 지나가는 것보다 나을 때가 있었다. 임무 때문에 오솔길을 이용해야 할 때가 있었다. 그러다 어느 순간 상관하지 않게 된 때가 있었다.

사소하고 깊이 없는 특징들. 땅의 고유한 무게. 주변의 느린 속도 ── 낮과 밤, 논 안의 거세한 송아지들, 뜨라봉강. 웅크린 나무들, 위보다는 바깥으로 자라는 듯한 나뭇잎. 몇 안 되는 새. 이런 것들이 폴 벌린이 알아차리되 결코 이해하지 못한 세부적인 것들이었다. "새들은 어디 갔을까?" 그는 어느 날 저녁 에디 라추티에게 물었다.

에디는 걸음을 멈추고 귀를 기울였다. "새라니?" 그는 말했다.

그는 그것을 영화에서 본 적이 있었다. 그는 가난을 잡지와 신문에서 읽고 텔레비전에서 영상으로 본 적이 있었다. 그래서 그가 꽝응아이에서 본 마을들은 전에 다 본 것들이었다. 그는 끔찍한 피부병, 굶주림, 썩어가는 짐승, 가구도 배관도 전깃불도 없는 오두막을 보기도 전에 본 적이 있었다. 그는 마을 사람들이 쪼그려 앉는 똥밭을 본 적이 있었다. 그는 아기들 몸뚱이에 올라앉은 닭들을 본 적이 있었다. 참혹함과 곤궁함, 부풀어 오른 배, 상처의 고름과 딱지, 그것도 모자라 죽음. 그것들 전부를 그는 전에 본 적이 있었다. 그래서 그것을 **보았을** 때 ── 쭈라이 남쪽 마을에 처음 들어섰을 때 ── 그는 이를테면 가벼운 놀람, 한순간의 측은함은 들어도 대경실색하지는 않았다. 그는 자기가 볼 줄 알았던 모습을 보았다. 그는 그것에 시달리지 않았다. 그는 화가 나지도 비탄으로 내몰리지도 않았다. 그는 대수롭지 않을 만큼의 경악을 느꼈다. 그는 죄책감이 조금 들었지만 그것도 금세 지나갔는데, 왜냐하면 보기도 전에 다 본 것들이었기 때문이다.

꽝응아이는 바다에서 시작되었다. 해변은 깨끗하고 하얗고 아름다웠다. 그곳은 폴 벌린이 최고로 꼽는 바다였다. 바다 너머에는 논으로 된 땅이 있었다. 논 너머 내륙으로 들어가면 초원과 제멋대로 자란 잡목림이 마을도 사람도 뜸한 구릉으로 접어드는, 철저히 다른 지대가 있었다. 구릉 너머에는 산이 있었다. 산 너머에는, 그리고 꽝응아이 너머에는 파리가 있었다. 그는 파리 너머는 생각하지 않았다.

서른여덟.
파리로 줄행랑

그들은 이즈미르에서 아테네로 가는 사흘짜리 배편을 예약했다. 오스카 존슨이 나날이 묵을 음습한 여인숙들의 흥정을 맡았고, 그러고 나서 3월의 온화한 일요일 아침 그들은 서른 명의 유료 승객을 수용하도록 개조하고 재도장한 낡은 화물선 안드로스*호에 승선했다. 갑판은 맨 강판이었다. 철삭과 난간은 녹으로 덮여 있었다. 아래층 객실 구역은 승강구의 흐릿한 불빛이 들어왔다 나갔다 하고 공간이 비좁아 갑갑했지만 그래도 순조롭고 평온한 횡단이었다. 진짜로 관광객이 된 기분이었다. 오스카와 에디는 셔플보드** 경기를 짰고 닳은 책으로 시간을 보냈고 폴 벌린은 이물 가까이 있는 등나무 안락의자에 대한 권리를 행사했다. 그는 따뜻한 오후 내내 거기 앉아 여행 잡지에 실린 사진들처럼 지나가는 섬들을 바라보았다. 그는 엄청나게 고요한 느낌이 들었다. 파리한 지중해 물, 태양의 열기, 기름과 기계장치와 소금물과 물고기가 뒤섞인 냄새.

쾌적하고 한가한 뱃길이었다. 첫날 밤 그들은 프사라섬에 정박했다가 이튿날 아침 키오스와 이카리아를 지나 남쪽으로 순항, 낙소스를 에돌고는 늦은 오후 기분 좋은 시간을 서쪽으로 곧장 빠르게 나아갔다.

중위의 건강은 호전되었다. 태양이 그의 얼굴색을 되찾아주었다. 그는 지휘를 재개했다. 횡단 둘째 날 그는 에디와 스팅크에게 이발할 수 있도록 하라고 지시했다. 그날 저녁에는 닥 페럿과 앉아서 피레우스 상륙 후 북쪽으로 가는 가능한 경로에 관해 상의했다. 그는 잘 먹고 적당히 마셨다.

이는 대체로 사르긴 아웅 완 덕이었다. 병약한 아버지를 돌보는 딸처럼 그녀는 그에게 식사와 운동을 권장하고, 오냐오냐하고, 나무라고, 그 자신과 대원들의 안녕에 관심을 갖도록 다정하게 타일렀다. 중위는 그녀와 깊이 밀착한 듯했다. 그것은 암묵적인 일이었다. 두 사람은 때로 낮 시간을 내리 함께하며 갑판을 산책하거나 다트를 던지거나 햇빛 속에 하릴없이 앉아 있곤 했다. 중위가 전처럼 물러설 기미를 보이면 사르긴 아웅 완은 그에게 책임을 상기시켰다. "지휘관은 이끌어야 해요," 그녀는 말했다. "리더십이 없는 지휘관은 아무것도 아니라고요." 그러고 나면 그녀는 늙은이의 손을 제 두 손으로 꼭 잡아 누르면서 저희가 파리에서 보게 될 사랑스러운 것들에 관해 이야기를 시작했다. 그녀 자신의 동기는 비밀이었다. 그녀는 무엇을 원한 걸까? 피난민답게 피난, 아니면 희생양답게 탈출? 딱

---

*   그리스어로 '사내' '남자'라는 뜻.

**   긴 막대로 원반을 밀어 멀찍이 떨어진 바닥 점수판에 안착시키는, 컬링과 유사한 놀이. 호화 유람선 갑판에서 많이 즐기던 놀이다.

잘라 말하기가 불가능했다. 그녀는 나긋하게, 어려움 없이 늙은이를 회복의 길로, 파리로 안내했고 그를 통해 그들 모두를 안내했다.

그래서 안드로스호가 시프노스와 세리포스와 키트노스를 지나 제 길을 가는 동안 폴 벌린은 손을 놓고 이물의 등나무 안락의자에 앉아 편히 쉬었다. 바다는 잔잔했고 공기는 달콤했다. 그들은 해낸 것이었다. 전쟁은 끝났다. 파리가 눈앞이었다. "아테네까지 가면," 카차토는 말한 적 있었다. "나머지는 쉬워."

그들이 피레우스에 입항한 건 자정께였다. 늦은 시각인데도 부두는 선창과 선거에 걸린 햇불과 색색의 전구 불빛 속에서 서성대는 사람들로 혼잡했다. 먼저 온 유람선 한 대가 정박한 지 한 시간이 채 안 된 참이었고 세관원과 경찰 무리가 인파 사이를 이동하고 있었다. 관례적인 세관 검사 이상인 것이 분명했다. 남성 승객들이 한쪽에 따로 끌려가 하얀 헬멧을 쓴 열두 명의 경찰에게 철저히 수색을 당하고 있었다. 수하물은 열린 채로 그 자리에 털썩 던져졌다. 확성기는 세 가지 언어로 명령하며 요란하게 주의를 주었다. 경찰관들은 경찰서 게시판에 붙어 있을 만한 커다란 전단을 하나씩 들고 다니면서 승객들 얼굴을 전단 속 무언가와 대조하느라 열심인 듯했다.

배는 불 밝힌 선창 쪽으로 천천히 돌았다.

"우리도?" 스팅크가 말했다.

다른 이들은 침묵 중이었다. 에디는 난간에 털썩 기대어 경찰 종대를 생기 없는 눈으로 내려다보았다. 그의 얼굴은 기운이 쭉 빠져 있었다. 그의 뒤로는 사르킨 아웅 완과 중위가 붉은색과 녹색의 파라솔이 펼쳐진 작은 탁자에 앉아 있었다.

"엎친 데 덮쳤군," 오스카가 말했다. "경찰이 쫙 깔렸어."

닥 페럿이 어깨를 으쓱했다. "거의 해냈는데."

"이젠 도저히 ──"

"아주 가까운데 말이야." 닥은 한숨을 지었다. "그래도 아주 가까이는 왔네."

스팅크 해리스는 안절부절못했다. 그의 혀는 날름날름 윗입술의 땀을 핥았다. 그는 난간에 털썩 기대어 내려다본 다음 중위한테 황급히 건너갔다.

"자, 어서요," 그는 늙은이의 어깨를 흔들며 말했다. "가자고요. 계획이 뭐예요?"

"나도 방법이 없어."

스팅크의 이가 딱딱거렸다. 그는 또 한 번 코슨 중위의 어깨를 이번에는 더 세차게 흔들었다. 늙은이는 꼼짝도 않았다. 스팅크는 승무원들이 정박 준비를 하는 이물로 서둘러 갔다. 그는 잠시 거기 서서 손가락만 달달 떨다가 휙 돌아서더니 급히 돌아왔다.

"거 정말! **생각** 좀 짜봐…… 계획들 없어?"

아무도 대답하지 않았다. 에디는 앞만 똑바로 바라보았다. 닥은 인디언처럼 양반다리로 앉아 두 손에 얼굴을 묻었다. 부두를 내려다보던 폴 벌린은 경찰관을 마흔까지 세다 단념했다. 도리가 없었다. 처음부터 독극물 같은 승산이었다.

스팅크는 허둥지둥이었다. 그는 오스카의 팔을 콱 잡았다.

"우리 어떡해? 아아, 난 절대로…… 뛰어내리자! 뛰어내리면 돼 ── 수영해서 가자!"

"그만해, 다 끝났어."

"헛소리하지 말고! 변장을 하면…… 그거야! 여자처럼이든 뭐든 입는 거야. 가능하겠지? 변장을 해서 연기처럼 빠져나가자고. 쉽네!"

오스카는 제 팔을 빼 자유롭게 했다.

"너희 뭐 잘못 먹었어?" 스팅크는 그들에게서 뒷걸음치며 고개를 격하게 흔들었다. 그의 손가락은 계속해서 달달 떨렸다. "장난이잖아, 그렇지? 맞지? 나 놀리는 거지?"

아무도 말이 없었다. 그들이 선창 쪽으로 미끄러질 때 뱃고동이 뚜 하고 우렁차게 울렸다.

스팅크는 장난 한번 짓궂다는 듯한 웃음을 지어 보였다. 그는 에디의 소매를 건드렸고, 그러다 소매를 잡아끌며 파닥파닥 흔들기 시작했다.

"끝이라고?" 스팅크는 말했다. "이대로 끝이야?"

"어이, 땅딸이, 해도 안 되는 일이 ──"

"헛소리!"

스팅크의 얼굴은 허물어졌다. 그는 주먹을 꽉 쥐고 그들에게서 물러섰다. 그의 입술은 꽉 다물렸다. 그러자 폴 벌린은 순간적으로, 처음이자 유일하게 스팅크 해리스에게 어느 정도 존경심이 들었다. 엄밀히 말하면 존경심은 아니었다. 아마 이해였을 것이다 ── 그 마음 나도 알아. 그 아이는 싸움꾼이었다. 억센 데다 그만둘 줄 몰랐다.

스팅크는 그들을 잠깐 쏘아본 다음 몸을 돌렸다.

그는 재빨리 내의까지 벗었다. 그는 상의와 바지를 양쪽 군화에 욱여넣고 목에다 군화를 묶더니 난간을 기어올랐다. 그의 살은 하였다. 그는 한 손엔 지갑을 들고 한 손엔 주머니칼을 들었다.

"그러지 마," 닥이 말했다. "그러다간 ——"

스팅크는 뒤돌아보지 않았다. "좆까 좆같은 놈들아," 그는 말했다. 그가 한 말은 그게 전부였다.

그는 뛰어내렸다.

그는 코를 콕 쥐고 눈을 꼭 감고, 그리고 뛰어내렸다. 물방울은 튀지 않았다. 소리도 뭣도 없었다.

배가 계선장으로 깔끔하게 진입할 때, 그리고 첫 밧줄이 던져질 때 폴 벌린은 등 뒤쪽에서 바닷물을 헤엄치는 누군가의 희미한 은빛 항적을 알아볼 수 있었다. 은빛, 칠흑, 은빛, 칠흑. 그러다 항적은 사라졌다. 스팅크 해리스도 마찬가지였다.

서른아홉.
그들이 몰랐던 것

"루이 라이, 루이 라이!(물러서, 물러서!)" 스팅크는 그들을 뒤로 밀치며 고함치곤 했다. "루이 라이, 이 버러지들아…… 뒤로 가, 이동해!" 그는 총구로 옆구리를 괴롭히면서 오두막집의 담장 혹은 울타리까지 그들을 뒷걸음치게 만들었다. "꼬이 쭝!(똑바로 봐!)" 그는 으름장을 놓았다. 눈을 깜빡깜빡, 하얀 얼굴로 이를 딱딱거리던 그는 엄지로 소총 안전장치를 딸깍거리면서 뒤처진 사람들을 발길질하고 뒤로 돌리고 거칠게 떠밀었다. "이동해! 루이 라이…… 어서, 가, 가!" 그들을 떼로 인솔하면서 그는 그들이 빈손을 활짝 펴고 있는지 확실하게 감시했다. 그러고 나서는 사전을 펼쳤다. 그는 단어들을 몇 번이고 되짚어가며 천천히 읽은 다음 마침내 고개를 들고 보았다. "남 쑤옹 닷(남자 누워)," 그는 말했다. 그는 단어마다 또박또박 제대로 발음하려고 애쓰면서 높낮이 없는 큰 목소리로 말했다. "모두…… 남 쑤옹 닷." 아이들은 멀뚱멀뚱 쳐다보았다. 여자들은 몸이 들썩대도록 흐느끼거나 저희끼리 다람쥐처럼 재잘거리면서 날

선 눈빛으로 힐끗힐끗 스팅크를 올려다보았다. "당장!" 그는 소리쳤다. "남 쑤옹 닷…… 실시!" 이따금 그는 단발을 격발했지만 이는 마을 사람들을 조바심에 차 꾸물거리게 만들 뿐이었다. 그들 중 몇몇은 어리둥절해하며 실없이 웃기 시작했다. 또 몇몇은 귀를 막은 채 소형견 같은 짧고 경직된 소리로 요란하게 짖어댔다. 그것이 스팅크를 거칠어지게 몰아갔다. "씨발 바닥으로 남 쑤옹!" 그는 면도할 때 늘 그러던 것처럼 입술을 비죽비죽하며 죽일 듯이 말했다. "누워! 만 렌(고양이는 일어서), 마마상! 당장, 빌어먹을!" 그의 눈길은 소총에서 사전으로 움츠린 마을 사람들로 건너뛰었다. 그의 뒤에서는 닥 페럿과 오스카 존슨과 버프가 쇼를 구경하며 활짝 웃고 있었다. 영어-베트남어 사전은 그들이 스팅크에게 준 생일 선물로 그가 사용하는 모습을 보는 게 그들은 너무너무 즐거웠는데, 그는 발음이고 문법이고 개의치 않고 여러 언어를 잡탕처럼 섞어 쓰면서 성과를 내는 데 실패하면 돌연 화를 냈다. "남 티 쑤옹 닷!(그리고 남자 누워!)" 그는 혀로 발음이 안 되는 중간 음절들을 떠듬대느라 이제 땀까지 흘리며 우레 같은 고함을 쳤다. "만 렌, 빨리, 이 개자식들아! 퍼뜩!" 하지만 마을 사람들은 고개를 가로저으며 어리바리 헤맬 뿐이었다. 스팅크 해리스에게는 벅찬 일이었다. 화가 치민 그는 사전을 내던지고 탄창 하나를 달칵달칵 싹 비웠다. 여자들은 흐느꼈다. "씨발 동 랏 팃(곧장 몸뚱이 깔아)!" 스팅크는 뱀처럼 칙칙한 눈으로 괴성을 지르고 있었다. "남 쑤옹 닷! 실시, 이 무식한 새끼들아!" 재장전을 한 그는 격발하며 소리쳤고 마을 사람들은 두 팔로 무기력하게 머리를 감싼 채 흙바닥에 대자로 누웠다. 그들이 하나도 빠짐없이 눕자 스팅크는 격발을 멈추었다. 그는 웃음을 지었다. 그는 닥을 슬쩍 보며 고개를 끄덕였다. "저거 보이지? 내 말 잘 알아듣는 거. 남 쑤옹 닷, 누워라 이 뜻이야. 문장을 딱딱 강조해줘야 돼."

그들은 언어를 몰라서 사람들을 몰랐다. 그들은 사람들이 사랑하거나 존경하거나 겁내거나 증오하는 게 뭔지 몰랐다. 그들은 명백하지 않은 한, 언어가 아닌 다른 형태로 표출되지 않는 한 적개심을 알아차리지 못했다. 복잡다단한 어조며 말투는 그들에게 난해했다. 딩크어, 스팅크 해리스는 그렇게 불렀다. 원숭이 수다, 새소리. 대원들은 언어를 몰라서 누구를 믿어야 할지 몰랐다. 믿음은 치명적이었다. 그들은 진실한 웃음과 거짓 웃음은 제대로 구별할 줄 알았는데, 단 쫭응아이의 웃음이 미국의 웃음과 똑같은 의미를 지닐 때에만 그랬다. "딩크들은 알다가도 모르겠어," 언젠가 우호적인 인상의 농부가 웃음을 띠고 절하면서 지뢰밭 길을 멀쩡한 길처럼 가리킨 일이 있은 후 에디는 말했다. "무슨 말인지 알지? 어쩌면…… 음, 어쩌면 베트콩 새끼들은 행복할 때 울고 슬플 때 웃는지도 몰라. 세상에 누가 알겠어? 여기서는 웃으면 다른 놈 목을 벨 준비가 됐다는 뜻일지 모른다니까. 그러니까 내 말은, 잘 들어, 여기는 문화가 달라." 그들은 사람들을 몰라서 친구와 적을 구별할 줄 몰랐다. 그들은 이 전쟁이 평판이 좋은지, 좋다면 어떤 면에서 그러한지 몰랐다. 그들은 쫭응아이 사람들이 이 전쟁을 종종 느껴지던 것처럼 냉정하게 바라보는지, 아니면 종종 느껴지던 것처럼 슬픔에 차서, 혹은 당황스러움이나 탐욕이나 빨치산적인 분노에 차서 바라보는지 몰랐다. 그것은 도저히 알 수 없는 일이었다. 그들은 종교나 철학이나 정의론을 몰랐다. 더욱이 그들은 쫭응아이에서 감정이 어떻게 작용하는지 몰랐다. 흉한 몰골과 죽음에 대한 통상적인 반응은 20년간 지속된 전쟁으로 썩어 문드러졌다. 첫 반응이어야 할 대경실색은 꽝응아이의 얼굴들에 없었다. 어쩌면 이는 속임수인지도 몰랐다. 하지만 누가 알았을까? 누가 무슨 수로 알았을까? 감정과 믿음과 태도, 동기와 목적, 희망 —— 이런 것들은 알파중대 대원들에게 알려져 있지 않았고 꽝응아이는 아무것도 이야기해주지 않았다. "좆같은 짐승 놈들," 스팅크는 쉰 목소리로 말하며 마을의 격앙된 말투를 조롱하듯 흉내 냈다. "제기랄, 차라리 햄스터랑 감정을 나누고 말지."

하지만 그것은 폴 벌린에게 한시도 누그러들지 않는 질문이었다. 멍한 눈에 바싹 마른 이 사람들은 누구일까? 저들은 무엇을 원할까? 특히 아이들 —— 그들을 지켜보고 그들의 이름과 얼굴을 익히면서 폴 벌린은 궁금해하지 않을 수 없었다. 그것은 터무니없는, 풀 수 없는 퍼즐이었지만 그래도 그는 궁금했다. 아이들이 나를 **좋아할까**? 귀에 금테 귀고리를 하고 이마에 흉한 딱지가 앉은 어린 여자아이 —— 닥을 도와 상처에 요오드를 톡톡 발라줄 때 나 스스로 느끼던 선량함과 따뜻함과 마음 아픔을 그녀도 느낄까? 그게 아니더라도, 그래도 그녀가 나를 **좋아할까**? 하늘이 아는바 그의 마음속에는 친절함 외에 다른 동기, 비열한 의도가 없었다. 그는 그녀의 건강을, 나아가 행복을 바랐다. 그녀가 그걸 알까? 그녀가 내 동정심을 느낄까? 그녀가 웃으면 그건 형식적인 웃음 이상일까? 그리고…… 그녀는 **과연** 무엇을 원할까? 그들 중 누구라도, 과연 무엇을 열망할까? 그들에겐 감추어둔 희망이 있을까? 내 희망은 뭘까? 이 어린 여자아이 —— 닥이 요오드로 딱지를 솔질할 때 눈을 가늘게 뜨고 입술을 깨물고 냄새 탓에 코를 찡그린 —— 그녀는 나를 전쟁과 분리해서 생각할 수 있을까? 한순간이라도? 그녀가 나를 아이오와에서 온 바보 같은 겁쟁이로 볼 수도 있을까? 그녀가 측은하게 여길 수도 있을까? 너와 나, 우리 모두가 덫에 걸려 그 안에서 함께한다는 사실, 그녀는 그게 느껴질까? 그녀가 내 두려움을 이해하고 그것을 자신의 두려움과 대조해볼 수 있을까? 궁금해하던 폴 벌린은 촛불 같은 너그러움을 제 눈길에 실었다. 그는 의혹을 거둔, 무슨 대답이든 받아들이겠다는 충만한 마음으로 그 여자아이를 바라보았다. 이 여자아이에게 사랑이 보일까? 그녀가 그것을 이해하고 내게도 보내줄 수 있을까? 하지만 그는 몰랐다. 그는 심지어 사랑 또는 그와 유사한 것이 꽝웅아이의 어휘 속에 존재하는지, 혹은 우정이 번역될 수 있는지 몰랐다. 그는 하나도 몰랐다. 그는 호감을 사고 싶었다. 그는 자기가 증오를 품고 있지 않단 걸 그들 모두가 이해해주길 바랐다. 모든 건 슬픈 사고라고 그는 말할 생각이었다 —— 우연에다 높은 수준의 정치 활동이며 혼란스러운 일이라고. 그는 단지 살아남는 것 말고는 전쟁에서 얻을 게 없었다. 그는 마을 사람들과 같은 이유로 그곳 꽝웅아이에 있었다. 즉 팔자소관으로, 재수가 없어서, 불가항력 탓에. 그의 의도는 너그러웠다. 그는 폭군도 돼지도 양키 살인마도 아니었다. 그는 결백했다. 그렇다, 그는 그랬다. 결백했다. 언어를 알았다면, 이야기 나눌 시간이 있었다면 그는 그들, 마을 사람들에게 그 이야기를 했을 것이다. 자기는 누구도 해치고 싶지 않다고 이야기했을 것이다. 심지어 적도. 그에겐 적이 **없었다**. 그는 누구에게도 해를 끼친 일이 없었다. 언어를 알았다면 그는 마을들이 불타는 걸 보기가 싫었다고 그들에게 이야기했을 것이다. 논이 짓밟히는 걸 보기가 싫었다고. 그 일이 그를 얼마나 화나고 슬프게 했던가…… 수없이 벌어진 일, 이를테면 여자들이 맨손으로 몸수색을 당한 일, 노인들이 수색 때문에 바지를 내린 일, 틴마우라는 마을에서 오스카와 루디 채슬러가 개 열 마리를 골리다 쏘아 죽인 일. 슬프고 멍청한 일. 정신 나간 일. 천하고 자기 파괴적이고 그른 일. 그른 일이야! 그는 이것을 그들에게, 특히 아이들에게 이야기했을 것이다. 하지만 난 안 그래, 그는 이야기했을 것이다. 다른 사람들은 그럴지 몰라도 난 안 그래. 어쩌면 꾸역꾸역 견디고 발을 질질 끌면서 앞으로 나아가고 중력과 의무와 여러 사건의 희생자가 된 데 죄책감을 느낄 수는 있어도 결코 —— 절대로! —— 그른 의도 때문에 죄책감을 느끼지는 않아.

전쟁이 끝난 뒤에 어쩌면 그는 꽝응아이에 돌아올 것이다. 여러 해가 지난 뒤에. 돌아오면 귀를 뚫고 금테를 단 그 여자아이를 찾아낼 것이다. 통역사도 대동할 것이다. 그런 다음, 전쟁이 종식되고 역사의 판단이 내려진 다음 그는 그녀에게 자기가 왜 전쟁에 나가도록 손을 놓고 있었는지 설명할 것이다. 강한 신념 때문이 아니라 몰랐기 때문이라고. 그는 누가 맞는지 혹은 무엇이 맞는지 몰랐다. 그는 그 전쟁이 자기 결정에 따른 전쟁인지 자기 파괴에 따른 전쟁인지, 노골적인 침략 전쟁인지 민족해방전쟁인지 몰랐다. 그는 어느 쪽 말, 어느 쪽 책, 어느 쪽 정치가를 믿어야 할지 몰랐다. 그는 국가들이 도미노처럼 쓰러질지 나무처럼 제각각 서 있을지 몰랐다. 그는 전쟁이 정말로 누구 때문에, 혹은 왜, 혹은 언제, 혹은 무슨 동기로 시작되었는지 몰랐다. 그는 그것이 중요한지 몰랐다. 그는 논쟁에서 양측 모두가 이치에 맞는다고 보았지만 진실이 어디에 놓여 있는지는 몰랐다. 그는 공산주의자의 폭정이 결국에는 끼 혹은 티에우 혹은 칸*의 폭정보다 심하다고 판명될 줄 몰랐다 —— 그는 결코 몰랐다. 누가 알았을까? 누가 진짜로 알았을까? 아, 그는 신문과 잡지에서 읽기는 했다. 그는 멍청하지 않았다. 그는 무지렁이가 아니었다. 다만 그는 전쟁이 옳은지 그른지 아니면 어중간한 위치에 있는지 몰랐다. 누가 알았을까? 누가 **진짜로** 알았을까? 그래서 그는 앎을 넘어선 이유로 전쟁에 갔다. 그가 법을 믿었고 법이 그에게 가라고 말한 탓이었다. 어쨌든 그게 민주주의인 데다가 린든 존슨과 어떤 사람들이 자기네 각 부처에 정당한 요구를 한 탓이었다. 그는 당연한 일이었기 때문에 전쟁에 갔다. 가지 않으면 비난을 감수해야 하고, 따라서 제 아버지와 마을에 수모를 안기는 탓이었다. 아무것도 모르는 자기가 더 경험 많은 이들을 불신할 이유를 찾을 수 없는 탓이었다. 그가 고국을 사랑하는 데다 사랑 이상으로 고국을 믿은 탓이었다. 그렇다, 그는 그랬다. 오, 그는 확실한 걸 확실하게 아는 프랑스에서 아버지와 함께 싸우는 편이 차라리 나았을 테지만 그는 전쟁을 고를 수 없었고 그건 누구도 예외가 아니었다. 너무 진부한 얘기일까? 너무 깊이 없고 멍청한 얘기일까? 그는 금색 귀고리를 한 어린 여자아이의 눈을 똑바로 쳐다볼 것이다. 그는 이런 것들을 이야기할 것이다. 그는 자신의 관점에서 문제를 봐달라고 그녀에게 요청할 것이다. 너라면 어떡했겠어? 아는 게 없는데 **누가** 뭘 어떡했겠어? 그러고 나서 그는 그 여자아이에게 질문할 것이다. 네가 원하는 건 뭐야?

---

*   응우옌 까오 끼, 응우옌 반 티에우, 응우옌 칸. 셋 다 남베트남의 군인이자 정치가로 앞선 대통령 응오딘지엠을 쿠데타로 축출하는 데 함께했다. 칸은 삼군총사령관 등을 역임하다 1965년 끼의 쿠데타로 실각. 끼와 티에우는 1967년 민정 이양 선거에서 각각 부통령, 대통령 당선. 하지만 끼와 티에우는 지독한 라이벌이었다.

너는 전쟁이 어떻다고 봐? 네 목적은 뭐야 —— 평화? 어떤 평화? 품격 있는 평화? 너도 내가 거부한 것과 똑같은 이유로 —— 의무, 가족, 나라, 친구, 집을 이유로 —— 달아나길 거부할 거야? 지금은 어때? 전쟁이 끝난 지금도 **원해**? 평화랑 고요를? 평화랑 자부심을? 으깬 감자랑 스위스 스테이크랑 채소가 있는 평화, 상다리가 부러질 평화, 실내에 배관이 있고 올즈모빌이랑 혼다랑 밭에 우뚝 선 고층 건물이 있는 평화, 질서랑 조화랑 공공건물 벽화가 있는 평화를? 네 꿈은 일반적인 남자와 여자가 품는 꿈이야? 삶의 질에 관한 꿈? 물질적인 꿈? 너는 장수를 원해? 너는 아플 때 먹는 약, 식탁 위에 올릴 음식, 창고에 채울 저장물을 원해? 종교적인 꿈이야? 뭐야? 네 **목표**는 뭐야? 만약 군대가 전쟁에서 이겨서 소망을 —— 어떤 소망이든 —— 하나 들어준다면 너는 뭘 고를 거야? 그렇지! 전쟁이 끝날 때 린든 존슨이랑 호찌민이 저희 환등기를 어루만지면서 "전쟁을 한 보람이 이 안에 있습니다, 그 결실이 이 안에 있습니다" 하고 말한다 쳐, 쾅응아이에서는 그 결실로 뭘 요구할 거야? 정의? 어떤 정의? 배상? 어떤 배상? 해답? 질문이 뭐였는데? 쾅응아이가 알고 싶었던 건 뭔데?

9월, 폴 벌린은 대대 진급 심사 위원회에 호출되었다.

"질문을 몇 개 받을 거야," 상사는 말했다. "가서 솔직하게 대답해. 제발 일을 복잡하게 만들지 말고 —— 그냥 반듯해 보이고 솔직하게 대답하면 돼. 그리고 씨발 머리 좀 깎아."

위원단은 세 사람이었다. 두 사람은 선글라스를 끼고 한 사람은 몸에 꽉 끼는 호피 무늬 군복을 입은 채로 주석 상판 탁자 뒤에 치안판사처럼 앉아 있었다.

경례를 하고 관등성명을 댄 폴 벌린은 착석하란 말을 들을 때까지 차렷 자세로 서 있었다.

"벌린," 선글라스를 낀 장교 중 하나가 말했다. "거 아주 심란한 이름이네, 안 그래?"*

폴 벌린은 웃음을 짓고 기다렸다.

그 장교는 이를 앓았다. 살집 있고 얼굴이 퉁퉁하고 피부가 얼룩덜룩한 소령이었다. "뻥이 아니라, 거 내가 살면서 접한 제일 별난 이름인걸. 미국인처럼 들리지가 않잖아. 너 미국인 맞아, 제군?"

"맞습니다."

"그래? 그럼 그 얼빠진 이름 어디서 났어?"

"모르겠습니다."

"이런 이런 이런." 소령은 호피 무늬 군복을 입은 대위를 쳐다보았다. "들었어? 이 부대원이 제 이름이 어디서 났나 모르겠다는데. 좆같은 이름이 어디서 났는지도 모르는 애를 진급시킨 적 있던가?"

"아마 잊었겠지요," 호피 무늬 군복을 입은 대위가 말했다.

"건망증이다?"

"그럴 가능성이 있습니다. 아니면 셸 쇼크** 같은 거든가요. 다시 물어보는 게 좋을 것 같습니다."

소령은 입에서 반쯤 빠져나온 틀니를 빨아들이더니 얼굴을 찌그려 제자리로 돌려놓았다. "아무 일도 아니야. 좋아, 제군, 한 번 더 묻겠다 —— 그 이름 어디서 났어?"

"물려받았습니다. 아버지 성입니다."

"나랑 장난하나?"

"아닙니다."

"그러면 그는 그 성 도대체 어디서 났어…… 네 아버지는?"

"할아버지한테 물려받은 것 같습니다. 쭉 내려오든가 했을 겁니다." 폴 벌린은 머뭇머뭇했다. 저 남자가 진지하게 묻는 건지 알기 어려웠다.

"너 유대인이야, 제군?"

"아닙니다."

"독일 놈이구먼! 벌린이라니…… 아이고, 내가 듣기에는 그거 독일 병정 이름인데!"

"저는 거의 네덜란드계입니다."

"웃기고 있군."

"네덜란드입니다."

"퍽이나!"

"저는 절대로 ——"

"베를린이 어디야?"

"네?"

소령은 몸을 내밀고 팔뚝을 탁자에 신중하게 얹었다. 그는 극도로 진지해 보였다. "베를린이 어디냐고 물었다. 좆같은 베를린 들어봤을 거 아냐, 안 그래? 동베를린 서베를린 같은 거 몰라?"

"들어봤습니다. 독일에 있습니다."

"어떤 게?"

---

*   벌린의 철자는 Berlin, 즉 독일 베를린과 같다.

**   shell shock. 전투에 장기적으로 노출돼 발생하는 신경증. 셸은 포탄, 탄피 등을 가리킨다.

"어떤 거 말씀이십니까?"

소령은 한탄을 하고 뒤로 기댔다. 그의 옆에서는 이 상황에 완전 무관심한 호피 무늬 군복 대위가 가느다란 시가를 뜯어 부엌용 성냥으로 불을 붙였다. 붉은 여드름이 그의 얼굴을 홍역처럼 덮고 있었다. 그는 순간 눈을 깜빡였고 —— 어쩌면 깜빡임만 못한 눈짓이었다 —— 그러더니 문서 다발을 힘주어 바라보았다. 또 다른 장교는 말없이 앉아 있었다. 그는 면담이 시작된 이래 꼼짝도 않고 있었다.

"이봐," 소령이 말했다. "네가 멍청한 건지 그냥 둔한 건지 모르지만 맹세코 내가 밝혀내고 말겠어." 그는 선글라스를 벗었다. 놀랍게도 그의 눈은 거의 즐거운 기색이었다. "너 상병 올라가지, 그렇지?"

"맞습니다."

"너도 원하나? 진급하는 거?"

"그렇습니다, 간절히 원합니다."

"책임이 커."

폴 벌린은 웃음을 지었다. 그는 웃음을 참지 못했다.

"그러니까 우린 돌대가리가 사람들을 이끌게 할 순 없어, 그렇지? 지능이 좀 돼야 한다고. 넌 지능 좀 되나, 벌린?"

"**됩니다.**"

"콘돔이 뭔지 알지?"

폴 벌린은 고개를 끄덕였다.

"콘돔은," 소령은 목소리를 낮춰 근엄하게 말했다. "우리가 자지를 휘두를 때 쓰는 골무다. 내 말 맞나?"

"맞습니다."

"그리고 대원들을 이끌려면 너는 좆나게 휘두르는 자지가 되어야 한다.”

“맞습니다.”

“네가 그래? 너 휘두르는 자지 맞아, 벌린?”

“맞습니다!”

“배짱도 있고?”

“그렇습니다. 저는──”

“총 맞아 죽기가 겁나나?”

“아닙니다.”

“이런 이런 이런.” 소령은 중요한 승리를 거머쥔 듯 씩 웃었다. 그는 연필 끝으로 이 사이에 낀 음식물 알갱이를 빼냈다. “바보 아냐! 엉덩이에 총알 박히는 게 겁나지 않는 놈은 얼간이야. 얼간이가 뭔지 알지?”

“압니다.”

“철자 대봐.”

폴 벌린은 철자를 댔다.

소령은 연필로 탁자를 톡톡 두드리다 손목시계를 슬쩍 보았다. 호피 무늬 군복 대위는 눈을 감고 담배를 피우고 있었다. 아직도 말이 없는 또 다른 장교는 가슴께 팔짱을 꼭 끼고 멍하니 정면을 주시했다.

“좋아,” 소령은 말했다. “너한테 표준적인 유형의 질문을 몇 개 하겠다. 진실하게 대답하되 허튼소리는 안 돼. 답을 모르면 모른다고 해. 내가 못 참는 하나가 김새는 거짓말이니까. 준비됐나?”

“됐습니다.”

노란 종이 한 장을 끄집어낸 소령은 연필을 내려놓고 느릿느릿 준비했다.

"성조기에 별이 몇 개지?"

"쉰 개입니다," 폴 벌린이 말했다.

"줄은?"

"열세 개입니다."

"표준 AR-15의 총구 속도*는?"

"초속 2000피트입니다."

"육군 장관**은 누구지?"

"스탠리 리소입니다."

"우리가 이 전쟁을 치르는 이유는?"

"네?"

"어허, 우리가 이 씨발놈의 전쟁을 치르는 이유는?"

"저도 잘 ——"

"이기기 위해서," 말이 없던 또 다른 장교가 말했다. 그는 꼼짝하지 않았다. 그의 두 팔은 가슴을 바짝 가로지르고 눈은 멍한 채였다. "우리는 이 전쟁을 이기기 위해서 싸운다, 그게 이유야."

"알겠습니다."

"다시," 소령이 말했다. "우리가 이 전쟁을 치르는 이유는?"

"이기기 위해서입니다."

"확실하지?"

"확실합니다." 그의 팔이 의욕에 불탔다. 그는 턱을 수평으로 유지려고 애썼다.

"크게 말해봐, 부대원. 우리가 이 전쟁을 치르는 이유는?"

"이기기 위해서입니다."

"그래, 하지만 내 말은 **왜**?"

"오직 이기기 위해서입니다," 폴 벌린은 조용히 말했다. "그뿐입니다. 이기기 위해서입니다."

"사실이 그렇다는 거지?"

"그렇습니다. 사실입니다."

말 없는 장교가 흡족해서 조용히 홍얼거리는 소리를 냈다. 소령은 호피 무늬 군복 대위를 보고 씩 웃었다.

"좋아," 소령이 말했다. 그의 눈은 반짝거렸다. "털어놓는 걸 보니 어쩌면 그렇게 멍청하진 않은가 보군. **어쩌면.** 마지막 질문을 하겠다. 이건 문화적인 유형의 문제인데…… 잘 들어. 호찌민의 죽음이 북베트남 인구에 끼칠 영향은 뭐지?"

"네?"

소령은 제 종이에 적힌 것을 천천히 반복해 읽었다. "호찌민의 죽음이 북베트남 인구에 끼칠 영향은?"

폴 벌린은 턱이 낮아지게 두었다. 그는 웃음을 지었다. 그는 진급 심사에 통과했음을 알았다.

"인구 하나가 줄어듭니다."

꽝응아이에서 그들은 정치에 관해 말하지 않았다. 그것은 금기 아니면 재수 없는 일이라서 이야기하고 자시고 할 게 없었다. 평화

---

*   총알이 총구를 떠나는 순간의 속도.

**   Secretary of the Army. 미국은 삼군의 장관을 따로 두고 있으며 이들은 군사 명령 권한이 아니라 행정권을 갖는다.

회담이 협상 탁자의 형태와 규모를 두고 끝없는 논쟁의 수렁에 빠졌을 때조차 알파중대 대원들은 그것을 또 하나의 안 좋은—어처구니없고 슬픈—농담으로 받아들였고 그것에 관해 진지한 토론을 하지도 격분을 오래 끌지도 않았다. 외교와 도덕은 그들의 저편에 있었다. 신경 쓰는 사람이 전무하다시피 했다. 세련된 논쟁을 좋아하는 닥 페렛조차. 선을 섬기는 짐 피더슨조차. 이런 흐리멍덩한 태도에 프렌치 터커는 성을 냈다. "세상에," 그는 때로 격분에 차 한탄하며 폴 벌린에게, 하지만 모두가 들으라고 말했다. "저들은 네 **궁둥이**를 가지고 협상하는 거야. 네 궁둥이, 내 궁둥이…… 우리가 죽느냐 사느냐? 그런데 너희 돌대가리들은 그 얘길 꺼내지도 않아. 거지 같은 **의견**조차 없다니까! 내 말은, 빌어먹을, 너희는 평화 회담의 그 순 개소리에 열도 안 받아? 원형 탁자, 네모난 탁자! 저 솔직하지 못한 개자식들이 어떤 **탁자**에 앉을지도 못 정하고 어리바리하는 동안 우린 여기 앉아서 공기나 빨아 마시고 있다고. 제기랄!" 하지만 프렌치의 분노는 전혀 먹히지 않았다. 더러 빈정거리거나 지긋지긋해하는 농담은 돌아도 진지한 토론은 전혀 없었다. 확신이 없었다. 그들은 전쟁을 치렀지만 어느 한쪽을 펀드는 사람은 아무도 없었다.

그들은 간단한 것조차 몰랐다. 승리감이라든지 만족이라든지 불가피한 희생이라든지. 그들은 마을을 손에 넣어 깃발을 올리고 승리했다 일컫는, 그렇게 자리를 차지하고 그 자리를 지키는 느낌이 뭔지 몰랐다. 질서 의식도 타성도 없었다. 전방도 후방도 전선도 평행으로 가지런히 놓여 있지 않았다. 라인강을 돌진하는 패튼 전차도 없었고 맹공을 퍼부어 승리를 따내 오래오래 거머쥘 교두보도 없었다. 그들에겐 표적이 없었다. 그들에겐 명분이 없었다. 그들은 이것이 이념 전쟁인지 경제 전쟁인지 헤게모니 전쟁인지 양심에 따른 전쟁인지 몰랐다. 어느 지정된 날, 그들은 저희가 꽝응아이의 어디에 있는지, 그리고 거기 있는 게 더 큰 성과를 내는 데 어떤 영향을 끼치는지 몰랐다. 그들은 마을 이름도 거의 몰랐다. 그들은 어느 마을이 중요한지도 몰랐다. 그들은 전략을 몰랐다. 그들은 전쟁의 조건, 그 구조, 페어플레이 규칙을 몰랐다. 드물게 포로를 잡아도 그들은 무엇을 물어야 할지, 용의자를 풀어줘야 할지 밟아줘야 할지 몰랐다. 그들은 어떤 감정을 느껴야 할지 몰랐다. 죽은 베트남 사람을 보면 행복해야 할지 슬퍼해야 할지 안심해야 할지. 정적이 돌면 불안해야 할지 만족해야 할지. 적과 교전해야 할지 피해야 할지. 그들은 마을이 불타는 걸 보고 어떤 감정을 느껴야 할지 몰랐다. 복수심? 상실감? 마음의 안정 혹은 고뇌? 그들은 몰랐다. 그들은 꽝응아이에 얽힌 오랜 미신들을 알았지만 —— 고참에게서 신참에게 전해 내려오는 이야기였다 —— 그중 무엇을 믿어야 할지는 몰랐다. 마법, 불가사의, 유령과 향, 어둠 속의 속삭임, 낯선 언어와 낯선 냄새, 전쟁 이야기들이 한 번도 언급한 적 없는 불확실성, 무지로 인해 낭비된 감정. 그들은 선과 악을 구별할 줄 몰랐다.

마흔.
상상의 연장

그 일은 그런 식으로 끝나지 않았을 것이다. 경찰과 세관원, 좌절, 서양 문명의 부두에서 멕시코 밀입국자들처럼 체포를 당하고, 불 밝힌 프로필레아와 파르테논의 넋이 닿을 거리에서 포획을 당하고, 아무것도 이루지 못한 채, 해답도 없이, 하필이면 합당한 결말이 코앞에 약속되어 있는 지금 모든 여정이 질식을 당하다니. 그 일은 그런 식으로 벌어지지 않았을 것이다. 정말 그랬다. 다시 봐도——바닷가의 관측소로 잠시 돌아가——다시 봐도 이건 미치광이의 망상이 아니었다. 폴 벌린은 깨어 있었고 온전히 제정신이었다. 꿈이 아니라고, 실성했거나 무의식중이거나 광신적인 게 결코 아니라고 그는 생각했다. 그는 왼쪽 손목을 만졌다. 맥박이 안정적이었다. 골도 쑤시고 시력도 정상이었다. 비정상일 것도 특이할 것도 없었다. 남중국해를 등지고 모래주머니 담장에 기댄 그는 제 신체 기능을 철저히 통제하고 있었다. 그는 추측을 하는 중이었다. 가능성 헤아리기. 이게 그렇게 정신 나간 일인가? 다들 조금씩은 이렇게 저렇게 헤아려보지 않던가? 온 부대가 시간 때우기로 —— 참호에서는 추측, 전장에서는 꿈, 갑자기 자유가 주어지면 남은 목숨을 어떻게 쓸지 헤아려보잖아. 다들 하는 일이었다. 다들 자유를 어떻게 쓸지 상상했다. 낭비하고 투자하고 모노폴리 화폐처럼 사용하고. 딕 페럿조차 그런 백일몽을 용납했다. 에디 라추티조차 백만 달러가 생기면 어디에 쓸지 떠들길 좋아했다. 전쟁이 끝나면…… 시작은 늘 그 말이었다. 전쟁이 끝나면. 차를 산다, 여행을 떠난다, 디즈니랜드를 방문한다, 눈에 띄는 모든 걸 후리고 다닌다, 숲에서 한 해를 보낸다, 사소한 것에 절대 신경 쓰지 않는다, 인생을 즐긴다, 살아간다. 정말로 그렇게 되면? 그러면? 그냥 그뿐이었다. 그것은 추측이었다. 어쩌면 이루어질지 모를 일들을 하나씩 하나씩 헤아리면서 가능성을 가지고 노는 방식이었다.

그러니 어림없었다. 어림없이 그 일은 피레우스에서 끝나지 않았을 것이다. 정말 그랬다. 그들은 체포되지 않았다. 최악을 예상하고 축 늘어져 널빤지 다리를 건넌 그들은 눈을 내리깔고 숨을 죽인 채 일렬종대로 여러 소대의 경찰과 세관원들 사이를 지났고, 주 적하장을 마법처럼 통과했고, 경찰 둘이 지키고 서서 단지 고개를 끄덕이며 지나가라 손 젓는 게이트를 지난 다음 마침내 바다 냄새 나는 통로가 토해내는 캄캄한 거리로 나섰다.

"너무 쉽네요," 사르낀 아웅 완이 중얼거렸다. 그녀는 중위의 팔을 낚아채 정차해 있는 택시까지 부축했다. "눈 깜빡하듯이 너무 쉬워요. 숨 쉬듯이요."

늙은이는 누가 쫓아오지 않나 싶어 뒤를 힐끗했다. 그의 군복에는 병치레의 퀴퀴한 냄새, 씻을 수 없는 악취가 배어 있었다. 그는 걸으면서 다리를 살짝 절었다. 에디와 닥과 오스카는 그 뒤를 따랐고 폴 벌린은 그다음이었다. 쉽네, 그는 생각했다. 여권도 돈도 없고 유명한 사기꾼처럼 뒤쫓겨 도망을 다니지만. 그래도 쉬운 일이었다. 웬만한 장애물은 갈라버리는, 면도날처럼 날카로운 그의 상상. 그는 카차토가 전쟁을 뜨던 날 아침에 한 말을 기억했다. 아테네까지 가면 나머지는 쉬워.

그들은 이틀, 아니 어쩌면 한 주를 거기서 보냈다. 그들은 휴식을 취하고 아크로폴리스를 방문하고 카차토를 수소문할 질문들을 작성했다. 처음에 그들은 스팅크가 흠뻑 젖은 채로 혼이 나서 씩 웃으며 나타나주길 기대했지만 갈수록 기대는 사그라졌다. "그 녀석 여기 올 거야," 오스카는 자꾸 말했다. "그 자식은 지구력이 있어서 성공할 거야." 하지만 아무것도 없었다. 닥은 날마다 영어 신문을 펼쳐 익사체 소식을 찾았다. 오스카와 에디는 부두와 플라카*의 지저분한 뒷거리를 뻔질나게 드나들다 못해 경찰서 시체 안치소에 정리된 소름 끼치는 사진들도 살펴보았다. 하지만 아무것도 없었다. 그래서 중위는 엄청난 걱정을 하면서도 다음으로 넘어가는 것밖에 도리가 없다고 판단했다. "나도 그러기 싫어," 그는 오스카의 확고부동한 눈길을 외면하고 말했다. "하지만 봐, 우리는 최선을 다했어, 안 그래? 어쩌면 말이야 — 말하자면 말이지만 — 어쩌면 가는 길에 녀석이 나타날지 모르지. 길 저쪽에서 우릴 기다리고 있을지 모른다고."

그들은 자그레브**로 가는 북행 버스에 올라탔다.

"바보짓 말이야," 도시가 후퇴하는 모습을 보며 오스카는 말했다. "그게 그리워질 거 같아. 스떵꼬 그 자식이 바보짓을 꽤 했잖아. 바보짓이 없으면 재미가 없지. 이제 기댈 데가 없네."

"그러게."

"내 말 이해돼?"

"이해돼," 닥은 말했다. "이해됐다고 봐야지."

그들은 오후 느지막이 국경에 닿았다. 버스는 여섯 명의 군인이 둘러앉아 카드 게임을 하는 작은 나무 막사에서 멀찍이 떨어진 곳에 정차했다. 운전사가 경적을 두 번 울렸지만 군인들은 한 사람도 거들떠보지 않았다. 유고슬라비아 방면으로 가는 길도 순조롭기는 마찬가지라 경적 두 번에 기복이 한 번, 그 뒤 버스는 자그레브로 가는 도로를 빠르게 달렸다.

폴 벌린은 메마르고 초라한 풍경을 내다보았다. 서쪽으로 이어진, 끝없어 보이는 보랏빛의 긴 산맥이 눈에 들어왔다. 산맥 뒤로 태양이 떠 있었다. 모든 게 너무나 수월했다. 첫 몇 걸음, 아니 몇 천 걸음을 떼는 게 문제지 일단 시작하면 잠자는 것만큼 쉬웠다. 비몽사몽간에 도로를 구르는 타이어 소리에 귀 기울이던 폴 벌린은 왜 수백만 군인이 탈영하지 않는지 의아해했다.

그들은 자그레브에서 그날 밤을 보냈다. 아침에 그들은 타르로 포장된 고속도로까지 걸어 나가 캘리포니아에서 온 한 여자아이의 차를 잡아탔다. 윤활유 냄새와 오렌지 껍질 냄새가 나는 낡아빠진 폭스바겐 밴이었다. 그 여자아이는 혁명가였다. 그녀는 자그레브와 오스트리아 국경 사이에서 닥에게 파멸에 관한 설교를 펼쳤다. 암

---

*   아테네의 한 구역.

**   크로아티아의 수도.

살, 후끈 달아오른 도시들, 워싱턴에 쫙 깔린 학생들 무리, 포위당한 대학들.

"파멸이 다가오고 있어요," 그녀는 말했다. "그게 실제로 벌어지고 있다고요."

닥은 고개를 끄덕였다. 그는 담요를 겹겹이 덮고 밴 뒷좌석 깊숙이 앉아 있었다. 그는 짓궂게도 고개를 끄덕끄덕하면서 폴 벌린에게 찡긋 눈짓을 보냈다.

바깥에는 하얗고 앙증맞은 꽃들이 가슴 뭉클한 산비탈에 자라 있었다.

"정말 놀랐어요," 여자아이는 말했다. "형씨들이 실제로 **거기** 있었다니 말이에요. 그러니까 당신들은, 그러니까 말이죠, 악을 직접 본 거잖아요. 그것을 보고 그 냄새를 맡고. 악이요. 구이가 된 아이들, 고아들, 잔혹 행위들. 그러다 배짱 좋게 빠져나온 거고요. 거참 용감하네."

"음, 꼭 그렇다고는——"

"죄책감은 또 어떻고요." 여자아이는 안타까운 양 고개를 절레절레했다. "맙소사, 죄책감 정말 끔찍하겠다."

"죄책감이요?" 오스카가 말했다.

"그게 뭔가 지독한 상처를 남겼겠어요."

오스카는 에디를 보았다. "어이, 너 죄책감 있어?"

"죄책감투성이지," 에디가 말하고는 방긋 웃음을 지었다.

여자아이는 그를 못 본 체했다. 그녀는 어깨를 으쓱하는 것으로 시작해 가만있지 못하고 도로에서 거울로, 그리고 다시 뒷좌석으로 끊임없이 눈길을 돌렸다. 그녀는 머리카락에 빨간 밴대너를 두르고 있었다.

"어쨌든," 그녀는 말했다. "저는 당신들이 정말로 존경스러워요. 정말이에요. 매파니 비둘기파*니, 전문가니 일반가니 하는 것들은 아주 넌더리 나는 수사뿐이잖아요 —— 그게 사람을 미치게 만들죠. 하지만 당신들은 뭔가를 **겪었어요**. 악을 보고 빠져나왔죠."

"꼭 그렇지는 않아요," 오스카가 말했다.

"안 그렇다고요?"

"우리는 행군 중인 군인 이상도 이하도 아니에요."

여자아이는 이 사이로 시끄럽게 바람 빠지는 소리를 냈다. "관둬요. 있잖아요, 저는 친화적인 사람이에요. 우린 형제자매라고요, 알았어요? 저도 그게 어떤 건지 잘 알아요."

"그래요?"

"그럼요. 저도 이탈자예요. 순 헛소리만 늘어놓는 샌디에이고 주립 대학교에서 2년 만에. 도저히 못해 먹겠더라고요. 그래서 펑, 그만뒀어요. 가끔은 스스로 악과 떨어져 있을 필요가 있죠."

오스카는 그녀를 가만히 바라보았다. "그게 그거랑 같다 이거예요? 베트남이랑 망할 샌디에이고 주립 대학교랑?"

"아주 똑같진 않겠죠. 하지만 강하게 말할 수 있어요. 그냥 그거예요, 그게 대략 어떤지 나도 안다는 거. 악을 보면 거기서 달아나야 한다는 거잖아요, 안 그래요?"

"악?" 오스카가 닥의 어깨를 탁탁 쳤다. "베트남에서 악 본 적 있어?"

---

*   매파는 외교정책상 강경파, 비둘기파는 온건파를 가리킨다.

"악이 뭔데?" 닥이 말했다.

여자아이는 너그러운 웃음을 지었다. 그들은 첨탑과 뾰족지붕이 가득한, 해자가 둘러진 작은 마을을 지나는 중이었다. 밴은 벽돌 길을 달리며 몸을 흔들어댔다. 다시 숲에 들어서자 오스카는 카차토의 소총에서 포장을 벗기더니 손질을 시작했다.

"그러니까 제 말은 전적으로," 여자아이는 말을 이었다. "형씨들을 하나부터 열까지 지지한다는 거예요. 당신들에겐 친구가 있다는 거죠. 전 세계 어디나 발 벗고 도와줄 사람들이 있어요. 공감해줄 친구들이요."

"설마?"

"설마라니요. 그 사람들은 당신들에게 필요한 건 뭐든 연결해줄 수 있어요. 돈, 직업, 주택. 스웨덴 가는 표. 연줄. 그러니까 당신들 같은 사람을 위해 마련된 완전한 지하 네트워크란 말이죠. 저항자들, 탈영자들. 아닌 건 아니라고 말할 배짱이 있는 사람들."

오스카는 소총 볼트가 떨어지거나 말거나 내버려두었다.

"그만," 그는 말했다.

"그래서 친구가 있는 거 아니겠어요? 도움이 필요할 때——"

여자아이는 말을 끊고 거울을 힐끗 들여다보았다. 오스카가 그녀의 귀에 소총을 겨누고 있었다. 그녀는 갓길로 빠져 밴을 세우고는 오스카가 앞좌석으로 이동하는 내내 잠자코 앉아 있었다.

그녀는 그에게 웃음을 지었다. "저기요, 강간까지는 필요 없어요. 제 말은, 이봐요, 섹스라면 저도 정말 좋아해요. 정말로요. 우리 커튼 같은 거나 얼른 치죠."

"내려," 오스카가 말했다.

여자아이는 계속해서 웃고 있었다. 그녀는 청바지에 스웨터 그리고 카키색 재킷 차림이었다. "밖에서요?" 그녀가 말했다.

"알아들었군."

"뒷자리가 훨씬 편할 거예요."

"내려."

여자아이는 어깨를 으쓱하고 또 한 번 거울을 힐끗 들여다보더니 문을 열고 발을 내디뎠다. 그녀는 오스카가 그녀의 여행 가방과 침낭을 내던지는 동안 지켜만 보았다. 그녀는 결코 웃음을 멈추지 않았다.

에디가 차를 몰고 오스카는 조수석에 앉았다.

"있잖아," 닥이 생각에 잠겨 말했다. "정말이지 난 가끔 죄책감이 좀 들어."

봄철이었다. 숲은 젖어 있었다. 그들은 라일락과 싹트는 나무, 산 높은 곳에서 녹는 눈, 깨끗이 씻긴 마을들, 드넓게 열린 하늘을 보았다.

그라츠와 린츠를 가로지른 다음 다뉴브강을 따라 파사우를 향해 북서쪽으로, 이후 어둠을 가로지르고 레겐스부르크를 가로질러 자정에는 뉘른베르크.* 쉬운 일이었다.

풀다**에 이르자 밴은 퍼졌다. 그들은 차를 뒤에 버려두고 철도역

---

*   그라츠와 린츠는 오스트리아 도시, 나머지는 북서 방면으로 나아갈 때 순차적으로 나오는 독일 도시.
**   프랑크푸르트 인근 도시.

까지 2마일을 걸어 서쪽으로 가는 다음 열차에 올라탔다.

이제 가속이 붙었다. 밤새 덜컹거리는 열차, 혼잡한 차내, 그들 뒤에서 불어오는 바람.

독일 심장부를 ── 기센, 헤어보른, 림브루크를 ── 빠른 속도로 지나는 동안 폴 벌린은 정차역마다 창문에 달려들어 차장이 등불 흔드는 모습을 지켜보았다. 마을 가로등과 교회 첨탑과 네온 빛으로 환한 코카콜라와 브로모셀처 두통약 광고판이 보였다. 끝이 다가오고 있었다. 그는 느낄 수 있었다. 벌써부터 그는 익숙한 것들의 감촉을 기대했다. 품위, 청결함, 높은 교양과 낮은 사망률, 난방이 되는 학교에서의 학문 추구, 과학, 예술, 굴뚝을 통해 결실을 맺는 산업. 목적은 이게 아니던가? 목표가 뭐였더라? 선에 대한 어떤 시야를 갖는 거? 그럼 이것들은 값진 게 아닌가? 자유는 좇을 가치가 없나? 만약 문명이 의미를 지닌다면 이것들이 그 근거 아니었어? 바로 이것들 때문에 전쟁을 치른 거 아니었어? 심지어 베트남에서도 ── 무례함의 힘을 억누르는 게 취지 아니었어? **취지**. 폭정, 침략, 탄압을 저지하는 게 취지 아니었어? 선에 대한 어떤 시야를 넓히는 게? 이런, 뭔가 끔찍하게 잘못됐어. 그러면 목표, 목적, 결과 ── 이런 것들은 완전히 도덕적이지도 타당하지도 않았던 거야? 자기 결정권은 문명인의 타당한 목표가 아니었던 거야? 정치적 자유는 정의의 일부가 아니었던 거야? 저지하지 못한 군사적 침략은 문명과 질서에 대한 위협이 아니었던 거야? 이런, 맞아 ── 뭔가 잘못됐어. 사실도 정황도 이해도. 하지만 취지가 잘못이었을까 목적이 잘못이었을까?

이제 독일의 어둠을 가르며 질주 중인 폴 벌린은 질서와 조화와 정의와 정적에 대한 차별 없는 간절함이 한껏 차오름을 느꼈다. 열망이었다. 선한 행실로 선하게 조성된 선한 취지. 거리 구석구석 넘치는 예의와 국경선마다 넘치는 호의. 그는 그것이 다가옴을 느낄 수 있었다.

동틀 무렵 열차는 라인강을 건넜다.

본에서는 20분간의 정차 시간이 있었다 — 그는 내릴까 깊이 고민하다 그러지 않기로 마음먹었다 — 그러고 나서 다시 이동을 시작한 그들은 언덕 많은 나라를 가로질러 남쪽 룩셈부르크를 향해 달리고 있었다. 낯익은 풍경이었다. 머리가 핑 돌며 열망에 젖은 그는 이것이 얼마나 쉬운 일인가 놀라움을 금치 못했다. 그는 얼음을 지치는 기분이었다.

마흔하나.
피격

전투는 수로로 흘러내렸다. 그것은 동쪽의 논들을 가로질러 마을로, 그러고 나서 북쪽에 자리한 다음 마을로 흘러들었다. 장기전이었다. 공허하고 긴 침묵 사이사이로 일제사격이 쏟아졌다. 적은 보이지 않았다. 보이는 건 섬광, 나뭇잎 조각, 환한 이글거림뿐이었다. 수로 변의 산울타리 뒤에서 중기관총이 달달달달 불붙더니 나중에는 두 번째 마을 너머 작은 숲에서도 그랬다. 그러다 전투는 끝났다. 비가 멎듯이 끝났다. 똑똑 떨어지는 소리 뒤로 헤아릴 수 없는 정적이 이어졌다.

나중에 폴 벌린과 카차토와 에디 라추티는 수로로 정찰을 나가 전투 경로를 역으로 천천히 살폈다. 그들은 조심조심 이동했다. 그것은 넓고 얕게 판 수로로 우기가 되면 범람해 양쪽의 논에 물을 공급했다. 이제 수로는 말라 있었다. 바닥에는 손이 들어갈 정도로 깊은 금이 쩍쩍 갈라져 있었고 양쪽 제방에는 목초가 분을 바른 듯 푸석푸석하게 자라 얽히고설켜 있었다. 카차토가 버프를 발견했다.

그들은 그를 수로에서 끄집어내 풀에 눕힌 뒤 판초로 덮어주었고, 그러고 나서 에디가 무전기로 후송 헬기를 불렀다.

이후 닥 페럿이 왔다.

"버프야," 에디가 말했다.

그가 판초를 끌어내리자 닥은 몸을 숙여 시신을 검토했다.

"발견하니 저런 모습이던걸," 에디가 말했다. "예쁘진 않네."

닥은 수류탄과 총탄을 시신에서 회수했다. 그러고 주머니를 뒤졌다. 그는 럭키 담배 한 갑과 지갑 하나와 껌과 주머니칼과 인식표를 걷어냈다. 그는 그 전부를 비닐봉지에 담아 집게로 봉하고 버프의 손목에 묶어주었다.

"잊은 게 있잖아," 에디가 말했다.

"버프 덮어줘."

"그래야지, 그런데 철모 안에 든 건 필요 없어?"

"그냥 덮어줘," 닥은 말했다.

그들 뒤에 있던 폴 벌린의 눈은 감겨 있었다. 그는 카차토와 수로 변에 앉아 있었다. 카차토는 복숭아 통조림을 따고 있었다. 복숭아 냄새는 달콤했다. 눈을 감은 폴 벌린은 염소 처리를 한 수영장 바닥에 있는 공상을 했다. 귀를 막아 고요를 가두고, 스노클*로 숨을 쉬고, 머릿속에서 푸르고 부연 영상들이 헤엄치는. 그는 생각에 빠지지 않으려고 애썼다. 그는 고요에 집중했지만 이내 생각에 빠져 있었다. 버프의 상의 — 더위 탓에 어깨 부위가 몸에 착 달라붙은 모습. 아니면 상의를 입지 않았을 때 허리띠 위에 걸쳐 있는 배가 걸을

---

* 잠수할 때 쓰는 숨 쉬는 관.

때마다 출렁이는 모습. 버프는 거구였다. 그 넘치는 피와 살덩이와 지방. 무더운 날이면 그는 땀을 흘리며 악취를 풍기곤 했다. 그들은 그를 버프라 불렀는데 그것은 워터 버펄로를 줄인 버펄로의 줄임말이었다. 폴 벌린은 그 생각에 빠지지 않으려고 애썼다. 죽으면 그냥 죽은 거지. 그는 여름철에 푸른 수영장 깊숙이 들어가 있는 공상을 했다.

"무릎을 꿇고서 말이야," 에디가 말하고 있었다. "카차토가 발견했을 때 그랬다고, 무릎을 꿇고 몸을 푹 웅크리고, 엉덩이는 공중으로 쳐들고, 거기다 얼굴은…… 너도 봤어야 돼. 아랍인이 기도하는 것처럼 몸을 웅크렸다니까, 완전 넙죽, 얼굴은 빌어먹을 철모를 쓴 채로 처박고. 너도 봤어야 돼."

"아니, 난 안 봐."

"봤어야 돼. 완전 기도하는 아랍인이야."

"아랍인들은 그런 식으로 기도 안 해," 닥이 말했다.

"맙소사, 안 하긴. 있지, 내가 텔레비전에서 봤어. 엉덩이를 공중으로 쳐들고 완전히 그렇게 웅크린다니까."

"알았어."

"내가 봤다고."

"알았다고 했지."

둔탁한 폭발과 땅의 가벼운 흔들림이 한 차례 일었다. 두 번의 폭발이 뒤따랐다. 수로 너머 마을에서 제1소대와 제2소대가 벙커를 날리고 있었다. 폴 벌린은 계속 눈을 감고 있었다. 네가 뭘 어쩌겠어? 그것은 슬픔이라고 할 수 없었다. 혹은 일부만 슬픔이었다. 쪽팔림, 큰 부분을 차지하는 건 그거였다. 시끄러운 소리와 소동, 그러고 나서는 고요. 눈을 들어 주변을 훔쳐본다. 쪽팔림을 느낀다.

그는 뒤에서 에디와 닥이 조용히 나누는 이야기에 귀를 기울였다. 카차토는 아직도 복숭아를 먹고 있었는데 그 냄새가 마을이 불타는 냄새와 뒤섞였다.

그는 더 나은 것들에 집중하려고 애썼다. 낙엽을 긁어모으는 아버지 ─ 발로 짓눌리는 금빛의 불그스름한 더미, 그리고 나서 집 뒤쪽 소각로로 가져가 연기와 장작불 냄새, 팡팡 터지는 도토리. 바로 그 냄새였다. 장작불과 불타는 마을과 탁탁 소리가 나는 마른풀. 그것은 슬픔이라고 할 수 없었다.

"어이."

"어, 오스카."

오스카 존슨은 짐을 툭 내려놓았다. 수통이 열리는 소리, 그리고 정적, 그리고 부스럭거리는 소리가 났다.

"누구야?"

"거물 버프," 에디가 말했다. "걔밖에 더 있어?"

"버프구나."

"아무렴. 볼래?"

"아니," 오스카가 말했다.

그들은 한동안 말이 없었다.

"총 맞았어," 에디가 말했다. "너도 봤어야 돼. 저 아래 수로에서 찾았어. 메카에서 기도하는 아랍인처럼 푹 웅크리고 있었다니까."

"아랍 전문가 납셨네," 닥이 말했다. "제발 닥쳐줬으면 하는 바람이 있어."

"전문가라고 한 적 한 번도 없는데."

"그러면——"

"하지만 아랍인들 기도하는 걸 내가 봤는데 꼭 저랬다니까. 〈아라비아의 로렌스〉처럼."

"그랬겠지."

"좆나게 많은 아랍인들이 기차 날리는 영화 있잖아."

"버프가 죽었어. 넌 별생각 없겠지만."

폴 벌린은 눈을 감고 들었다. 사후 세계, 그는 생각했다. 네가 뭘 어쩌겠어? 옆에서는 카차토가 순살 치킨 통조림을 따고 있었다. 짭짜름한 냄새, 찰캉찰캉하는 P-38 깡통 따개, 소금과 지방. 카차토 그녀석은 무엇이든 먹었다. 캔에 든 햄과 달걀, 열대 초콜릿 바, 뭐든. 그는 그것을 먹었다. 멍청이야, 그래. 더없을 멍청이. 슬픔은 꾸며낼 수 없지. 슬픔이 거기 있어야만 돼. 거기 없는데도 꾸며낼 순 없어. 넌 당한 게 네가 아니라서 기쁜 거잖아. 안심이 되는 거잖아—— 그게 네가 아니라 버프라서. 넌 안심되지 않은 척 못 하잖아. 치킨의 짭짜름한 냄새에 머리가 아찔해진 그는 몸을 돌려버렸다.

땅이 다시 흔들리고 있었다. 수로를 200미터 거슬러 오른 지점에서 다른 이들이 아직도 벙커를 날리는 중이었다. 폭발은 한 번에 세 차례씩 발생했다. 스팅크의 변함없는 솜씨였다. 하늘에 아무런 얼룩도 남기지 않는 깔끔하고 숙달된 일 처리. 연기가 있었지만 그건 오두막이 타면서 나는 연기였다. 폴 벌린은 넋을 놓고서 따뜻하고 깊은 수영장 바닥으로 미끄러져 들어갔다.

"다른 사망자는?" 에디가 물었다.

침묵이 돌았다. 폴 벌린은 오스카가 고개를 가로젓는 모습이 그려졌다.

"한 명이 다야, 응? 베트콩 새끼들한테도 밀리고, 사망자도 한 사람 나오고."

"어이, 그쯤 해둬."

"난 그냥 ——"

"예의 좀 차리고 망할 입 좀 다물어."

"그럼 뭘 어떡해야 되는데? 너도 별수 ——"

"예의를 차릴 순 있잖아."

그들은 이제 담배를 피우고 있었다. 폴 벌린은 그 냄새를 맡았다. 그는 의식(儀式)에 열중했다. 정적, 그러다 말소리.

"그 녀석 끄떡없었는데."

"맞아, 그랬지. 저쪽이 좀 서둘렀으면 좋겠는데."

"몇 시야?"

"정오," 닥이 말했다. "정오 다 됐어. 저쪽이 서두르면 좋으련만."

"버프는 상관 안 할걸. 워낙에 느려터진 녀석이었으니까. 젠장, 산에서 있었던 일 생각나네. 기억나?"

"뭐?"

"산에서."

"아, 기억나지."

"그런데도 그 녀석 끄떡없었어. 그랬잖아 —— 너도 알지 —— 그 녀석 끄떡없었던 거."

"어이, 담배 넘겨."

"그리고, 아, 총도 잘 다뤘지, 정말로. 그 녀석 그 커다란 총에 빠삭했어."

"그거 **넘기라니까.**"

"그 M-60에 빠삭한 게······ 정말 제대로 안다고 할까. 20초 만에 분해하던 거 기억나? 염병할 20초 만에."

"기억나고말고."

"휙, 탕. 딱 그랬지. 너무 빨라서 지릴 정도였다니까. 진짜로 그 녀석 그 총 하난 제대로 알았어."

"이제 머피가 대신하겠네."

"그러겠지," 에디가 말했다.

"폴 벌린이 원하지만 않으면." 이 말에 대화가 잠시 멈췄다. 오스카였다. "야, 벌린. 너 이제 커다란 총 맡을래? 맡고 싶으면 맡아."

눈을 감은 폴 벌린은 고개를 가로저었다.

"싫대."

"그런가 보네."

"카차토는 원하려나."

"아니, 카차토도 안 원해. 해럴드 머피 당첨."

"민주주의를 내리신 하느님 감사합니다," 닥 페럿이 말했다.

"아멘."

오스카가 한숨을 쉬었다. "버프는," 그가 말했다. "장난이 아니라, 그 자식 그 총에 빠삭했어."

"두말하면 잔소리지."

"그 녀석 끄떡없었는데."

그들은 15분을 더 기다렸다.

후송 헬기가 다가오는 소리에 폴 벌린은 눈을 떴다. 구름 낀 환한 낮이었다. 한 그루뿐인 버드나무가 수로 한쪽에 그늘을 드리웠다. 이에 그는 깜짝 놀랐다. 그 나무를 미처 알아차리지 못한 참이었다.

그것은 지난 수개월 동안 그가 본 첫 버드나무였다. 곱고 하얀 가루가 나무를 덮었고 바닥에는 풀이 나 있었다. 어쩌면 공기 중에 유황 냄새를 풍기는 건 저 가루인지도 몰랐다. 기분 좋은 냄새가 아닌데도 그 냄새를 맡으면 기분이 좋았다. 밝은 빛을 보는 것도, 나무를 보는 것도, 길고 얕은 수로를 보는 것도 기분이 좋았다.

어림없었다, 그는 슬픈 척을 못 했다.

그는 일어앉아 헬기를 찾아보았다. 에디는 이제 무전기에 매달려 조종사에게 말을 하고 있었고 닥과 오스카는 버드나무 아래 앉아 담배를 피웠다.

"노란색," 에디가 말했다.

닥이 노란 연기를 피워 올렸다.

그들은 헬기가 머리 위로 다가와 수로 옆 갈색 풀밭에 내려앉을 때에야 그것을 보았고, 그 뒤 눈을 꼭 감고 버프를 헬기에 태우느라 다들 한참을 끙끙댔다. 비닐봉지가 손목에서 떨어지자 닥은 욕설과 함께 황급히 도로 묶어주었고, 소음은 격렬했고, 하얀 가루는 공기를 채웠고, 그러고 나서 일은 끝났다. 조종사는 손가락 두 개를 들어보였다. 헬기는 솟아올라 코를 푹 기울이더니 버프를 데리고 떠났다.

"자," 닥이 말했다.

그들은 말없이 심각하게 또 한 차례 담배를 피우고 일어나 짐을 걸치고 끈을 꽉 조였다. 카차토는 초콜릿 바를 끝내는 중이었다.

"자," 닥은 말했다. 그는 웃으려고 애썼다. "철모는 어쩌지?"

철모는 수로 바닥에 놓여 있었다. 그들은 그것을 내려다보더니 눈길을 피했다.

"도저히 ── 알잖아 ── 저대로 그냥 **두고** 갈 순 없어," 닥이 말했다. "그건 도리가 아니야."

"맞아," 오스카가 말했지만 꼼짝하지는 않았다.

"도리가 아니지."

"아니고말고."

에디는 무릎을 꿇고 무전기에 문제가 있는 척했다.

"그리고, 봐, 커다란 총도 저 아래 있어. 도저히 저대로는 ──"

"맞아."

"누군가 해야 돼," 닥이 조용히 말했다. "저대로 팽개쳐두는 건 예의가 아니야. 누군가 해야 돼."

카차토가 하기로 했다.

그는 폴 벌린에게 어깨를 으쓱하고 웃음을 지었다. 그의 얼굴은 초콜릿투성이였다. 그는 짐과 무기를 툭 내려놓고 수로 바닥까지 제방을 타고 내려가 기관총을 들고 올라와서는 오스카에게 그걸 넘겼다.

그러고 나서 그는 또 한 번 제방을 타고 수로로 내려갔다.

카차토는 철모를 들어 배에 바짝 붙여 안고 수로를 따라 한 뙈기 키 큰 풀밭으로 건너갔다.

사후 세계, 폴 벌린은 생각했다. 멍청한 생각이었다. 그런 게 어디 있어? 눈이랑 코, 바보같이 놀란 표정 ── 이런 걸 보고 뭘 기대하라고? 그는 커다란 슬픔, 하다못해 연민이라도 느끼고 싶었지만 그가 느낄 수 있는 건 호기심뿐이었다.

그는 카차토가 통나무 하나를 넘고 멈춰서는 세숫대야를 비우는 여자처럼 버프의 얼굴을 키 크고 푸석푸석한 풀밭에 쏟는 모습을 지켜보았다.

그리고 나서 카차토는 제방을 올라왔다. 그는 수통의 물로 행군 철모를 상의로 닦은 뒤 제 군낭에 매달았다. 그는 웃음을 지으며 껌 한 장을 꺼내 포장을 벗기고 씹기 시작했다.

"한결 낫네," 닥이 말했다.

"그러게, 훨씬 낫다." 오스카는 버프의 커다란 총을 어깨에 걸치고 한 손으로 총열을 잡았다. "뻘짓은 할 만큼 했으니까 가자."

그리고 그들은 수로를 따라 불타는 마을 쪽으로 내려갔다. 폭발은 더 이상 없었다. 전투는 마무리됐고 낮은 환하고 무더웠으며 하얀 가루는 땅을 덮었다.

"여기서 배울 게 하나 있어," 오스카가 말했다. "간단한 거야. 절대로 총 맞지 말 것."

"아무렴," 에디 라추티가 말했다.

"절대로. 절대로 총 맞지 마."

"아이, 두말하면 잔소리지."

"난 말했어. 절대로야."

마흔둘.
관측소

그게 다였다. 프렌치, 피더슨, 루디 채슬러, 빌리 보이 왓킨스, 버니 린, 레디 믹스, 시드니 마틴 그리고 버프. 6개월. 몇몇은 얼굴이 반쯤 기억났다. 그게 신기한 점이었다. 그 시간이 모두 지나니 아프던 순간은 저절로 사그라졌고 그의 기억은 얼마 안 되는 두려움의 순간 주변에서만 식식거리고 있었다. 진짜 전쟁은 잊혔다. 단조로움과 무더위와 끝없이 늘어지는 시간과 지긋지긋한 마을과 사소한 대화와 재탕되는 농담과 경쟁의식과 소문과 참호 파기와 참호 메우기와 사건도 사살도 없는 긴 행군 —— 이 모든 게 아득한 여름날처럼 부옇고 어슴푸레했다. 이상했다, 왜냐하면 너무 사소한 데다 너무 뻔하고 진부해서 말하기도 쪽팔린 기억만 그의 머릿속에 있었기 때문이다. 전쟁 이야기. 남는 건 그것뿐이었다. 고리타분하고 깊이 없는 몇 개의 한심한 전쟁 이야기. 배울 점도 뻔했다. 총 맞으면 아프다. 죽은 사람은 무겁다. 골칫거리를 찾지 마라, 그것이 얼마 못 가 너를 찾을 것이다. 자기가 듣는, 자기를 잡는 총소리. 전장에서 죽도록 드는 무서움. 사후 세계. 이것들은 힘든 수업이었다, 사실이다, 하지만 무지함을 익히는 수업이었다. 사내들은 무지했고 진실들은 진부했다. 남는 것은 단순한 사건뿐이었다. 사실들, 물리적인 것들. 별다를 것 없는 전쟁이었다. 새로운 메시지는 없었다. 아무 전환도 없이 시작되고 끝나는 이야기였다. 극적인 전개도 긴장도 방향도 없는 이야기. 두서없는 이야기.

폴 벌린은 해변을 내려다보았다. 이제 연못의 잔물결처럼 내륙으로 굽이치는 작은 모래언덕들의 윤곽이 식별될 만큼 빛이 들었다. 탑에 둘러쳐진 무거운 가시철망을 붙들어 맨 쇠말뚝들이 바짝 가늘게 뜬 그의 눈에 들어왔다. 아직 불분명하지만 곧 견고하고 선명해질 다른 형체들도 있었다.

그는 손목시계를 확인했다. 5시 정각. 여명까지는 끽해야 30분.

이미 수평선에 노랗게 깔리는 빛이 보였다. 그 빛은 분홍색으로 바뀔 것이다. 분홍색은 연해질 것이다. 바다는 색을 입고 달릴 것이고 낮은 시작될 것이다. 그들은 탑을 내려갈 것이다. 아침 식사를 통조림으로 때우고 나면 그들은 수영을 하고서 몇 조각 안 되는 그늘을 차지하려고 다툴 것이다. 이후 낮에 정찰이 있을 것이다. 그들은 바탕안반도가 동쪽으로 급히 꺾이는 곳까지 해변을 따라 터벅터벅 걸어 오른 다음 내륙으로 방향을 꺾고 뒤돌아 점심을 먹으러 탑으로 돌아올 것이다. 운이 좋다면, 이날이 여느 날처럼 흐른다면 그들에게는 무더위와 파리와 따분함 말고는 아무 일 없을 것이다.

하지만 여명이 채 밝지 않은 지금 폴 벌린은 벌어졌을지 모를 일들을 마음껏 궁금해했다. 쉬운 도망, 날아갈 듯 가벼운 머리와 발. 카차토는 그를 어디까지 데려갈 수 있었을까? 그러고 그는 무엇을 발견했을까?

오차 없는 5시 정각 —— 그는 서둘러야 했다.

마흔셋.
파리의 평화

룩셈부르크, 4월 첫째 날. 그들은 파리행 트랭 루주*에 올라탄
다. 네 시간짜리 여정. 네 시간, 폴 벌린은 생각한다 ─ 네 시간이라
니⋯⋯ 어디서부터? 6개월의 행군, 8600마일, 아대륙에서 대륙으로
차곡차곡. 그러고 이제 파리. 그는 외치고 싶다. 때 묻은 유리창을
깨고 머리를 내밀고 눈을 뜬 채, 문명사회여 나를 빨아들이라, 폭포
수처럼 내게 쏟아지라. 그는 이미 그것이 다가오고 있음을 본다. 파
리, 그는 그것을 느낀다.

열차는 한 줄로 늘어선 작은 마을들을 거쳐 남쪽을 향해 두 시간
을 덜컹덜컹 달리다 프랑스로 넘어가더니 메스**에서 정서향으로 방
향을 튼다.

---

*   Train Rouge. '빨간 열차'라는 뜻의 프랑스어로 한 세기 이상 된 일종의 관광
        열차.
**   모젤강과 세유강의 만나는 곳에 자리한 프랑스 동북부 도시.

속도가 붙는다. 그는 이제 느낄 수 있다. 윤활유가 칠해진 궤도, 바닥 밑의 꾸준한 덜컹거림. 그는 가속도를 느낀다.

그는 집중한다. 그는 선명하게 보고 싶다. 그는 주머니에서 손수건을 꺼내 침을 뱉고 유리창을 신중하게 닦는다. 부유한 지역은 아니다. 농장들은 오래된 데다 작고 외관도 너덜너덜하다. 20년도 더 된 전쟁이 남긴 피해가 아직도 많은 마을에서 드러난다. 상처들, 곰보처럼 파인 건물들. 하지만 그게 무슨 대수람? 그는 무시한다. 그는 검댕과 석탄가루, 궤도에 아이들 장난감처럼 흩뿌려진 산업화의 모든 유물을 무시한다 —— 녹스는 평상(平牀) 트럭과 변속기어, 목재, 짓이겨진 철 더미, 소각로, 깡통 차*, 찌부러진 낡은 자동차, 탱크차와 버려진 창고와 철조망을. 그는 이것들의 너머를 본다. 계절은 봄. 나무들이 잎을 틔우는 가운데 그는 그 모든 폐기물 사이에 핀 앙증맞은 흰 꽃을 본다. 북쪽으로는 새까맣고 거대한 소나기구름이 하늘을 어지럽히고 있다. 벌써부터 빗방울이 창문에 튄다. 가랑비에 지나지 않지만 거기엔 약속된 것이 있다.

그는 자신이 활짝 웃고 있음을 느낀다. 그는 통로 너머를 훑어보다 딱 페럿에게 윙크를 날리고, 어리둥절한 듯 고개를 절레절레하고, 무언가 의미 있는 말을 생각해내려고 애쓴다. 말하는 대신 그는 그냥 활짝 웃는다. 중위조차 웃음을 짓고 있다. 사르낀 아웅 완과 앉은 늙은이는 그녀가 바깥의 사물을 가리키자 고개를 끄덕이며 올려다본다. 다리, 골짜기, 마을. 그들 뒤에서는 에디와 오스카가 건배를 하면서 와인을 마시고 농담을 주고받고 저희 뒷자리에 앉은 한 쌍의 여자아이들에게 추파를 던진다. 폴 벌린은 그들이 진정하길 바란다. 가만히 앉아서 눈앞에 펼쳐지는 장관에 집중해.

이제 속도가 더 오른다. 열차는 강굽이를 쏜살같이 휘돌고, 강철로 된 고가교를 덜컹덜컹 지나고, 젖은 목초지와 숲을 헤치고, 지붕의 붉은 타일은 들뜬 데다 벽은 기우뚱한 낡은 농가를 지나고, 다가오는 폭풍우를 피해 무리를 짓는 소들을 지나고, 범람한 하천과 묘지와 깨진 담장을 지난다. 부연 풍경. 피사체들을 하나로 뭉개는 속도, 모든 걸 매끄러운 회색으로 만드는 추진력. 세부적인 것, 그는 끊임없이 생각한다. 카차토는 무엇을 보려고 했을까? 카차토는 우리가 무엇을 보길 원했을까?

"빵!"

에디가 두 여자아이 뒤로 슬금슬금 다가가 두 손가락 끝으로 허공을 찌르더니 무관심한 두 여자를 처형하는 시늉을 한다.

"빵! 빵!"

오스카는 웃음을 터뜨리며 그의 등을 찰싹 때린다. 두 여자는 다른 좌석으로 옮긴다.

새로운 소리가 들린다. 기관포? 대포? 폴 벌린은 김 서린 창문을 닦고 밖을 내다본다. 벼락! 북쪽에 톱니같이 들쭉날쭉한 두 차례의 일격, 그리고 세 번째 일격, 그리고 대중없이 터져 나오는 세 차례의 천둥, 그리고 비.

이제 마을 간의 간격은 좁아졌고──샤토티에리와 모(Meaux)에 이어 끝없이 사슬을 이룬 교외──모든 건 희미하게 뒤엉켰다. 매끄러워 거머쥘 수 없는, 주마등처럼 스쳐 가는 세부적인 것들. 창문에 부연 김이 차오른다. 그는 욕설과 함께 소매로 창문을 닦는다. 바깥

---

*   tin can. 포드사의 초기 제품 같은 싸구려 소형차.

은 비가 점점 거세진다. 그는 창문을 뚫고 나가고 싶은 마음에 창에다 코를 누른다. 손가락이 달싹달싹 안달을 한다. 그는 주먹을 꽉 말아 쥔다.

그러더니 어느 순간 그들은 불빛이 휙휙 지나가는 터널을 내달리고 있고, 그러고 나서는 다시 회색의 자연광으로 빠져나온다. 사물들이 반짝거린다. 공기는 차갑고 그는 비 냄새를 맡는다. 그는 꽃향기를 맡는다. 그는 천둥소리와 교회 종소리를 듣는다. 진짜로! 그윽한 청동 종 소리, 차임 소리, 그는 그 소리들을 듣는다. 거기다 하늘. 전율하듯 우르릉하다가 이내 힘을 쭉 빼는, 멍들고 살찌고 출렁거리는 하늘. 비가 내린다.

그는 힘껏 창문을 연다.

그는 머리를 밖에 내걸고 눈을 활짝 떠 파리를 본다.

그것은 유령처럼 다가온다. 건물들의 어지러운 윤곽. 들쭉날쭉 구름을 찌르는 고딕풍의 탑들. 다리며 광고판 들 그리고 콘크리트와 벽돌의 소용돌이 —— 마술처럼 나타났다 짠 하고 사라지는 것들 —— 페인트칠한 덧문이 있는 집, 빵집, 개랑 걷는 남자, 창고들, 언뜻언뜻 반짝이는 물웅덩이들, 거리와 공원과 우산 들.

믿을 수 없을 정도의 속도다. 삑삑 울려대는 경적, 덜컹거림, 그에게 도시가 달려든다.

그는 빗속으로 몸을 내민다.

그는 입을 벌려 삼킨다.

"파리," 그는 말한다.

비 때문에 그의 눈이 화끈거린다. 그는 눈을 깜빡깜빡하면서 코를 들어 바람을 정통으로 맞는다. 높은 첨탑들이 휙휙 지나간다. 한

참을 몸서리치는 천둥, 그윽한 천둥이 우르릉거리며 지평선과 지평선을 돌아다닌다. 울려 퍼지는 종소리. 그는 등 뒤로 사르낀 아웅 완의 꺅 하는 비명, 오스카와 에디와 닥의 환호를 듣는다. 하지만 폴 벌린은 저것이 자기만을 위한 것이었으면 싶다. 그는 얼굴을 빗속에 똑바로 내민다. 그는 손을 내밀어 마치 쥘 것처럼 손바닥을 쫙 편다 ── 콱 거머쥐어 영영 놓지 않을 준비를 하듯. 그는 멀리 소나기구름에 묻힌 노트르담의 쌍둥이 탑을 얼핏 본다. 그는 가고일*의 야수 같은 눈을 본다. 가고일이 틀에서 떨어져 나와 날개를 펄럭거리며 날아다닌다 ── 진짜로! 삐걱삐걱하다 가속도가 붙고 본모습을 되찾아 허공을 누비는 박쥐 같은 날개. 소나기구름이 파리의 조각들을 전부 퍼 올린다. 거대한 석조 다리며 버스며 여인의 핸드백에 든 지폐 한 장까지. 진짜일까? 그는 바람을 느낀다 ── 진짜다. 그는 입술에 묻은 빗방울을 핥는다. 진짜 비 ── 축축한 진짜 비. 상상할 수 있는 건 전부 진짜야, 그는 자신에게 말한다. 심지어 평화도, 심지어 파리도 ── 아무렴, **진짜고말고**. 그는 보이는 것을 믿는다. 이제는 보도. 강처럼 흐르는 배수로, 상점과 화랑 들, 구부러진 나무들, 녹색 신호등, 요란하게 울려대는 경적. 거기다 사람들. 상점 앞과 김 서린 창문 안쪽에 옹기종기 모여 있는 사람들, 점심 요리를 만들고 잠을 자고 손을 맞잡은 사람. 아무렴, 진짜고말고.

열차가 속도를 줄이는 듯하다. 차장의 목소리. 조차장에는 한 남자가 옆구리에 등불을 느슨히 안고 서 있고 그의 뒤로는 거대한 석탄 더미가 산사태의 조짐을 보인다.

---

*   유럽 기독교 사원에서 퇴마와 경고의 의미로 외벽에 장식한 괴물 석상.

제동을 거는 소리가 난다. 열차가 끽 하는 신음과 함께 짝짓기를 한다. 그들은 파리 북역으로 미끄러져 들어간다.

쉭 하는 증기, 덜컹 멈추는 열차.

비가 역사(驛舍)의 거대한 돔형 지붕을 때린다.

"파리," 폴 벌린은 말한다.

그러자 갑자기 차내 통로가 재잘재잘 부대끼면서 짐 꾸러미와 여행 가방에 팔을 뻗는 승객들로 혼잡해진다. 에디와 닥과 오스카가 악수를 나누고 있다. 서로들 어깨를 두드리고 껴안고 우스꽝스럽게 눈을 멀뚱멀뚱한다. 중위의 얼굴은 밀랍 같다. 그는 자꾸 제 몸을 만진다. 그는 등을 곧게 펴고 야전 상의를 낚아챈 뒤 철모를 신중히 머리에 얹는다.

그러고 나서 늙은이는 고개를 끄덕거린다.

"말끔해 보이는군," 너무 조용한 목소리라 그는 반복해 말한다. "제군들, 말끔해 보이는군. 여기 친구들한테 품격이 뭔지 보여주자고."

아무렴, 그래야지. 오스카는 M-16을 꽁꽁 싸맨다. 닥은 안경을 닦는다. 그들은 문 쪽으로 이동한다.

품위란 품위를 모두 끌어낸 당당한 모습의 폴 벌린이 첫 번째로 발을 내딛는다. 그는 사르킨 아웅 완이 나오도록 잡아준다. 그러고 나서 그는 다른 이들이 일렬로 나오는 동안 기다린다.

역은 먼지 않은 지하실처럼 어둡고 눅눅하다. 천둥 때문에 천장의 판유리가 달가닥거린다.

그들은 힘차게 이동한다.

그들은 행군하여 혼잡한 대합실에 들어서고, 콘크리트 계단을 내려오고, 회전문을 통과하고, 정문을 빠져나온다. 열대성의 비가 내린다.

그들은 거기 멈춘다. 길 건너편에는 꿈처럼 어슴푸레한 건물들이 서 있다. 하지만 꿈이 아니다. 폴 벌린은 웃음을 짓고 깊은 웅덩이에 발을 내딛는다. 군화에 물이 스민다. 그는 발을 꾹 누른다. 따끔따끔한 눈, 그는 눈을 깜빡깜빡하면서 제 웃음소리를 듣는다. 그는 순간 바보 같다는 생각이 든다 —— 군낭과 수통과 전투복 따위. 하지만 그는 웃지 않을 수 없다. 그의 얼굴은 흠뻑 젖었고 눈은 아리다.

닥이 그의 등을 탁 친다. 그들은 서로를 껴안는다. 택시가 물을 뿌리고 쏜살같이 지나가도 아랑곳하지 않는다. 그들은 서로를 껴안는다, 모두 다 함께. 오스카의 얼굴이 반짝거린다. 에디는 고개를 절레절레하며 씩 웃고 입술을 핥는다. 폴 벌린은 사르낀 아웅 완에게 키스한다. 그녀는 울면서 웃고 있다.

천둥이 도시 전체에 콰르릉하고 내린다.

중위는 턱을 쳐든다. 그는 당당해 보인다. 그는 근엄하게 손을 내밀어 악수를 한다.

"곧 끝난다," 그는 말한다. "행군 중이야. 대열 바짝 유지하고, 이탈하지 말고, 눈은 정면 주시. 군인처럼 보이도록 노력들 해."

그리하여 그들은 일렬종대를 짓는다.

맨 앞은 중위. 그다음은 사르낀 아웅 완, 그다음은 에디와 오스카, 그다음은 닥 페럿. 폴 벌린은 제 위치인 꼬리. 당당하게, 당차게. 각진 어깨와 곧추선 머리. 부연 빛깔의 거리를 따라 행진. 승용차들과 버스들과 빵빵거리는 경적, 입을 벌리고 바라보는 사람들, 하지만 상관없다. 그들은 파리에 입성한다. 몽상가 폴 벌린에게 그것은 모두 진짜다.

첫 주에 그들은 생제르맹 근처 이탈리아 대사관과 한 블록 거리
인 조그만 벽돌 건물 호텔에 방을 잡았다. 방들은 조명이 흐렸고 갈
색과 금색의 벽지를 발랐으며 침대가 황동으로 만들어져 있었다. 매
일 아침 그들은 골동품이며 속이 두툼한 소파로 가득한 비좁은 응
접실에서 함께 식사했고, 그러고 나면 두 주전자의 커피를 해치우고
찢어져서 카차토를 찾기 시작했다. 폴 벌린으로서는 이따금 이 일에
진지해지기가 어려웠는데 그때마다 오스카는 그에게 엄한 주의를
주며 위기의식을 다시 불어넣었다.

"관광객 행세는 잊어버려," 그는 말했다. "우리는 무단이탈자야.
전쟁으로부터 무단이탈, 증거를 못 가져가면 해명할 방법이 없어."

"증거?" 폴 벌린이 말하자 오스카는 섬뜩하게 고개를 끄덕였다.

"그놈을 잡아. 포박을 하고 미국 대사관에 곧장 대령해서 협상 탁
자에 앉혀. 그러면 우리한테도 힘이 좀 생기겠지. 알아들어? 그래야
우리가 물리적인 근거를 갖게 되는 거라고."

"그러면?"

오스카는 코웃음을 쳤다. "몰라서 그래? 우리가 카차토를 내밀어
야 사리에 맞는 얘기가 되잖아. 우리가 녀석을 줄곧 어떻게 쫓았는
지, 여기까지 오는 길에 말이야, 그리고 우리가 어떤 고생을 해서 마
침내 녀석을 잡고 여기에 끌고 왔는지. 좆같은 인신보호영장* 말이
야."

다들 이를 말없이 귀담아들었다. 그러다 에디가 고개를 끄덕였
다. "그 녀석이냐 우리냐 이거잖아."

"바로 그거야," 오스카가 말했다. "바로 그런 게임이야. 그 녀석이냐 우리냐."

그렇긴 해도 폴 벌린으로서는 오스카가 보듯이 보기가 어려웠다. 비는 그쳤다. 거리는 깨끗했고 공원마다 꽃이 피었다. 교회 종들이 울렸다. 파란 코트를 입은 아이들은 가방의 기다란 가죽 끈을 어깨에 메고 구부정히 등교했다. 낮 중 가장 따뜻할 때면 사람들은 노천 카페에서 커피를 홀짝였고, 나이 든 여자들과 비둘기들은 공원 벤치에서 볕을 쬐었고, 차들은 서로 뒤엉켰고, 젊고 늘씬한 여자들은 생제르맹 거리를 정신없이 걷는 비즈니스맨들에게 각선미를 선보였다. 카차토 생각을 하기가 어려웠다. 그러기는커녕 그는 다리 위에서 낚싯대를 드리운 낚시꾼들, 그걸 그리는 화가들을 어느새 지켜보고 있었다. 미술관에는 말 타고 창 시합을 하는 기사들 그림과 목검을 든 어릿광대 그림이 있었다. 가면을 쓴 슬프고도 웃긴 남자들. 발레리나 그림과 성 그림과 그네를 탄 여인들 그림. 폴 벌린은 그림들을 꼼꼼히 구경했다. 그는 기념비들에 적힌 글귀를 읽었다. 그는 그 도시의 언덕들을 올랐다. 그는 다리들의 내력을, 즉 무엇이 처음 생겼고 마지막에 생겼는지, 그리고 그것들이 원래 무슨 목적으로 지어졌는지 익혔다. 그는 세부적인 것을 찾아다녔다. 아기들이 유모차에서 새근새근하는 사이 수다를 떠는 사람들, 나무 아래서 책을 읽는 학생들, 질서 정연한 것들. 소박한 예의. "Merci(고맙습니다)," 사람들은 말했다. 답은 "Il n'y a pas de quoi(천만에요)"였는데 그는 이

---

*   habeas corpus. 불법적인 구속을 막고 구속의 적법성을 가리기 위해 일단 피구금자의 신병을 법원에 제출하도록 명하는 영장.

런 것들을 익혔다. 그는 의미들을 찾아다녔다. 평화는 수줍어했다. 그것이 한 가지 배울 점이었다. 평화는 절대 허풍 떨지 않는다는 것. 찾아다니지 않으면 평화는 거기 없었다.

낮은 따뜻했다. 그는 사르낀 아웅 완과 손을 맞잡고 연인이라면 으레 그럴 거다 상상하던 모습으로 거닐곤 했다. 그들은 카루젤 다리까지 강을 따라 걸은 뒤 거기 멈추어 유람선들을 바라보았고, 그러고 나서는 비싸 보이는 사람들이 비싸 보이는 상점과 화랑 들을 둘러보는 우안으로 건너갔다. 그들은 느린 점심을 먹었고, 그는 그녀를 바라보면서 전에는 알아보지 못했던 것들을 알아보았다. 그녀가 샌들을 벗고 다리를 접어 깔고 앉는 모습. 그녀의 크롬 십자가가 스웨터 위에서 찰랑거리는 모습, 혹은 매일매일 다르게 빗은 그녀의 머리카락이 검은 비단같이 빛나는 모습. 그들은 전에 없던 손길로 서로를 만졌다.

전쟁이 끝난 파리에서는 사랑에 빠지는 게 옳은 일이었고, 그래서 그는 그리했다.

"나 사랑에 빠졌어," 그는 그녀에게 말했다.

그녀는 맨발로 강가를 걷고 있었다. "아름답기도 하셔라!" 그녀는 말했다. "사랑이란 거 할 만해요?"

"진짜로 하는 말이야."

"난 당신이 가능성만 얘기하는 줄 알았는데요, 상병."

"아니야," 그는 단호하게 말했다. "진짜야."

그들은 호텔로 돌아왔다. 햇빛이 얇은 커튼을 뚫고 들어왔다. 그는 그것이 좋았다. 그는 그 방의 곰팡이 슨 냄새, 테라스에서 짹짹대는 참새, 복도에서 붕붕거리는 진공청소기가 좋았다. 그는 그녀가 금테 귀고리를 끄르는 순간이 좋았다.

"그토록 놀라운 가능성이라니." 그녀는 웃음을 지었다. "당신 참 운도 좋아요. 얼마나 다행이에요."

"놀리지 마."

"어머, 놀리긴요! 정말 잘된 일인데. 파리에 머물고 사랑에도 빠지고. 운도 좋아!"

세부적인 것들. 비둘기와 옛날식 가로등과 밤나무가 있는 시테섬의 도팽 광장에서 그가 발견한 차분한 정적. 광장 맞은편 살롱에서 누군가 연습하는 피아노 소리. 새로 돋은 풀밭에서 까불며 뛰어다니는 개. 단순하고 수줍어하는 모든 것. 체크무늬 셔츠와 보라색 바지를 입고 아코디언으로 〈프랑스의 장미〉를 연주하는 흑인.

오스카 말고는 아무도 카차토를 입에 올리지 않았다. 수색은 유유자적이었다. 임무나 의무나 책임에 관한 대화는 일절 없었다.

밤이면 그들은 몽파르나스에 있는 길가의 싸구려 레스토랑 중 하나에 갔다. 그들은 튀긴 감자와 와인을 들었고 이따가는 댄스홀에 갔다. 에디가 여자들을 탁자에 데려오면 다들 철모를 쓰고 고블릿* 흉내를 내며 자지러질 만큼 즐거운 시간을 보내다 일어나서 춤을 추었다. 처음 만난 사람들이 술값을 치러주었다. 경찰들은 웃음을 지으며 고개를 절레절레했다. 돈은 문제가 되지 않았고 여권도 요구받은 적 없었다.

---

* 손잡이가 없는, 다리가 달린 유리잔.

···

"상병?"

그는 계속 눈을 감고 있었다. 여명이 거의 밝았고 바깥 거리에는 벌써 차들이 다녔다. 그는 저 아래 작은 안뜰의 귀뚜라미 소리를 들을 수 있었다.

"자는 중이에요, 상병?"

"응."

"깨워도 될까요?"

그는 나방 한 마리가 전등갓과 겨루는 소리가 들렸다. 그의 발이 간질간질했다.

"저 보들보들하죠, 상병?"

"그거 뭐야?"

"깃털이요," 그녀가 말했다. 그녀는 소리 내어 웃으며 그의 발가락을 간질였다. "우리 침대에 오리가 한 마리 있네요."

"노란 오리라며?"

"어머, 아니거든요! **붉은** 오리예요. 걔가 우리한테 근사한 저녁 식사를 대접할 거예요."

그는 눈을 떴다. 그녀는 침대 발치에서 무릎을 꿇고 있었다. 그녀의 살은 가무잡잡한 데다 무척 매끄러웠고 그녀의 머리카락은 베개의 깃털이 묻어 있었다.

"상병?"

"그거 끝내주는 이름이야, 안 그래?"

"상병…… 우리 아파트 보러 다니면 어때요? 단둘이 살 아파트? 비싸지는 않아도 —— 왜, 있잖아요 —— 우리만의 공간이랄까?"

"상병이란 이름 대단하지 않아?"

"그래요," 그녀가 말했다. 그녀는 똑바로 앉아 깃털로 그의 무릎을 간질였다. "모든 이름 중에서 저는 상병이 제일 좋아요. 그런데 ——"

"바뀐 이름이야, 알겠지만."

"그래요, 전에 말해줬잖아요."

"전에는 아주 흔한 이름이었거든. 그게 상병으로 바뀌었어."

"당신 새 이름 정말 좋아요. 그런데 아파트는 어떡할래요? 하나 구할 수 있을까요?"

"여긴 싫어?"

"아이, 싫긴요! 좋아요. 그런데 여긴 **호텔**이잖아요. 호텔은 잠깐 머물거나 지나가는 곳이고 진짜 아파트는…… 영원한 곳이죠. 차이를 알겠어요, 상병? 괜찮은 아파트를 구하게 되면, 그럼 우리 **정착**할 수 있어요. 정말 멋지겠죠, 안 그래요?"

"그렇겠네."

그녀는 그를 바라보았다.

"그럼 한번 해볼까요? 우리 아파트 구하는 건가요?"

"아마도. 나중에, 일단 ——"

"일단 뭐요?"

그는 일어앉았다. "있지, 난 떠날 수가 없어. 에디랑 닥이랑 중위랑 다들 저기 있는걸."

"당신 친구들이잖아요," 그녀는 투덜거렸다.

"그 비슷한 거지."

"훌륭하고 멋지고 진정한 친구들이잖아요."

"다 괜찮은 사람들이야."

"사랑스러운 친구들이잖아요."

"중요한 건 그게 아니야. 우린 아직 군인 신분이라고."

"그들은 잊어버려요," 그녀는 말했다. 그녀는 그를 다정하게 바라보며 두 다리를 접었다. "그들은 그냥 잊어버리면 안 돼요? 우린 멋진 아파트 찾을 거예요. 내가 커튼을 만들고 둘이서…… 할 게 아주 많아요. 행복해지기! 우리 둘이 다른 사람들 깨기 전에 당장 옷 입고 떠나면 **행복**해질 수 있어요. 우리 **그럴** 수 있어요."

"그건 달아나는 거잖아."

"잘 아네요!"

그는 어깨를 으쓱했다. 그는 담배를 찾아 더듬거리며 또렷하게 생각하려 애썼다.

"봐서," 그는 말했다.

"봐서가 다예요?"

그는 애써 웃음을 지었다. "아니, 진짜로 가능성 있는 일이야."

그녀는 자기 엉덩이를 손으로 쳤다. 찰싹하는 큰 소리에 그는 깜짝 놀랐다.

그녀는 눈을 흘기면서 일어나 창가로 갔다. 그녀의 엉덩이에 크고 발그레한 손자국이 나 있었다.

"가능성이라니," 그녀는 말했다. "허구한 날 가능성. 가능성에 또 가능성."

"생각해봐야 돼."

"생각! 생각에 생각에 생각뿐이죠! 당신은 **그러기**가 겁나는 거예요. 달아나는 거요. 당신의 그 고상한 꿈과 생각과 공상은 전부……. 당신은 이제 뭔가 할 수 있어요, 상병. 모르겠어요? 우리가 피난민이 된 이유가 뭐예요? 생각하려고? 공상하려고? 가엾은 카차토 쫓기 놀이나 하려고? **그게** 이유예요? 아니면 더 나은 이유를 찾으러 왔나요? 행복해지는 거? 평화를 찾고 좋은 인생을 사는 거? 생각은 할 만큼 했잖아요, 상병. 이제 영원한 현실로 만들 수 있다니까요. 살 곳도 구할 수 있고 행복해질 수도 있어요. 이제는요. 당장 그럴 수 있어요."

그녀는 창문에서 몸을 돌렸다. 그녀는 말없이 침대로 다가와 그를 잡고 들썩거리다 그의 머리를 끌어안았다.

그는 눈을 감았다. 비누 냄새와 향냄새, 길고 노란 가닥으로 오래오래 계속되는 시간. 가능한 일일까?

"상병?"

그는 고개를 끄덕였다. 두 사람은 그럴 생각이었다. 그렇다, 둘은 그럴 생각이었다. 그는 다른 사람들에게 해명할 길을 찾을 생각이었다. 그는 그녀에게 행복한지 물었다.

"그럼요," 그녀가 속삭였다. "이제 행복해요."

두 사람은 유람선을 탔다. 그들은 로댕 미술관을 방문했고 노트르담에서 인파에 섞여 오후 내 앉아 있었고 버스를 타고 베르사유에 갔다. 그들은 뤽상부르 정원에서 소풍을 보냈다. 그들은 에펠탑에도 올랐는데 거기서 어느 관광 안내인은 도시의 야경을 바라다보며 그들에게 이렇게 말했다. "파리는 장소가 아니에요. 마음의 상태죠." 폴 벌린은 웃음을 지었지만 속으로는 파리가 그 이상이기를 은근히 바랐다.

• • •

두 사람은 네 채의 아파트를 보았다. 두 채는 불가능했다. 호텔에서 겨우 한 블록 떨어진 한 채는 장미 정원과 덧문이 있고 참나무 바닥이었지만 사르낀 아웅 완은 더 높은 층이면 좋겠다고 말했다. 그녀는 조망을 원했다. 아침에 일어나 창가로 가면 지붕들과 탁 트인 허공 그리고 되도록 강도 보이는 게 좋겠다고 그녀는 말했다.

"내가 바라는 게 너무 많죠?"

"아니야. 즐거우려고 보러 다니는 거잖아. 다른 곳이 있을 거야."

"꼭 완벽한 곳이면 좋겠어요," 그녀는 말했다.

"완벽한 곳일 거야."

"저도 알아요. 당신도 그렇게 말하는 걸 듣고 싶었어요."

"완벽한 곳," 그는 말했다.

네 번째 아파트는 앵발리드 뒤쪽의 가파른 언덕 꼭대기와 가까웠다. 1층에는 상점들이 늘어서 있었고 그 위층에는 치과와 작은 포목상이 있었다. 관리인의 아들이 그들에게 올라가는 길을 안내해주었다. 6층에 이르자 그들은 숨이 가빴다.

"계단이 많아서 어쩌죠," 남자아이가 말했다. 그 아이는 제 영어가 쑥스러운 듯했다. "신사분 숙녀분이면 힘깨나 쓰셔야 할 텐데요, 그렇죠?"

그곳은 볼품없었다. 세 개의 작은 방, 갈색으로 칠한 소박한 소나무 바닥, 아파트 뒤쪽을 보려고 서두르던 사르낀 아웅 완이 몸을 구부릴 수밖에 없었던 점점 낮아지는 천장. 남자아이는 미안해하듯 웃음을 짓고 어깨를 으쓱했다. 침실에는 낡은 책상 둘과 거울 하나와 아슬아슬해 보이는 널빤지 침대가 있었다. 벽은 심하게 금이 갔고 공간에서는 해충 구제업자의 톡 쏘는 기름 냄새가 났다.

사르낀 아웅 완은 그곳이 무척 마음에 들었다.

"잘 문질러 닦으면 돼요," 그녀는 말했다. "비누랑 물이랑 페인트만 있으면 되겠어요."

그들은 부엌을 지나 교회 종탑을 바라보는 작고 환한 베란다로 나갔다. 그는 청동으로 된 종과 거기 앉아 쉬는 한 무리 비둘기의 눈을 볼 수 있었다. 언덕이 내려다보이는 왼쪽으로는 다닥다닥 붙은 좁은 골목과 집, 작은 놀이터, 도르래 빨랫줄에 내걸려 건조 중인 빨래가 눈에 들어왔다.

"멋진 풍경 아니에요?" 그녀는 말했다. "아침에 여기서 식사해도 되겠어요. 여기서 커피도 마시고 ——"

"종소리도 듣고."

"종소리 안 좋아해요?"

"설마," 그는 말했다. "종소리는 굉장해. 특히 큰 종. 창문하고 종이 너무 가까워서 추에 찍힌 제조자 각인도 보이네."

"그럴 리가요!"

"홍콩에서 만든 거래."

그녀는 얼굴을 찌푸리더니 남자아이에게 몸을 돌려 프랑스어로 무언가 말했다. 남자아이는 웃음을 터뜨렸다. 그 아이는 제 손목시계를 가리키며 냉큼 말했다.

"저기 봐요," 그녀가 말했다. "저거 보여요? 얘가 그러는데 종이 하루에 세 번 친대요. 일요일에는 여섯 번."

"좋겠다, 그렇지?"

"폴 벌린 상병이 좋으면 나도 좋아요."

그는 소리 내어 웃었다.

"좋아. 얘한테 집세를 바퀴벌레들만큼 내야 하는지 물어보자."

그녀는 남자아이에게 말했다.

"한 달에 300프랑이래요. 벌레들은 그 반값에 살고요."

"바가지네."

"그리고 얘가 그러는데 벌레들은 각별히 조용하대요. 벌레들이 고성방가로 쫓겨나는 건 10년에 한 번 있는 일이라나."

"벌레들이 쫓겨난 적 있다고는 믿기 어려워 보인다고 전해줘."

그녀가 말하자 남자아이는 낄낄거렸다. 그 아이는 어깨 길이의 갈색 머리카락을 적당한 곳에서 가죽 끈으로 묶고 있었다. "Connais pas(알 게 뭐예요)," 그 아이는 말했다.

그들은 10분을 더 머물렀다. 사르낀 아웅 완은 수도꼭지와 오븐과 전기를 확인하고 나서 베란다로 돌아와 손차양을 하고 섰다. 정오의 쨍한 햇살에 베란다가 훈훈해졌다.

"우리 여기로 할까요?" 그녀는 말했다. "딱 봐도 우리 행복하겠어요."

"그럴 거야. 그——"

"빼는 거예요, 상병?"

"아니야. 그냥 카차토 생각을 쭉 하고 있었어."

"그럼 그만할 때도 됐네요."

"되고말고."

"웃어줄래요?"

그는 웃으며 말했다. "좋아, 우리 여기로 해, 그런데 우선 다른 사람들한테 말해야겠어. 특히 소대장님한테. 모든 걸 확정하고 끝내기 전에 들을 권리가 있는 분이니까."

"그래요, 그러시겠죠."

"삐쳤어?"

"무척이요." 그녀는 그의 볼에 입을 맞추었다. "하지만 우리 나중에 돌아올 거잖아요, 당신이 얘기 마치고 나면."

"금방."

"아주 금방, 난 알아요. 보증금 걸어둬야 할까요?"

"필요한지 물어봐줘."

그녀가 묻자 남자아이는 어깨를 으쓱하면서 이 아파트는 1946년 이후로 세입자가 없다고 말했다. 보증금은 필요 없었다. 그녀는 관리인의 전화번호를 받아 적고 전화하겠다고 약속했다.

태양은 도시의 테두리 바로 위에 걸쳐 있었다. 그들은 앵발리드 쪽으로 언덕을 내려가 기관포가 붙박인 널따란 잔디밭을 돌고 공원을 가로지른 다음 바렌가(街)를 따라 호텔 쪽으로 걸었다. 이탈리아 대사관 깃발이 조기(弔旗)로 게양돼 있었다. 주변이 매우 가만했다.

"아주아주 사랑스러운 아파트예요," 사르낀 아웅 완이 말했다. "사람보단 아파트를 찾는 게 낫잖아요?"

"훨씬 낫지. 뭐 좀 마실까?"

"우리의 아파트를 기념하여."

그들은 그레넬가에 있는 작은 선술집에서 코냑을 한잔했다. 카운터 뒤쪽에 켜진 텔레비전에서 시위 진압경찰과 충돌 중인 학생들 영상이 나왔다. 경찰들은 플라스틱 안면 보호구와 보호 조끼를 걸치고 있었다. 학생들은 가스를 피해 달아나는 중이었다. 그러다 모자를 벗고 마이크 뒤에 앉은 드골의 영상이 나왔고, 그러다 현수막을 흔드는 학생들 영상이 마저 나왔다. 소리는 나지 않았다. 바에 있는 누구도 관심을 갖지 않았다.

이후 그들은 생시몽가로 걸어 올랐다. 이제 어둠이 내렸고 호텔 안뜰은 조용했다. 그들은 멈춰서 키스를 했다.

안에서는 닥과 에디와 중위가 응접실에서 카나스타*를 하고 있었다. 중위는 취한 상태였다.

"살살 하세요," 에디가 말했다. 그는 무언가 신호를 보내듯 늙은 이 쪽으로 고갯짓을 했다. "아이젠하워가 죽었대요."

"아이크가?"

"신문에 났어요."

"골초였잖아," 닥이 말했다. "그렇게 담배 피우다간 뜻밖의 걸 기대하게 될 거라고 내 누우이 얘기하고 다녔지."

"닥쳐."

"죄송합니다, 전 그냥——"

"그 염병할 놈의 지퍼 좀 채워."

아파트 얘기를 꺼낼 때가 아니었다. 폴 벌린은 끼어들어 몇 차례 패를 돌리고 방으로 올라갔다. 사르긴 아웅 완은 벌써 잠들어 있었다. 그는 불을 끄고 그녀에게 이불을 덮어준 뒤 에디의 〈헤럴드 트리뷴〉을 들고 욕실로 가 아이젠하워에 관한 기사를 읽었다. 1면에 두 개의 사진이 박혀 있었다. 하나는 웨스트포인트 사관후보생 시절의 아이크 사진. 다른 하나는 프랑스인들이 행복에 젖어 몰려든 가운데 지프차를 타고 그 유명한 함박웃음을 지으며 파리에 입성하는 사진. 큰 감흥을 느끼기 어려웠다. 세대의 문제라고 그는 생각했다. 아버지라면 제대로 된 것을 느꼈을 텐데. 그는 기사를 읽었다——순전히 사실에 입각해 프랑스와 관계된 측면을 강조한 기사였다——

그러고 그는 다른 면들을 슬슬 훑어보다가 달라진 게 거의 없다는 사실에 놀랐다. 세상은 계속되고 있었다. 오래된 사실들의 재탕이었다. 대통령은 닉슨이었다. 시카고에서는 연방 대배심이 지난여름 민주당 전당대회에서 시위를 벌인 여덟 명에게 기소 처분을 내렸다. 그가 놓친 것들이었다 —— 전부 그가 기초 군사훈련을 받을 때 벌어진 일이었다. 최루가스와 경찰들. 상관없었다. 대그우드는 디더스 씨와 아직도 티격태격하는 중이었다.** 달라진 게 뭐지? 전쟁은 계속되고 있었다. "평화 회담을 더 높은 차원의 대화로 이끌려는 노력의 일환으로 미 국방 장관은 북베트남에 다수의 B-52***를 출격시켜 월 1800발에서 1600발의 폭탄을 투하하라는 명령을 내렸다. 한편 남베트남은 센트럴 하일랜드와 델타****에 제한된 산발적이고 가벼운 교전으로 조용한 한 주를 보냈다." 고작 204명의 추가 사망자. 그리고 아이크. 아이크가 죽었고 한 시대가 끝났다.

그는 아침에 스포츠 면을 읽으려고 신문을 접어 변기에 올려두었다. 그는 샤워를 하고 담배를 한 대 피운 뒤 침대로 기어들었다.

그는 한참을 그대로 누워 많은 걸 생각했다. 아침이 되면 집에 전화를 걸까. 자초지종을 설명해야지. 이렇게 시작된 일이 어쩌다 저렇게 바뀌었는지 이야기해야지. 조언을 구해야겠다. 아파트를 구할

---

*   두 벌의 카드로 하는 카드놀이.
**   1930년 처음 시작된 칙 영(Chic Young)의 만화로 주인공 대그우드 범스테드는 엉뚱한 짓을 하는 직원, 디더스 씨는 의심 많고 잔소리 많은 사장이다.
***   보잉사에서 개발한 대형 폭격기.
****   센트럴 하일랜드(Central Highlands)는 베트남 북부 타이응우옌성의 성도인 타이응우옌의 영어 이름. 델타는 메콩강 삼각지대.

지 말지. 이 일을 다 어떻게 정당화할지.

사르끼 아웅 완이 몸을 돌려 그에게 기분 좋게 다가붙었다.

"따뜻하죠?" 그녀가 말했다.

"나 신경 쓰지 마. 어서 자."

그녀는 더 바짝 몸을 감았다. 그는 그녀 살 안쪽의 가녀린 뼈를 느낄 수 있었다. 가끔은 그녀를 유리잔처럼 부술 수도 있겠다 싶었다.

"나 꿈꿨어요, 상병."

"그래?"

"무슨 내용인지 알려줄까요?"

"아파트."

"거기다 강아지도 한 마리 있었어요. 갈색 눈에 복슬복슬하고 조그만 강아지…… 우린 바닥에 누워 있고, 당신과 내가요, 거기서 강아지를 계속 불렀어요. 걔가 실수 안 하게 내가 훈련시켜야 했는데…… 왜, 그거요. 그래도 **어찌나** 예쁘던지! 강아지 한 마리 있으면 좋을까요?"

"안달이 날 정도로."

그녀는 잠시 말이 없었다. 그는 그녀의 생각이 들렸다.

"괜찮아요?"

"더할 나위 없이."

"상병?"

"응?"

"아이젠하워가 누구예요?"

"아무도 아냐," 그는 말했다. "영웅이야."

• • •

다음 날 아침 중위의 방문을 두드리니 늙은이는 아직 침대 안이었다. 맨가슴을 드러내고 반바지만 걸친 그는 희미한 불빛 속에서 거의 유령처럼 보였다. 그의 가슴은 움푹했고 갈비뼈는 툭 튀어나와 몇 개인지 셀 수 있었다.

"나중에 다시 오겠습니다. 방해하려던 건 아니에요."

"누가 방해받았대? 내가 방해받은 것 같아?" 중위는 들어오라고 휘휘 손짓했다.

폴 벌린은 담배를 만지작대면서 늙은이가 일어나 옷 입는 모습을 지켜보았다. 방은 알코올로 문지른 냄새가 났다. 다른 냄새, 병원 냄새인지 뭔지 딱히 모를 냄새도 났다.

"유감입니다."

"뭐가?"

"그 ── 아시잖아요 ── 아이젠하워요. 유감이에요."

중위는 바지 단추를 채웠다. "그 사람하고 알던 사이도 아니야."

어떻게 말을 꺼내야 할지 몰랐다. 폴 벌린은 창가로 가서 철로 된 손잡이를 돌려 창문을 열었다. 그는 잠시 거기 서서 안뜰에다 손가락으로 담배를 튕기고는 뒤로 돌아 고개를 가로저었다.

"쏟았군," 중위가 말했다.

"네?"

"아무것도 아니야. 무슨 일인데 그래?"

그래서 폴 벌린은 아파트에 관해서며 사르낀 아웅 완이 그 집을 얼마나 바라는지 그리고 어쩌면 그렇게 나쁜 생각은 아닐 거라는 점에 관해서 그에게 이야기했다. 영원한 일로 만들 것이다. 당분간 눌러앉을 것이다.

"그래서 결론은 ──?"

"결론은 없습니다."

"떨어져 나가겠다고?"

"말하자면요. 어떤 생각이신지 듣고 싶어요."

"떨어져 나가는 거?"

"아마도요."

중위는 웃음을 지었다. 반어적이지 않은, 진심 어린 웃음이었다. "걔 참 좋은 여자애지."

"알고 있습니다."

"그럼 뭐가 문제야?"

"그게…… 아시잖아요. 그냥 떠나는 거예요. 다 팽개치고 끝을 낸다고요."

중위는 어깨를 으쓱하고 고개를 가로젓더니 앉아서 군화를 신었다. "댐에 물이 넘친 거야. 댐이 터진 거지. 혼자서 가는 거랑 친구들하고 가는 거랑 어떤 예쁘고 어린 여자애하고 가는 거랑 무슨 차이가 있나 모르겠군. 결과는 똑같잖아."

"확신이 안 서요."

"안 선다고?"

폴 벌린의 혀가 입술을 따라 이리저리 달렸다. "음, 우리는 그 먼 길을 함께했어요, 우리 모두가요. 아시죠? 제 말씀은, 우리는 **분대**잖아요. 카차토를 찾는 게 일종의 임무였고요. 도망을 다닌 것과는 다르죠."

"정말로 그 헛소릴 믿는 거야?"

"조금은요. 저도 모르겠어요."

코슨 중위는 눈 사이를 꼬집었다. 그는 기가 쭉 빠져 보였다.

"내가 무슨 말을 하겠어?" 그는 말했다. "명령을 내리지도 못하는데. 그럴 수도 없었지. 규칙을 지키고 보기 좋게 만들 순 있었지만 그래봐야 지금은 바보 같아 보일걸. 내가 아는 한 무대를 조종하는 건 오스카야. 그래서 내가 조심스러운 거야."

"소대장님은 그럼 ──?"

"못 해. 스스로 결정해. 젠장, 그게 최선이잖아. 이 순 거지 같은 상황에서 뭔가 좋은 일이 생길지 누가 알겠어."

"진심이십니까?"

"진심이고말고. 오스카를 주의해."

"소대장님은 어쩌시게요?"

늙은이는 한숨을 쉬었다. 그는 세면대로 가서 얼굴에 물을 끼얹었다. "누가 알겠어? 당분간 어슬렁거리겠지, 아마도. 이런저런 궁리나 하면서. 저기 독일에 그 친구가 주둔 중이니까 어쩌면 나도…… 모르겠어. 내 전쟁이 아니었으니까."

"제가 도움이 되면 좋겠어요."

"다들 하는 말 아니야?"

그들은 저희 둘만 따로 아침 식사를 했고, 그러고 나서 중위는 신문을 사러 나갔다. 폴 벌린은 그가 깡마르고 핏발 서고 늙은, 경직된 평생 직업군인*의 꼴로 로비를 가로지르는 모습을 지켜보았다.

네가 뭘 어쩌겠어? 늙은이가 옳았어. 그만두거나 그만두지 않거나.

그는 한동안 식탁에 혼자 앉아 있었다. 그는 슬퍼졌다. 저 늙은이

---

*   '직업군인'의 원어는 lifer로 무기수 등의 뜻도 있다.

는 아마도. 하지만 그러다 그는 파리에 관해, 작고 괜찮은 아파트, 집수리, 즉 해낼 수 있는 모든 일에 관해 생각했다.

나중에 사르끼 아웅 완이 내려왔다.

"다 됐어," 그는 그녀에게 말했다.

"노발대발하시던가요?"

"아니. 최선을 행하라고 하시던데."

"그분이 제발 잘되면——"

"알아. 무슨 말인지 다 알아."

그날 오후 두 사람은 그 아파트를 임대했다. 이후 그들은 긴 점심을 들며 자축했고, 그러고 나서 남은 하루를 쇼핑으로 보냈다. 그들은 강변에서 화가한테 수채화 한 점을 산 다음 양탄자, 그릇과 수건과 식탁용 매트를 샀다. 앵발리드 근처의 조그만 골동품 상점에서는 몸체가 청동인 시계를 찾아냈다. 작동은 하지 않았지만 괜찮은 시계였다.

"우린 피난민이야," 폴 벌린은 말했다. "피난민한테 시간이 무슨 의미가 있겠어? 망가진 시계 백 개도 더 살 수 있어."

그러는 대신 그들은 침대 시트와 담요와 라디오, 크롬 프레임 거울, 은식기와 식탁보와 제라늄을 샀다. 그들은 죄다 손수레에 싣고 아파트를 올라 부엌에 전부 쌓아놓고 바닥을 청소한 다음 베란다로 가서 노을을 바라보았다. 그들은 와인 한 병을 따서 천천히 마셨다. 교회의 스테인드글라스 창문이 보석처럼 빛났다. 그러다 종이 울리기 시작했다.

"어때요?" 사르끼 아웅 완이 말했다. "저만하면 하나도 나쁘지 않네요."

정말 그랬다. 종소리는 풍요로웠다. 비둘기들은 종탑에 여러 줄로 늘어서 있었다.

"무슨 생각 해요, 상병?"

"종소리가 좋다는 생각."

"어쩌면 소음기를 설치해야 할 수도 있겠네요. 비둘기들은 아주 멍청하거나 귀가 아주 멀었나 봐요."

"그리고 넌 아주 예쁘고."

"난 당신한테 너무 어리지 않아요? 나보고 자꾸 애라고 하잖아요."

"그만하면 괜찮아."

그들은 와인을 마시고 종소리에 귀 기울이며 태양이 저무는 모습을 지켜보았다. 베란다는 마지막 빛을 붙잡았다. 사르낀 아웅 완의 볼은 새 구리 동전처럼 빛났다. 그는 그녀에게 키스했다.

"기뻐요?" 그녀는 그를 가까이 보았다.

"기뻐," 그는 말했다. "행복해."

그들은 자정이 지나서야 호텔로 돌아왔다. 오스카와 닥과 에디가 로비에서 기다리고 있었다. 그들은 저희 군낭에 걸터앉아 거리 지도를 살피고 있었다. 중위는 출입구에서 지켜보았다.

"짐 챙겨," 오스카가 단호하게 말했다. "빨리. 벌써 10초 까먹었어."

"어?"

"장난치는 거 아니야, 하라면 해. 나갈 거야."

그들은 화나 보였다. 에디의 표정은 굳어 있었다. 닥은 계속 목을 쓰다듬었다. 그들 아래 바닥에는 판초로 싸맨 카차토의 소총이 놓여 있었다.

"**실시해,**" 오스카가 말했다. "당장."

"실시하라니 뭘? 우리 ——"

닥이 일어섰다. "오스카가 맞아," 그가 조용히 말했다. "너 얼른 서두르는 게 좋아. 설명은 나중에 할게."

"무슨 일인데? 다 좋았잖아."

오스카가 사납게 비웃는 소리를 냈다. "아, 그랬지. 전부 달콤했지. 진짜 편안했지. 관광객 행세니 아파트니. 그러다 조만간 그게 네 덜미를 잡을 건데 말이야. 내가 말 안 했어? 안 했어?"

"했어."

"거봐. 조만간이야. 사실인지 아닌지 보자고." 오스카는 창가로 가서 커튼을 걷고 밖을 주의 깊게 내다보았다. 그러고는 뒤돌아 그들을 빤히 쳐다보았다. "다 끝났어. 좋은 시절은 갔고, 오만 데서 지랄하던 닭들은 닭장으로 돌아갈 시간이야. 이제 올라가서 짐 챙겨. 체크아웃할 거야."

마흔넷.
파리로 가는 길의 끝

드문드문 지나가는 자동차와 소형 오토바이를 빼면 거리는 인기척이 없었다. 그들은 그라넬가를 따라 조프르 광장 맞은편의 넓은 숲 공원까지 또 한 번 분주하게 수색을 벌였다. 오스카는 거기서 멈추어 밤을 보낼 곳을 물색할 테니 대기하라고 그들에게 신호를 보냈다. 공기가 눅눅했다.

"잘 모르겠어," 폴 벌린이 속삭였다. "다 괜찮았잖아, 문제없이."

"조용히 해."

"이해가 안 되잖아."

"이해!" 닥은 쓴웃음을 웃었다. 그는 풀밭에 쪼그려 앉았고 낮은 안개가 그를 담요처럼 감쌌다. "이해할 마음은 있고!"

"대체 왜 ── ?"

닥은 어깨를 으쓱했다. "많이 들어본 사연이야. 호텔 직원이 의심을 해서 경찰관을 부른다. 하나의 일에서 다음 일이 초래된다…… 우리 여권은 어디 있느냐, 저 군용 장비는 다 뭐냐, 우리 지휘관은 누구냐. 탈영이네, 불법 입국이네."

폴 벌린은 눈을 감았다. 그는 이 일이 다 끝나기를 돌연 바랐다. 전부 다. 추위와 도망과 전쟁 다. 그는 집에 가고 싶었다. 깨끗한 침대, 어머니와 아버지, 마을, 제자리에 있는 모든 것.

"오스카가 옳아," 닥이 말하고는 한숨을 지었다. "이 짓에서 벗어날 순 없어. 현실이 늘 발목을 잡지."

"어쩌면 모르잖아."

"어쩌면은 없어. 현실은 그런 식으로 돌아가질 않아."

오스카가 안개 속에서 슬금슬금 나왔다.

"저기 저쪽," 그가 말했다. 그는 커다란 두루마리를 든 남자 석상 너머 관목림 쪽을 가리켰다. "판초 설치할 수 있겠어. 공들일 건 없고. 잠 좀 자고 나서 어떡할지 생각하자."

"맙소사."

"아이, 야영해봤잖아. 보이스카우트라고 생각해."

닥과 사르낀 아웅 완이 중위를 숲까지 거들었다. 그들은 판초를 돌돌 펼치고 코트로 몸을 덮었다. 잠들기가 불가능했다. 불가능해, 폴 벌린은 생각했다. 해피엔드를 떠올리기가 어려워.

동틀 무렵 안개는 꾸준한 이슬비로 바뀌었다.

그들은 공원 건너편의 우중충한 카페에서 커피와 롤빵을 먹었고, 그러고 나서 강 쪽으로 목적지 없이 배회했다. 중위는 기침이 돌아왔고 사르낀 아웅 완은 그의 팔을 잡아 보행을 도왔다. 다른 사람들은 날이 서 있었다.

"봄이라다니 무슨 일이람?" 닥이 투덜거렸다. "꽃이랑 태양은 다 어디 갔대? 그 아름다운 것들 다 어떻게 됐대?"

"진정해."

"나 참, 파리는 4월이라더니. **도대체** 어딜 보고?"

그들은 매우 바쁘게 아침을 보냈다. 늙은이의 기침이 심해지면 그들은 미술관이나 카페로 기어들었고 의심을 살 만한 장소는 조심조심 피했다. 정오께 비가 멎자 그들은 아파트에 운을 맡겨보기로 뜻을 모았다.

그들이 건물에 도착한 건 오후 중반이었다. 그들은 잠시 밖에서 기다렸다가 후다닥 길을 건너 여섯 개의 계단참을 올랐다.

"이게 그거야?" 오스카가 말했다. 그는 씩 웃더니 얼굴을 찌푸렸다. "네 근사한 아파트가? 이게 위대한 탈출이야?"

천장 설비에서 빗물이 샜지만 그 밖에는 마지막으로 들렀을 때 그대로였다.

닥은 중위를 샤워시킨 다음 담요로 감싸주었다.

"그러니까 이게 그거란 거군," 오스카가 말했다. "지상의 평화."

"나가도 돼."

"쥐만 덤비지 않으면 됐어."

그들은 어두워지기를 기다렸다. 그러고 나서 사르킨 아웅 완이 식은 고기와 빵과 와인으로 단출한 저녁 식사를 차렸다. 중위는 바닥에 잠들어 있었다.

"자, 다음 대책은 뭐야?" 에디가 물었다. "들자 하니 스웨덴이 4월에 그렇게 예쁘다던데."

"헛소리."

"스웨덴이 어때서?"

오스카는 고개를 절레절레했다. "스웨덴은 겁쟁이들이나 가는 데지."*

그들은 기다렸다. 오스카는 창가로 가 그대로 잠시 섰다가 몸을 돌렸다. 그의 선글라스는 이마까지 젖혀져 있었다. 그가 입을 열자 나온 목소리에 폴 벌린은 레이크 컨트리가 다시 떠올랐다.

"잘 들어. 사실 하나. 우리는 곤경에 처했어. 문서도 없고 명령도 없어. 법의 효력이 미치는 한 우리는 그저 탈영병이야. 사실 둘. 조만간 우리는 체포될 거야. 그게 실생활에선 기정사실이야." 그는 폴 벌린을 보았다. "사실 셋. 너희 중에 토끼려는 인간들이 있어. 따로 이름을 밝히진 않겠지만 사실을 말하자면 그래. 우리 진지해져야 돼. 꾸물거리는 짓도 안 되고 아파트나 소꿉놀이도 안 돼. 탈영병이 어떻게 되는 줄 알아? **알아?**"

"전기의자에 앉지," 에디가 말했다.

"바로 그거야."

"해명할 수 있을지 모르잖아," 폴 벌린이 말했다. 그는 조금 당혹감을 느꼈다. "안 될까? 카차토가 어쨌는지 ——"

"아이, 집어치워."

"내 말은, 어쩌면 우리 자수해야 할 거 같아. 대사관에 넘어가서 무슨 일인지 정확히 설명하는 거지. 어쩌다 카차토를 쫓기 시작했고 또…… 알잖아. 어쩌면 우릴 너그럽게 봐줄지도 몰라."

오스카는 말이 없었다. 그는 에디를, 그리고 닥을 쳐다보았다. 그는 한숨을 쉬었다. 그는 방을 질러가 손가락으로 폴 벌린의 가슴을 눌렀다.

"그거 알아?"

"뭐?"

"난 네가 불쌍해."

폴 벌린은 웃음을 지었다.

"있잖아, 정말이야. 네 찌질함이 불쌍해. 너는 게임의 기본을 몰라, 안 그래? 게임이 차려지고 말들이 판에 다 나오면 겨루든가 찌그러지든가 하는 거야. 다른 선택은 없어. 너는 샘 삼촌네 대사관에 멋지고 당당하게 걸어 들어가서 얼굴 붉혀가며 그런 미친 얘길 늘어놓겠다는 거잖아. 게임은 말이야, 그런 규칙으로 벌어지는 게 아니야. 증거가 있어야 돼. 근거가."

그들은 아무 말 없었다. 사르낀 아웅 완은 앉아서 중위의 머리를 무릎으로 받치고 이마를 다정하게 쓸어주었다. 닥은 다른 방에서 무언가에 집중하는 모양이었다.

"내 말 이해돼? 계속 도망갈 거 아니면 뭔가 긍정적인 걸 해야 한다고."

"이를테면?" 폴 벌린은 물었지만 이미 답을 알고 있었다.

오스카는 씩 웃었다. "이를테면 마지막으로 한 번 더 수색 나가는 거. 수색 복장 걸치고 똑 부러지게 하자. 장난 말고, 이번에는 그 불쌍한 자식 잡아 오자고."

"처음으로 돌아가서."

"바로 그거야," 오스카는 말하고 웃음을 지었다. "바로 그런 게 긍정적인 거야."

• • •

*   스웨덴은 베트남전쟁 당시 미군 탈영병 등 망명자의 입국을 허락한 몇 안 되는 나라다.

아침이 되자 그들은 수색을 시작했다. 오스카가 책임을 맡아 지도와 수색 영역을 배분하고 위기의식을 불어넣었다. "녀석이 이기면 우린 지는 거야. 실패는 안 돼." 사르낀 아웅 완은 베란다로 나갔다. 그녀는 제라늄에 물을 주고 볕을 쬐게 올려둔 다음 건너편 교회 종탑을 가만히 바라보았다. 폴 벌린은 떨어져 있었다. 그는 설명할 수 없었고 그녀는 이해할 수 없었다. 그것은 무사히 넘기는 것 이상의 문제였다. 책임의 문제였다. 책임을 이해하거나 이해하지 못하는 양자택일의 문제였고 그녀는 이해 못 하는 쪽이었다. 중위도 마찬가지였다. 늙은이는 닥이 상황을 설명하려 들면 듣기를 거부했다. 그는 기침을 하고 눈을 껌뻑껌뻑하다 고개를 돌려버렸다.

"자비를," 그는 중얼거렸다.

"네?"

"아니야. 그냥 내버려둬."

그래서 그들은 그를 빼고 시작했다. 폴 벌린은 파리 제1구의 관광 및 상업 지구를 할당받아 수많은 낯선 거리를 오르내리는 일로 하루를 보냈다. 불가능해 보였다. 그는 지나는 얼굴 하나하나, 건물 또는 공원 벤치 하나하나 안간힘으로 열심히 살펴보았지만 결국에는 발에 수색을 맡기고 되는대로 걸었다. 그는 루브르에서 두 시간을 보낸 다음 개방 정원들을 가로질러 리볼리가까지 어슬렁거렸고, 그런 다음 구불구불 이어지는 거리를 따라 방돔 광장에 닿았다. 점심을 먹은 뒤 그는 지도는 무시하고 태양의 안내를 받으며 역방향인 동쪽으로 나아갔다. 발이 아팠다. 그는 그게 어떤 느낌인지 잊고 있던 참이었다.

파리, 그는 끊임없이 생각했다. 평화와 조화와 행복. 하지만 지금 그것은 온데간데없었다. 그는 한 차례 멈추어 코카콜라로 천천히 목을 축이면서 늦은 오후 집으로 돌아가는 인파를 지켜보았고, 그런 다음 루아얄 다리를 건너는 그 흐름에 합류해 아파트로 돌아갔다. 닥과 에디는 벌써 들어와 발을 적시는 중이었다. 그들은 올려다보지도 않았다. "공쳤어," 에디가 말했다.

며칠을 그랬다. 경찰을 피해 다니고, 아파트가 발각될까 걱정하고, 길에서 긴 시간을 보내고, 밤이면 말도 안 되는 꿈이 나올 만큼 피로가 쌓이고. 중위가 여전히 시무룩하게 등을 돌린 가운데 오스카는 안정된 지휘를 맡았다. "그 자식은 저기 바깥에 있어," 그는 자꾸 말했다. "녀석이 스컹크처럼 숨어 있는 냄새가 나." 그들은 밤에 주요 철도와 지하철 정거장을 교대로 감시했다. 그들은 날마다 수색 영역을 조율하고 팔레 루아얄*을 드나드는 방문객들을 샅샅이 살피고 호텔들을 확인했다. 하지만 아무것도 발견 못 했다. 마치 카차토가, 어쨌건 그가 실재한다면, 스스로를 갈기갈기 찢어 신체적인 사실에서 해방된 듯싶었다.

"녀석도 먹기는 할 거야," 오스카는 습관처럼 말했다. "안 그래? 그 녀석도 남아 있는 우리처럼 먹고 자고 속옷도 빨겠지."

하지만 아무것도 없었다.

길을 걷던 폴 벌린은 기존의 판을 뒤집어보려고 애썼다. 수수께끼였다. 카차토를 여기로 이끈 게 뭘까? 왜 파리일까? 왜 마드리드나 브뤼셀이나 뉴욕이 아니고? 세부적인 것을 보자. 도시의 밀도, 회색에 갈색에 황색의 석재, 주변의 분위기, 강물의 쓰레기, 그런데도

---

*   현재 프랑스 최고 행정재판소와 헌법재판소 등이 입주해 있는 역사적인 건물.

이상하리만치 아름다운 강, 보이고 들리고 느껴지는 것들. 카차토는 뭘 좇았던 걸까?

폴 벌린은 바짝 집중해 열심히 눈길을 주었지만 세부적인 것들은 그를 슬쩍 돌아만 볼 뿐이었다.

아파트, 사르낀 아웅 완과 중위는 이 일에 관여하기를 일체 거부했다. 그 둘은 다른 사람들을 피해 조용히 대화를 나누고 둘이서 시간을 보냈다. 폴 벌린은 그녀를 보지 않으려고 애썼다. 부분적으로는 죄책감 때문이었다. 이전의 의무를 이행해도, 그것을 저버려도 느껴지는 죄책감. 이따금 그는 자신을 바라보는 그녀의 눈길과 마주쳤는데 그녀의 눈은 연민으로 가득했다 —— 꼭 연민은 아니었지만 그와 매우 유사한 것이었다.

"우리 계획 아직 유효해," 어느 날 저녁 그는 그녀에게 말했다. 다른 이들은 잠들어 있었다. "맹세할게, 이 일 끝나면 바로 실행에 옮기자."

그녀가 슬며시 자리를 뜨려고 하자 그는 그녀의 손목을 꽉 잡았다.

"이해 안 돼? 이 일을 다 끝낼 기회만 달라는 거야."

"싫어요."

"뭐가? 싫다니 뭐가?"

그녀는 팔을 자유롭게 뺐다. "상병, 당신은 대안이 있잖아요. 이제 선택할 시간이에요."

"하지만 봐, 그냥 달아나는 건 현실적이지 않아."

"현실적! 군사령부에 아파트를 구해야 **현실적**이에요? 그 가엾고 순진한 남자애를 좇는 거…… 그게 **현실적**이에요? 난 차라리 비현실적일래요."

"하지만 내가 약속 —"

"아, 약속이라면 저도 잘 알아요," 그녀는 조용히 말했다. "상병, 당신 그런 약속 수없이 했잖아요. 약속에 또 약속. 허구한 날 약속."

그는 그녀가 물러나는 모습을 지켜보았다. 그는 다르게 상상해보려고 노력했지만, 열심히 노력했지만 소원을 비는 힘이 그걸 성사시킬 만큼에 더는 미치지 못했다. 상상의 실패였다.

다음 날 아침 그는 카차토를 발견했다.

그것은…… 아, 레알*에서였다. 오렌지며 가자미며 뒷다리 관절이 매달린 새끼 돼지들 틈에서, 봄철의 순무가 고봉으로 담긴 손수레며 셀러리 바구니 틈에서. 상인들은 골라골라를 외치고 여자들은 그날 먹을 빵의 신선함을 지키려 앞을 다투는 거기서. 과일 트럭들이 있고 닭들은 목이 비틀린 채 늘어섰으며 온기를 띤 반절짜리 소고기는 파리가 앉게 나와 있고 배수로는 쓰레기로 막혔고 인파는 여물통에 담긴 포도며 멜론이며 완두콩 사이를 비집고 다니는 — 거기, 봄날 아침나절의 시장에서.

의심할 것 없이 카차토였다.

그는 혼자였다. 장밋빛 뺨에 행복에 젖은 웃음. 팔에 걸친 광주리. 여전히 통통하고 여전히 분홍색이며 여전히 어리고 건강하고 박박 문질러 씻은 모습.

---

*   Les Halles. 파리 제1구, 즉 파리 중앙에 있던 식료품 도매시장. 1971년에 현대적인 쇼핑센터로 탈바꿈했다.

그것은 카차토였다.

뒷걸음질, 그러고 얼음. 폴 벌린은 크게 놀라움을 느끼지는 않았다. 대수로운 감정은 없었다. 벌어졌어야 할 일이 벌어진 것이었다 ── 간단하고 쉬웠어야 할 일.

카차토. 똑같은 분홍색 정수리. 기억보다는 조금 더 큰 몸집. 참새 눈. 껌 씹기, 둥근 얼굴, 꼴사나운 몰골.

카차토는 멜론인지 양상추인지를 눌러 담느라 가끔씩 멈춰가면서 인파를 유유히 헤치고 다녔다. 사람들은 그에게 웃음을 짓고 고개를 끄덕였다. 그는 바쁘지 않은 듯 걸음을 멈추어 바나나를 사기도 하고 생선과 소시지를 사기도 했다. 상점마다 상인들은 그에게 듣기 좋은 소리를 했고 카차토는 웃음과 함께 손사래를 치며 걸음을 이었다. 그는 그날 먹을 장을 봐 오라고 어머니가 보낸 아이 같았다.

폴 벌린은 거리를 두고 따라갔다.

그는 인파에 숨어서 거대한 철제 가설건축물을 지난 다음 발타르가를 따라 이노상 분수(Fontaine des Innocents)까지 카차토를 뒤밟았다. 카차토는 거기서 멈추더니 빵 한 덩이를 꺼내 반으로 쪼개고 비둘기들한테 모이로 주기 시작했다. 그는 마치 완수해야 할 일처럼 체계적으로, 빵이 없어질 때까지 부스러기를 던졌고, 그런 다음 광주리를 집어 들고 구불구불 이어지는 거리를 따라 폴 벌린이 한 번도 본 적 없는 파리의 한 부분에 들어섰다. 가난이었다. 햇빛을 막게끔 설계한 듯 서로 다닥다닥 달라붙은 지붕들. 오와 열, 병영처럼 을씨년스럽게 줄을 지은 공동주택들 천지였다. 거기엔 아름다움이, 우아하거나 매력적인 면이 없었다.

하지만 카차토는 신경 쓰지 않았다. 그는 이제 휘파람을 불면서 방향을 꺾어 빨래가 지붕처럼 널린 좁은 자갈길로 들어섰다. 그는 멈칫하더니 옆으로 몸을 돌렸고, 그러고는 광주리를 왼팔로 옮기고 낡은 회반죽 건물로 들어갔다.

폴 벌린은 차분해짐을 느꼈다. 길은 마땅히 끝나야 할 곳, 막다른 골목에서 끝났다. 출구도 없었고 요령을 부릴 수도 없었다.

그는 망설이지 않고 자갈길 끝까지 따라갔다. 낡은 호텔이었다. 파란색과 흰색으로 된 바랜 간판이 숙박비와 소유주 이름을 알려주었다.

그는 초인종을 울렸다가 기다렸다가 다시 초인종을 울렸고, 그런 다음 문을 열어보았다. 문은 잠겨 있지 않았다.

안쪽 로비는 먼지 냄새가 났다. 다 망가진 의자 몇, 소파 하나, 얼룩덜룩한 양탄자가 있었고 창문은 깨져 있었다. 버려진 장소였다.

그는 잠시 기다리며 귀를 기울였고, 그러다 또다시 휘파람 소리를 들었다. 천장에서 들려오는 소리였다. 전과 다름없는 익숙한 노래. 계단을 오르던 폴 벌린은 저도 모르게 흥얼거리고 있음을 깨달았다. 노랫말이 잘 떠오르지 않았다. 뭐더라? 그는 안정됨, 사뿐한 발걸음, 고요함을 지키려고 애썼다. **빌리 보이, 빌리 보이,** 저도 모르게 흥얼거리고 있음을 깨달은 그는 계단을 올랐다. **어디로 갔나, 멋쟁이 빌리는?**

계단은 긴 복도에서 끝났다. 창문도 카펫도 없었다. 아래층 로비에서 비치는 것 말고는 불빛도 없었다.

휘파람은 이제 한층 가까웠다. 그는 번호가 매겨진 문마다 걸음을 멈추고 귀를 기울이면서, 같이 흥얼거리면서 휘파람을 따라갔다. 그는 복도 끝에서야 그곳을 찾았다. 밝은 녹색으로 칠한 문이었다.

그는 문을 밀고 발을 들였다.

카차토가 웃음을 지었다. 그는 속옷만 걸치고 간이침대에 앉아 금속 냄비에다 당근 껍질을 벗기고 있었다. 깨끗하고 보드랍고 포동 포동한 아기 같았다.

그는 웃음을 지었다.

그는 칼을, 그러고 당근을 내려놓고 일어나 손을 내밀었다. 부드러운 손이었다. 웃음은 티 없이 맑았다. 아무런 의미가 담겨 있지 않은 매혹적인 아기 웃음. "안녕," 그는 말했다.

"찾았다고?" 닥이 말했다. "카차토를?"

진실은 단순하단 걸 알게 된 폴 벌린은 오스카에게 호텔명과 주소가 적힌 좁고 긴 종잇조각을 건넸다. 중위는 눈을 가렸다.

"네가 **찾았다** 이거지?"

"간단했어."

닥은 웃음을 터뜨렸다. "걔…… 그 녀석이 뭐래? 카차토가."

"전혀."

"아니, 그 녀석이 뭐라고 설명해? 설명이 없었을 리가 ——?"

"전혀," 폴 벌린은 말했다. 그는 몸이 떨리는 게 느껴졌다. "한마디도."

"그렇게 떠나놓고, 사라져놓고? 왜라고 말 안 해? 왜 그랬대?"

"전혀!"

"이봐, 진정해."

"전혀," 폴 벌린은 고함에 가까운 큰 소리로 말했다. "바보였어. 이유도 없고 답도 없었어. 전혀. 그냥 아기였어."

"진정하라니까."

"덩치만 큰 멍청한 아기."

"마음 좀 가라앉히자. 넌 뭘 기대했길래 그래?"

"전혀."

상상해보라: 마제스틱 호텔은 연극 무대처럼 어둡다. 호텔의 낡은 회의실인 살 데 페트*에서는 그 자리에 없는 관객의 소리가 들린다. 발 끄는 소리, 기침 소리, 소곤대는 목소리. 어딘가 샴페인병이 따져 있다. 가벼운 박수 소리. 그러고 나서 트럼펫과 드럼 소리, 외교적인 겉치레.

스포트라이트: 녹색 모직 천을 깔고 테두리가 크롬인 커다란 원형 탁자에 조명이 쏟아진다. 지름이 13피트(약 4미터)를 조금 웃도는 탁자, 면적은 135제곱피트. 보이지 않는 선이 탁자를 두 개의 절반으로 정밀하게 나눈다. 두 절반 주위에는 각각 여덟 개의 가죽 안락의자가 놓여 있다. 도합 열여섯 개의 의자. 각 의자 앞에는 마이크와 헤드셋이 탁자에 놓여 있다. 국기도 없고 명판 또는 신원을 증명할 다른 상징물도 없다.

스포트라이트 확대: 대리석 바닥과 대리석 기둥, 금박 장식물, 40피트(약 12미터)짜리 기둥을 흘러내리는 두꺼운 장막, 아치형 천장, 날아가는 새들을 담은 루이 14세의 거대한 태피스트리를 상상하라.

폴 벌린이 오른쪽에서, 사르긴 아웅 완이 왼쪽에서 입장한다.

약정서에 스포트라이트: 녹색 원형 탁자에 가느다란 불빛 집중.

---

*   Salle des Fêtes. 프랑스어로 '축제의 장'.

폴 벌린이 태피스트리 쪽으로 절반 넘게 걸어가다 거대한 탁자 앞에 앉는다. 사르낀 아웅 완이 그 맞은편으로 걸어가 인사를 하고 자리에 앉는다. 모두 헤드셋을 착용한다. 각자가 마이크를 시험할 때 삑 하는 증폭음이 난다.

그러고 정지. 두 당사자는 서로를 쳐다보지 않는다. 숨죽인 회의실 ― 관객의 동요도 더는 없다.

인사치레 하나 없이 사르낀 아웅 완이 모조지 하나를 펼쳐 낭독하기 시작한다.

"우리는 이 자리에 이르기까지 여러 달이 걸렸습니다" ― 하지만 그것은 그녀의 목소리가 아니라 통역된 목소리, 또박또박하고 강세 없고 인간미 없는 남자 목소리다 ― "우리는 미국 단위로 약 8600마일을 날아왔습니다. 공교롭게도 이 숫자는 같은 기간에 희생된 미국인의 목숨과 거의 똑같은 수치입니다. 저는 여기서 어떤 유머도 발견하지 못합니다. 저는 슬픔을 발견합니다. 하지만 이 슬픔은 불가피한 것도 아니고 끝이 없는 것도 아닙니다. 우리는 이제라도 행복에 대한 공통된 시야를 가질 수 있을지 모르며, 이 자리에서 우리의 행위로써 그 시야를 현실화하는 첫발을 내밀 수 있을지 모릅니다.

물론 행복은 두렵기가 쉽습니다. 더러 불행을 받아들이는 데에는 무사안일주의가 작용합니다. 우리는 우리의 낯익은 역할과 이별하기를 두려워합니다. 우리는 그런 이별의 결과를 두려워합니다. 우리는 실패가 두려워 행복을 두려워합니다. 하지만 우리는 이러한 두려움을 이겨내야 합니다. 우리는 용감해져야 합니다. 일어날 법한 일을 내다보는 게 한 가지입니다. 우리의 꿈을 좇아 행동하는 것, 그 꿈을 성취할 수 있고 성취할 가치가 있는 대상으로 여기는 건 또 다른 일입니다. 불행으로부터 달아나는 게 한 가지입니다. 인간 영혼의 진정한 척도인 존엄과 안녕의 본질을 깨닫고자 행동을 취하는 건 또 다른 일입니다.

폴 벌린 상병은 들으십시오. 저는 폭력으로부터 벗어나길 요청하는 바입니다. 하지만 저는 또한 확신 어린 약속을 요청하는 바입니다. 당신은 정상적인 것을 동경합니다 ── 보통의 마을에 있는 보통의 집, 정원, 아마도 아내, 늙어갈 기회를요. 이런 것들을 자각하세요. 카차토를 쫓는 이 무익한 일은 단념하세요. 그를 잊으세요. 이제는 당신이 그동안 꿈꾸던 삶을 사세요. 파리를 보고 즐기세요. 행복하세요. 가능한 일입니다. 그것은 단 한 번의 결심으로 닿을 거리에 있습니다.

이는 마음의 안정이나 영혼의 나약함을 바라는 게 아닙니다. 그 반대를 바라는 겁니다. 이를테면 당신의 아버지처럼 당신도 고급 주택을 짓는 겁니다. 당신의 마을처럼 당신도 견디고 성장하고 좋은 것들을 생산하는 겁니다. 당신도 잘 사는 겁니다. 왜냐하면 행복이 슬픔의 부재 이상을 뜻하듯 평화도 전쟁의 부재보다 한없이 큰 것을 뜻하기 때문입니다. 피난민조차 피난 이상의 일을 해야 합니다. 도달해야 합니다. 자신의 희망과 얼마나 상충되든 결국 있는 그대로의 세상으로 돌아가야 하고, 그런 뒤에는 현실을 자신이 꿈꾸던 쪽으로 조금씩 이동시키고자, 바꿀 수 있는 걸 바꾸고자, 소망이나 공상을 넘어서고자 무슨 일이든 해야 합니다. '우리가 공상으로 마음을 키우니,' 시인은 말합니다. '그 대가로 마음은 잔인해지더라.'* 폴 벌린 상병, 저는 당신이 행동하길 촉구합니다. 경이로운 꿈을 꾼바, 저는 당신이 거기에 과감히 발을 뻗길, 자신의 꿈에 몸담고 그 꿈을 살아내길 촉구합니다. 그릇된 의무에 기만당하지 마세요. 당신은 당신 자신이 상상해온 더할 나위 없는 행복을 선하고 올바른 모든 방법으로써 추구해야 할 의무가 있습니다. 두려움이 당신을 저지하게 내버려두지 마세요. 조롱이나 비난이나 쪽팔림에 겁먹지 말고, 헐뜯음을 두려워하지 말고, 다른 이들의 경멸을 두려워하지 마세요. 그러므로 진정한 의무는 무엇입니까? 그 자체로 평화로운 인생을 추구할 의무 아닙니까?

당신은 먼 길을 왔습니다. 이 자리에 이르는 여정은 위험천만했습니다. 당신은 여러 위험을 무릅썼습니다. 당신은 그 이상 기대할 수 없을 만큼 용감했습니다. 그러고 이제 최후의 용감한 행위를 선보일 때가 되었습니다. 저는 당신에게 촉구합니다. 당신 자신의 꿈으로 당당히 행진하라고."

침묵, 수군수군 동의하는 목소리.

스포트라이트 이동: 녹색 천을 덮은 탁자 맞은편, 가느다래지는 불빛. 기다리던 폴 벌린이 마이크를 점잖게 톡톡 두드린다. 그의 얼굴은 그을어 빛을 잘 받는다. 각지고 잘생긴 얼굴. 반듯하고 탄탄하게 떨어지는 이마. 오똑한 코. 살짝 벌어진 입술은 수줍은 웃음을 띠어 보이지만 그의 태도는 수줍지 않다. 아마 내성적일 테지만 그래도 확신에 차 있다. 담뱃불을 붙여 있는 듯 없는 듯 들고서 문서를 정렬하고 잠시 눈길을 들어 정중히, 노골적으로 고개를 끄덕이는 그

---

*   아일랜드 시인 윌리엄 버틀러 예이츠의 「내전기의 사색Meditations in Time of Civil War」에 나오는 문장. 원문은 "We had fed the heart on fantasies, the heart's grown brutal from the fare".

의 외교적 예의에서 우아함이 풍긴다. 그는 최고로 단아한 세로줄이 들어간 남색 정장을 입고 있다. 회색 넥타이에 흰색 셔츠. 스포트라이트를 받은 그의 옅은 갈색 머리카락이 금발로 보인다. 그의 손은 흔들림이 없다. 활짝 뜬 그의 두 눈도 마찬가지로 흔들림이 없다. 주눅이 들거나 숫기 없는 기미가 없다.

또한 마이크에 수그리고 발언할 때 그의 목소리는 또랑또랑하고 견고하다. 외교관의 목소리.

"친구 여러분," 그가 시작한다. 앰프 장비가 삑 소리를 내자 그는 몸을 살짝 뒤로 뺀다. "친구 여러분, 도덕적인 것이든 약정상의 것이든 의무의 문제에 관해 전문가 행세를 하려는 건 아니지만, 저는 제가 언제 의무감을 **느끼는지** 잘 압니다. 의무란 우리에게 강제된 요구 이상의 것입니다. 그것은 개인적인 부채감입니다. 그것은 우리가 앞서 많은 찬성 행위를 통해 미래에 어떤 행위를 수행하기로 합의했다는 하나의 느낌, 하나의 수용입니다. 제게는 그 느낌이 있습니다. 저는 그것을 수용합니다. 저의 앞선 행위로써―― 찬성 행위로써―― 저는 차후의 행위를 수행하기로 맹세했습니다. 저는 군복을 입었습니다. 저는 비행기에 올랐습니다. 저는 진급을 받아들였고 그에 수반되는 책임을 받아들였습니다. 저는 카차토를 쫓는 데 가담했습니다. 저는 나아갔습니다. 저는 그 추적을 계속하자는 데 한 차례 투표했습니다. 저는 고집을 부렸습니다. 저는 남들도 고집을 부리라고 다그쳤습니다. 저는 끝을 보겠다는 약속으로 스스로를 이 임무에 옭아맸습니다. 이는 노골적인 찬성이었습니다. 하지만 그것을 떠나 여러 암묵적인 약속이 있었습니다. 제 가족에게, 제 친구들에게, 제 고향에, 제 고국에, 제 전우들에게. 게다가 이 약속들은 늘어났습니다. 저는 오도되지 않았습니다. 저는 속지 않았습니다. 그러기는커녕 저는 제가 믿기에…… 제가 **느끼기에**…… 일찍이 제가 약속한 것들과 전적으로 일치하는 궁극적인 군 복무를 수행할 것을 요구받고 있습니다. 빚을, 정당한 빚을 갚고 있는 것입니다. 속임수도 조건 변동도 없습니다. 저는 제가 무슨 일에 말려드는지 알았습니다. 저는 그게 어쩌면 유쾌한 일은 아니리란 걸 알았습니다. 그렇게 저는 완전한 이해를 바탕으로 약속을 했습니다. 약속은 자유롭게 수립되었습니다. 도덕적인 분위기가 충분치 않았던 건 사실입니다. 거기에는 압박이, 제약이 있었습니다만, 그렇더라도 저는 법적 구속력이 있는 선택을 했습니다. 다시 말씀드리건대 이 일은 정치나 공리나 정의의 문제 같은 것과는 전혀 상관없습니다. 제 의무는 사람에 대한 것이지 정치나 원칙이나 정의에 대한 것이 아닙니다."

폴 벌린은 여기서 잠시 멈추어 목을 가다듬고 물컵에 손을 내민다.

"하지만 부디 바랍니다. 저는 이 모든 걸 지나치게 강조하고 싶지는 않습니다. 고백하건대 어떤 의무감 이상으로 지배적인 감정은 제가 소중한 모든 걸 버리고 떠난다는 두려움이기 때문입니다. 저는 달아나기가 두렵습니다. 저는 망명이 두렵습니다. 저는 제가 사랑하는 사람들이 제게 품을지 모를 생각이 두렵습니다. 저는 그들에게서 존중을 잃을까 봐 두렵습니다. 저는 제 평판이 깎일까 봐 두렵습니다. 평판, 제 아버지와 어머니, 제 고향 사람들, 제 친구들의 눈에서 읽히는 그 평판. 저는 왕따가 될까 봐 두렵습니다. 저는 겁쟁이로 여겨질까 봐 두렵습니다. 저는 비겁함 자체보다 그것이 훨씬 두렵습니다.

이런 두려움이 잘못된 겁니까? 멍청한 겁니까? 아니면 건전하고 옳은 겁니까? 저는 비난과 쪽팔림과 실추된 평판에 대한 제 두려움은 무시하라는 말을 앞서 들었습니다. 하지만 그런 두려움은 받아들이는 편이 낫지 않겠습니까? 두려움을 따르는 편이? 만약 내면의 평화가 진정한 목표라면 제가 망명 속에서 그걸 어찌 얻겠습니까?

이제 아마 여러분은 제가 의무를 비개인적인 사상 혹은 신념과 한 개인 간의 문제가 아니라 사람과 사람 간의 문제로 보는 게 중요하다고 강조하는 이유를 이해하실 겁니다. 사상은 모욕을 당해도 보복을 하지는 못합니다. 원칙은 제가 청한 악수를 거절하지 못합니다. 오직 사람만이 그런 일을 합니다. 바로 이 사회적 힘, 위협적인 사회적 결과가 저로 하여금 완전한 최악의 실수를 저지르지 않게 합니다. 마음의 평화는 자신만의 기쁨을 좇는 간단한 문제가 아닙니다. 그보다는 다른 인간들의 태도, 그들이 원하는 것, 그들이 기대하는 것과 밀접하게 연관된 문제입니다. 진짜 쟁점은 더할 나위 없는 행복을 여러 한계 속에서 어떻게 찾느냐 하는 겁니다. 타인에 대한 우리의 의무라는 맥락 속에서 말입니다. 우리 모두는 평화를 원합니다. 우리 모두는 존엄과 자국의 안정을 원합니다. 하지만 우리는 이런 것들이 명예 속에서 지속되길 원합니다. 우리는 오래 버틸 평화를 원합니다. 우리는 자부심을 가져도 좋을 평화를 원합니다. 상상에서조차 우리는 우리가 시작한 일의 논리를 따라야 합니다. 상상에서조차 우리는 우리의 의무에 진실해야 하는데, 왜냐, 상상에서조차 의무를 넘어서는 건 없기 때문입니다. 현실처럼 상상도 나름의 한계가 있습니다."

전체 스포트라이트: 사르긴 아웅 완과 폴 벌린이 일어나 각자 문서를 겹쳐 정리한 다음 기다린다. 그들은 서로를 쳐다보지 않는다. 진정한 협상은 결렬되었다. 각자의 입장에 관한 진술뿐.

발자국 소리가 거대한 회의실을 또각또각 울린다. 중위가 입장한다. 그는 철모를 쓰고 군낭을 멨다. 그가 폴 벌린과 악수를 나눈다. 그들은 몇 마디 조용한 말을 교환한다. 그리고 늙은이는 사르낀 아웅 완에게 건너간다. 그가 팔을 내밀자 그녀는 팔을 받아 들고, 그렇게 두 사람은 물러난다. 잠시 후 폴 벌린이 별도의 출구로 나간다.

스포트라이트 축소: 전기 잡음이 살 데 페트를 채운다. 앰프 장비에서 무심하게 삑 소리가 난다.

스포트라이트 끔.

상상해보라.

마흔다섯.
관측소

파리들은 벌써 일어났다. 갈매기 두 마리가 탑 남쪽 담장에 올라
앉았다. 밤은 끝났다. 바다는 파랬다. 조금 있으면 다른 이들도 일어
날 것이다. 하루가 시작될 것이다. 그들은 판초를 말아서 정리할 것
이다. 닦은 면도를 할 것이다. 에디와 오스카는 수영하러 들어갈 것
이고, 그런 다음 아침을 먹을 것이고, 그런 다음 탑 아래 그늘에 앉
아 재보급을 기다릴 것이다. 나중에 그들은 정찰을 나갈 것이다. 전
투는, 공포는 없을 것이고 하루는 길고 차분하고 무더울 것이다.

그것이 그가 짐작하는 한 가장 일어날 법한, 다가오는 사실이었다.

전쟁은 아직도 전쟁이었고 그는 아직도 군인이었다. 그는 달아나
지 않았다. 쟁점은 용기, 용기는 의지력이었고 이것이 그의 결점이
었다.

"사실들," 닥 페럿은 즐겨 말했다. "사실들을 직시해."

이제 6시 정각이었다. 그는 얼굴을 문질렀다.

사실들은 논쟁을 하고 말고 할 게 없었다. 사실들은 그를 귀찮게

하지 않았다. 빌리 보이는 겁에 질려 죽었다. 버프도 죽었다. 레디 믹스도 죽었다. 루디 채슬러도 죽었다. 피더슨도 죽었다. 땅굴에서 시드니 마틴과 프렌치 터커와 버니 린도 죽었다. 그게 다 사실이었고 그는 그 사실들을 제대로 직시할 수 있었다. 사실들의 순서 — 어떤 사실이 먼저고 어떤 사실이 나중인지 그 관계 — 여기에는 곤란함을 겪었지만 그건 사실들을 직시하기가 곤란한 게 아니었다. 그건 사실들을 분간하기가, 사실들을 이해하기가 곤란한 거였다.

카차토 일도 그랬다. 비 오던 어느 날 안 좋은 시기에 그 바보, 그 가엾은 아이가 아무런 꿍꿍이도 야망도 없이 파리가 보고 싶어 짐을 챙겨 떠난 건 사실이었다. 달아난 순진한 아이. 진실을 따지고 자시고 할 것도 없었다. 그것은 그 이상으로 윤색되거나 변형되거나 가공될 수 없는 사실이었다. 따라서 사실들은 단순했다. 그들은 카차토를 쫓았다, 그들은 그를 쫓아 산에 들어갔다, 그들은 열심히 애를 썼다. 그들은 풀 덮인 아담한 언덕에서 그를 궁지로 몰았다. 그들은 언덕을 에워쌌다. 그들은 밤새 기다렸다. 그러고 나서 그들은 동틀 무렵 하늘로 조명탄을 쏘아 올린 뒤 좁혀 들어갔다. "가," 폴 벌린은 말했다. 그는 소리쳤다 — "어서 가!"

그걸로 끝이었다. 아는 사실은 그게 마지막이었다.

남은 것은 가능성이었다. 용기가 있었다면 그 일은 해냈을지 모른다.

마흔여섯.
카차토를 쫓아서

"그가 사라졌어," 닥이 말했다. "떨어져 나갔어."

"어디로?"

"누가 알겠어? 그 사람이랑 장비랑 전부 없어. 그냥 사라졌어."

폴 벌린은 고개를 가로흔들었다. "불가능해. 그럴 분이 아니야."

"아니라고? 네가 가서 찾아봐. 그 인간 사라졌어, 닭장에서 날아 갔다고. 여자애도 데려간 것 같아."

아파트는 말끔하게 치워진 상태였다. 양탄자, 시계, 수채화, 사르 낀 아웅 완의 제라늄, 새 커튼 — 전부 온데간데없었다. 바닥은 비 질이 되어 있었다. 침대는 베개 각도 45도로 주름 없이 정리돼 있었 다. 벽장은 휑했다. 부엌은 향 한 자루가 조리대 위에서 연기를 피우 고 있었다.

"이제 믿어져?" 닥이 말했다. "질질 짜는 작별 인사도 없이 말이 야. 마음을 모으려니까 공이 울리자마자 떠나버리네, 늙다리가 경례 도 안 받고."

폴 벌린의 눈은 달아올랐다. 향 탓이었다. 그는 가서 연기가 멎을 때까지 향을 꽉 틀어쥐었다.

"사라지다니," 닥은 한숨을 지었다. "두 사람 다 말이야. 너 어이 없겠다, 안 그래? 믿음을 잃었겠어."

"어쩌면 둘이서 잠깐 ——"

닥은 고개를 절레절레했다. "이 일을 직시해, 두 사람은 쥐새끼처럼 떠나버렸어. 틀림없이 내내 계획했을걸. 전부 깔끔하게 정돈된 거 봐, 싹 마무리 지었잖아…… 작별 인사도 없이."

폴 벌린의 눈은 저릿저릿했다. 이곳을 처음 보았을 때의 그녀의 웃음. 그녀의 흥분, 그녀가 자기와 팔짱을 낀 일. 그녀가 자기를 상병이라 부르고 그걸 이름으로 여기던 일. 자신의 발톱을 깎아준 일. 행군을 하던 길고 쟁한 날들. 피난민. 아파트, 도피에 관해 나눈 모든 생각. 아주아주 훌륭한 생각.

그는 베란다로 나갔다. 그는 한동안 홀로 서서 교회 종탑을 건너다보았다. 그는 종이 울리기를 바랐다 —— 무언가를 바랐다. 그는 눈을 감고 소원을 빌었다. 닥이 그의 어깨에 손을 얹고 그를 안으로 들였다.

"애도를 표하는 바야. 솔직히 말해 운도 사납지."

"그녀가 옳았어."

"해줄 말이 없군, 친구. 해줄 말이."

나중에 그들은 쪽지를 하나 발견했다. 쪽지는 욕실 문에 붙어 있었다. "동쪽으로 갈 거예요. 긴 행보지만 우린 성공할 거예요. 애정을 담아."

닥은 쪽지를 두 번이나 읽고 고개를 절레절레하더니 한 번 더 읽었다.

"동쪽?"

"극동 지방," 상황이 또렷이 보이는 폴 벌린이 말했다. "시작점으로 돌아가는 거야. 역행군 —— 8600마일."

"아으, 듣기도 싫어."

"어쩌면 —— "

"너무 간단하고 너무 명쾌하잖아. 아픈 늙은이 하나, 여자애 하나. 해낼 수 없는 일이야."

오스카 존슨이 지휘를 맡았다. 최종 작전이라고 그는 말했다. 카차토의 호텔 밖에 잠복, 출구 봉쇄, 대기, 그리고 그 애송이가 모습을 드러내면 포위를 좁혀 마무리.

그것이 오스카의 게임이었다.

"미적지근해선 안 돼," 그가 말했다. "졸보처럼 굴지도 말고. 오늘밤 제대로 해치우는 거야."

다들 이의가 없었다. 오스카는 카차토의 M-16을 끌러 내밀었다. 닥이 그것을 만졌다. 에디도 만졌다. 폴 벌린도 만졌다.

"좋아," 오스카가 말했다.

그들은 샤워를 하고 쾌적한 군복으로 갈아입은 다음 최종 전략 회의를 가졌다.

황혼 녘에 그들은 아파트를 나섰다.

오스카를 선두로 일렬종대, 그들은 생제르맹을 따라 생미셸까지 행군해 내려갔다. 밤은 따뜻했다. 생미셸에 늘어선 카페의 차양들이 온통 잔바람에 흘렸다. 여자들은 노천 탁자에 앉아 조심스레 다리를 꼬고 담배를 피우며 행인들을 구경했다. 폴 벌린은 철모를 푹 기울였다. 그는 행군에 집중했다.

그들은 시테에서 강을 건넜다. 이내 불빛과 차들이 사라졌다. 그들은 거대한 팔레 드 쥐스티스*를 빙 돌아 샹주 다리를 건넌 다음 방향을 꺾어 레알 쪽으로 들어섰다.

아무도 말이 없었다.

오스카는 담요에서 소총을 꺼내 정찰 때 스타일로 어깨에 총열을 걸치고 대놓고 가지고 다녔다. 이제 위장은 없었다. 납빛의 탑들이 하늘에 덩그러니 서 있었다. 윤곽들, 동상들 그리고 가고일들. 밤이 움직이는 듯했다. 파리, 폴 벌린은 생각 중이었지만 꽝웅아이 느낌이 났다. 그는 용기를 내라고 스스로에게 말했다.

숫자 세기. 그게 한 가지 해답이었다. 그는 제 걸음을 셌고 자기 앞에서 다른 이들이 움직이는 모습을 지켜보았다.

그들은 이노상 분수 광장을 가로질러 크고 인적 없는 시장터에 들어섰다. 엉긴 오물, 녹조, 썩은 채소, 고기 지방, 논 냄새. 높이 격자를 이룬 가설건축물 위에서 달빛이 아른거렸다. 오스카가 경찰 하나를 발견하자 딱 한 번 그들은 걸음을 멈추고 버려진 상점 앞 그늘로 들어가 기다렸다. 그 밖에는 내내 행군이었다.

그들은 자정이 지나서야 막다른 골목을 찾았다.

불빛은 하나도 없었다. 호텔은 포트다지 외곽의 버려진 농가처럼 낡고 쓸쓸하고 텅 비어 보였다.

"확실하지?" 오스카가 속삭였다.

폴 벌린은 고개를 끄덕였다. "저 위. 오른쪽에서 두 번째." 그는 카차토가 있는 2층 창문을 가리켰다. 판유리 두 장이 없었다.

그들은 눈이 적응하는 동안 귀를 기울였다. 건물에는 사람 사는 흔적도 불빛도 없었다. 닥은 안경을 벗고 침을 뱉어 닦은 뒤 도로 걸쳤다. 그는 옅고 초조한 웃음소리를 겨우 다스렸다.

"녀석이 저 위에 있는 거 같아?"

오스카는 어깨를 으쓱하더니 소총을 배에 부드럽게 안았다. "여기서 대기해. 내가 볼 게 있나 보고 올게. 경계 잘해."

그는 잰걸음으로 골목을 걸어가 한 차례 멈추어 문을 시험해보고는 건물을 빙 돌았다. 그가 사라지자 닥은 쓰레기통이 모여 있는 그늘로 들어갔다. 에디가 낄낄거리며 뭔가 음란한 말을 소곤거리자 닥은 웃었고, 그렇게 그들은 엉덩이를 붙이고 앉아 기다렸다. 매복할 때의 살 떨리는 느낌이 들었다. 반은 숨고 반은 노출된 몸. 궁금해하면서 기다리기. 폴 벌린은 죄책감을 조금 느꼈다. 크지는 않지만 생각해볼 만큼은 되었다. 주로 든 감정은 이 일을 우세로 끝내야 한다는 열망이었다.

오스카는 20분 가까이 자리를 비웠다.

그러다 폴 벌린은 귓가에 서늘한 간지럼을 느꼈다.

"망 한번 잘도 보네," 오스카가 나긋한 소리로 말했다. "아주 삼엄한걸."

간지럼은 고통스러울 정도였다. 그는 꼼지락하려고 애썼다. 얼음이 살을 에는 고통이 들었다. 폴 벌린은 돌아보지 않고도 그게 총구라는 걸 알았다.

"내가 찰리였으면 넌 어떻게 됐겠어?"

---

*   Palais de Justice. 시테섬에 자리한 프랑스 최고재판소.

"죽었어," 폴 벌린이 속삭였다. "죽었을 거야."

"그게 절대 진리야," 오스카가 말했다. "망보던 망자."

"미안. 내가 ——"

"참 불쌍해." 오스카가 소총을 들어 올렸다. 서늘한 간지럼이 끈 질기게 이어졌다. "너희 놈들은…… 진짜 팔푼이들이야, 안 그래? 안 그래?"

"그런 거 같아."

"그런 거 같다니, 그런 거 같다니. 개판 치는 놈들 맞지. 진창에 푹 고꾸라질 멍청이들."

"우리 노력 중이야," 닥이 웅얼거렸다. "정말로 노력하고 있어."

오스카는 차갑게 웃었다. "노력해도 글렀어. 솔직히 난 너희가 불 쌍해. 좆나게 엉뚱한 리그에 가서 방망이질을 하고 있잖아. 그냥 불 쌍해."

그의 말에 아무도 대꾸하지 않았다. 폴 벌린은 가려운 귀를 긁었 다.

"노력만으로는 이제 안 돼," 오스카가 말했다. "오늘 밤 너희 불쌍 한 후레자식들은 **제대로** 하게 될 거야. 내가 오늘 밤 개판으로 노력 하는 거랑 **제대로** 하는 거랑 기본적인 차이가 뭔지 가르쳐줄게. 내가 말하면 너희는 그냥 해. 더없이 간단하게."

오스카는 골목의 짙은 어둠 속에서도 선글라스를 쓰고 있었다. 폴 벌린은 앞이 보이는 게 기적이라고 일순 감탄했다. 그는 귀를 긁 으며 감탄했다.

오스카는 잠시 기다렸다.

"자. 다들 이해했지? 내 친절한 통솔자를 따른다, 그게 전부야."

폴 벌린은 말을 하려다 생각을 고쳐먹었다.

"할 말 있어?" 오스카가 웃음을 지었다.

폴 벌린은 고개를 가로저었다.

"좋아. 발전이 있군. 확실히 개선됐어." 그는 제 손목시계를 슬쩍 보았다. "주목. 내가 이곳을 정찰하고 왔어. 뒷문은 없어. 밖으로 나가는 다른 길은 두 개의 비상계단뿐이야. 보여?"

닥과 에디가 고개를 끄덕였다.

"좋아 그럼. 너희가 **제대로** 해야 할 일은 이거야. 저기 올라가 죽치고서 아무것도 못 들어오고 아무것도 못 나가게 막는 거. 할 수 있지?"

"물론이지," 에디가 말했다. 그는 닥을 보고 씩 웃었다. "식은 죽 먹기지."

"훌륭해. 아주 진전됐어."

"별거 아니야," 에디가 말했다.

"준비되면 나한테 팔을 흔들어. 너저분한 건 내가 맡을 테니까. 만약 안에 카차토가…… 녀석이 거기 있으면 그땐 우리가 그 녀석 꽁무니를 잡는 거야. Fini.(끝.) 만약에 녀석이 없으면 자리를 잡고 기다려. 녀석이 나타나면 잡게."

"난 어떡할까?" 폴 벌린이 말했다. "난 어디에 있을까?"

오스카는 조롱을 담아 두 손으로 큰 몸짓을 했다. "됐어," 그는 말했다.

"어?"

"넌 됐다고. 넌 개판이잖아. 있지, 넌 최악이야."

"저기, 그러지 말고 —"

"들었잖아. 집에나 가. 가서 머리카락 꼭꼭 숨어."

폴 벌린은 한 발짝 물러섰다. 그러고서 침을 꿀꺽 삼켰다. "나도 낄 거야, 오스카."

"제기랄."

"나도야. 나도 낄 거야."

"난장판인데?" 오스카가 씩 웃었다. "아주 고약한 일인데도 끼고 싶어?"

"나도 낄 거야, 무조건."

"불알 새로 달았어?"

"나도 낄 거야."

오스카는 그를 유심히 살펴보더니 어깨를 으쓱했다. "그래, 좋아. 팔푼이라도 새 불알은 한번 흔들어봐야지." 그는 소총 노리쇠를 전진시켰다. "자, 왜들 꾸물거려?"

그들은 일렬로 골목을 나아갔다.

닥과 에디는 두 개의 비상계단으로 이동해 계단을 일일이 점검하며 천천히 올랐다. 폴 벌린은 회전하는 구체, 작은 구슬한테로 생각이 흘러들었고, 그러다 구슬에 정신이 쏠렸다. 그는 그것이 도는 모습을 지켜보았다. 은색의 빛나는 구슬. 그는 두려움이 다가오는 게 느껴져도 계속해서 구슬에 주의를 쏟았다. 집중해, 구슬에, 반짝이는 구체가 어둠 속에서 도는 걸 봐. 별이야. 용기 내, 은색 별을 봐.

2층에 도달한 닥과 에디가 바짝 웅크려 팔을 흔들었다.

오스카가 소총을 들었다.

"준비됐어, 보안관? 마지막 결전 시간이야."

오스카가 안으로 들어가는 길을 앞장섰다. 문들은 열려 있었다.

오스카는 성냥을 켜고 로비를 가로질러 계단까지 천천히 이동했다. 그는 거기서 멈추었다. 그는 귀를 기울였다가 두 번째 성냥을 켜더니 계단을 점검했다. 낡은 냄새가 나는 곳이었다. 먼지와 곰팡이와 세월의 냄새였다. 레이크 컨트리처럼 습했다. 오래된 캔버스 냄새 같았다. 성냥불이 사그라져도 오스카는 다음 성냥을 켜지 않았다.

회전하는 은색 별에 눈을 단단히 고정한 폴 벌린은 계단을 오르는 오스카의 뒤를 따랐다. 그는 고요를 유지하려고 애썼다. 들키지 않게, 노련하게. 그는 새어 나오는 소리에 귀를 기울였다. 호텔은 조용했다.

계단 꼭대기에서 오스카는 또 한 번 멈추더니 소총을 옮겨 들고 몸을 돌려 벽을 더듬었다. 복도 끝 창문이 달빛의 엷은 진로를 안으로 터주었다.

오스카는 복도를 이동하기 시작했다. 그의 어깨는 앞으로 말려 있었다. 그는 사뿐사뿐 조심히 발을 디뎠지만 그의 몸놀림에 긴장은 없었다. 그는 자유로운 데다 준비되어 보였다.

복도 끝, 폴 벌린은 녹색 문을 가리켰다. 그는 물러섰다.

오스카가 씩 웃었다. "그럼 곤란해."

"뭐가?"

"영웅이 앞장서야지." 오스카는 소총을 폴 벌린의 손에 떠넘겼다. "너 이런 짓 아주 좋아하잖아…… 자, 받아. 들어가."

"나는 ──"

"무기 받아. 네 차례야."

소총은 말도 안 되게 가벼웠다. 폴 벌린은 소총이 둥둥 떠다니지 않게 움켜잡고 있어야 했다. 빛나는 은색 별은 사라지고 없었다.

"간다!"

오스카가 어깨로 문을 쾅 열었다.

방은 텅 비어 있었다. 폴 벌린은 보기도 전에 그 휑함이 느껴졌다.

그러다 그는 두려움을 느꼈다.

무시무시한 소리가 그를 덮쳤다. 그 소리에 그는 홱 뒷걸음을 쳤다.

"맙소사," 누군가 큰 소리로 말하고 있었다. 아마도 오스카.

소리가 그의 주변을 맴돌았다. 그는 느닷없이 무릎을 꿇고 있었다. 그는 부들부들 떨림을 멈출 수 없었다. 그는 소총을 움켜잡았다. 그는 단단히 버텼지만 떨림은 멈추려 들지 않았다.

누군가 훌쩍이고 있었다. 불쌍하고 바보 같은 소리였다. 그의 등 뒤 어둠 속에서 외치는 소리, 부르는 소리, 누군가 달아나는 소리가 들렸다.

붉은 예광탄들이 쏜살같이 날아가 맞은편 벽에 박혔다. 연기 냄새가 났다. 화르르 타올랐다. 벽에 마술처럼 구멍들이 생겼다. 회반죽이 바슬바슬 검게 변했다.

부르르, 부들부들 — 그는 떨림을 멈추지 못했다. 그는 무기를 내려놓으려고 했다. 그는 그것을 내던지려고 안간힘을 썼지만 그것은 그를 자꾸 흔들었다.

그는 흑흑거리는 제 울음소리가 들렸다.

꽥 하는 비명으로 발전하려는 순간 열두 발의 탄환이 발사되었다. 유리창은 박살 나고 창틀은 텅텅 터지고 있었다. 그는 무기를 움켜잡고 버티며 흑흑 울었다.

"맙소사," 조용한 목소리가 멀리서 자꾸 말하고 있었다. "맙소사,

맙소사."

소음이 멎었다. 한 차례 달칵 소리, 그리고 잔향, 그리고 정적.

그는 무릎을 꿇고 있었다. 그의 눈은 감겨 있었다. 흔들흔들, 휘청휘청, 질끈 감은 눈, 그런데도 그는 붉은 예광탄들, 어둠 속을 반짝이는 가늘고 날렵한 붉은 선들이 보였다. 떨리던 느낌은 사라졌다. 그는 타는 냄새를 맡았다.

"맙소사, 맙소사," 그는 신음했다.

그는 소총을 떨구었다. 그는 한 손을 입술로 가져가되 입술에 대지는 않고 거기 두었다. 그는 손으로 숨결을 느끼고 침 삼키는 걸 느꼈다. 어디선가 불이 타고 있었다. 불꽃을 튀기며 뜨겁게 타오르는 불, 모닥불이었다. 그는 사람들의 말소리가 들렸다. 그러다 붕 뜬 느낌이 들었고, 그러다 배가 부풀었고, 그러다 축축한 게 방출되는 느낌이 들었다. 그는 억누르려고 애썼다. 그는 두 넓적다리를 바짝 붙이고 배를 꽉 조였지만 그것은 끝내 터져 나왔다. 그는 편안히 않았다. 그는 몸을 부르르 떨면서 어디부터 잘못되었는지 궁금해했다.

"괜찮아," 닥이 소곤거렸다. "다 끝났어, 다 끝났어. 이제 괜찮아."

폴 벌린은 제 바보짓을 감추느라 다리를 꼬고 앉았다. 팔과 손과 발이 제대로 작동하지 않았다. 처음엔 떨리는 느낌, 그다음엔 마비, 그다음엔 배가 부풀고 그다음엔 게워내고 그다음엔 바보짓과 수치심.

"걱정 마," 닥은 달래듯이 말하고 있었다. "듣고 있어? 다 끝났어."

모닥불은 맹렬히 타올랐다.

그는 풀 냄새를 맡았다. 그는 매우 조용한 소리로 나누는 그들의 이야기가 들렸다. 잔바람과 풀밭과 모닥불이 거기 있었다.

"그냥 쓸개즙이야," 닥이 말했다. "안 그래? 그냥 쓸개즙이 줄줄 흘렀을 뿐이야. 쓸개즙이 쉬야를 했을 뿐인데 뭘 그런 걸로 그래."

떨림이 도로 찾아왔다. 닥은 푹신한 풀밭에 그를 눕혔다. 그는 거기 누워서 소총이 자기를 흔들어대건 말건 내버려두었고, 떨림이 멎자 잔바람에 풀밭이 나부끼는 모습을 지켜보았다. 봄철의 밀 같았다. 그는 몸을 덮을 수 있으면 하고 바랐다. 어쩌면 잠들 수도 있는데. 남은 전쟁을 잠으로 보낼 수도 있는데. 그는 눈을 감고서 조용조용한 목소리들과 풀을 스치는 잔바람에 귀를 기울였고, 그러고 나서 매우 천천히 눈을 떠 제일 먼저 제 속눈썹을, 그런 다음 빛을, 그런 다음 새벽하늘을 눈에 담았다.

"멍청이," 오스카가 말했다.

스팅크가 낄낄거렸다. 스팅크의 낄낄거리는 고음이었다.

무언가 쿵 하는 묵직한 소리, 누군가 끙 하는 소리, 그러고 바스러지는 듯한 모닥불 소리가 났다.

코슨 중위가 그를 굽어보았다.

"좀 괜찮나?"

폴 벌린은 고개를 끄덕였다.

늙은이는 윙크를 하고 일종의 애정을 담아 토닥토닥 위안이 되는 손동작을 했다.

"있는 일이야, 젊은이. 종종 있는 일. 너도 겪다 보면──" 말끝이 흐려졌다. 중위는 다시 윙크를 하고 자리를 떴다.

바보짓, 전부 더도 덜도 아닌 바보짓이었다.

모닥불은 무척 뜨거웠다. 그는 일어앉아 다리를 꼬고 모닥불을 바라보았다. 그는 통제력을 찾으려고 애썼다. 그는 다른 사람들을 똑바로 쳐다보지 않았다. 나중에는 그들을 똑바로 봐야 할 것이다.

"멍청이," 오스카가 말했다. "내가 본 중에 최고 멍청이라니까."

스팅크가 웃음을 터뜨렸다.

해럴드 머피는 그들에게 뭐라 말하더니 몸을 돌려 제 총이 있는 쪽으로 건너갔다. 그는 화나 보였다. 그는 총을 걷어차고 또 한 번 걷어차더니 그것을 집고 자리를 떴다.

닥 페럿이 다시 돌아왔다.

"자, 보이지? 전부 끝내주는 거야." 그는 수통을 들었다. "그래서 뭐로 할래? 나한테 보졸레, 푸이퓌세, 그리고 마지막 하나 남은 이 1914년산 구피 그레이프*가 있어. 어떤 걸로 할래?"

"그러고 싶지 않았는데."

"물론이겠지."

"긴장했던 거야. 그러려던 건 아니야."

닥은 계속해서 웃음을 지었다. 그의 눈은 한곳에 있지 못했다. "자, 주문해, 카우보이. 샤블리?** 아니면 아주 생기 넘치는 스페인산? 맹세하는데 둘 다 빈티지야. 아님 네가 예산만 되면 특별히 이 걸 추천해줄 수도——"

"느닷없이 그런 거야. 알지? 총알처럼 느닷없이…… 그러려던 건

---

*   보졸레는 프랑스 부르고뉴 지방 남쪽에 자리한 포도 재배 지역으로 레드와 인이 유명. 푸이퓌세(Pouilly-Fuissé)는 부르고뉴 지방의 고급 화이트 와인. 구피 그레이프(Goofy Grape)는 물에 타 마시는 가루 음료 중 퍼니 페이스 (Funny Face)라는 상표의 포도 맛 이름.

**   부르고뉴 지방에서 생산되는 유명 화이트 와인.

아니야."

"그래, 그렇고말고."

닥은 수통 뚜껑을 열더니 코를 킁킁거렸다.

"쭉 들이켜," 그는 말했다. "너 운 좋은 거야…… 코가 호강하네. 아주 향긋해."

"갑자기 벌어진 일이야."

"그 정도로 뭘 그래. 이제 기운 좀 내, 꿀꺽꿀꺽 마셔버려. 빈티지 산 같지 않아?"

쿨에이드*는 미지근했다. 맛은 딸기와 레몬의 중간이었다.

"카차토는 어떻게 됐어?"

닥의 눈은 계속 헤매고 다녔다. 그는 웃음을 지었다. "그 일은 끝났어. 네가 마셔본 중에 최고로 달콤하지 않으면 말해."

커다란 아침밥 모닥불이 활활 타올랐다. 언덕 가장자리 근처, 서쪽으로 가파르게 떨어지는 땅에서 중위와 에디 라추티는 교대로 쌍안경을 사용하고 있었다. 그들은 무릎까지 올라오는 풀밭에 섰고 둘 다 아무 말이 없었다. 에디가 쌍안경을 건네자 중위는 눈앞에 한참을 들고 이리저리 둘러보다가 저 아래 정글을 훑고는 고개를 가로저었다.

"얼간이," 오스카가 말했다. 그는 폴 벌린을 슬쩍 건너다보고 고개를 절레절레했다. "내 평생 그런 꼴은 처음 본다. 한 번도 본 적이 없어."

새벽은 어느새 아침이 되었다. 폴 벌린은 일어났다. 그는 나무에서 나는 새소리를 들었다. 그는 대원들의 눈길을 느끼며 잠시 꼼짝 않고 서 있다가 이내 외면했다.

그는 언덕 동쪽 비탈을 따라 풀이 우거진 곳으로 갔다. 그는 거기서 태세를 갖추고 곧 벌어질 일을 기다리며 웅크리고 있던 기억이 났다. 어떻게 시작됐더라? 아마 떨림 비슷한 것으로. 그는 두려움이 다가온 기억은 났지만 왜인지는 기억나지 않았다. 그러고 나서는 부들부들 떨리는 느낌. 무지막지한 소음, 총의 진동, 총이 덜덜거려 빠져나가지 않게 움켜잡은 일. 영락없는 바보짓, 그게 전부였다.

그는 소총을 집었다.

쏟은 동전처럼 풀밭에 흩뿌려진 금색 탄피들이 떨어진 그 자리에서 반짝반짝 빛났다.

그는 무기를 비집어 열고 총열에 낀 흙먼지를 확인한 뒤 다시 닫았다. 탄창은 비어 있었다. 그는 탄창을 분리하고 탄띠에서 새것을 꺼내 장착한 다음 아주 조심조심 안전장치를 자동에서 안전으로 바꾸었다.

그는 언덕 아래 멀찍한 곳에서 제 짐을 찾았다. 거기서 시작된 일이었다. 마지막 100미터, 최종 오르막을 오르려고 몸을 가볍게 만드느라 군낭을 내려놓았었다. 그는 스팅크를 따라 언덕을 오르던 기억이 났다. 그는 모닥불 냄새, 무언가 숨어 있던 느낌이 기억났다. 그는 소총의 가벼움이 기억났다. 둥둥 떠다닐 것 같던.

그는 군낭을 열었다. 맨 아래쯤에서 그는 쾌적한 바지를 하나 찾았다. 그는 얼른 갈아입었다. 그는 젖은 바지를 돌돌 말아서 관목 숲으로 가져가 내버리고 군홧발로 짓밟았다. 그는 이 일을 품위 있게 하려고 애썼다.

---

* 가루 음료. 퍼니 페이스와는 다른 상표.

또 무슨 일이 있었더라?

그는 짐을 어깨에 메고 도로 언덕을 올랐다.

나중에 오스카가 모닥불에 물을 끼얹고 나서 중위는 최종 점검을 하러 언덕 서쪽 끄트머리로 갔다. 그는 한 손으로 차양을 하고 서쪽을 한참 바라다보았다. 그는 꼼짝하지 않았다. 돌아올 때 그는 웃음을 짓고 있었다. "다 됐어," 그는 말했다. "종료." 그는 어떤 비밀을 전하듯 폴 벌린에게 윙크를 했다.

"우리가 녀석을 잡았네요," 스팅크가 말했다.

"그럴까?"

"그럼요, 녀석을 멋지게 잡은 거죠."

"누가 알겠어?" 중위는 이제 노골적으로 웃고 있었다. 그는 행복해 보였다. "그럴 수도 있고 아닐 수도 있고."

"준비되셨습니까?"

해럴드 머피가 커다란 총을 어깨에 올렸다.

닥은 카차토가 남긴 것들을 그러모았다 ── 허시 초콜릿 바 몇 개, 신호탄 두 개, 인식표. 오스카는 카차토의 무기를 제 짐에 매달았다.

그러고 나서 다들 정렬을 마치자 중위는 손짓을 하고 그들을 이끌었다.

다시 행군이었다.

그들은 지나온 길을 아침 내내 되짚어 갔다. 해가 질 무렵 그들은 전에 묵은 적 있는 장소에서 야영을 했다. 그러고 아침이 되자 그들은 동쪽으로 걸음을 계속했다. 그들은 열심히 행군했다. 오랜 관습을 되찾은 채로였다. 스팅크가 선두, 오스카는 느슨하게, 그다음은 중위와 에디와 해럴드 머피, 그다음은 닥 페럿, 그다음은 폴 벌린.

익숙한 지역이었다. 둘째 날 저녁이 되자 산은 논 쪽으로 내리막을 이루었다. 저 아래에서는 평평한 녹색의 땅이 동쪽으로 수 마일 이어지다 바다에서 끝났다.

그들은 산을 내려갔다.

다음 날 오후 그들은 작은 촌락에 들러 휴식을 취하고 물을 마신 뒤 걸음을 재개했다. 다시 전쟁이었다. 그들은 서로 10미터씩 사이를 벌렸고, 사람이 다니는 길을 피했고, 필요하면 측면 경계를 내보냈다.

그날 느지막이 그들은 주파수대역에 들어섰다. 중위가 무전을 쳤다. 전투 중 실종, 그는 말했다. 그는 카차토의 이름 철자를 음성기호로 대고 그것을 반복했는데 그의 목소리는 차분했다. 그는 무전이 끝나자 웃음을 지었다. 그러고 나서 그들은 다시 이동을 시작했고 험한 지역을 지나 산을 내려왔다. 이제 행군은 쉬웠다.

저녁 식사를 때울 무렵 그들은 좁은 농수로 옆에 진을 쳤다. 그들은 각자 참호를 파고 조명지뢰를 늘어놓으며 밤을 대비했다. 운이 따라주면 이튿날 아침 그들은 바다에 도달할 것이다.

밤이 수로에 쫙 깔리더니 그들을 뒤덮고 산 쪽으로 밀려갔다.

그들은 조용히 이야기를 나누었다. 그들은 소문에 관한 이야기를 나누었다. 바닷가의 관측소, 쉬운 임무, 수영도 하고 살도 끝내주게 태우고 붉돔 낚시도 할 수 있는 곳. 나중에 그들은 집에 돌아가는 이야기를 나누었다. 이 일은 전쟁 이야기가 될 것이다. 사람들은 웃음을 터뜨리고 고개를 절레절레하면서 누구 하나 한마디도 믿지 않을 것이다. 그냥 전쟁 이야기가 하나 늘어날 뿐. 그 뒤 오스카는 자기가 아는 두 여자 이야기를 꺼내더니 집에 돌아가면 전쟁 이야기를 가장 싫어하는 여자를 고를 거라고 말했다. 이 말에 해럴드 머피는 소리를 낮추어 제 아내 이야기를 꺼냈다. 중위는 아무런 이야기도 하지 않았다.

완전한 어둠이 내리자 그들은 수로 옆 각자의 참호로 이동했다. 별이 떠 있었다. 그리고 얼마 안 가 달이 나왔는데 처음엔 매우 엷은 빛이더니 산을 넘을 땐 환하게 변했다.

폴 벌린은 잠이 들었다. 꿈은 꾸지 않았다. 잠에서 깼을 때 그는 중위가 옆에 앉아 있는 모습을 보았다.

그들은 함께 경계를 섰다.

그들은 한없이 고요한 논, 평온한 주변 사물, 산 너머로 오르는 달을 지켜보았다. 가끔은 전쟁이라고 믿기 어려울 때가 있었다.

"이러길 잘한 거 같아," 마침내 늙은이는 말했다. "안 좋은 일이 생길 수도 있잖아. 안 좋은 일이 한둘이라야지."

"그러게 말입니다."

"그래도 누가 알겠어? 녀석이 해낼지도. 어쩌면 잘 해낼지 모르지." 중위의 목소리는 그곳 땅처럼 기복이 없었다. "절망적인 승산이지만 그래도 ──"

"그래도 어쩌면요."

"그래," 중위는 말했다. "어쩌면 그럴지도 몰라."

전투 중인 군인은 포탄과 총알이라는 현실뿐 아니라 제 상상 속의 무시무시한 풍경도 살아낸다. 그는 자신의 죽은 모습을 본다. 그는 후드득 터진 몸으로 논두렁에 영원히 누워버린 어린 여자아이를 제 망상 속에서 다시 찾는다.(그 아이는 팔이 없다. 그 아이의 얼굴도 온데간데없다. 지금이 더 나은 세상이라는 게 확실할까?) 그는 제 윤리적인 좌절과 상실을 돌아본다. 그는 자기가 더 바르게 처신할지 모를 어떤 밝고 행복한 날을 마음속으로 그린다. 그는 저 자신에게, 하느님에게, 어머니와 아버지에게, 애국심 어린 정통 신앙으로 깨끗한 척하는 수호자들에게, 자기를 전쟁으로 등 떠밀고는 컨트리클럽에 나가 차가운 맥주와 야한 농담을 즐기는 고향 이웃들에게, 빌어먹을 땅굴을 기어본 적도 없으면서 땅굴 끝의 빛을 본, 세로줄 무늬 옷을 입은 정치인들에게 이야기한다. 그는 탈출을 상상한다. 그는 품위 있는 것을 상상한다. 그는 평화로운 세상을 상상하고, 꿈을 되찾고 인간성을 회복해 그 불가능한 세상에 씩씩하게 입성하는 제 모습을 상상한다. 그는 영웅이다. FBI 요원들이 환호를 한다. 법원 잔디에 동상들이 세워진다. 치어리더들이 아이오와주 포트다지에서 열리는 금요일 밤 미식축구 경기에서 재주넘기를 한다. 사성장군들이 정숙한 제 딸을 갖다 바친다. 에펠탑에서 색종이가 폭포수처럼 쏟아진다.

『카차토를 쫓아서』는 베트남의 밤을 가만히 들여다보고 인간이 누대에 걸쳐 해온 일을 하는, 즉 꿈을 꾸고 공상에 잠기는 그런 한 군인, 폴 벌린의 내면의 삶을 살피는 소설이다.

학살에 안 된다고 말하는 모습을 상상하지 못하면 학살에 안 된다고 말하지도 못한다.

『카차토를 쫓아서』를 전쟁소설이라고들 한다. 그렇지 않다. 이 소설은 평화 소설이다.

2014년

우리가 베트남을 기억하고 이해하는 방식에 당신 책들이 기여를 했는데 느낌이 어떠시죠?

제가 젊었을 적 전쟁에서 느낀 무언가를 독자들도 느꼈으면 하는 게 제 바람이에요. 우리 모두는 당연히 전쟁이 끔찍하단 걸 압니다. 우리 모두는 전쟁이 인가된 살인의 고상한 이름이란 걸 알아요. 우리 모두는 거기에 덧셈뺄셈을 해서, 좋은 스테이크를 먹는 게 사람 머리에 총구멍을 내는 것보다 낫다는 걸 압니다. 하지만 우리 대다수에게 그런 앎은 추상적이기도 하고 소득도 없지요. 가령 제가 전쟁은 지옥이라고 말해요 —— 실제로 그렇기는 해요 —— 하지만 그 표현은 우리가 더 많이 느끼도록 허락해주질 않아요. 이야기라는 마법을 통해서, 인물들이 각자 선택을 하고 제 삶을 살아가는 모습을 지켜보면서 우리는 종종 사건들에 실제로 몸담는 느낌을 받습니다. 심장박동이 빨라지죠. 눈물을 흘립니다. 빙그레 웃음을 지어요. 우리는 **느낍니다.** 베트남에서 벌어진 미국의 전쟁이 도덕적으로 모호하고 복잡했다 이해했다고 쳐요. 그런 모호함과 복잡함에 개인적으로 사로잡히는 건 또 다른 문젭니다.

당신은 소설이나 수기가 전쟁에 관한 대중의 인식을 바꿀 수 있다고 보세요?

소설은 독자의 지능에 호소하는 데 그치지 않고 뒷덜미에다, 그리고 마음과 재미를 찾으려는 본능과 눈물샘과 목구멍 안쪽과 배에다 호소를 합니다. 교과서는 아마 고개를 반응시킬 거예요. 괜찮은 소설은 배를 반응시킬 겁니다. 이런 정도로, 그 이상은 아니고요, 한 편의 소설은 (그리고 이따금 수기는) 대량학살에 대한 대중의 태도에 어떤 온건한 영향을 주는지도 모르겠네요.

『카차토를 쫓아서』를 쓴 뒤 전쟁에 대한 견해가 혹시 달라졌나요?

인류는 살인해야 할 이유가 부족했던 경험이 전혀 없어요. 살인의 이유 중 몇몇은 — 많지는 않지만 — 제가 보기에 변명이 될 만해요. 그 밖에 대다수는, 특히 시간이 지나고 나면, 터무니없어 보이죠. 저는 트로이전쟁을 떠올립니다. 이전에 존재하지 않았던 대량 살상 무기를 떠올려요. 미국 인디언의 씨를 말리려던 백인의 전쟁을 떠올립니다. 플랑드르와 솜강을 떠올려요.* 백년전쟁을 떠올립니다. 멕시코며 스페인이며 베트남을 상대로 했던 우리 나라의 전쟁들을 떠올립니다. 전쟁은 우리한테 다급한 재난이라며 판매됐어요. "우리가 다른 인간들을 죽이지 않으면," 언성이 높아지죠. "우리는 견디지 못할 피해를 오래도록 겪을 것입니다." 기이한 건, 그럼에도 제가 지금 입은 흰 드레스 셔츠가 베트남에서 제조됐다는 거예요. 텍사스주 오스틴 35번 주간(州間) 고속도로 근처의 J. C. 페니 백화점에서 아내가 27달러에 사다 줬어요. 경기가 호황이죠. 미국 10대 아이들이 탄 자전거가 베트남 1번 국도를 돌아다녀요. 하노이의 카페에서는 관광객들이 차가운 코카콜라를 마시고요. 재난이요? 300만 명이 죽었어요. 우린 **졌고요**. 빌어먹을 놈의 재난은 어디 간 거예요?

오늘날 군인들의 경험이 당신 때와 어떻게 다르다고 보십니까?

제게는 이라크와 아프가니스탄에서 벌어지는 우리의 전쟁이 40여 년 전 일어났던 제 전쟁과 한 가지 주요한 점에서 근본적으로 다른 것 같습니다. 지금은 전국적인 징병제가 없죠. 견제와 도미노**를 들먹이며 열여덟 살짜리들을 검사하는 고향 징병 위원회도 없고요. 제비뽑기도 없습니다. 제집에서 짖는 늑대는 없어요. 만약 죽거나 죽일 필요가 없다면 전쟁을 지지하는 건 쉬운 일이죠. 만약 귀한 아들이나 사랑스러운 딸이 합성수지로 된 시신낭에 담길 일이 없다면 토요일 밤 애국자들이 모인 자리에서 전투적인 수사로 열변을 토하기는 쉬워요. 규칙이 있어야 돼요. 전쟁을 지지하려면 네가 직접 가라. 그리고 네 자식들도 데려가라. 그러지 않으면 너는 위선자이며 살인에 준하는 위선으로 수감될 것이다. (물론 다른 사람을 사지로 내

---

*   플랑드르와 솜강 모두 제1차 세계대전의 격전지.
**   한 나라가 공산화되면 인접한 나라도 공산화된다는 도미노이론을 가리킨다.

몰 만큼 전쟁을 지지하는 사람이라면요.)

오늘날 어린 군인에게 어떤 조언을 하시겠습니까?

아이 죽이는 일을 피하라고 조언하겠습니다.

당신은 베트남에 관한 소설도 쓰시고 논픽션도 쓰셨습니다. 왜 그러기로 하셨나요? 어떤 진실을 전달하는 데 더 적합한 갈래가 있다고 느끼시는 겁니까?

저한테 소설과 논픽션의 구분은 문제가 있어 보여요. 진실 자체는 —— 어떤 진실이건 간에 —— 정의하기 어렵고 가변적입니다. 한때 진실이던 게 나중에는 진실이 아닐 때가 있잖아요. 아직도 산타클로스를 믿나요? 사랑이 식어본 적이 있지 않습니까? 지구가 평면인가요? 논픽션이라는 것은 —— 역사 교과서를 예로 듭시다 —— 어쩔 수 없이 사실을 선별해 제시해야 해요. 베트남의 역사는 전쟁에 참전한 모든 군인의 모든 생각을 담고 있지도 않고, 수백만의 복병이라든가 야간 정찰, 화력전, 폭격, 강습, 탄막*, 모기의 습격, 거머리 출몰, 불구, 절단, 참수, 흉부 손상 흡입, 통곡하는 어머니들, 말을 잃은 아버지들, 찢어지는 마음 같은 파편들은 하찮아서 언급도 안 해요. 일부 진실이 진실인가요? 그럼 채소 가게에서 값을 치른 다음 권총을 꺼내 강도질을 했어도 장을 본 건 진실이게요. 게다가 별로 난감할 것 없는 진실인데도 역사물은 비밀에 부쳐진 건 알리지 못해요. 역사는 알 수 없는 이들과 알 수 없는 것들에 의해 제한되죠. 말년에 커스터**가 뿌린 대로 돌려받는다는 놀라운

정의를 깨달았던가요? 리지 보든***이 손도끼를 들었을 때 머릿속에 스친 건 뭘까요? 리지가 손도끼를 들긴 들었을까요? 역사는 축소를 합니다. 역사는 생략을 해요. 역사는 일반화를 하죠. 그런데도 대체로 우리는 역사 교과서를 진실하다 여기고 『허클베리 핀의 모험』을 진실하지 않다 여깁니다. 이게 저를 어리둥절하게 만들어요. 하지만 부탁인데 오해는 마세요. 논픽션도 중요해요. 저는 좋은 역사물이나 좋은 자서전을 읽는 게 아주아주 좋고, 내가 '실제 벌어진 일'을 발견한다는 착각도 대단히 즐겁습니다.

평생 베트남에 관한 글쓰기를 중단하지 않는 이유가 뭡니까?

미국은 제게 베트남을 줬어요. 저는 그걸 돌려주고 싶어요.

---

* 강습은 적의 지휘부 등 한정된 목표에 기습적으로 퍼붓는 맹공. 탄막은 포탄 등을 한꺼번에 퍼부어 방어막을 형성하는 것.
** George Armstrong Custer. 남북전쟁과 인디언전쟁 당시 기병대 사령관. 호전적이고 경솔했던 인물로 리틀 빅혼 전투에서 전사.
*** Lizzie Borden. 1892년 8월 친아버지와 새어머니를 손도끼로 살해한 죄목으로 붙잡혔으나 증거 불충분으로 무죄 석방된 여자.

옮긴이의 말

개인적인 이야기를 해야겠다. 꼭 20년 전 12월 훈련소에 들어가서 있었던 이런저런 일들이 지금도 선하다. 정문을 들어서자 확실히 달랐던 기온과 바람, 부모님께 마지막 인사를 드리고 모퉁이를 꺾자 쏟아지던 교관들의 욕설과 으름장, 입소 다음 날 추운 아침 어둠 속에서 기상했을 때의 표현 불가능한 기분, 항상 부족했던 잠, 항상 부족했던 밥, 나처럼 숫기 없던 옆자리 동기와 조용조용 끊임없이 나누던 밥 얘기, 건빵 얘기, 초코파이와 우유 얘기, 행군 내내 홀린 사람처럼 떠올린 초코파이와 우유, 그 순간 옆자리 동기의 입에서 흘러나온 초코파이와 우유, 다른 머리들 속의 같은 생각, 훈련소 수료 며칠 전 서울에 가면 서울 구경 시켜줄 거냐고 묻던, 서로 침상만 마주 볼 뿐 그동안 말 한 번 나눈 적 없던 어느 전라도 동기의 지나고 보니 따뜻했던 말, 군대의 모든 인연과 기억은 임시적이라는 생각에 빈말조차 않고 웃음으로 얼버무린 나.

나는 이제 더는 입대할 일이 없고 초코파이와 우유는 그때의 간절한 맛이 아니며 반은 농담처럼 서울 구경 시켜달라던 그 친구의 이름과 나이와 사는 곳은 머릿속에서 서리처럼 부옇다. 저때의 일은

490

아마 많은 사람에게 그 나이에 처음 겪어보는 최대의 고난이었을 텐데, 더없이 물리적이고 육체적이던 저 경험은 지금 돌아보면 마치 없던 일 같지만 어쩌다 꿈에라도 나오면 그 여운이 단 몇 초라도 현실을 압도한다. 그러면서도 누군가의 군대 체험을 방송에서 보고 웃고 즐기는 건 이상한 아이러니다. 몸속에 꿈으로까지 각인된 기억을 마냥 남의 일이다 선 긋는 아이러니. 이미 지난 일이고 더는 현실이 아니다 부정하면서도 가끔씩 20년 전으로 돌아가 그 친구와 서울을 돌아다닐 생각에 들뜨는 아이러니.

현실에 깨어 있더라도 정말로 깨어 있는 시간은 얼마나 되나. 책을 읽을 때, 영화를 볼 때, 음악을 들을 때 나는 여기에 없다. 일에 집중할 때조차 이다음에 올 홀가분하고 달콤한 무언가의 꿈으로 달아올라 있다. 지난 일은 다른 선택을 했더라면 어땠을까 하는 짐작으로 후회를 달래고 다가올 일은 얼굴에 장밋빛이 번질 만큼 부풀린 기대 속에서 날짜를 센다. 갓 태어난 아기를 보면, 그리고 누군가의 죽음을 보면 현생을 살면서도 전생과 내생이 궁금해진다. 가정법이 빠진 현실은 아무래도 신통치 않은 것이다. 상상된 것을 누가 헛되다 폄하할까.

『카차토를 쫓아서』는 현실과 공상, 그리고 눈앞의 현실과 아득해진 현실을 오가는 이야기다. 베트남전쟁 도중 걸어서 파리로 간다는 탈영병 카차토를 뒤쫓는 한 분대의 여정, 여러 죽음과 여러 감정이 뒤섞인 전쟁터 생활, 하룻밤 동안의 밤샘 경계 근무, 이 세 가지 이야기가 번갈아 등장해 하나의 크고 정교한 얼개를 이룬다. 책이 진행될수록 이 세 가지 이야기는 서로 맞물려 각각의 맥락과 부족한 설명을 채워주는데, 아직 책을 읽기 전인 독자에게는 스포일러가 될 수 있으나 눈치가 좋은 독자라면 이 책의 제사로 실린 영국 시인 시그프리드 서순의 "군인들은 몽상가다"라는 짧은 문장이 시작부터 많은 걸 암시함을 알 것이다. 읽는 재미를 위해 말을 삼가야겠지만 이 점은 언급하고 싶다. 우리는 진실과 거짓, 현실과 공상, 이것과 저것 사이에 또렷한 선을 긋고 싶을 때가 많지만 이야기가 그것뿐이라면 너무 쉽다. 게다가 삶은 자주 느닷없고 맥락 없을뿐더러 냉철하다고 믿은 이성이 비이성을 변명하는 도구로 전락하는 부조리도 생기고, 거기서 어떤 결과가 나오든 세월이 지나면 그마저도 꿈같아지는 순간이 꼭 온다. 무엇을 믿어야 하는가. 삶의 미묘한 결을 느낄 줄 아는 독자라면 이 이야기에서 현실과 공상의 변곡점을 주목해 반전(反轉)의 재미를 찾기보다 이 이야기가 현실과 공상 사이의 모호한 곳에 그대로 있어주길 바라며 주인공의 여정에 공감하게 될 것이다.

『카차토를 쫓아서』는 팀 오브라이언의 세 번째 책이자 두 번째 소설로 베트남전쟁이 끝나고 4년 뒤인 1978년 출간되었다. 이 책은 그 이듬해 전미도서상을 수상하며 곧장 클래식의 반열에 올랐고 그 뒤로 많은 서평과 감상이 나왔는데 그중에서 미리 알아두면 흥미로울 특징은 위키피디아에도 언급된바 『이상한 나라의 앨리스』에 대한 오마주를 엿볼 수 있다는 것이다. 실제로 농담처럼 직접적인 단서가 몇 군데 숨어 있다. 개인적으로는 『오즈의 마법사』를 보고 느끼는 흥분도 이 책에서 발견했는데, 이 작품들을 판타지 이상으로 보는 독자라면, 백일몽을 다루되 그 이전의 현실과 이후의 현실이 같을 수 없다고 보는 독자라면 『카차토를 쫓아서』에서도 울림을 얻으리라 믿는다.

팀 오브라이언이 『카차토를 쫓아서』를 썼을 때가 30대 초반, 베트남전쟁에 징집된 지 꼭 10년 뒤였다. 순수하게 짐작만을 이야기하자면 그때까지도 그 경험은 꿈인지 생시인지 알 수 없는 영역에 머물지 않았을까 싶다. 체념으로 흘려보내기엔 이르고 돌아가서 바로 잡을 수도 없는 조바심 나는 일. 그때 다른 선택이 있었다면 하는 후회 내지 억울함이 서른을 갓 넘긴 그를 어지럽혔을 거라고 생각해본다. 그 12년 뒤 그는 전쟁소설의 걸작으로 꼽힐 뿐 아니라 '20세기의 책'으로도 선정되는 등 지금도 수많은 찬사를 받는 『그들이 가지고 다닌 것들』을 발표했는데, 두 책은 인물 성격과 표현 등에서 겹치는 부분이 더러 있지만 근본적으로 30대에 쓴 작품과 40대에 쓴 작품만큼의 차이가 있다. 두 소설 모두 제 시절에 부합하는 작품이고 더 젊거나 늙었다고 해서 그 이상 다시 쓸 수 없으니 우열을 가리는 건 의미가 없을 것이다. 다만 팀 오브라이언이 처음부터 원숙했다는 생각은 좀처럼 지워지지가 않는다.

　『카차토를 쫓아서』의 등장인물들은 사병 간에도 엄연히 계급과 호봉에 따른 위계가 있지만 보통 때의 태도로 그것이 충분히 드러나는 데다 그보다는 전쟁이라는 큰 문제를 함께 맞닥뜨리고 헤쳐나가는 동지애에 방점을 찍어 높임말과 낮춤말의 구분을 없앴다. 그리고 각주로도 달아놓았지만 '카차토'는 이탈리아어로 '쫓기다' '포획당하다'라는 뜻의 과거분사다. 얼핏얼핏 나타나 잡을 만하면 달아나는 어떤 귀 큰 동물이 떠오르는데, 단번에 잡히지 않는 이 소설처럼 참으로 약이 오르면서도 애틋하지 않을 수 없는 이름이다.

2020년 11월
이승학

이 책에 쏟아진 찬사

『카차토를 쫓아서』를 전쟁에 관한 소설이라 부르는 건 『모비 딕』을 고래에 관한 소설이라 부르는 것과 같다.

뉴욕 타임스

한 편의 찬란한 글. 우리가 그때까지도 지속된다는 가정 하에 말하건대 이 책은 지금으로부터 100년 뒤에도 읽힐 것이다.

마이애미 헤럴드

『카차토를 쫓아서』는 베트남전쟁의 소설적 초상으로서 흠을 찾기는커녕 이보다 낫기가 어려울 것이다. 장면들의 흠과 측을 매우 신중히 깎아 전체가 아주 단단히 들어맞고 제대로 광이 나는바, 한 쪽 한 쪽 버릴 것 없는 페이지들이 이 재료가 저자에게 얼마나 중요한 무게를 띠는지 전해준다.

존 업다이크, 뉴요커

베트남전쟁에서 나온 가장 훌륭한 미국 소설 작품. 『카차토를 쫓아서』는 전쟁소설의 고전다운 깊이와 울림을 지닌다.

볼티모어 선

눈부신 책. 『카차토를 쫓아서』로 팀 오브라이언은 일류에 들어선다.

뉴 리퍼블릭

전미도서상을 받아 마땅한 강력하고 그럴듯한 소설. 전쟁과 국가정책에 대한 단순한 환멸을 훌쩍 뛰어넘는다. 상상 자체에 관한 책.

뉴욕 리뷰 오브 북스(NYRB)

뛰어난 성취. 20세기에 한 미국인이 집필한 어떤 전쟁소설에도 버금간다.

아메리카

오브라이언의 글솜씨와 시야는 무엇도 가능하게 만든다. 베트남에서 보병으로 근무한 이 작가는 자신의 글감을 제대로 안다. 그는 성공할 필요가 있고 실제로 성공적이다. 눈이 부시도록.

샌프란시스코 크로니클

좋았어! 독자를 탄복시키는 완벽한 내러티브.

연합통신(AP)

가만두질 않는 작품. 지난 한 해 읽은 어떤 소설도 예술성으로나 상상력으로나 『카차토를 쫓아서』에 미치지 못한다.

시카고 선타임스